KB152208

2nd EDITION

가정간호총론

HOME HEALTH CARE NURSING

한국가정간호학회

김희정 · 김순녀 · 민자경 · 송종례 · 송혜영
오승은 · 오은경 · 이가영 · 이향열 · 조영이

HOME HEALTH CARE NURSING

Home health care nursing

가정간호총론 제2판

첫 째 판 1쇄 발행 | 2008년 03월 20일
둘 째 판 1쇄 인쇄 | 2023년 02월 15일
둘 째 판 1쇄 발행 | 2023년 02월 28일

지 은 이 한국가정간호학회
발 행 인 장주연
출 판 기 획 권승하
책 임 편 집 박은선
표지디자인 이종원
편집디자인 이종원
제 작 이순호
발 행 처 군자출판사
등록 제4-139호(1991.6.24)
(10881) 파주출판단지 경기도 파주시 회동길 338(서패동 474-1)
전화 (031)943-1888 팩스 (031)955-9545
www.koonja.co.kr

ISBN 979-11-5955-990-7

정가 40,000원

AUTHOR
집필진

편집위원

김희정 남서울대학교 간호학과
백희정 중앙대학교 적십자간호대학
이향열 가톨릭대학교 간호대학
조영이 서울성모병원 가정간호센터

집필진

김희정 남서울대학교 간호학과
김순녀 강동경희대학교병원 가정간호파트
민자경 성균관대학교 임상간호대학원/삼성서울병원
송종례 아주대학교병원 가정간호센터
송혜영 우석대학교 간호대학
오승은 서울여자간호대학교 간호학과
오은경 호서대학교 일반대학원 간호학과
이가영 가천대학교 간호대학
이향열 가톨릭대학교 간호대학
조영이 서울성모병원 가정간호센터

감수

김숙희 남서울대학교 간호학과

PREFACE

머리말

인구의 급속한 고령화와 4차 산업혁명은 의료시장 그리고 헬스케어 등을 빠르게 변화시키고 있고 더불어 보건의료체계와 간호분야 그리고 전반적인 사회문화 변화에도 많은 영향을 미치고 있습니다. 이러한 커다란 변화의 기류에 발맞춰 『가정간호총론』은 최신의 보건의료지식과 가정전문간호 지식을 중심으로 새롭게 저술되어야 할 필요성이 제기되었고 특히 각 전공분야의 학자와 가정간호실무자들이 가정간호총론의 절대적인 중요성에 공감함으로써 탄생되었습니다. 새로운 가정간호총론은 가정간호전문 개념과 영역에 대해 기존의 방대한 내용을 압축하였고 특히 가정간호학을 처음 접하는 대학원생이나 기존에 가정간호분야에 근무하고 있는 전문가들로 하여금 이들이 필수적으로 알아야 할 핵심내용을 중심으로 전개하였습니다.

이 책의 구성은 가정간호, 보건의료체계와 가정간호정책, 가정간호관련 법과 윤리, 가정간호실무표준, 간호이론, 가정간호사업 운영, 가족간호, 가정간호 질 관리, 가정간호 대상자 교육 및 상담 등 총 9 부로 이루어져 있습니다. 각각의 내용도 세분화 하여 학습목표를 제시하고 함축된 내용의 표와 그림, 비판적 사고를 위한 문제 제시 등 필수적인 가정간호의 전문 핵심내용이 연계되어 수록되어 있습니다.

이 책의 처음부터 마지막까지 열과 성의를 다하였지만 출간에 이르니 다시금 아쉬운 점이 새록새록 드러납니다. 그 아쉬움은 지혜로운 후배님들께서 더 좋은 내용으로 대신해 줄 것으로 기대해 봅니다. 많이 부족하지만 독자들의 진심어린 조언을 기대하고 또 저자들도 앞으로 가정간호의 발전을 위해 부단히 노력할 것을 약속드립니다.

2023년 책임저자

김 희 정

ACKNOWLEDGMENTS

발간사

한국가정간호학회를 대표하여 우리나라의 가정 및 재가 방문간호를 포괄하는 전문 교육 지침서인 가정간호총론을 발간하게 되어 수고해 주신 저자와 편집위원 교수님께 감사의 마음을 전합니다.

본 학회는 가정전문간호사 과정이 1년의 자격 교육과정에서 석사 학위과정으로 발전하면서, 가정전문간호사 교육 및 현장 실무 발전을 위한 교재로 2008년 가정간호총론을 발간한 바 있습니다. 이후 본서는 가정전문간호사의 교육 교재로서 뿐 아니라 국가고시 참고 도서로 선정되어 우리나라 가정간호 교육 현장에서 중요한 전공서가 되었습니다.

이후 노인장기요양 방문간호사 제도화되고, 더불어 지역사회 내 다양한 가정 방문 기반의 재가간호사업이 확대되면서 가정간호총론에서 다루어야 할 주제의 범위가 그만큼 더 확장되어 새로운 가정간호총론의 저술의 필요성이 제기되어 왔습니다.

이에 한국가정간호학회가 주축이 되어 전국의 가정전문간호사 교육과정을 운영하고 있는 대학의 교육과정장 교수님을 비롯한 가정간호 실무 전문가를 중심으로 집필진을 구성하고 1년이 넘는 긴 시간의 집필 과정을 거쳐 2023년 새로운 "가정간호총론"을 발간하게 되었습니다.

본 서는 기존의 가정간호사업에 대한 이해뿐 아니라 보건소 방문건강관리사업, 노인장기요양 방문간호, 가정형 호스피스, 장애인 건강주치의제도, 중증소아 재택의료 등 다각화된 지역사회 중심 재가, 재택사업에 대한 내용을 포괄적으로 담았고, 여기에 해외의 가정간호사업의 현황과 발전 방향, 가정간호관련 법 및 윤리적 이슈, 가정간호 실무표준과 바탕이 되는 간호이론, 서비스 질관리까지 명실상부한 가정간호 개념서, 이론서, 실무지침서로서 손색이 없도록 저술되었습니다.

모쪼록 새롭게 재편된 본 "가정간호총론"이 우리나라 가정간호와 지역사회 재가 방문간호 발전의 새 역사를 써 나가는 데 있어 핵심적인 견인차 역할을 할 것을 기대하며 다시 한번 교재 발간에 수고해 주신 모든 학회 이사님과 저자 및 편집위원님께 깊은 감사의 말씀을 전합니다.

2023년 한국가정간호학회장
임 지 영

RECOMMAND

추천사

'한국가정간호학회'가 주축이되어 전국의 가정간호 교육자와 실무전문가들이 힘을 합하여 새로이 발간한 "가정간호총론"을 접하고 기쁨을 넘어 감격스러움을 느낍니다. 특히 이 저서가 담고 있는 영역의 범위가 가정간호의 근간이 되는 이론, 실무뿐 아니라 의료 체계와 정책, 법과 윤리, 사업 운영, 질 관리와 함께 미래의 발전방향까지 제시하는 방대한 커버력에 놀라움을 금할 수 없습니다.

가정간호학회의 눈부신 성과를 접하며 과거 1980년도 '가정간호'라는 새 용어를 한국에 소개하기 시작하면서부터 20여 년간 가정간호 안착을 위해 간호계 리더들과 함께 매진해왔던 수많은 고비와 좌절 그리고 힘들었던 과정들이 보람된 추억으로 주마등처럼 겹쳐지며 다시 한번 가슴 밑바닥에서부터 올라오는 감격을 누를 수가 없습니다. 가정간호가 무엇인지 정부 공무원 뿐 아니라 보건의료계와 간호계에 이르기까지 많은 이들을 설득했던 일들, 제도화를 위해 거쳐야했던 오랜 과정들과 선진국 전문가를 초청해 세미나를 열고 가정간호연구소를 신설하여 R&D 시범사업을 운영하고 숫가를 결정하기 위해 각종 시뮬레이션을 돌리던 일들까지. 하지만 수많은 노력을 쏟아 부었으나 결국 병원 내 가정간호로만 제도화하는 것으로 귀착되어 낙심천만하던 일은 어제 일처럼 생생합니다. 그러나 당시 가정간호를 이미 시행하고 있던 어떤 선진국에서도 하지 못한 사항임에도 불구하고 한국의 가정간호사는 대학원 레벨의 전문간호사로 만들어야만 간호의 새로운 확대된 영역으로 자리잡을 수 있다는 신념으로 지속적인 노력 끝에 임상대학원을 개원하던 때의 감격을 기억합니다.

비록 초기 가정간호 시작 시기에는 우리나라 보건의료 발전 상황과 정책자 및 보건의료계 사람들의 인식 부족으로 인하여 균형잡힌 모습으로 시작 발전해 오지는 못하였으나 이제 명실상부한 가정간호 개념서, 이론서, 실무지침서로서 손색이 없을 것으로 믿어지는 이 "가정간호 총론"이 우리나라의 미래 가정간호의 발전을 이끌어 나갈 견인차의 역할을 할 것으로 믿습니다. 본 저서를 통하여 계속적으로 배출될 새로운 가정간호사들이 가정간호관련 전문가들의 지속적인 노력으로 미래의 우리나라 가정간호의 새역사를 펼쳐나가는 핵심 인물이 되고 나아가서 바람직한 가정간호 모델을 구축함으로써 우리나라의 가정간호가 전 세계의 가정간호 사업을 이끌어 나가는 롤 모델이 되기를 간절히 원했던 간호 선구자들의 꿈을 이루나갈 것으로 믿습니다.

다시 한번 저서 발간에 많은 정성을 쏟아 부었을 집필진들의 수고와 학회 임원진들의 열정에 감사를 드리며 이 저서를 가정간호 수행자나 운영자 또는 교수자 뿐 아니라 또 하나의 확대된 간호영역 분야를 공부해야 하는 간호계 인재들에게도 적극 추천하는 바입니다.

2023년 연세대학교 명예교수

김 의 숙

CONTENTS

목차

II. 주요 간호이론

III. 가정간호 실무를 위한 간호이론

6. 가정간호사업 운영

I. 가정간호사업의 특성

7. 가족간호

부 록

INDEX

제 1 장

가정간호

학/습/목/표

① 가정간호 관련 용어에 대해 이해한다.
② 가정간호사업의 필요성과 도입 배경을 설명한다.
③ 우리나라 가정간호제도의 추진 과정을 설명한다.
④ 우리나라 가정간호 현황에 대해 파악한다.
⑤ 미국과 일본의 가정간호에 대해 이해한다.
⑥ 보건소 방문보건 관리에 대해 이해한다.
⑦ 노인장기요양보험의 방문간호에 이해한다.
⑧ 가정형 호스피스에 대해 이해한다.
⑨ 기타 지역사회 가정·방문형 간호에 대해 이해한다.
⑩ 가정전문간호사의 자격, 역할 및 활동에 대해 설명한다.
⑪ 가정간호사업 대상에 대해 설명한다.
⑫ 가정간호사업의 기대효과에 대해 설명한다.
⑬ 가정간호사업의 문제점을 파악하고 발전 방향에 대해 설명한다.

I 가정간호 개요

Home Health Care

1 가정간호 용어 정의

가정간호는 가정에서 개인이나 가족의 건강 문제가 발생하거나 그로 인해 일상생활에 지장을 초래하는 경우, 병원의 의뢰나 개인 또는 가족의 요구에 따라 가정전문간호사가 가정을 방문하여 직접적인 도움을 줌으로써 질병의 장애로부터 회복을 도모하고 개인과 가족의 건강관리능력을 향상시켜 대상자의 건강을 유지·증진하기 위해 제공하는 포괄적인 건강관리서비스이다.

'가정간호'라는 용어는 의료자원의 효율적인 활용과 의료이용 편의를 도모하며 보건의료문제의 일부를 해결해 줄 수 있는 그 활용 범위와 사업유형이 매우 다양하게 전문화·세분화되어 있다.

각 나라마다 다양하게 활용되고 있는 '가정간호'라는 용어는 영문의 'Home Care', 'Home Health Care', 'Home Nursing Care'를 모두 포괄하는 간호서비스제도이다.

가정관리(Home Care)는 의료, 간호, 사회적 또는 치료적 처치나 매일의 필수 일상생활에 보조가 필요한 회복기 환자, 만성질환자나 말기 질환자, 불구자에게 보건의료서비스는 물론 가정에서 생활하는 데 필요한 서비스로서 의식주에 관련된 내용까지 포함하는 것으로 가정에서 서비스를 제공하는 것이라고 정의하고 있다(NAHC, 2013).

가정건강관리(Home Health Care)는 '가정에서 질병이나 상해가 있는 자를 위해 가정에서 광범위한 건강관리서비스를 제공하는 것'으로 정의하고 있다(Medicare, 2021). 따라서 자격을 갖춘 전문가로서 간호사, 물리치료사, 작업치료사, 언어치료사, 사회복지사와 간호조무사 등 다양한 보건 전문인력들이 서로 팀을 이루어 수행하는 포괄적인 보건의료서비스'라고 할 수 있다. Home Health Care를 윤순녕(1991)은 '가정보건의료'로, 유호신(1994)은 '가정건강관리'라고 번역하기도 했으나 대부분의 문헌에서는 '가정간호'라고 번역하여 사용하고 있다.

가정간호(Home Nursing Care)는 간호사가 대상자의 가정을 방문하여 간호서비스를 제공하는 것을 말하며, 가정전문간호사에 의해 검체 채취, 치료적 간호, 교육 및 상담 등의 서비스를 제공할 때 Sphiegel (1987)은 'Home Health Nursing Care'라는 용어를 사용하였고 '가정간호'로 번역하여 사용한다.

위에서 살펴보았듯이 '가정간호'라고 번역된 용어는 어떠한 상황에서 사용되었는가에 따라 서로 다른 의미를 지니고 있다. 우리나라에서 시행되고 있는 '가정간호'는 병·의원 등 기관이나 시설에서 제공하던 간호를 가정에 있는 환자에게 가정전문간호사가 제공하는 것을 의미하며(의료법 시행규칙, 2021), Home Health Care나 Home Care와는 개념이나 사업 내용면에서 다소 차이가 있다. 가정간호사회에서는 '가정전문간호사가 가정에서 질병이나 상해가 있는 대상자에게 병원과 긴밀한 관계를 유지하면서 가정에서도 병원에서와 같은 양질의 치료와 간호를 받게 함으로써, 질병과 장해로부터 회복을 도모하고 장기입원이나 불필요한 입원으로 인한 국민의료비를 절감할 수 있는 제도'로 정의하고 있다.

2 가정간호사업의 도입 필요성 및 도입 배경

1) 가정간호사업의 도입 필요성

1960년대와 1970년대의 우리나라는 질병의 양상으로 감염성질환이 주를 이루었으나, 1980년대에 들어와서는 생활수준이 향상되고 보건의료기술의 발전 등으로 질병 양상과 인구구조에 변화가 찾아왔다. 1977년에 시작한 의료보험은 1989년에 전국민 의료보험으로 확대 실시되었고, 이로 인해 의료수요가 급증하였으며, 특히 종합병원에 환자집중 현상이 가속되었다. 질병 구조의 변화로 과거에 주종을 이루던 각종 감염성질환이 후퇴

하였고, 비감염성인 만성퇴행성질환, 즉 고혈압이나 뇌혈관 질환 같은 성인병이 날로 증가하고 있으며, 또한 암과 같은 난치병이 급격히 증가하였다. 이러한 질병의 원인은 단일 요인이 아닌 복합적인 것이며, 생물학적 요인보다 생활 방식이나 환경에서 기인하는 것으로 병원중심의 치료로서는 해결이 충분치 못하며, 입원 기간의 장기화로 병상부족현상이 발생하고 과다한 의료비를 소모하여 보험재정을 압박하는 요인이 되고 있었다. 따라서 국민의료비 증가의 억제 차원에서 좀 더 효율적인 제도적 장치를 모색해야만 했다.

뿐만 아니라 급속한 노인인구의 증가는 만성퇴행성질환자와 노인의료비 증가를 가져왔으나 산업화, 도시화, 여성의 사회진출 증가로 인한 핵가족화로 가족 중에 환자가 발생하여도 환자를 수발할 수 있는 가족구성원이 부족하게 되는 현상을 초래하였다. 이런 변화에 따라 정부에서는 병상가동률을 높이고 입원이 필요한 대상자에게 적시에 입원치료를 받을 수 있으며, 환자가 가정에서 심신의 안정을 취하며 적절한 치료를 받을 수 있도록 하는 제도의 필요성을 인식하게 되었다. 제7차경제개발5개년계획(1992~1996) 중 보건의료부분 계획에서 가정간호사제도 도입 당시 보건의료 현황과 문제점으로는

① 급격한 사회경제적 여건 변화는 인구의 노령화를 가져오고 있었고,
② 질병 양상의 변화로 급성전염병 이환에서 만성·퇴행성질환의 이환이 증가하고 있으며,
③ 의료보험이 전국민 개인보험화가 되어 의료 이용이 증가하였고, 특히 병원 입원 수요의 급증으로 전통적인 병원중심의 의료제공방법으로는 효과와 효율에 대한 제고를 할 수 없으며, 수요충족도 불가능하게 되어 새로운 의료제공 형태를 개발할 수밖에 없다는 것이었다.

우리나라는 노인인구 증가와 함께 단기간에 해결될 수 있는 급성질환자보다는 장기적으로 관리되어야 하는 만성질환자들이 증가하고 있는 추세이다. 또한 환자 개인을 놓고 볼 때도 병원 치료가 효과적인 시기와 가정에서 치료받는 시기가 효과적인 시기가 있으므로 이를 잘 조절하여 효율적으로 활용하면 질적인 서비스를 제공받을 수 있다는 인식이 높아지고 있으며 건강관리 필요성과 함께 가정간호 이용 필요성 및 요구도가 증가하고 있는 추세이다.

2) 가정간호사업의 도입 배경

상기와 같은 사회적 요구와 함께 의료기관의 문제점 등을 해결하기 위해 새로운 의료제공 형태인 가정간호가 도입되었다. 의료기관 가정간호사업의 도입 배경을 당시 보건복지부는 다음과 같이 제시하였다.

첫째, 최근 만성퇴행성질환의 증가와 인구의 노령화 및 각종 사고와 재해로 인하여 거동불편인구는 증가하고 있으나, 산업화 및 핵가족화 등으로 가족들의 수발 능력은 감소하여 국민들의 가정간호 요구가 급증하였다.

둘째, 국민들의 요구에 부응하여 의료 이용의 편의를 도모하고 의료비 부담을 절감할 수 있는 수요자중심 보건의료제도 도입의 필요성이 대두되었다.

셋째, 의약분업, 진료비지불제도의 변화 등 보건의료제도의 대변혁에 대처할 수 있는 보건의료제도로서, 장기입원이나 불필요한 입원으로 인한 의료자원 낭비를 감소하고 자원 활용의 효율성을 제고하기 위한 효율적인 입원대체서비스 도입 요구가 절실하였다.

가정간호사업은 이러한 배경으로 시작되었으며 사업의 목적을 수요자, 공급자, 정부의 측면으로 나누어 볼 수 있다. 수요자 측면에서는 가정간호로 치료의 지속성 유지 및 심리적 안정감 도모 등을 통하여 삶의 질 향상, 국민의료이용 편의 제고 및 가계 부담을 절감하기 위함이고, 공급자 측면에서는 조기퇴원을 통한 재원기간의 단축으로 병상회전율 제고 및 병원의 인적·물적 자원의 효율적 활용이며, 정부 측면에서는 국민편의 도모, 국민의료비 절감, 보건의료자원의 효율적 활용이라고 할 수 있다(보건복지부, 2010).

가정간호제도

Home Health Care

1 우리나라의 가정간호제도

1) 가정간호제도의 추진 과정

우리나라 가정간호제도의 탄생은 1980년대 말부터 이루어진 대한간호협회를 중심으로 한 정책 건의와 시대적 환경 변화에 의한 것이지만, 캐나다 선교사이며 간호사인 Margaret Storey (한국명: 서미혜)가 1974년 원주기독병원(현 원주세브란스기독병원)에 지역사회보건과를 개설하여 병원 퇴원환자 및 지역사회 만성질환자를 대상으로 한 방문간호사업 실시 결과가 있음으로 해서 정책적 의사결정에 근거를 제시하였다고 볼 수 있다. 이 사업은 1994년 8월, 1차 가정간호 시범사업기관으로 지정될 때까지 지속되었다. 따라서 원주기독병원에서 10여 년간 실시한 지역사회 보건사업은 의료기관 가정간호사업 태동을 위한 간호계의 자발적인 노력이었다고 볼 수 있다.

가정간호를 도입하기 위하여 먼저 가정간호사제도를 도입하였다. 가정간호사제도를 도입하기 위해서는 간호인력 양산이 우선되어야 했고, 이를 위해 정부와 간호계의 노력으로 1990년 1월「의료법 시행규칙」제24조에 의거, 업무분야별 간호사 자격기준에 가정간호 분야의 전문간호사가 신설되어 가정전문간호사 자격기준에 대한 법적 근거가 마련되었다. 1990년 6월에는 전문간호사 과정 등에 관한 보건사회부 고시가 발표되어 가정간호교육을 함으로써 업무분야별 간호사제도에 가정간호사를 포함하였다. 이후 보건사회부 고시에는 가정간호과정 수습과목 및 이수시간이 제시되어, 14과목의 이론 352시간, 가족간호 및 실습 248시간, 총 600시간으로 1년 과정의 교육과정을 통해 가정간호를 할 수 있는 인력을 양성하게 되었다.

가정간호 교육과정은 1990년 7월 서울대학교 보건대학원에서 개설하고 1기생 40명을 선발하였으나, 보건의료계의 강력한 이의제기로 강의를 실시하지 못하고 실습으로 과정이 시작되었다. 그 후 1991년 11월 연세대학교 간호대학에서 가정간호 교육과정을 개설하여 40명의 교육생을 교육하기 시작하였고, 1992년 이후 충남대학교 보건대학원, 서울대학교 의과대학, 부산대학교 의과대학, 경북대학교 의과대학, 경상대학교 의과대학, 전남대학교 의과대학, 전북대학교 의과대학 등 전국 8개의 대학에 가정간호 교육과정이 개설되었다. 1997년에는 가톨릭대학교 간호대학, 한양대학교 의과대학, 한림대학교 의과대학이 추가 교육기관으로 인가되어 총 11개 교육기관에서 가정간호 교육과정을 실시하게 되었다.

가정간호사제도가 합법화되고 당시 도입하고자 했던 가정간호는 미국의 가정간호(Home Health Care)가 모델이 되었다. 공공보건기관에서 제공하는 방문간호와는 달리 환자의 가정에서 환자와 가족에게 독립적이고 전문적인 간호를 제공하는 가족전문간호사(Family Nurse Practitioner) 수준의 간호수행과 자격을 갖출 수 있도록 제도화할 것을 계획하였다. 가정간호사업을 제공하는 가정간호사는 보건간호사의 기능과 역할에 특수임상간호분야 전문간호사의 기능과 역할을 담당할 수 있도록 하기 위해서 당시 대한간호협회에서 분야별 전문간호사의 새로운 인력으로 가정간호사제도를 법제화하도록 하였다(김모임, 1991).

1993년 7월 정부에서는 가정간호 시범사업을 시행할 의지를 표명하였고, 대한간호협회 서울시지부에서는 가정간호시범센터 및 간호상담전화를 개설하여 가정간호사업을 실시하였다.

1994년 9월부터 1996년 12월까지 3차 진료기관인 연세의대 세브란스병원, 강동성심병원, 원주기독병원, 영남대의료원 4개 사업소에서 1차 시범사업을, 1997년 5월부터 2000년 12월까지 전국 병원급 이상 의료기관 시도지사를 통해 신청한 전국 병원급 이상 의료기관 45개소를 선정하였으나 최종 37개 의료기관에서 2차 시범사업을 실시하였다.

1차 시범사업평가에서는 의료비절감 효과와 병상회전율 및 이용환자의 편의제고 효과는 높은 것으로 평가되었으나, 사업시행기관이 매우 적었고, 시범사업기간도 짧아서 사업을 전국으로 확산하기 위해서는 시범사업의 연장이 필요하다고 결정되었다. 2차 시범사업평가에서는 국민의 의료수요 충족과 이용 환자의 만족도 제고라는 성과를 입증함으로써 가정간호사업의 제도화에 크게 기여하였으며, 가정간호사업의 확대를 위한 구체사항을 제시하였고 가정간호사업 모형이 완성되었다.

2000년 1월에는 「의료법」 제33조에 의거, 의료기관 외에서 행할 수 있는 의료행위의 범위에 가정간호를 포함하도록 의료법을 개정하여 가정간호사업을 실시할 수 있는 법적 근거를 마련하였다. 또 가정간호 대상자, 업무의 범위, 담당 인력 등 가정간호사업의 세부사항을 명시한 「의료법 시행규칙」 제24조 가정간호를 신설하였다. 2001년 1월 '의료기관 가정간호사업'으로 제도화되어 본격적으로 사업을 시작하였고, 『의료기관 가정간호사업 업무편람』을 제정하였으며 가정간호 수가도 신설되었다.

2003년 〈전문간호사과정 등에 관한 고시〉개정을 통해 '전문간호사 과정 신설 및 자격기준 변경', 교육과정이 대학원 과정으로 변경되었으나, 가정전문간호사 과정은 기존 의료법에 의해 석사과정으로 운영되지 않다가, 2005년 1년 과정의 가정전문간호사 교육과정이 석사과정으로 전환되었으며, 2006년부터 대학원 석사과정에서 신입생 모집이 시작되었다. 2010년 5월에는 『의료기관 가정간호사업 업무편람』을 개정하였고, 동년 7월에는 의료기관 인증제에 가정간호가 포함되었다.

2차 시범사업 당시 불과 37개였던 가정간호사업소는 점점 늘어 2007년 214개소로 증가하였으나, 2008년 노인장기요양보험의 방문간호가 생겨났고, 퇴원 시 요양병원으로 가는 경우가 많아지면서 기존에 가정간호를 이용하던 만성질환자들이 집에 거주하지 않고 요양시설로 입소하여 가정간호 대상자가 감소함에 따라 2012년에는 가정간호사업소가 126개까지 감소하였다. 그러나 시대적 요구에 따라 2014년 노인장기요양시설 가정간호가 가능해짐에 따라 가정간호사업소 수는 다시 늘기 시작해서 2020년 가정간호 청구기관 수는 206개이다.

2022년 4월에 전문간호사 자격인정 등에 관한 규칙이 일부 개정되면서 가정간호도 규정된 업무범위를 중심으로 전문성을 보다 향상시킬 수 있는 계기가 될 것으로 기대된다. 또 정책이나 수가인상, 수가 개정 등의 많은 변화에 따라 2022년 12월에는 『의료기관 가정간호사업 업무편람』이 개정되었다(**Table 1 - 1**).

Table 1-1 우리나라 가정간호제도의 연대기

연도	내용
1974년	연세대학교 원주기독병원 지역사회 보건간호과 개설
1990년 1월	「의료법 시행규칙」 제54조: 업무 분야별 간호사 제도에 가정간호사 도입
1990년 6월	보건사회부 고시 제90-44호: 전문간호사 과정 고시
1990년 7월	서울대학교 보건대학원 - 제1기 가정간호 교육생 모집
1991년 11월	연세대학교 간호대학 - 제1기 가정간호 교육생 모집
1992년 3월	충남대학교 보건대학원 - 가정간호 교육과정 개설
1992년 4월	전국의 5개 대학을 교육기관으로 지정: 서울대학교 의과대학, 부산대학교 의과대학, 경북대학교 의과대학, 전남대학교 의과대학, 전북대학교 의과대학
1993년 7월	정부에서 가정간호 시범사업 시행 의지 표명
1994년 9월	가정간호 1차 시범사업 시작: 연세의료원 세브란스병원, 원주기독병원, 강동성심병원, 영남대학교 부속병원
1997년 4월	- 3개 가정간호 교육기관 인가: 가톨릭대학교 간호대학, 한양대학교 의과대학, 한림대학교 의과대학 - 가정간호 확대 2차 시범사업 시작: 1차 시범사업기관을 포함한 전국 45개 병원 지정
2000년 1월	- 「의료법 시행규칙」 제22조(가정간호) 신설 - 「의료법」 제56조 개정과 동법 시행규칙 제54조 개정으로 '가정간호사'를 '가정전문간호사'로 명칭 변경
2000년 10월	가정간호사 자격증이 '가정전문간호사' 자격증으로 인정
2001년 1월	- 의료기관 가정간호의 제도화로 가정간호 수가 신설: 방문비(급여), 교통비(일반), 행위별수가(급여) - 의료기관 가정간호 업무편람 제정
2005년	1년 과정의 가정전문간호사 교육과정이 석사과정으로 전환
2006년	대학원 석사과정에서 가정전문간호사 신입생 모집 시작
2010년 5월	의료기관 가정간호 업무편람 개정
2010년 7월	의료기관 인증제에 가정간호 포함
2014년 12월	노인장기요양시설에서의 가정간호 인정
2022년 12월	의료기관 가정간호 업무편람 개정

2) 의료기관 가정간호 현황

(1) 가정간호사업소 및 가정전문간호사 현황

2020년 기준 우리나라 가정간호 청구기관수(가정전문간호사 수)는 206개 기관(687명)으로, 자세한 사항은(Table 1-2)와 같다.

Table 1-2 2020년 가정간호사업소 및 가정전문간호사 현황

요양기관 종별	청구기관수(개)	가정전문간호사 수(명)
상급종합병원	26	154
종합병원	61	166
병원	18	47
요양병원	30	96
정신병원	1	4
의원	62	190
치과의원	1	3
한의원	1	3
보건소, 보건의료원	3	8
보건진료소	3	16
계	206	687

[출처: 1. 건강보험심사평가원 가정간호 청구 자료(2021)
2. http://opendata.hira.or.kr/op/opc/olapHumanResourceStatInfo.do (검색 일자: 2021.9.20.)]

(2) 의료기관 종별 가정간호 청구 현황

2020년 기준 건강보험 청구 총 진료비 대비 가정간호 비용은 0.058%를 차지하고 있으며(Table 1-3), 가정간호 총 청구건수는 623,469건으로 요양기관종별로 구분하면 상급종합병원이 122,203건, 종합병원 125,666건, 병원급 158,300건, 의원급 217,301건으로 나타난다. 청구건수 추이를 보면 2020년 1월 1일 수가가 정비되어 상대가치점수 인상, 교통비급여화, 1일방문건수 7건 제한, 노인장기요양보험의 요양시설 수가 50% 인정 등 수가 개정 전까지 청구건수가 증가 추세를 보이다가 수가 개정이후 감소하는 것을 볼 수 있다(Table 1-4).

Table 1-3 가정간호 비용 청구 현황

심사년도	건강보험 총 진료비(원)	가정간호 총 청구금액(원)	건강보험 총 진료비 대비 가정간호 청구비 비율(%)
2018년	53,872,402,480	33,937,942	0.062
2019년	70,517,655,460	45,917,507	0.065
2020년	57,645,514,550	33,226,519	0.058

[출처: 1. 건강보험심사평가원 가정간호 청구 자료(2021)
2. 보건의료빅데이터개방시스템 - 의료통계정보
http://opendata.hira.or.kr/op/opc/olapHumanResourceStatInfo.do (검색 일자: 2021.9.20.)]

Table 1-4 의료기관 종별 가정간호 청구 현황

심사 연도	요양기관그룹	계	상급종합병원	종합병원	병원급	의원급
2016년	환자 수(명)	35,965	14,261	9,293	4,419	9,457
	청구건수(건)	333,621	123,686	109,670	48,319	51,946
	진료 금액(천 원)	17,705,795	6,510,169	5,744,568	2,589,696	2,861,362
2017년	환자 수(명)	54,473	13,599	11,122	11,523	21,450
	청구건수(건)	483,284	123,982	122,159	99,398	137,745
	진료 금액(천 원)	26,685,037	6,662,197	6,598,305	5,569,569	7,854,965
2018년	환자 수(명)	69,353	13,651	11,994	20,978	29,694
	청구건수(건)	600,244	125,915	130,746	154,591	188,992
	진료 금액(천 원)	33,937,972	6,885,891	7,209,890	8,688,286	11,153,905
2019년	환자 수(명)	85,859	13,649	13,008	28,263	38,470
	청구건수(건)	792,252	120,645	134,423	236,769	300,414
	진료 금액(천 원)	45,917,507	6,735,450	7,577,049	13,468,205	18,136,803
2020년	환자 수(명)	81,098	13,327	12,537	22,382	37,363
	청구건수(건)	623,469	122,203	125,666	158,300	217,301
	진료 금액(천 원)	33,226,519	8,565,827	7,658,778	7,280,947	9,720,967

[출처: 1. 건강보험심사평가원 가정간호 청구 자료(2021)
2. 보건의료빅데이터개방시스템 - 의료통계정보
http://opendata.hira.or.kr/op/opc/olapHumanResourceStatInfo.do (검색 일자: 2021.9.20.)]

(3) 성별, 연령별 총 방문건수 및 가정간호 청구액

성별 이용 분석 추이를 보면 여자환자 이용이 58,112명으로 남자환자 이용자 22,986명보다 2배 이상 많았다. 연령대별 이용수준에서는 65세 이상 노인환자의 이용이 72,634명으로 전체 이용자의 89.6%를 차지하였으며 다음이 45~64세, 20~44세 순으로 연령대가 높을수록 가정간호 이용건수가 많았다(Table 1-5).

Table 1-5 성별, 연령별 총 방문건수 및 가정간호 청구액

구분		환자 수(명)	청구건수(건)	가정간호 청구 총액(천 원)
성별	남	22,986	200,694	11,652,161
	여	58,112	422,775	21,574,358
연령	19세 미만	516	6,467	462,059
	20~44세	2,534	14,987	1,900,662
	45~64세	5,414	53,766	3,484,759
	65세 이상	72,634	548,249	27,775,039
	계	81,098	623,469	33,226,519

[출처: 보건의료빅데이터개방시스템 - 의료통계정보, http://opendata.hira.or.kr/op/opc/olapHumanResourceStatInfo.do (검색 일자: 2021.9.20.)]

(4) 가정간호 이용 상병 특성

2020년 기준 가정간호 이용환자의 다빈도 상위 10% 상병은 Table 1-6과 같다. 청구건수를 기준으로 볼 때 알츠하이머병에서의 치매가 전체 청구건수의 25.36%를 차지하였으며 그 다음으로는 본태성 고혈압(13.01%), 욕창(11.19%), 삼킴곤란(9.14%) 순으로 빈번하게 이용하였다.

Table 1-6 2020년 다빈도 가정간호 대상자 상위 10순위 상병 특성

순위	상병명	환자수(%)	청구건수(%)
1	알츠하이머병에서의 치매(G30.-+)	14,244 (30.51)	61,927 (25.36)
2	본태성(원발성) 고혈압	6,747 (14.45)	31,759 (13.01)
3	욕창궤양 및 압박부위	2,660 (5.70)	27,331 (11.19)
4	삼킴곤란	3,796 (8.13)	22,324 (9.14)
5	달리 분류되지 않은 방광의 신경근육기능장애	2,704 (5.79)	20,619 (8.44)
6	상세불명의 치매	3,743 (8.02)	16,689 (6.84)

7	수분, 전해질 및 산-염기균형의 기타 장애	5,715 (12.24)	16,454 (6.73)
8	비뇨계통의 기타 증상 및 징후	2,252 (4.83)	16,179 (6.62)
9	파킨슨병	1,690 (3.62)	15,689 (6.43)
10	2형 당뇨병	3,130 (6.71)	15,227 (6.24)
총계		46,681 (100)	244199 (100)

[출처: 건강보험심사평가원 가정간호 청구자료(2021년)]

2018년 기준 상급종합병원은 악성 신생물(암) 환자가 많았으며, 병원급 이하는 치매, 욕창, 수액관리 환자에게 주로 가정간호를 제공하여 요양기관 종별 차이가 있음을 볼 수 있다(Table 1-7).

Table 1-7 2018년 의료기관 종별 다빈도 가정간호 대상자 5순위 상병 특성

순위	상급종합병원		종합병원	
1	C16	위의 악성 신생물	N31	달리 분류되지 않은 방광의 신경근육기능 장애
2	G20	파킨슨병	F00	알츠하이머병에서의 치매
3	G12	척수성 근위축 및 관련 증후군	I63	뇌경색증
4	C34	기관지 및 폐의 악성 신생물	L89	욕창궤양 및 압박부위
5	C50	유방의 악성 신생물	G20	파킨슨병
순위	병원		의원	
1	E87	수분, 전해질 및 산-염기균형의 기타 장애	F00	알츠하이머병에서의 치매
2	I10	본태성(원발성) 고혈압	E86	용적고갈
3	L89	욕창궤양 및 압박부위	L89	욕창궤양 및 압박부위
4	E11	2형 당뇨병	E87	수분, 전해질 및 산-염기균형의 기타 장애
5	F00	알츠하이머병에서의 치매	I10	본태성(원발성) 고혈압

[출처: 건강보험심사평가원 내부자료(2019년)]

(5) 간호사 1인당 가정간호 방문건수

2018년 기준 간호사 1인당 평균 방문건수는 6.4건으로 나타났으며, 한의원 11.1건, 의원 10.1건, 병원 9.6건, 요양병원 8.7건, 상급종합병원 4.4건, 종합병원 4.2건 순으로 한의원 소속 가정전문간호사의 방문건수가 가장 많았다. 가정전문간호사 1인당 1일 최대 방문건수는 의원 101건, 병원 90건, 요양병원 89건, 한의원 73건, 종합병원 49건, 상급종합병원 15건 순으로 나타났다(Table 1-8).

Table 1-8 2018년 가정전문간호사 1인당 방문 건 수

(단위: 건)

구분(간호사 1인당)	전체	상급종합	종합병원	병원	요양병원	한의원	의원
1일 평균	6.4	4.4	4.2	9.6	8.7	11.1	10.1
1일 중간 값	5	4	4	7	6	10	8
1일 최대 방문횟수	101	15	49	90	89	73	101

[출처: 건강보험심사평가원(2019년)]

(6) 가정간호에서의 다빈도 간호 행위

2020년 가정간호 근로실태 조사를 기반으로 한 가정전문간호사의 다빈도 간호행위를 조사한 결과, 기본간호업무에서 활력징후 측정(49.1%)과 건강상태 파악 및 관찰(45.6%)이 가장 많았다. 치료적 간호업무에서는 비위관 교환 및 관리(19.3%), 정체도뇨관 교환 및 간호(19.3%), 욕창간호 및 치료(17.5%) 업무가 많았다. 검사관련 업무에서는 혈액검사물 수집(36.9%), 혈당검사(33.3%), 경피적 산소분압검사(26.3%)가 많았다. 투약 및 주사업무에서는 수액관리(45.6%)가 가장 많았으며, 다음은 정맥주사(29.8%)였다. 교육·훈련업무에서는 수액감시 및 관리법(22.8%), 투약방법(19.3%)이 많았다. 상담업무에서는 대부분이 환자상태 상담(96.5%)이었으며, 환경관리가 3.5%였다. 의뢰업무에서는 노인장기요양기관 의뢰(52.6%)가 가장 많았으며, 타 가정간호실시기관 의뢰(21.1%)와 호스피스 의뢰(19.3%) 순으로 나타났다(Table 1-9).

Table 1-9 2020년 가정간호 근로실태조사 기반 다빈도 간호 행위

Characteristic	Categories	n(%) Mean±SD
Frequent task		
Basic nursing	Vital sign measurement	28 (49.1)
	Health status identification and observation	26 (45.6)
	Problem identification and nursing diagnosis	2 (3.5)
	Intake and output check	1 (1.8)
Therapeutic nursing	Nasogastric tube exchange and management	11 (19.3)
	Foley catheter exchange and management	11 (19.3)
	Pressure ulcer nursing and treatment	10 (17.5)
	Wound treatment (simple dressing)	6 (10.5)
	Foley catheter insertion/ Nelaton catheterization	5 (8.8)
	Central venous catheterization care	5 (8.8)
	Other	9 (15.8)
Lab and examination	Blood test collect	21 (36.9)
	Blood sugar test	19 (33.3)
	Percutaneous oxygen-tension test	15 (26.3)
	Other	2 (3.6)
Medication and infusion	Fluid management	26 (45.6)
	Vascular injection	17 (29.8)
	Internal medication administration	13 (22.8)
	Intramuscular infection	1 (1.8)
Teaching and training	Fluid monitoring and management	13 (22.8)
	Dosing method	11 (19.3)
	Intragastric gavage	8 (14.0)
	How to use special handling apparatus and equipment	8 (14.0)
	Wound sterilization method	6 (10.6)
	Other	11 (19.3)
Counseling	Patient status counseling (Face to face or telephone)	55 (96.5)
	Environmental management	2 (3.5)
Referral	Long-term care institution for the elderly	30 (52.6)
	Other home healthy services	12 (21.1)
	Hospice	11 (19.3)
	Public health center	3 (5.3)
	Mobile bath center	1 (1.7)

[출처: J Korean Acad Soc Home Care Nurs Vol.27 No.3, 356-371, December, 2020
https://doi.org/10.22705/jkashcn.2020.27.3.356]

2 외국의 가정간호

1) 미국의 가정간호

(1) 미국 가정간호의 전개 과정

미국에서 방문간호(home health service)는 1800년대부터 가난한 재가환자를 대상으로 간호사에 의해 가정간호서비스가 제공되기 시작하였고 방문간호사협회가 결성되었다.

1886년에 필라델피아의 방문간호사회가 환자에게 가정간호를 제공하기 시작하였다. 가정간호사업은 의사의 지시에 따라 치료를 수행하였고 체온과 맥박 등의 활력징후를 측정하였다. 1887년에는 뉴욕선교회(New York City Mission) 여성부에서는 Bellevue 병원 간호학교 첫 졸업생 Frances Root를 채용하여 가난하고 병든 환자를 가정방문하여 돌보았다.

1965년 메디케어(Medicare) 제도가 도입되었을 때 주요 서비스로 포함되어 초기에는 65세 이상 노인의 간헐적, 단기방문서비스와 일시적인 입원서비스만 제공되었다(Stanhope & Lancaster, 2014). 1966년부터 Medicare와 Medicaid가 공식적·비공식적인 기관이 가정의료제공을 시작하도록 하였다. 1972년에는 Medicare의 수혜범위가 확대되어 B군에 속하는 환자의 가정의료비 20% 부담이 없어졌으며, 1980년에는 Medicare 파트 A 수혜자(병원보험)가 Home Health Care를 받기 위한 조건인 입원 3일과 방문 횟수 100일 제한이 없어졌다. 1980년대 초기에는 민간보험회사가 가정간호서비스를 보험급여에 포함시키기 시작하였다.

1983년 The Health Care Finance Administration (HCFA)는 선지급(Prospective payment) 제도를 Medicare와 Medicaid에 도입하여 병원 입원과 입원기간을 제한하였으며, 이로 인해 재택의료환자가 급격히 증가하였다. 1984년부터는 병원 외래에 가정간호사업과를 설치하여 조기퇴원과 퇴원 후 지속적 관리를 목적으로 가정간호서비스를 제공하기 시작하였다(성명숙 외, 2010). 1997년에 총괄예산조정법(Balanced Budget Act)을 도입하여 서비스 수혜자별 방문횟수를 제한함으로써 방문간호 비용을 감소시키기 위한 제도를 실시하였다. 2017년 기준 메디케어에서 Home Health Care 이용자는 92.3%이며(AHHQI Home Health Chartbook 2020), 선진국 유일하게 보편 의료보장을 실시하지 않고 있다. 2020년 기준 무보험자 수가 4,700만명(Medi: gate news, 2020)에 이르는 미국의 의료보장은 민간보험을 주축으로 이루어져 있으며, 현재 독립형 가정간호사업소를 중심으로 가정간호사업을 활발하게 운영하고 있다.

(2) Home Health Care (HHC) 서비스 대상자

① 대상자 기준

서비스 대상자는 메디케어 수급자이며 자택에 머무는 시간이 길고 의사의 치료계획에 따라 주기적으로 관리를 받으며 간헐적으로 물리치료, 작업치료, 언어치료, 전문간호가 필요하다는 의사의 승인을 받은 자이다.

대상자는 기준 1에서 (1) 질병이나 부상으로 인해 목발, 지팡이, 휠체어, 보행기와 같은 보조기구나 특별한 운송수단이 필요하거나 누군가의 도움을 받아야 이동이 가능한 자, 또는 (2) 의학적으로 자택 외출제한자여야 한다.

기준 2에서는 (1) 자택을 벗어날 수 없는 비정상적 상태인 자이면서 (2) 자택을 벗어날 때는 상당한 노력이 필요한 자여야 한다. 이 2가지 영역의 기준에 부합해야 하며, 기준 1 중 한 가지와 기준 2의 두 가지 모두를 충족해야 한다(CMS, 2019).

② 대상자 특성

2011년부터 2017년까지 메디케어 Home Health Care (HHC) 대상자의 특성을 보면 3개 이상의 만성질환을 가지고 있는 대상자가 80.5~85.9%를 차지하였고, 2개 이상의 ADL 제한을 받는 대상자군이 27.8~34.2%를 차지하였다. 연방정부 소득 100% 미만 빈곤자들이 26.5~34.8%를 차지하였으며, 연방정부 소득 200% 미만 빈곤자들에 비해 거의 2배 가까이 많았다. 양극성 장애, 조현병, 우울증 등 심한 정신장애를 가지고 있는 대상자도 26.3~44.0%로 증가 추세에 있다(Table 1-10).

Table 1-10 Selected characteristics of Medicare Home Health Users, 2011~2017

	2011	2012	2013	2015	2016	2017
Have 3 or more chronic conditions	83.2%	85.9%	85.1%	85.9%	80.5%	82.3%
Have 2 or more ADL limitations*	28.7%	34.2%	31.9%	32.9%	27.8%	27.8%
Have incomes under 200% of the Federal Poverty Level (FPL)**	64.5%	67.9%	67.2%	62.5%	64.0%	57.1%

	2011	2012	2013	2015	2016	2017
Have incomes under 100% of the Federal Poverty Level (FPL)**	34.8%	32.6%	31.2%	28.7%	27.5%	26.5%
Are dual eligibles***	29.9%	29.9%	31.7%	38.1%	31.3%	32.4%
Have SMI****	26.3%	27.0%	27.2%	44.0%	39.2%	38.3%

Note: CMS did not release a 2014 Medicare Current Beneficiary Survey
[출처: Avalere analysis of the Medicare Current Beneficiary Survey, Access to Care files, 2011-2017.]
* ADL=Activities of daily living, such as eating, dressing, and banthgi. Limitations with at least 2 ADLs is considered a measure of moderate to severe disability and is often the eligibility threshold for a nursing home level of care.
** 100 percent of FPL for a household of 1 was $10,890 in 2011, $11,170 in 2012, $11,490 in 2013, $11,770 in 2015, $11, 880 in 2016, and $12,060 in 2017. 200 percent of FPL was double each amount.
*** Dual eligibles are defined as individuals with any state buy-in at any point during the year. Beneficiaries were classified as requiring assistance with an ADL (bathing, walking, transferring, dressing, toileting, and eating) if they reported needing at least stand-by assistance with that ADL.
**** Severe mental illness (SMI) is defined as having depression or other mental disorder, including bipolar disorder, schizophrenia, and other psychoses.

(3) Home Health Care (HHC) 제공기관

① HHC 제공기관

미국에서 재가서비스는 의료기관이나 클리닉이 아닌 HHC 서비스를 전담으로 하는 Home Health Agency에서 제공하며, Home Health Agency는 1880년도에 처음 창설되었다. 이 중 가정간호는 병원, 방문간호협회, 가정간호기관(영리, 비영리), 보건소 또는 개인이 제공한다. 사람들이 오래 살수록 만성질환을 가지고 있으며, 지역사회에서 자신들이 도움을 받지 않고 독립적으로 살 수 있는 능력을 키워주고 있다. 따라서 이들은 가정간호의 도움을 받으면 지역사회에서 독립적인 생활을 영위하고 지탱해 나갈 수가 있다. 이 역할을 하는 메디케어에서의 Home Health Agencies는 2000년에는 7,099개였으며, 해가 갈수록 가정간호 요구도와 수요가 증가하여 2019년 말 기준 11,157개로 늘었다(Fig 1-1). Home Health Agencies는 주로 전문간호서비스 및 치료서비스를 제공하고 있다.

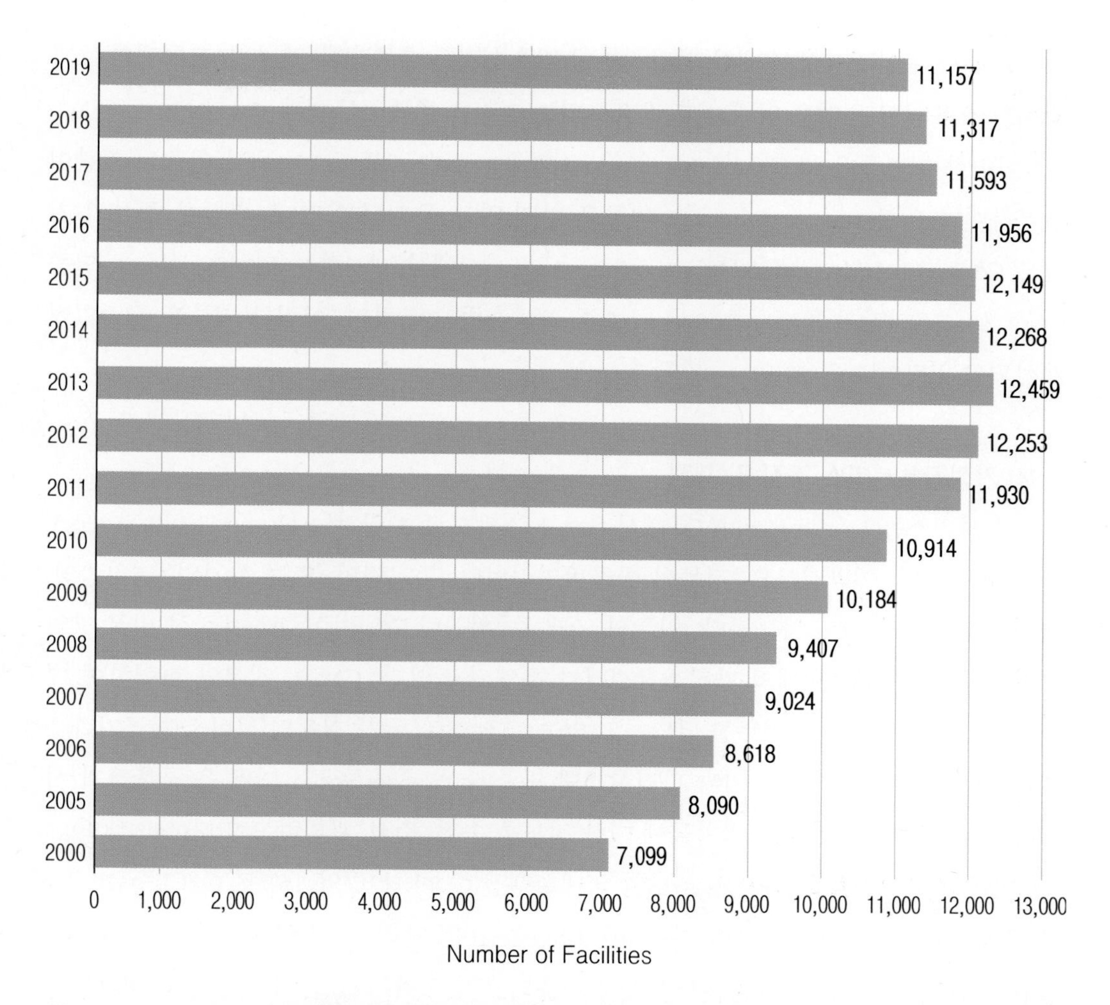

Fig 1-1 Number of Medicare home health agencies in the U.S. from 2000 to 2019
[출처: Home care in the U.S.-Statistics&Facts https://www.statista.com/statistics/195318/number-of-med]

② Home Health Agencies 설립 기준

미국의 Home Health Agencies 설립 기준은 전문간호서비스와 재활치료서비스를 우선적으로 제공해야 하며, 의사 1인 이상과 간호사 1인 이상이 포함된 전문 그룹이 설립해야 하고, 의사 또는 전문간호사가 관리 감독을 해야 한다. 모든 대상자에게 대한 의무기록을 작성해야 하며, 주(州) 또는 지방의 설립 기준을 충족하여 승인을 받아야 하며, 전반적인 운영 계획과 예산이 있어야 한다.

또 건강과 안전사항에 대한 연방정부의 필요조건을 충족해야 하며, 프로그램의 효과적이고 효율적인 운영을 위해 별도로 요구되는 조건을 충족해야 한다(CMS, 2019).

이러한 기관들은 Medicare (Medicare-certified home health agency)에서 인증된 기관이 대부분이나 일부 private agency는 인증을 받지 않고 운영되고 있다. 다양한 종류의 기관은 Centers for Medicare&Medicaid Services (CMS)에서 제시하는 면허(licensure), 인증(certification), 인정기준(accreditation regulation)을 충족해야 하며, 이러한 기준은 끊임없이 개선되고 있다(이요셉, 2019).

(4) 가정간호서비스 조직 및 재정

이 서비스는 Home Health Care 서비스를 전담으로 제공하는 Home Health Agency에서 제공하며, 연방정부·주정부의 공공비영리법인, 종교법인, 또는 사기업, 영리법인, 영리병원 형태로 설립 가능하다. 미국의 50개 주, 워싱턴 DC, 자치령을 포함한 미국 전역에 2019년 기준 11,157개의 가정건강센터가 운영되고 있다. CMS는 정부와 협력하여 메디케어 프로그램의 행정업무를 담당하고 있는 조직으로, 국가 전체의 서비스 제공기관을 대상으로 국가 서비스 제공기관 관리시스템(National Provider System, NPS)을 구축하기 시작하고, 건강관련 서비스 제공자들에 대한 정보를 수집, 축적, 관리하고 있다(CMS, 2019).

미국의 국민의료비 지출은 2018년 국내총생산(GDP) 대비 약 15%로 OECD 국가 1%를 차지하였다. 그 중 메디케어 지출액은 USD 7,310억 달러로, 이 중에서 거의 50%는 시설입소서비스가 아닌 재가돌봄서비스에 지출되고 있으며, 의료급여 지출에서 재가돌봄서비스가 차지하는 비율은 지속으로 증가하고 있다. 메디케어 재정 프로그램은 연방정부 재정이 주이며, 여기에 주정부의 재정이 일정 수준 대응되도록 설계되어 있고, 대체로 전체 메디케어 지출의 약 1/4 미만을 주정부가 지출하고 있다(여영현 외, 2018).

(5) 가정간호 대상자의 주 상병명

HHC 대상자의 상위 20%의 상병명을 보면 제2당뇨병, 폐쇄성폐질환, 고혈압, 심장질환, 욕창, 뇌졸중 후유증, 만성신장질환, 만성허혈성심장질환 등이 가정간호대상 질환이다**(Table 1-11)**. 이는 가정간호의 질환 범위가 특정질환에 국한되지 않고 의사가 필요하다고 인정한 모든 환자를 포함하고 있음을 보여준다.

Table 1-11 Top 20 Primary International Classification of Diseases, Version 10 (ICD-10) Diagnoses for All Home Health Claims, 2019

ICD-10 Diagnosis	Number of Medicare Home Health Claims, 2019	Percent of Total Medicare Home Health Claims, 2019
Type 2 diabetes mellitus	444,729	6.93%
Orthopedic aftercare	415,393	6.47%
Encounter for other postprocedural aftercare	279,134	4.35%
Other chronic obstructive pulmonary disease	277,715	4.33%
Hypertensive heart disease	243,122	3.79%
Pressure ulcer	225,406	3.51%
Essential (primary) hypertension	224,527	3.50%
Sequelae of cerebrovascular disease	213,487	3.33%
Hypertensive heart and chronic kidney disease	180,467	2.81%
Chronic ischemic heart disease	128,381	2.00%
Fracture of femur	127,621	1.99%
Atrial fibrillation and flutter	106,048	1.65%
Parkinson's disease	104,271	1.62%
Other disorders of muscle	100,460	1.57%
Other disorders of veins	96,884	1.51%
Other disorders of urinary system	94,575	1.47%
Dorsalgia	85,418	1.33%
Osteoarthritis of knee	84,233	1.31%
Hypertensive chronic kidney disease	83,673	1.30%
Heart failure	74,345	1.16%
Total for Top 20 Primary ICD-10 Diagnoses	3,589,889	55.93%

[출처: Avalere Health analysis of Medicare Standard Analytic Files, 2019.]

(6) 가정간호서비스 내용

미국 Home Health Care의 간호서비스 내용으로는 치료계획의 관리 및 평가, 환자/환자보호자/간병인 교육훈련, 주사제를 포함한 약물관리, 비위관이나 경피관 등 튜브 교체, 비강인두나 기관의 흡인, 카테터 삽입이나 세척 및 교체, 욕창이나 화상 및 튜브관을 포함한 상처치료, 인공항문관리, 재활간호, 정맥천자 등의 서비스를 제공하며 계약직 의사를 고용하거나 컨설턴트 의사와 계약 하에 간호서비스를 제공하고 있다(CMS, 2019).

(7) 간호인력의 자격 및 역할

HHC에 참여하는 간호사에게 학사학위는 최소한의 자격으로 사례관리자, 케어 코디네이터, 교육, 옹호, 행정, 감독, 질 향상 활동 등의 역할을 수행한다. 석사학위를 가진 간호사는 임상전문가, 전문간호사, 연구자, 행정가, 교육자의 역할을 수행하며, 전문간호사는 허약노인과 가정에 있는 환자를 대상으로 일차 진료를 제공한다. 미국에서 HHC가 계속 확장되고 있기 때문에 임상전문간호사(specialized nurse clinician) 수요는 계속 증가할 것으로 추측된다(Stanhope&Lancaster, 2014).

HHC 업무 중 70~75%가 가정간호사의 전문적인 간호업무가 되고 나머지 부분이 기타 인력에 해당하는 돌봄 등 보존적 업무가 되고 있다. 가정간호와 돌봄서비스를 동시에 받을 경우 두 서비스 합이 하루 8시간, 주 28시간 이하로 제한되고 있다(이요셉, 2019). 환자에게 제공되는 서비스 기간은 환자당 6~8주이며 보통 60일 경과 후 환자에 대한 재평가를 실시하여 가정간호의 계속여부를 결정한다. 이 기간 안에 방문서비스 제공 및 의료기기 대여가 이루어진다. 다만, 환자의 상황과 의사의 판단에 따라 치료기간 연장이 가능하고, 방문간호와 돌봄서비스를 동시에 받을 경우 두 서비스 합이 하루 8시간, 주 28시간 이하로 제한되고 있다. 가정간호사는 전문적인 치료 외에 환자에게 필요한 기초간호행위를 가족에게 교육시키는 일, 보건교육, 그리고 인생문제, 가정문제 등에도 많은 상담에 응하고 있어 전문자격 이외에도 위에서 열거한 많은 필요요소가 뒷받침되어야 하고, 효율적이고 원만한 직무수행을 위해 끊임없는 노력과 자기계발이 필요함을 알 수 있다.

HHC 서비스 참여 항목으로는 방문간호, 재활치료, 돌봄서비스, 사회복지상담서비스, 보장구 지원이 있고, 비급여 성격의 이동지원, 24시간 돌봄, 도시락 지원, 가사 지원 등의 서비스가 있다. 그러나 지역사회 가정건강센터에 따라 제공되는 급여 및 비급여 서비스 항목은 지역마다 다르게 운영된다(이요셉, 2019).

2) 일본의 가정간호

(1) 일본 가정(방문)간호의 전개 과정

일본에서는 1920년대 이전에 장티푸스나 콜레라 등 급성 전염병이 유행하여 격리병원이 건립되었고, 민간 경영 '자선 간호사회'가 간호사를 병원이나 가정에 파견하여 급성 감염증 환자를 간호한 파출간호가 방문간호서비스의 기원이라고 할 수 있다. 1920년대에는 모자중심 방문간호활동을 통한 가정 분만에 대한 지원과 1920년대 후반부터 일본 적십자병원이나 세이루카 국제병원 등의 간호사가 의료기관중심 가정간호서비스를 제공하였다. 또 1937년 보건소법(Health Center Law) 제정에 따라 지역사회 간호사(Public Health Nurses)들도 결핵, 기생충 질환, 정신병 환자뿐만 아니라 어머니와 어린이 환자를 위해 방문형 간호서비스를 시행하였다(JVNF, 2021).

1960년경부터는 뇌졸중 후유증으로 와상 생활을 하는 고령자가 사회문제가 되어, 집에서 거동을 못하는 고령자를 대상으로 가정간호 지도 및 간호를 실시하였다. 1963년 노인복지법의 재정으로 1965년부터 가정봉사원 파견사업이 시작되었으며, 1970년 고령자 인구비율이 7%를 돌파하여 고령화 사회에 진입한 일본은 병원 진료소, 지자체 등에서 계속간호의 일환으로써 간호사를 환자의 가정으로 파견하는 노인환자 방문간호사업을 시작하였다.

1982년에 노인과 관련된 보건과 의료서비스법(노인보건법)이 제정되었고, 1983년부터 처음으로 병원에서 퇴원한 환자의 방문간호에 의료보험의 진료수가가 인정되었다. 1986년에는 정신과의 방문간호 및 지도, 나아가 1988년에는 암이나 난치병 등의 재가 요양자도 대상이 되어, 고령자에 한하지 않고 모든 재가 요양자를 대상으로 방문간호 및 지도가 진료보수를 산정할 수 있게 되었다. 1991년 10월 개정된 노인보건법에 의해 노인방문간호제도가 새롭게 창설되었다.

1992년 4월부터 가정 내의 와상상태에 있는 고령자를 대상으로, 지역의 노인방문간호 스테이션에 소속된 간호사가 주치의사의 지시에 따라 가정을 방문하여 서비스를 제공하는 개호 중심의 방문간호서비스가 시작되었고(정형선, 2019), 2000년 개호보험(介護-간병수발 보험)법 제정으로 방문간호 스테이션이 명문화되었다(성명숙 외, 2010).

또한, 노인보건법은 2006년에 '고령자의 의료 확보에 관한 법률'로 명칭을 바꾸어 후기고령자(75세 이상)의 의료제도가 창설되고, 각 도도부현에 설치하는 '후기고령자 의료광역연합'이 급부하게 되었다. 2011년 제3차 개호보험법 개정으로 지역포괄케어사업이 추진되어 24시간 대응의 정기순회 임시대응 서비스와 복합형 서비스 창설, 개호예방 및 일상생활지원 종합사업 창설 등 의료·개호 연계를 강화하였다. 2000년 4월부터 시행된 개호보험법이 개정을 거듭하여 2017년에는 2018년 4월부터 3년 동안 적용될 개호보수를 제7기로 개정하였다(김명중, 2018).

알차고 효율적인 재가 간호와 돌봄을 위해 후생노동성은 방문간호 모델사업을 4년

간 실시하였다. 그 내용에는 (1) 의학적 처치를 포함한 방문간호의 실시와 체제의 검토, (2) 일정한 연수를 도도부현 차원에서 실시하는 것 등이 포함되어 있었다. 해당 모델사업 실시지역으로 지정된 시정이 있는 17개 부현 간호협회는 미취업 간호사 등을 대상으로 '방문간호사 양성 강습회(120시간 프로그램)'를 개최하여 방문간호사를 양성하였다(일본방문간호재단, 2021).

(2) 가정(방문)간호 제공 체계

이용자가 방문간호 스테이션 또는 주치의에게 이용을 신청한 후, 주치의가 방문간호의 필요성을 인정하여 '지시서'를 교부하면, 방문간호사가 이용자를 방문하여 상태를 평가하고 이용자의 요구 사항을 청취하여 작성한 간호계획을 바탕으로 방문간호를 제공한다. 주치의와는 정기적으로 간호의 실시상황을 보고하고 긴밀한 연계를 취한다.

개호보험제도에서는 개호지원 전문가(케어매니저)의 케어플랜에 따라 방문간호 계획을 세우고 간호를 실시하지만, 필요에 따라 방문 횟수, 시간대, 내용 등에 대한 상담을 통하여 케어플랜을 변경하여 필요한 간호를 제공한다(Fig 1-2).

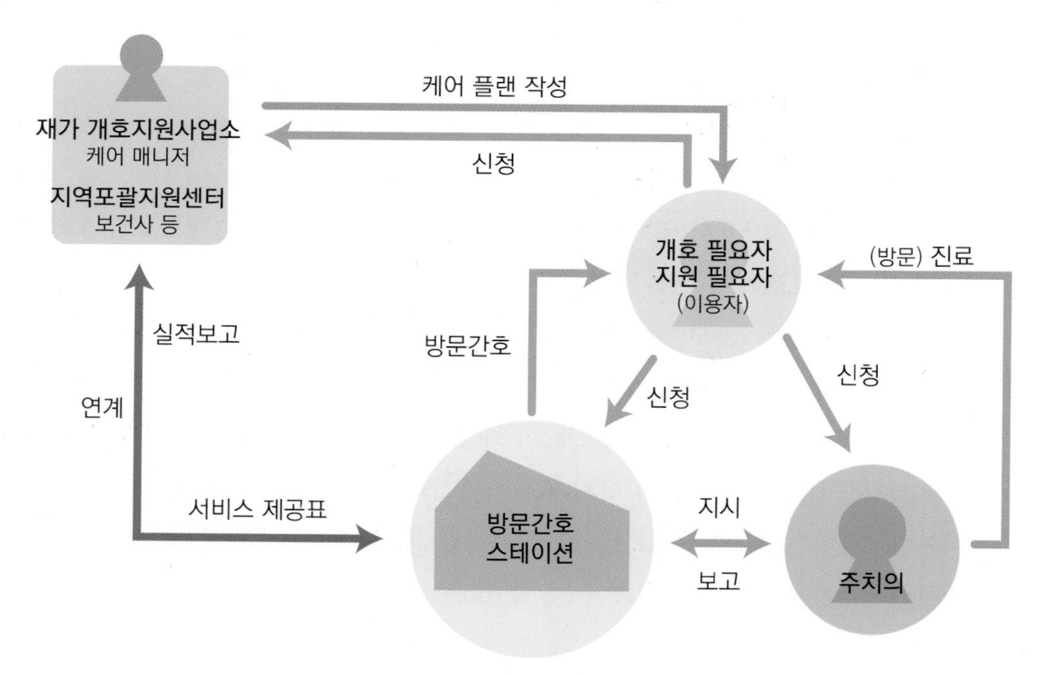

Fig 1-2 일본 방문간호 스테이션의 방문간호 제공 과정
[출처: 공익재단법인 일본방문간호재단, https://www.jvnf.or.jp/]

(3) 가정(방문)간호 제공기관

① 가정(방문)간호 현황

방문간호서비스 제공기관은 주로 병원과 진료소, 그리고 방문간호 스테이션이며, 이 중 방문간호 스테이션이 90% 이상을 차지하고 있다. 방문간호 스테이션은 일본 전국에 12,000개소 이상 있는데, 평균적으로 방문간호 스테이션 1개소 당 이용자 수는 개호보험 이용자 50명, 의료보험 이용자 20명 정도이다. 근무자는 상근 환산 종사자 수가 7명 정도이며, 이 중 간호 직원은 5명, 물리치료사 등 2명 정도가 월 500여건을 방문하고 있다(Fig 1-3).

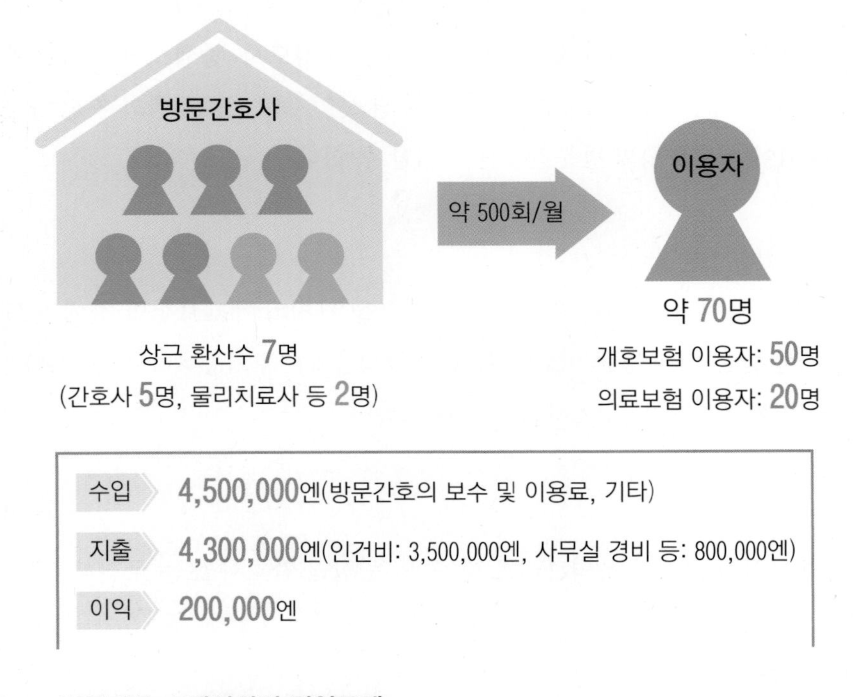

Fig 1-3 방문간호 스테이션의 경영모델
[출처: 공익재단법인 일본방문간호재단, https://www.jvnf.or.jp/]

- 의료보험 지정 노인 방문간호기관

일본은 1997년에 '개호보험법'이 제정되어 2000년 4월부터 실시되었다. 개호보험제도는 개호가 필요한 경우에도 지금까지 살아온 편안한 내 집에서 생활을 할 수 있도록 케어매니저가 작성하는 케어플랜을 바탕으로 필요한 복지서비스나 방문간호·재활치료 등의

의료서비스를 종합적으로 이용할 수 있는 시스템으로 운영하고 있다. 개호보험법 대상자의 대부분은 질병이나 장애가 있어서 장기간에 걸쳐 케어가 필요한 요양지원 필요자 또는 개호 필요자로, 방문간호에 의한 병세나 장애 등의 관찰과 적절한 간호 제공이 매우 중요하다. 케어팀의 멤버로서 의료와 개호 모두에 관련된 간호의 특징을 충분히 활용하여, 개호나 질병예방간호부터 임종케어까지 케어팀의 통합 돌봄 활동이 요구되어 사업소를 개설하여 운영하고 있다.

② 방문간호 스테이션 지정기준

2000년 4월 이후 방문간호 스테이션의 지정을 받기 위해서는 법률상 건강보험법보다 우위에 있는 개호보험법에 따라 도도부현지사 또는 지정도시·중핵시장의 지정 재가서비스 사업자로 지정받아야 한다. 개호보험법의 지정 사업자는 의료보험의 지정 방문간호사업자로 간주되어 의료보험의 방문간호를 실시할 수 있다.

• 개설자

영리법인, 의료법인, 사회복지법인 등 법인격을 가지고 개호보험법 하에 도도부현지사 등의 지정을 받은 지정 방문간호사업자(개호보험법에 따라 지정 재가서비스 사업자로 지정받으면 건강보험법의 지정 방문간호사업자로 간주된다)

• 관리자

방문간호사업의 적절한 운영관리를 할 수 있는 상근 간호사 또는 보건사

• 방문간호 종사자

- 간호직원(보건사, 조산사: 의료보험만, 간호사, 준간호사)을 상근 환산으로 2.5명 이상 배치
- 물리치료사, 작업치료사, 언어청각사는 적당 수 배치
- 사무원도 고용 가능

• 방문간호 스테이션의 시설·설비·비품 등

방문간호 종사자 수에 따른 필요한 넓이의 사무실, 주차장·주륜장(방문차·자전거 등), 사무기기, 수납장, 방문간호용 의류·기구·기자재, 위생·감염관리용 설비·물품, 기록물 등

(4) 방문간호서비스 조직 및 재정

일본의 방문형 간호서비스는 방문간호 스테이션이나 병원, 진료소 등의 의료기관에서 간호사, 보건사 등 간호직이 방문하고 있다. 지역포괄지원센터와 함께 지역밀착형 서비스가 제공됨에 따라 24시간 대응할 수 있는 기능강화형 방문간호 스테이션, 낮 병동을 보유하고 요양개호서비스를 제공하는 간호소규모 다기능형 거택개호 등 다양한 형태의 서비스가 제공되고 있다(정형선, 2019).

방문간호 스테이션에는 평균 6명의 직원이 근무하며, 간호사가 근무인력의 80%를 차지하고, 보건사, 준간호사 및 조산사가 근무하며, 물리치료사 또는 작업치료사가 근무하는 경우도 있다. 방문간호 스테이션은 평균적으로 70명의 대상자를 간호하는데, 대상자는 월 5-6회의 빈도로 간호서비스를 제공받은 것으로 나타났다(JVNF, 2015).

방문간호 스테이션 방문간호 종사자는 1명당 한 달 동안에 70~80회 방문하며, 방문간호 스테이션 1개소 당 평균수입은 한 달에 450~500만 엔 정도이다. 방문간호 스테이션 수입의 99%는 방문간호의 보수(개호 보수와 진료 보수)이며, 방문간호의 이용자 수와 이용횟수에 좌우되는 사업으로, 비용의 약 80%는 인건비로 지출되고 있다(Fig 1-3).

방문간호 스테이션의 책임자는 간호사로, 방문간호 스테이션 관리, 대상자 모집, 효율적인 간호 인력 수급과 기타 지역사회 자원 조정 등의 역할을 수행한다(JVNF, 2015). 일본의 방문간호서비스는 의료보험과 개호보험 모두 관련되는 서비스로 의료보험재정, 개호보험재정, 세금, 기부, 보험료 등으로 운영된다(정형선, 2019).

서비스 비용은 보험으로 70~90%를 충당하고, 그 외는 본인부담금으로 지불되고 있다. 세부적으로 보면 75세 이상은 방문간호서비스 비용의 90%, 초등학생, 70~74세는 방문간호서비스 비용의 80%, 중학생부터 69세, 과세소득이 평균소득보다 높은 경우는 방문간호서비스 비용의 70%를 보험에서 지불하고 있다(Japanese Ministry of Health, Labour and Welfare [JMHLW], 2021).

(5) 방문간호 스테이션의 서비스 내용

방문간호 스테이션에서는 입원환자를 방문하여 퇴원 시 병실담당자와 공동 플랜을 세우고, 재가에서는 상태를 평가하고 희망에 따라 계획을 세운다. 수행 후에는 다시 평가하여 요구의 변화에 대응하는 방문간호를 실시한다(Fig 1-4).

간호내용으로는 상태 관찰, 요양지도, 재활치료, 가족의 개호지도·지원, 일상생활의 수발(예 청결유지 지원), 복약관리, 치매나 정신장애인의 지원, 배설 컨트롤·지원, 욕창 등의 예방·창상 처치, 임종간호 등이 있다. 야간을 포함한 응급상황 대처는 약 10% 미만, 자택에서의 임종간호는 2% 정도 실시하고 있다.

한편, 일본에서는 고령사회에 맞는 재택의료를 추진하기 위해 대상자의 상태에 따라 간호사가 '특정행위(일정한 진료 보조)'를 실시하도록 하고 있는데 특정행위는 간호사가 절차서에 따라 수행하는 행위로 이해력, 사고력, 판단력, 그리고 고도의 전문지식 및 기능이 필요한 38개의 행위를 말한다. 여기에는 호흡기 관리(기관튜브 위치 조정), 인공호흡요법(침습 양압환기 설정 변경 등), 순환기 관리(일시 페이스메이커 조작 관리 등), 심낭 흉강 드레인 관리, 방광루 카테터 교환, 중심 정맥 카테터 관리, 상처 관리(괴사조직 제거 등), 동맥혈액가스 분석(동맥천자), 투석 관리 등이 해당된다(정형선, 2019).

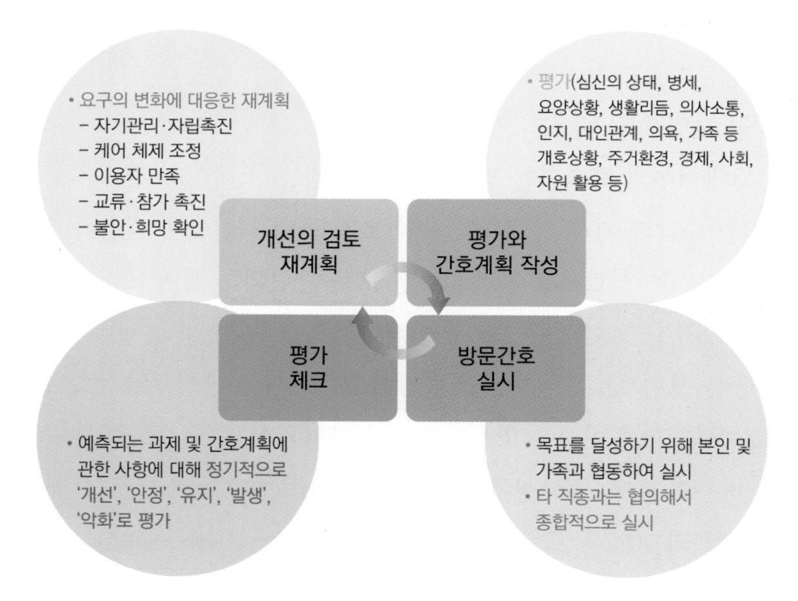

Fig 1-4 일본 방문간호의 전개 과정
[출처: 공익재단법인 일본방문간호재단, from: https://www.jvnf.or.jp/]

(6) 방문간호 이용자수와 비용

방문간호 스테이션 1개소 당 평균 약 70명의 이용자가 있으며, 이용자 1명당 월 6~8회 정도의 방문간호를 실시하고 있다. 1회의 방문간호에 드는 비용은 7,500~11,000엔(개호보험과 의료보험에 차이가 있음) 정도이다(일본방문간호재단, 2021).

(7) 방문간호 스테이션의 간호인력 기준

일본에서 방문간호서비스는 방문간호 스테이션이나 병원, 진료소 등의 의료기관에서 근무하는 간호사, 보건사, 준간호사 등 간호직이 방문하여 제공하는 것이 일반적이다(성명숙 외, 2010). 방문간호 스테이션에 근무하는 보건사, 조산사, 간호사 등 면허소지자는 면허 취득 후 실무 경험 5년 이상인 자로 3년 이상 재가돌봄영역의 간호실무경험이 있는 자 또는 의료처치 및 관리가 필요한 요양대상자의 방문간호를 5회 이상 담당한 경험이 있는 자로 제한한다. 일본의 방문간호 인정 간호사는 6개월간의 교육과정을 이수하도록 하고 있으며, 전문가를 초빙하여 지역·재가서비스 관련 강의를 제공하는 한편, 관련 분야 전문간호사의 책임 하에 교육 및 최신 의료기기 등을 활용한 재가실습지도를 시행하고 있다(Korean Research Institute for Nursing Policy, 2006). 이와 함께 고도의 전문지식 및 기능의 향상을 도모하기 위한 간호사 연수제도도 시행 중이다(정형선, 2019).

의료기관 가정간호 외의 지역사회 가정·방문형 간호

Home Health Care

현재 우리나라의 지역사회에서 가정을 방문하여 제공하는 간호서비스로는 위에서 살펴본 건강보험의 의료기관 가정간호 외에도 보건소의 방문건강관리, 노인장기요양보험의 방문간호, 가정형 호스피스가 있으며, 이들 서비스를 통하여 대상자의 건강행위 실천 향상, 만성질환에 대한 자가건강관리 능력 향상, 합병증 위험 감소, 의료비 절감 등의 효과가 확인된 바 있다(이건아 외, 2018).

1 보건소 방문건강관리사업

공공보건기관인 보건소에서 실시하는 방문건강관리사업은 보건의료 전문인력이 건강취약계층의 가정이나 시설을 방문하거나, 보건소 및 지역사회 자원을 이용하여 건강문제를 가진 가정을 발견하고 건강관리서비스를 제공하는 사업이다. 보건소에 내소하여 건강관리서비스를 받기 어려운 지역주민을 대상으로 직접 가정 등을 방문하여 제공하는 건강관리서비스로써, 지역주민의 자가건강관리능력 향상 및 허약예방 등을 통한 건강수준 향상에 그 목적을 두고 있다. 건강수준의 향상을 위해 잘못된 건강습관을 바로잡고, 건강증진 및 만성질환예방에 도움을 주는 건강행태의 개선과 건강문제 관리가 주요 목표이다.

1) 법적 근거

방문건강관리사업의 법적 근거는 「국민건강증진법」 제3조(책임), 「지역보건법」 제11조(보건소의 기능 및 업무), 동법 제16조의 2 (방문건강관리 전담공무원), 「보건의료기본법」 제 31조(평생국민건강관리사업) 및 「공공보건의료에 관한 법률」 제5조(공공보건의료의 우선 제공)에 있다.

2) 사업 대상

건강관리서비스 이용 및 접근이 어려운 사회·경제·문화적 건강취약계층과 65세 이상 독거노인가구, 75세 이상 노인가구 중심의 지역사회 주민이 사업의 대상이 된다.

(1) 방문건강관리서비스가 필요한 대상

① 노인 중 허약(노쇠) 예방 및 관리가 필요한 자

② 고혈압, 당뇨, 비만 등 만성질환 위험군 또는 질환군

③ 흡연, 잦은 음주, 불규칙적인 식생활, 신체활동 부족 등 건강행태 개선이 필요한 자

(2) 우선순위 고려 대상

① (연령 기준) 만65세 이상 노인

② (경제적 기준) 기초생활보장수급자, 차상위계층 등

③ (사회적 특성) 독거노인, 다문화가족, 한부모가족, 조손가족, 북한이탈주민 등

④ (건강 특성) 관리되지 않는 만성질환자 및 만성질환위험군, 장애인, 재가암환자 등

(3) 제외 기준

이미 질병 및 기능 상태가 악화된 노인장기요양등급 판정 등급자(1~5등급)는 제외(단, 인지지원 등급자는 포함)

① 다만, 지역사회 통합돌봄선도사업 지역에 한해 이용 일시를 달리하는 경우 노인장기요양보험 등급자에 대해 서비스 제공이 가능함

② 서비스 제공 시 장기요양제도의 방문간호서비스와 동 시간대에 제공되지 않도록 조치하여야 함

③ 인지지원 등급자를 제외한 노인장기요양등급자의 방문건강관리 실적은 지자체 합동평가지표 등 사업수행 실적에서 제외됨

3) 사업 추진 과정

우리나라의 방문보건사업은 1990년도에 일부 지방자치단체에서 보건소를 통하여 방문보건사업이 부분적으로 실시되다가 1995년 가정·사회복지시설 등을 방문하여 행

하는 보건의료사업으로 지역보건법에 보건소 방문보건사업의 법적 근거가 마련되었다. 2001년 방문보건사업 표준지침의 개발 및 보급으로 전국 보건소 정규인력을 통해 전면 실시되었고, 2007년부터 2011년까지는 기존의 재가암환자 관리사업과 지역사회중심 재활사업을 통합하여 맞춤형 방문건강관리사업으로 운영되었다.

2013년부터는 지역사회 통합건강증진사업으로 운영 중에 있으며, 이는 중앙정부가 획일적으로 실시하는 국가주도형 사업방식에서 탈피하여 지역특성이나 주민수요에 맞는 건강증진사업을 지자체가 기획·수행하도록 하기 위함이었다. 그러나 사업 내에서 타 사업과 연계되기보다 점차 축소되는 경향을 보였다. 이에 2018년부터는 지역사회 통합건강증진사업으로부터 별도로 예산을 분리하고 사례관리 전달 체계를 개선하여 찾아가는 건강관리서비스를 강화하였고 방문건강관리사업의 활성화를 기하고 있다.

2020년에는 시대의 흐름에 맞추어 24개 보건소에서 AI-IoT (지능형사물인터넷) 기반 어르신 건강관리 시범사업 실시하였으며, 블루투스 혈압계, 활동량계 등을 제공받아 집에서 혈압 등을 측정하면 건강관리 앱 '오늘 건강'을 통해 대상자의 건강정보가 보건소 담당 간호사에게 전송된다. 이 데이터를 기초로 건강습관에 맞추어 영양사, 운동전문가들이 비대면으로 상담과 정보를 제공해 주는 전문적인 건강관리시스템으로 정부는 2020년 24개 보건소에서 AI·IoT 기반 어르신 건강관리 시범사업을 실시하였고, 2021년에는 AI-IoT 기반 어르신 건강관리 시범사업을 확대 추진하고 있다(Table 1-12).

Table 1-12 보건소 방문건강관리사업 추진 과정

연도	내용
'90.	일부 지방자치단체에서 보건소를 통하여 방문보건사업을 부분적으로 실시
'95.12	지역보건법에 보건소 방문보건사업 법적 근거 마련 -제9조(보건소의 업무) 제12호 가정·사회복지시설 등을 방문하여 행하는 보건의료사업
'99-'00	공공근로사업의 일환, 노인·저소득층 등 의료사각지대에 있는 계층을 대상으로 한시적으로 사업 실시
'01.	방문보건사업 표준지침 개발·보급 전국 보건소 정규인력을 통해 방문보건사업 전면 실시
'03-'04	대도시 방문보건사업 시범 실시
'05.	지방자치단체 이관
'06.8	보건소 방문보건사업 활성화 방안 수립 -인력 충원, 교육 강화, 업무 매뉴얼 보완 등 추진

연도	내용
'06.9	「보건복지분야 사회서비스 확충 전략」 보고 시 포함
'07.4	「맞춤형 방문건강관리사업」 전문 인력 2,000명 충원 및 사업 실시
'08.10	맞춤형 방문건강관리사업에 재가암환자관리사업, 지역사회중심재활사업 통합 운영
'09.1	방문건강관리서비스 제공인력 2,700명으로 확대
'10.1	집중관리 서비스 확대 실시
'11.1	방문건강관리서비스 제공인력 2,750명으로 확대
'12. 1	북한이탈주민 건강관리사업 전국 확대 실시
'13.1	지역사회 통합건강증진사업으로 운영
'17.7	국정과제 '17. 사회서비스 공공인프라 구축과 일자리 확충' 포함 추진
'18.1	지역사회 통합건강증진사업으로부터 별도 예산 분리(사례관리 전달체계 개선), 찾아가는 건강관리서비스 강화
'20.11	AI · IoT 기반 어르신 건강관리 시범사업 실시(24개 보건소)
'21.9	AI · IoT 기반 어르신 건강관리 시범사업 확대 실시(5개 보건소 추가)

[출처: 보건복지부, 한국건강증진개발원, 2021 지역사회 통합건강증진사업 방문건강관리 안내]

4) 서비스 제공인력

방문건강관리사업은 목적과 대상에 따라 보건소 내 간호사, 영양사, 물리 · 작업치료사, 치과위생사 등 전문인력이 직접 가정을 방문하고 건강문제 스크리닝, 건강관리서비스 등을 제공하며 보건소 내외의 자원들을 연계하여 건강을 지킬 수 있도록 적극 돕고 있다. 특히 2019년부터 방문건강관리사업을 담당하기 위한 방문건강관리사업 전담공무원 제도가 시행되었다.

5) 서비스 및 제공 과정

방문건강관리서비스는 보건소 내 간호사를 비롯한 전문 인력이 가정 등을 방문하여 문제 사정을 통하여 건강관리서비스를 제공하며 필요 시 보건소 내 · 외 자원을 연계한다.

방문건강관리 전문인력이 대상자의 건강위험요인 및 건강문제를 포함하여 종합적인 판단을 하고 집중관리군, 정기관리군 및 자기역량지원군으로 분류한다. 군 분류에 따른 대상자 특성과 군별 세부사항은 지역보건의료정보시스템(Public health information system, PHIS)에 건강면접조사표 등을 입력하면 세부 기준에 의해 분류된다. 방문건강관리서비스 제공과정은 **Fig 1-5**와 같다.

대상자 발굴	• 보건소 내·외 자원 연계를 통한 대상자 POOL 확보 - (내) 진료, 금연클리닉 등 건강증진사업, 의료비지원사업, 철분제·엽산제 지원 등 보건소 사업 대상 및 건강검진 결과연계 대상 - (외) 지자체 사회복지서비스 관련 부서 및 읍 · 면 · 동 주민 센터 등에서 의뢰받은 대상, 방문 현장 등에서 신규 확인된 대상 등 ※ 찾아가는 보건복지서비스 수행을 위하여 읍 · 면 · 동에 간호직 공무원이 배치된 지역에서는 읍 · 면 · 동 간호직 공무원이 신규 대상자 등록 및 사전 건강상태 스크리닝 수행, 지속적·정기적 건강관리서비스가 필요하다고 판단되는 경우 보건소로 대상 이관 • 전화 확인을 통해 대상자와 방문 일정 확정

대상자 등록	• 대상자 등록 - 방문건강관리 대상자로의 등록·관리에 동의한 경우 • 사전 건강상태 스크리닝 - 방문 전문인력은 신체계측 및 설문조사 등을 통해 대상자의 건강위험 요인 및 건강문제 파악 • 군 분류 - 집중관리군, 정기관리군, 자기역량지원군으로 분류

서비스 운영내용	• 군별 맞춤 건강관리 계획 수립 및 서비스 추진 • 보건소 내·외 자원연계를 통한 대상자 중심의 서비스 지원 ※ 방문 전문인력의 상황 판단과 팀 구성에 따라 건강관리서비스 조정 가능

대상자 평가	• 대상군별 서비스 추진 후 재평가 실시 • 대상자 재평가 결과에 따라 서비스 군 지속 또는 재배치, 퇴록 등 결정 (건강문제가 없거나 미방문 기간이 총 2년을 초과하는 경우 퇴록)

Fig 1-5 방문건강관리서비스 제공 과정

[출처: 보건복지부, 한국건강증진개발원. 2021 지역사회 통합건강증진사업 방문건강관리 안내]

6) 서비스 내용

① 기본건강관리: 취약계층의 건강관리를 위한 건강교육 및 지역재난 관련 사전안전 교육과 상담을 통한 자가 건강관리 역량 강화

② 건강관리 모니터링: 독거, 은둔 등으로 지역사회와 단절되거나 어린이 및 노인의 학대 방임, 가정폭력으로 인한 취약대상(개인, 가정 등) 발굴로 취약계층의 사각지대 최소화

③ 건강행태 개선: 금연, 절주, 규칙적 신체활동, 균형 있는 영양섭취 등 건강생활 실천을 통한 질환발생 사전 예방

④ 만성질환관리 및 합병증 예방: 체계적인 건강관리를 통해 고혈압·당뇨·암 등 주요 만성질환의 유병률을 감소시키고 만성질환으로 인한 사망과 장애를 최소화

⑤ 임산부·신생아 및 영유아 건강관리: 임산부와 신생아의 잠재적인 건강 문제를 조기 발견하여 체계적으로 관리

⑥ 노인 허약예방관리: 노인의 신체적·인지적·정서적·사회적 기능의 회복·유지 및 증진을 통하여 건강한 노후생활 영위를 도모하고 장기요양상태를 사전 예방

⑦ 다문화가족 및 북한이탈주민 건강관리: 건강위험요인 및 건강 문제를 가진 다문화가족 관리와 감염성 및 정신건강 문제를 가진 북한이탈주민 관리

2 노인장기요양보험의 방문간호

노인장기요양보험제도는 '고령이나 노인성 질병 등의 사유로 일상생활을 혼자서 수행하기 어려운 노인 등에게 제공하는 신체활동 또는 가사활동 지원 등의 장기요양급여를 제공하여 노후의 건강증진 및 생활안정을 도모하고, 그 가족의 부담을 덜어줌으로써 국민의 삶의 질을 향상하도록 함'을 목적으로 하는 사회보험제도이다.

노인장기요양보험의 방문간호는 장기요양요원인 간호사 등이 의사, 한의사 또는 치과의사의 방문간호지시서에 따라 수급자의 가정 등을 방문하여 간호, 진료의 보조, 요양에 관한 상담 및 구강위생 등을 제공하는 장기요양급여 서비스이다. 이 제도의 목적은 고령자 또는 노인성 질병을 가진 자의 일상생활에서 거동불편 문제를 사회와 국가가 제도적으로 보장함으로써 궁극적으로 국민의 삶의 질 향상을 추구하는 것이다.

1) 법적 근거

「노인장기요양보험법」 제23조(장기요양급여의 종류)의 1 (재가급여)의 다(방문간호)와 「노인복지법」에 근거하고 있다.

2) 사업 대상

장기요양방문간호사업의 대상자는 6개월 이상 혼자서 일상생활을 수행하기 어렵다고 인정되는 자가 노인장기요양보험 급여를 받기 위해 장기요양등급을 신청을 한 자 중, '장기요양 1등급이나 2, 3, 4, 5등급을 받아 노인장기요양보험 급여를 받을 수 있는 자격을 인정받은 자'로 규정하고 있다.

3) 사업 추진 과정

노인장기요양보호정책에 대한 논의는 1999년도 말부터 시작되었다. 2000년 1월에 노인장기요양보호정책기획단이 설치되고, 2001년 8월 15일 대통령 경축사에서 노인요양보장제도 도입이 제시되었으며, 2003년 참여정부가 수립되면서부터 노인이 장기요양보장정책은 본격적인 제도도입을 위한 구체화 단계에 접어들었다. 수년간의 정책화 과정을 통해 2007년 「노인장기요양보험법」이 제정되었고 2008년부터 시작되었다.

이 제도는 장기요양급여에 방문간호가 포함되면서 의료기관 가정간호제도와 구분되어 재가노인환자를 대상으로 직접적인 간호서비스를 제공하는 제도로 출발하였다. 이를 보다 구체적으로 살펴보면, 노인장기요양보험제도는 2005년 7월부터 노인수발보험이라는 명칭 아래 시범사업으로 시작하였으며, 2006년 2차 시범사업 중 재가수발급여의 하나로 현 방문간호서비스인 간호수발서비스가 시작되었다. 2007년 「노인장기요양보험법」의 재정으로 재가급여의 범주 아래 방문간호가 포함되었고, 3차 시범사업을 통하여 2008년 7월부터 시행할 본 사업에 만전을 기하고 시범사업의 효과성 극대화와 제도에 대한 범국민적 공감대 형성을 목적으로 2007년 5월부터 2008년 6월까지 본사업과 동일하게 실시하였다. 본 사업은 민간경영의 형태로 방문간호사업이 운영되기 시작하였다. 2018년 1월에는 인지지원등급을 신설하는 등 그동안 농어촌지역 거주 수급자 본인일부부담금 감경 도입, 등급제 개편, 공단직영 장기요양시설 지정 운영 등 이 제도의 활성화를 기하였다 (Table 1-13).

Table 1-13 노인장기요양보험제도 추진 과정

연도	내용
고령화시대에 대비, 〈노인요양보장제도〉 도입 발표	
01.08.15.	대통령 경축사에서 노인요양보장제도 도입 제시
02.	대통령 공약사항 포함
노인요양보장제도 시행 준비체계 구축	
03.3~04.2	〈공적노인요양보장추진기획단〉 설치, 운영
04.3~05.2	〈공적노인요양보장제도실행위원회〉 구성, 운영
〈노인장기요양보험법(안)〉 입법 추진	
05.10.19~05.11.8	입법 예고
06.2.16	정부입법 국회 제출 - 한나라당 2건, 열린우리당 2건, 민주노동당 1건, 입법청원 1건 등 총 7개 법안 제출
07.4.2	국회 통과(부대결의내용 포함) - 국무회의 의결(04,17)을 거쳐 04.27일 공포, ‘08.07.01일부터 시행 - 1단계 시행령 시행규칙: ‘07.10.01시행 - 2단계 시행령 시행규칙: ‘08.07.01시행
시범사업 추진	
05.7~06.3	1차 시범사업 실시 - 6개 시구군 65세 이상 기초생활보장 수급노인 대상 - 시범지역: 광주 남구, 강릉, 수원, 부여, 안동, 북제주
06.4~07.4	2차 시범사업 실시 - 8개 시군구 65세 이상 노인 대상 - 시범지역 추가: 부산 북구, 전남 완도
07.5~08.6	3차 시범사업 실시 - 13개 시군구 65세 이상 노인 대상 - 시범지역 추가: 인천 부평구, 대구 남구, 청주, 익산, 하동
노인장기요양보험제도 시행	
08.3~08.7	노인장기요양보험제도 시행 준비 - 노인장기요양보험 운영센터 개소식
08.7	노인장기요양보험제도 시행 - 노인장기요양보험제도 시행, 보험료 부과 및 급여제공 개시
09.3	외국인 근로자 장기요양보험가입자 제외제도 도입 - 고용허가제로 입국한 외국인 근로자 보험료 부담 완화
09.5	농어촌지역거주 수급자 본인일부부담금 감경 도입 - 농어촌지역에 거주하는 수급자의 경제적 부담 완화
10.3	장기요양기관장 의무 및 공단 장기요양기관 설치 근거 신설 - 장기요양기관장의 급여제공기록 자료 기록·관리의무 및 공단의 장기요양급여 제공 기준 개발 및 급여비용 적정성을 위하여 장기요양기관 설치 운영할 수 있는 규정 마련

연도	내용
13.8	장기요양기관의 운영질서 확립 및 관리 강화 - 본인일부부담금 면제·할인 행위 금지, 거짓 청구한 경우 위반사실 공표, 행정제재처분의 효과 승계 등
14.7	노인장기요양등급체계 개편 - 5등급(일명 '치매특별등급') 신설 등 3등급 체계에서 5등급 체계로 개편
14.11	서울요양원 개원 - 장기요양 급여제공기준 개발 및 급여비용의 적정성 검토를 위한 공단직영 장기요양시설 운영
18.1	인지지원등급 신설 - 신체적 기능 상태와 관계없이 모든 치매질환 어르신까지 장기요양 서비스 대상자가 될 수 있도록 개선
18.8	장기요양 본인일부부담금 감경대상자 확대 - 저소득계층 수급자의 경제적 부담 완화
19.12	장기요양기관 지정제·지정갱신제 시행 - 장기요양기관 진입기준 강화로 부실기관에 대한 관리
19.12	장기요양 부정 인정자 직권 재조사 제도 시행 - 거짓이나 부정한 방법 또는 고의로 사고 발생, 본인의 위법행위에 기인하여 장기요양인정을 받은 경우 직권 재조사 실시

[출처: 노인장기요양보험 홈페이지, https://www.longtermcare.or.kr]

4) 서비스 제공인력

장기요양 방문간호사업은 재가장기요양기관에서 실시할 수 있다. 장기요양기관 중 방문간호를 제공하는 기관은 관리책임자 1명, 간호사 또는 조무사 1명 이상, 그리고 치과위생사 1명 이상(구강위생을 제공하는 경우로 한정)을 두어야 한다. 의료기관(보건진료소 제외)이 방문간호사업을 하는 경우에는 관리책임자는 의사·한의사 또는 치과의사 중에서 상근하는 자로 하고, 보건진료소 및 의료기관이 아닌 재가장기요양기관이 방문간호를 하는 경우에 방문간호사업의 관리책임자는 간호업무 경력이 2년 이상인 간호사로 한다.

방문간호급여를 제공할 수 있는 간호사나 간호조무사는 간호업무 경력이 2년 이상인 간호사 또는 간호보조업무 경력이 3년 이상인 간호조무사로서, 보건복지부장관이 정한 교육기관에서 간호조무사교육(700시간)을 이수한 자가 가능하다. 다만, 의료기관을 개설·운영하고 있는 자가 해당 의료기관과 병설하여 방문간호사업을 실시하기 위해 재가장기요양기관을 개설하는 경우에는 그 의료기관에 소속된 간호사, 간호조무사 및 치과위생사 중에서 방문간호사업을 제공할 수 있는 자격기준을 갖춘 자가 겸직할 수 있다(보건복지부·국민건강보험공단, 2019).

5) 서비스 제공 과정

방문간호서비스를 받기 위해서는 건강보험공단에 서비스 신청을 접수해야 한다. 접수된 후에는 건강보험공단 직원(소정의 교육을 이수한 간호사, 사회복지사 등)이 거주지를 방문하여 조사한다. 조사 내용은 5개 영역[기본적 일상생활활동(ADL), 인지 기능, 행동 변화, 간호처치, 재활영역]의 각 항목에 대한 신청인의 기능 상태와 질병 및 증상, 환경 상태, 서비스 욕구 등 12개 영역의 90개 항목을 종합적으로 조사하고, 이 중 52개 항목을 요양인정점수 산정에 이용하고 있다. 등급판정위원회가 조사내용을 근거로 장기요양 인정 및 장기요양 등급판정을 하면 국민건강보험공단은 장기요양 인정서와 표준장기요양 이용계획서를 대상자에게 통보한다. 대상자는 장기요양기관에 서비스 제공을 요청할 수 있으며 장기요양기관은 장기요양급여 이용계획 및 장기요양급여서비스를 제공한다(Fig 1-6).

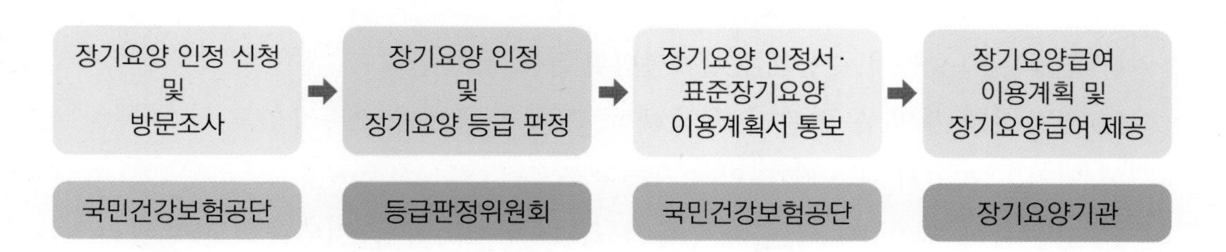

Fig 1-6 **방문간호 이용 절차**

6) 장기요양 등급판정 신청 자격 및 등급 구분

장기요양인정 신청자격은 장기요양보험 가입자 및 그 피부양자 또는 의료급여수급권자 중 65세 이상의 노인 또는 65세 미만자로서 치매, 뇌혈관성 질환 등 노인성 질병을 가진 자이다. 장기요양 등급판정은 주관적인 개념이 아니라 '심신의 기능 상태에 따라 일상생활에서 도움(장기요양)이 얼마나 필요한가?'를 지표화한 장기요양인정 점수를 기준으로 1등급부터 5등급, 그리고 인지 지원 등급인 6개의 등급으로 판정한다(Table 1-14).

Table 1-14 장기요양 등급 구분

장기요양 등급	기능 상태	일상생활 수행능력	장기요양 인정 점수
1등급	심신의 기능 상태 장애	전적으로 다른 사람의 도움 필요	95점 이상
2등급	심신의 기능 상태 장애	상당 부분이 다른 사람의 도움 필요	75점 이상~95점 미만
3등급	심신의 기능 상태 장애	부분적으로 다른 사람의 도움 필요	60점 이상~75점 미만
4등급	심신의 기능 상태 장애	일정 부분 다른 사람의 도움 필요	51점 이상~60점 미만
5등급	치매환자	단) 노인장기요양보험법 시행령 제2조에 따른 노인성 질병으로 한정	45점 이상~51점 미만
인지 지원 등급	치매환자	단) 노인장기요양보험법 시행령 제2조에 따른 노인성 질병으로 한정	45점 미만

[출처: 노인장기요양보험 홈페이지, https://www.longtermcare.or.kr]

7) 서비스 내용

장기요양기관에서 제공하는 방문간호서비스의 내용은 다음과 같다.

① 이용자 관리: 이용 상담, 사례 관리 등

② 기본 건강 관리: 건강 상태 확인(활력징후, 혈당 측정, 건강 상태 관찰)

③ 기본 간호: 위생 관리(구강 간호, 눈·귀·코 간호)

④ 신체훈련: 능동적, 수동적 관절가동범위 운동, 보행 관리

⑤ 질병 관리: 투약, 통증 관리, 감염 예방, 욕창, 상처 관리, 호흡기 간호

⑥ 인지훈련: 인지 기능 평가, 인지 기능 강화

⑦ 영양 관리: 영양상태 확인, 체액 관리, 경관영양식이 제공, 비위관 교환 및 관리

⑧ 배설 관리: 단순도뇨, 유치도뇨관 삽입 및 관리, 배뇨훈련, 관장, 장루 간호

8) 방문간호 수가

방문간호 수가는 수급자의 질병명, 장기요양등급과 방문지역 등을 불문하고 1회 방문당 제공시간을 기준으로 30분 미만, 30분 이상~60분 미만, 60분 이상으로 분류한다. 장기요양급여는 등급에 따른 월 한도액 범위 내에서 제공받을 수 있고, 장기요양 급여비의 총 비용 중 15%를 본인이 부담한다.

9) 기존 노인복지 서비스 체계와의 차이

기존 「노인복지법」 상의 노인요양은 주로 국민기초생활보장수급자 등 특정 저소득층을 대상으로 국가나 지방자치단체가 공적부조방식으로 제공하는 서비스 위주로 운영되어 왔으나, 「노인장기요양보험법」 상 서비스는 소득에 관계없이 심신기능 상태를 고려한 요양 필요도에 따라 장기요양인정을 받은 자에게 서비스가 제공되는 보다 보편적인 체계로 운영되고 있다(Table 1-15).

Table 1-15 기존 노인복지 서비스 체계와 노인장기요양보험의 차이

구분	기존 노인복지 서비스 체계	노인장기요양보험
관련법	노인복지법	노인장기요양보험법
서비스 대상	• 특정 대상 한정(선택적) • 국민기초생활보장 수급자를 포함한 저소득층 위주	• 보편적 제도 • 장기요양이 필요한 65세 이상 노인 및 치매 등 노인성 질병을 가진 65세 미만자
서비스 선택	지방자치단체장의 판단(공급자 위주)	수급자 및 부양가족의 선택에 의한 서비스 제공
재원	정부 및 지방자치단체의 부담	장기요양보험료+국가 및 지방자치단체 부담+이용자 본인 부담

[출처: 노인장기요양보험 홈페이지, https://www.longtermcare.or.kr]

3 가정형 호스피스

호스피스·완화의료는 질환을 가진 환자와 가족에 대한 완치 목적의 치료가 아닌 삶의 질에 목적을 둔 총체적 치료와 돌봄의 개념으로, 회복이 불가능한 말기 상태로 적극적인 치료에도 불구하고 수개월 내 사망이 예측되는 암 환자에게 신체적·사회적·심리적·영적 평가를 통해 전인적인 돌봄을 제공하는 의료이다. 우리나라의 호스피스·완화의료는 1965년 강원도 갈바리의원에서 최초로 시작되었다. 1980년대에는 종교기관을 중심으로 가정 호스피스와 병원 내 호스피스를 시작하였으며, 1988년에는 최초의 입원형 호스피스 병동이 개설되었다. 가정형 호스피스는 가정에서 지내기를 원하는 말기 환자와 가족에게 보건복지부지정 전문기관의 호스피스 팀이 가정으로 방문하여 제공하는 호스피스·완화의료서비스이다. 이러한 서비스로 환자와 가족들의 신체적, 심리·사회적, 영적 고통을 완화하여 삶의 질 향상에 기여한다.

1) 법적 근거

호스피스·완화의료서비스 대상은 가정형, 입원형, 자문형과 상관없이 모두 「연명의료결정법」에 따른다.

2) 사업 대상

대상자는 기존에 「암 관리법」에 따른 호스피스의 대상(말기암환자와 가족)으로서 가정에서 호스피스 서비스 이용을 희망하는 환자였으나, 2016년 이후로 암, 후천성면역결핍증, 만성폐쇄성 호흡기질환, 만성 간경화 중 한 질환의 말기 환자로 진단을 받은 환자 또는 임종 과정에 있는 환자와 그 가족으로 범위가 변경되었다. 적극적인 치료에도 불구하고 근원적인 회복의 가능성이 없고 점차 증상이 악화되어 담당의사와 해당분야 전문의 1명으로부터 수개월 이내의 사망할 것으로 예상되는 진단을 받은 환자도 이에 해당된다.

기관의 운영여건에 따라 이동 가능 거리, 이동 시간, 서비스 연계가능기관 등의 기준을 정할 수 있다.

3) 사업 추진 과정

WHO는 "효과적인 완화의료 프로그램은 돌봄의 전 영역, 특히 1차의료 영역과 가정에서의 돌봄을 포함해야 한다"고 선언하였으며, 여건이 허락되는 한 가정에서 지내거나 임종하기 원하는 상당수 환자와 가족들에게 선택의 기회를 제공할 필요성이 대두되었다.

퇴원 가능한 말기암환자가 가정에서 지내는 동안 돌봄의 연속성을 확보하는 한편, 불필요한 입원, 응급실 방문 등 비효율적 의료이용을 개선할 필요성이 인식되었고, 호스피스서비스가 필요한 말기암환자와 가족을 발굴하고, 호스피스서비스 개입 시기를 앞당길 필요가 있어 가정호스피스제도를 도입하였다.

호스피스·완화의료가 제도화된 것은 「암 관리법」의 제정으로 완화의료라는 용어가 등장한 2003년이며, 보건복지부는 2005년부터 말기암환자 완화의료 전문기관 활성화 사업으로 호스피스전문기관 지원사업을 시작하였다. 2006년에는 말기암환자 전문의료기관 지정제도의 법적 기준이 마련되었고, 2015년 12월에 「암 관리법」 시행령과 시행규칙이 개정되어 가정형, 자문형 호스피스·완화의료사업의 법적 근거가 마련되었다. 2016년 호스피스·완화의료 및 임종 과정에 있는 환자의 「연명의료결정에 관한 법률」(약칭: 연명의료

결정법)이 제정되어 호스피스·완화의료의 대상 질환이 기존의 말기 암에서 암, 후천성면역결핍증, 만성폐쇄성 호흡기질환, 만성 간경화로 확대되고, 서비스 유형도 가정형, 자문형, 요양병원, 소아청소년 호스피스 등으로 다양해졌다.

호스피스 제도화 추진 과정은 Table 1-16과 같다. 2003년부터 2004년까지 제1, 2차 말기암환자 호스피스 시범사업을 실시하였고, 2005년부터 호스피스기관 지원사업을 실시하였다. 2006년에 말기암환자 전문의료기관지정제도의 법적 기준이 마련되었고, 2015년 12월에 가정형 및 자문형 호스피스 법적 근거가 마련되었다. 가정형 호스피스 사업은 말기 환자의 호스피스 치료 장소에 대한 선택권 보장 차원에서 2016년 3월 가정형 호스피스 시범사업을 거쳐 2020년 9월부터 본 사업을 본격적으로 실시하고 있다.

Table 1-16 호스피스 · 완화의료 제도화 추진 과정

연도	내용
'03~'04	• 제1, 2차 말기암환자 호스피스 시범사업 실시 • 호스피스 기관 시설·인력 및 장비 기준 마련
'05~'14	• 호스피스전문기관 지원 사업 실시 • '05년 15개소(240백만 원) → '14년 54개소(2,720백만 원)
'06.4	제 2기 암정복 10개년 계획 수립
'06.10	말기암환자 전문의료기관 지정 제도 법적 기준 마련
'07.8 '07.5~'08.5	• 호스피스 제도화를 위한 방안 마련 추진 • 건강보험심사평가원에서 호스피스 수가 선정 • 급여기준 및 평가체계 개발 연구 수행
'08.9	• 말기암환자 호스피스전문기관 지정기준 고시 제정 • 호스피스전문기관 지정제 도입
'09.12~'15.6	• 호스피스 수가시범사업(1, 2차) 실시 • 「암 관리법」에 따른 제도화 기준에 맞춰 건강보험 수가 개발 추진
'11.6	• 「암 관리법」 전부개정 시행 • 말기암환자 및 완화의료 정의, 의료인의 설명의무 등 법적 근거 마련
'13.10	보건복지부 호스피스 활성화 대책 발표
'13.11~12	말기암환자 호스피스전문기관 일제 점검
'14.8 '14.10	• 암 관리법 시행령(8월) 및 시행규칙(10월) 개정 • 말기암환자 호스피스 서비스 항목 및 병동 운영계획 및 전담 부서 배치 등 지정 평가항목 추가
'15.7	입원형 호스피스 건강보험 수가 적용
'15.12	• 「암 관리법」 시행규칙 일부 개정 • 가정형 및 자문형 호스피스 법적 근거 마련

연도	내용
'16.3	가정형 호스피스 수가시범사업 실시
'20.9	가정호스피스 본 사업 시행

[출처: 가정형 호스피스 사업 업무편람]

4) 서비스 제공인력

가정호스피스팀은「암 관리법」시행규칙 별표에 따라 일정 자격을 갖춘 법정 필수 인력(간호사, 의사, 사회복지사) 등을 중심으로 구성되며, 인력, 시설, 운영에 대한 지정 기준을 만족해야 서비스를 제공할 수 있다.

가정호스피스 전문기관의 인력 기준은 의사 또는 한의사(전문의) 1명 이상, 호스피스전문간호사, 가정전문간호사 또는 호스피스전문기관에서 2년 이상 호스피스 업무에 종사한 경력이 있는 간호사 1명 이상, 1급 사회복지사 1명 이상이다. 호스피스전문간호사를 제외한 모든 인력은 보건복지부장관이 정하는 60시간 이상의 호스피스 기본교육을 이수하여야 한다. 또한 가정형 호스피스전문기관의 필수인력은 기본교육 이외에도 중앙센터 및 권역별 호스피스센터에서 운영하는 가정형 추가교육을 16시간 이수해야 하고 매년 4시간의 보수교육을 이수해야 한다. 필수인력은 환자 정보공유 및 계획 수립을 위해 팀 회의에 참석해야 한다. 필수 인력 외에 사무직, 영적 돌봄 제공자, 자원봉사자 등이 함께 할 수 있다.

5) 서비스 제공 과정

호스피스 대상자가 호스피스전문기관에서 호스피스를 이용하려는 경우에는 이용 동의서와 의사가 발급하는 호스피스 대상 환자임을 나타내는 의사소견서를 첨부하여 호스피스전문기관에 신청하여야 한다. 가정형 호스피스는 환자 평가, 돌봄 계획 수립, 증상 관리, 상담, 심리·사회적·영적 돌봄, 사별가족 관리를 제공한다. 이러한 서비스를 제공하기 위해 가정형 호스피스는 24시간, 주 7일 상담이 가능한 직통 전화번호를 제공해야 하고 근무시간 내 상담전화는 가정형 호스피스 전담간호사가 일차적으로 응대해야 한다. 마약류를 가지고 가정을 방문할 때에는 마약류 운송관리 지침을 따르며 환자의 가정까지 운반, 투약 및 수거를 한다.

6) 서비스 내용

가정형 호스피스 주요 서비스 팀원은 「의료법」 등 소관업무를 규정하는 법령을 준수하여 「암 관리법」 제2조 '말기암환자 호스피스'를 가정에서 제공한다.

① 환자 평가 초기 평가: 신체적, 기능적, 심리·사회·영적 평가 및 환경 안전 평가, 환자 및 가족의 상태 변화 모니터링
② 돌봄 계획 수립: 환자 상태에 대한 의사소통, 환자와 가족의 문제 및 선호에 기반한 돌봄 계획 수립 및 조정
③ 신체적 돌봄: 통증 조절, 통증 외 신체증상 조절
④ 심리적 돌봄: 지지적 상담 및 의사소통 촉진, 가족 돌봄
⑤ 영적(종교적·실존적) 돌봄: 환자와 가족의 영적(종교적·실존적) 선호에 근거한 상담 및 돌봄 의뢰, 종교의식 지원
⑥ 사회적 돌봄: 제도적 자원 연계, 기타 자원 활용 및 연계
⑦ 임종 돌봄: 임종 준비 교육, 임종 증상 관리, 사후 처치 및 장례절차 안내
⑧ 24시간, 주 7일 상담전화: 정기 방문 또는 전화 방문 외에 환자와 가족들의 상태 변화에 대처할 수 있도록 24시간, 주 7일 전화상담 운영
⑨ 검사 관련 업무: 처방된 검사 현장 실시 또는 검체 채취 및 검사 결과 설명
⑩ 장비 대여: 장비 대여 의뢰 또는 연계
⑪ 교육·훈련환자 및 돌봄 제공자 교육
⑫ 연계 및 의뢰: 입원 등 집중적 돌봄 연계, 협진 의뢰, 전원 의뢰
⑬ 사별 돌봄: 약품(마약 포함) 및 장비 수거, 사별가족 위험도 평가 및 돌봄 계획 수립 사별가족을 위한 정신·사회·영적 돌봄 제공

7) 가정형 호스피스 수가

호스피스 수가는 통합환자관리료, 방문료, 교통비, 진료항목별 분야로 구분되어 적용된다. 통합환자관리료란 호스피스팀이 환자 상태를 평가하여 계획을 수립하고 전화 상담을 시행하는 등 상시적 환자 관리 및 서비스를 제공할 때 산정되며, 첫 가정방문일이 속한 주부터 주 1회 산정 가능하다. 방문료는 방문 당 수가이며, 전담간호사의 방문은 1인

당 1일 5회 이내로 인정되고 당일 방문간호나 가정간호 기본방문료와 중복 산정이 되지 않는다. 교통비는 직종과 소요시간, 방문지역 등을 불문하고 방문당 1회 산정한다. 방문 당일 2명 이상이 동시에 방문해도 1회만 산정한다.

4 기타 가정·방문형 간호

커뮤니티케어* 도입과 함께 장애인 건강주치의제도, 중증소아 재택의료 등 각종 시범사업이 진행 중에 있으며, 이 사업 안에는 가정·방문형 간호가 포함되어 있다.

1) 장애인 건강주치의제도

장애인 건강주치의 교육을 이수한 의사가 일반 건강관리 또는 주장애 관리 건강주치의로 등록하여, 중증장애인에게 만성질환 또는 장애 관련 건강관리를 지속적·포괄적으로 제공하고자 만들어졌다. 대상 환자는 「장애인건강권법」 제16조 및 동 법률 시행령 제5조에 따른 '중증 장애인'으로, 만성질환 또는 장애에 대한 건강관리가 필요한 자를 대상으로 한다.

2) 중증소아 재택의료

가정에 있는 중증소아 환자에게 의료진(의사·간호사 등)이 직접 가정을 방문하여 진료 및 간호, 재활, 교육·상담 등의 지속적이고 포괄적인 의료서비스를 제공한다. 대상 환자는 시범기관의 만 18세 이하 환자 중 의사의 판단에 따라 일정 수준 이상의 재택의료가 필요한 의료적 요구가 있는 환자로 한다.

---

* 돌봄(케어**)이 필요한 주민(어르신, 장애인 등)이 살던 곳(자기 집이나 그룹 홈 등)에서 개개인의 욕구에 맞는 서비스를 누리고 지역사회와 함께 어울려 살아갈 수 있도록 주거, 보건의료, 요양, 돌봄, 독립생활 등을 통합적으로 지원하는 지역주도형 사회서비스정책

** 케어의 복합적 개념: 주거, 보건의료, 요양, 돌봄, 독립생활 지원 포함

3) 기타

이외에도 2020년부터 시행하는 시범사업으로 1형 당뇨병환자, 가정용인공호흡기환자, 재활환자, 심장질환자, 분만취약지 임산부 재택의료 시범사업 등 다양하다. 이들 환자군 대부분은 수술이나 퇴원 후에도 지속적인 관리가 필요하거나 평소 치료 연속성이 보장되지 않았던 경우다. 건강보험급여 적용방식도 비슷하다. 의사 혹은 간호사의 교육상담료 혹은 비대면 상담에 따른 환자 관리료를 각각 수가로 책정한다(Dailymedi, 2020). 이에 따라 의료기관을 적절하게 이용하기 어려워서 집에 머물 수밖에 없었던 환자들의 의료 이용에 상당한 개선이 이루어질 것이다.

가정전문간호사의 자격, 역할 및 업무

Home Health Care

1 가정전문간호사의 자격

전문간호사는 병원이나 지역사회에서 고위험 대상자 또는 만성환자의 요구를 중심으로 간호계획 및 간호조정자로서 간호의 단절을 최소화시키고 개별화 간호를 최대화시키는 창의적인 간호를 제공하게 하여 고위험 대상자의 요구를 충족시킴과 동시에 비용효과적인 상급실무의 역할을 할 수 있게 하는 존재이다. 전문간호사는 상급간호 실무를 수행하기 위하여 교육과 경험을 통하여 역할 능력과 자질을 갖추어야 한다. 동시에 실무수행을 대상자에게 제공하기 위해서는 공적인 자격증을 취득하여야 신뢰를 받을 수 있고 또한 건강관리기관으로부터 근무할 수 있는 위치 및 직위를 확보할 수 있다(김광주, 1993).

전문간호분야를 일찍이 활성화하고 있는 미국과 캐나다에서는 여러 간호전문분야 조직단체들이 엄격한 절차를 거쳐 자격증을 부여하고 있다.

우리나라에서 가정전문간호사가 되고자 하는 간호사는 보건복지부령으로 정하는 전문간호사 교육과정을 이수한 자(대학원 전문간호사 과정) 또는 보건복지부장관이 인정하는 외국의 해당분야 전문간호사 자격이 있는 사람으로서 보건복지부장관이 실시하는 전문간호사 자격시험에 합격한 후 보건복지부장관의 자격 인정(전문간호사 자격시험 합격)을 받아야 한다[의료법 제78조 제2항]. 또한 전문간호사 교육과정은 대학원 석사과정으로, 보건복지부장관이 지정하는 전문간호사 교육기관이 실시하고 그 교육기간은 2년 이상으로 한다. 전문간호사 교육과정을 신청할 수 있는 자는 교육을 받기 전 10년 이내에 해당분야의 기관에서 3년 이상 간호사로서의 실무경력이 있는 자로 한다[전문간호사 자격인정 등에 대한 규칙 제4조]. 간호석사학위 교육은 첫째, 상급실무 역할을 할 수 있는 전문지식과 기술을 가지고 있는 사람, 둘째, 전통적인 전문간호사 역할과 전통적인 전문실무자(practitioner)의 역할을 포함하는 다양한 역할 사이에서 자유롭게 활동하는 사람을 기르는 교육이라고 정의하였다.

2 가정전문간호사의 역할

사회구조가 발달하면서 의사, 간호사라는 신분이 생겨나 건강관리의 역할이 전적으로 가족구성원에서 의사, 간호사로 옮겨지게 되었으며, 과학의 발달과 더불어 역할의 다양성과 전문성이 점점 증가하고 있다. 간호전문직의 역할은 사회체계 변화와 같은 시대를 살아가는 사람들의 상호작용을 통해서 역동적으로 변화한다. 21세기 가정간호는 노인인구에 초점을 두면서 High-tech, High-touch의 간호가 될 것이며, 의료기관중심에서 지역사회로 영역이 더욱 확대될 것이다(김용순 외, 2008). 질병에 대한 의료 서비스의 접근도 치료 위주가 아닌 건강의 유지, 증진, 예방과 재활에 중점을 두고 다양하게 접근하게 될 것이며, 가정전문간호사도 다양한 분야에서 역할을 담당하게 되었다.

전문간호사는 상급간호실무의 의미와 효과를 증명해 보일 수 있는 역할을 수행하기 위해 간호분야에서 지도력과 자율성, 창조성을 갖추어야 한다.

가정간호는 건강 회복, 건강 유지 및 건강증진을 위하여 대상자가 거주하는 장소에서 개인이나 가족에게 제공되는 건강관련 서비스이다. 또한 가정간호 대상자와 가족들은 가정이라는 익숙한 환경에서 간호를 제공받기 때문에 육체적 편안함, 심리적 만족감, 경제적 절약과 더불어 정신적 안정감 등을 갖게 된다(서윤진, 2005). 대한간호협회에서는 전문간호사의 역할을 전문간호분야에서 전문가적 간호실무수행자, 교육자, 상담자, 연구자, 지도자, 자문·협동·조정자, 변화 촉진자, 윤리적 의사결정자 및 일반간호사의 역할모델로서 수행하여야 한다고 규정하였다.

간호사의 역할에 대한 명확한 규명은 간호업무의 자율성을 위한 필수적 선행조건이다. 아울러 전문직업인으로서 효율적 직무수행을 위해서 간호사의 역할 인식이 선행되어야 함은 더 말할 나위가 없으며, 역할 인식 정도는 간호직 종사의욕과 사명감에 영향을 주어 간호의 질뿐만 아니라 간호수행의 효율성과 직무만족에 직·간접적으로 영향을 미치게 된다고 하였다.

따라서 가정전문간호사는 간호의 본질과 시대적 변화에 따른 대상자의 요구를 적극적으로 수용하여 간호계의 비전 제시와 경제성, 효율성 측면에서 환자의 요구를 가장 충족시킬 수 있는 전문간호사로서의 역할을 모두 담당하여야 한다.

1) 전문간호 실무수행자

가정간호에서의 전문간호 실무수행자로서의 역할은 고위험, 복합적 문제를 가진 대상자를 전문적 기술과 다양한 경험을 가지고 직관으로 사정하고 진단하며 대상자별 간호계획을 하여 전문적 간호수행과 평가, 기록하는 것이다. 이를 수행하기 위해서는 지식의 양과 깊이, 자료의 통합 및 기술과 중재 능력이 높아야 한다. 또한 의료기관 업무편람에 명시된 치료적 간호도 전문적 간호에 포함되는데, 치료적 기구 교환 및 삽입, 욕창치료, 상처 소독 및 봉합사 제거, 산소요법 등 의사의 처방이 필요한 건강보험진료수가 항목에 포함되는 서비스 내용이다.

2) 교육자

가정전문간호사가 방문 시 수행하는 간호에 대한 책임 뿐 아니라 방문하지 않는 기간에 일어날 수 있는 일에 대해서도 적절히 대처할 수 있도록 대상자와 가족, 돌봄제공자를 교육할 책임이 있으며 교육자로서의 역할은 매우 중요하다. 또한 가정전문간호사를 배출하기 위한 실습교육과 일반간호사의 직무교육, 지역사회 주민과 기관의 보건의료 인력에 대한 교육활동도 수행하고 있다.

교육자로서의 역할은 환자 회복 촉진과 빠른 기능 회복, 건강한 행동으로의 변화를 위한 환자·가족·돌봄 제공자의 교육과 교육자료 개발도 포함된다.

3) 상담자

전문적인 지식과 경험으로 상담이 필요한 사람에게 문제의 본질을 파악하고 해결 방법을 찾도록 하는 활동이다. 가정전문간호사의 방문 중 많은 시간은 환자의 상태 변화에 대한 대처 방법, 질병의 진행 과정 및 예후, 가족과 간호 제공자의 문제, 환경 관리 등에 대하여 상담하며 전화상담도 하고 있다. 가정전문간호사의 상담자 역할은 도움을 요청하는 환자와 가족, 간호 제공자에게 전문적 지식과 경험으로 문제의 본질을 알도록 도와주고 해결방법을 찾도록 역할을 하는 것이다.

4) 연구자

연구자는 실무를 향상시키기 위해 가정간호 실무에 대한 과학적 근거의 확장과 연구결과를 적용을 하는 것이 필수적 역할이다. 연구자로서의 가정전문간호사는 실무에 임함에 있어 창조적, 체계적 사고를 가지고 연구문제를 확인하며 문제 해결을 위한 연구를 수행해야 한다. 또한 가정간호 실무에 대한 과학적 근거 확장과 연구결과를 적용하여 실무를 향상시키기 위한 지속적인 연구에 참여해야 한다. 가정전문간호사는 소속된 사업소의 효율적 운영과 제공된 서비스에 대한 질 관리와 서비스 결과에 대한 평가를 시행하고 자료를 제시해야 한다.

5) 지도자

리더십은 다른 사람들에 영향을 미쳐서 목표 성취를 위해 나아가게 할 수 있는 능력으로 단순히 조직을 관리하고 일상적 의사결정을 하는 것을 뜻하지 않으며, '목표(goal)'를 향해 조직을 이끌어 갈 수 있고 조직의 목표를 명확히 해주며 구체적 동기유발로 미래의 비전을 향해 방향을 잡아줄 수 있는 능력을 말한다. 가정전문간호사의 지도자 역할은 가정간호사업소가 추구하는 목표와 그 달성 방법의 최종 결정 및 모든 구성원들이 최대의 만족감을 가지고 목표 달성에 참여할 수 있도록 동기를 부여하고 격려하는 것이다.

6) 관리자

사전적으로 관리자는 자기가 속한 조직의 목표를 효율적으로 달성하기 위하여 조직 구성원들이 스스로 노력하게끔 지도와 조정의 역할을 수행해야 한다. 비록 관리 활동을 전개하는 조직이 있다 할지라도 그 자체만으로 조직의 목표를 효율적으로 달성할 수는 없으므로, 주어진 목표를 달성하려면 조직 구성원의 자발적인 노력을 이끌어낼 수 있는 사람을 필요로 하게 되는데, 그 역할의 담당자가 곧 관리자인 것이다. 관리는 목표와 정책 달성을 위한 계획을 세우고, 조직의 인적, 물적 자원을 기획하고 조정하며, 지휘, 보고, 평가, 통제하는 과정이다. 가정전문간호사는 가정간호사업을 운영하고 업무를 총괄하는 관리를 해야 하므로 관리자의 역할이 매우 중요하다.

가정전문간호사의 관리자 역할은 가정간호사업을 위한 업무 수행을 위한 총괄을 하는 것으로 환자의 간호계획과 지역사회사업계획 및 그 사업계획에 따라 사업소에 필요한 인력과 재정 및 정보, 물적 자원 등을 기획, 조직, 조정, 평가하는 것이다.

위에서 살펴 본 바와 같이 간호전문직의 역할은 고정되어 있지 않고 사회체계 변화와 동시대인의 상호작용을 통해서 역동적으로 변화한다. 우리나라 가정간호서비스의 범위는 간호에 국한되어 있으나 가정간호를 먼저 시작한 다른 나라들의 경우를 보아 앞으로 서비스 범위가 확대될 것으로 예상되므로 가정전문간호사가 다학제 간의 가정간호서비스에서 주도적인 역할을 수행할 수 있어야겠다(김용순 외, 2008).

3 가정전문간호사의 업무

가정전문간호사의 활동은 가정전문간호사에 의해 수행되는 기관에서의 전문간호사로서의 활동과 가정간호사업소 안에서의 활동, 그리고 가정방문 시 수행되는 활동으로 직·간접 간호 등을 포함하는 모든 활동을 포함한다.

1) 의료법에 명시된 가정전문간호사의 업무범위

「의료법」 제33조 및 「동법 시행규칙」 24조에 따라 의료기관이 실시하는 가정전문간호사의 업무범위는 간호, 검체의 채취(보건복지부 장관이 정하는 현장 검사를 포함) 및 운반, 투약, 주사, 응급처치 등에 대한 교육 및 훈련, 의뢰와 상담, 다른 보건의료기관에 건강관리에 관한 의뢰로 명시되어 있다(개정 2010. 5. 18).

2) 의료기관 가정간호사업에서 가정전문간호사의 업무

(1) 가정전문간호사의 업무

의료기관 가정간호사업을 실시하면서 보건복지부에서는 가정전문간호사의 업무와 활동을 『의료기관 가정간호 업무편람』에 다음과 같이 명시하였다.

가정전문간호사의 업무로는 환자 사정, 가정간호 계획, 수행, 평가, 기록 및 보고, 환자와 가족의 교육, 타 부서와의 정보교환, 자기개발, 상담으로 되어 있고, 수행업무에는 기본간호, 치료적 간호, 검사 관련 업무, 투약 및 주사가 포함되어 있다. 의료기관 가정간호에서 제공되는 서비스는 「의료법 시행규칙」 제24조에 의거하여 기본간호와 교육, 훈련 및 상담 등을 제외하고 검사, 투약, 주사 및 치료적 의료행위를 실시하는 경우에는 의사와 한의사의 진단과 처방에 의하여야 한다. 가정간호사업도 운영조직의 성격에 따라 달라지며 병원 입원치료의 연장으로 가정에서 환자에게 필요한 의료적 처치, 간호, 사회사업서비스를 제공하는 좁은 의미의 가정간호(home health care)와 의료적 처치, 간호, 사회사업 이외에 환자가 가정에서 지내는 것에 필요한 일반적 서비스인 의·식·주와 관련된 서비스까지를 포함하는 것(home care)으로 나눌 수 있다. 가정전문간호사에 의해 제공되는 서비스를 구체적으로 살펴보면 **Table 1-17**과 같다(보건복지부, 2010).

Table 1-17 가정전문간호사의 주요 업무

가정전문간호사의 주요 업무	
기본 간호	• 간호 사정 및 간호 진단, 냉온 요법, 체위 변경, 등 마사지, 구강 간호 등 • 주치의의 처방이 없어도 가정전문간호사가 독자적인 판단 하에 시행할 수 있는 업무
치료적 간호	• 진료업무 영역에 속하는 업무로 비위관 교환, 정체 도뇨관 교환, 기관지관 교환 및 관리, 산소요법, 욕창 치료, 단순 상처 치료, 염증성 처치, 봉합사 제거, 방광세척, 치료용 삽관 관리-PTBD, PCN 등 주로 건강보험 진료수가항목에 포함되는 서비스 • 의사·한의사의 처방이 필요
검사 관련 업무	환자의 상태 변화를 파악하기 위하여 의사 및 한의사가 처방한 검사 중 가정에서 실시할 수 있는 뇨당 검사, 반정량혈당검사, 산소포화도 검사를 현장에서 실시하고 채혈, 객담 등 검사물을 채취하여 의료기관으로 운반
투약 및 주사	• 가정간호서비스를 제공하는 동안 주치의의 처방에 의한 투약행위, 근육주사, 혈관주사, 피하주사를 시행하며 수액 요법은 수액 감시와 속도 조절 등에 대한 관리가 가능한 경우에 실시 • 가정간호가 제공되는 기관의 입원 환자에 준하는 마약 관리
교육·훈련	환자 및 가족을 대상으로 건강관리에 필요한 식이요법, 운동요법, 처치법, 기구 및 장비 사용법, 환자의 상태 변화 시에 대처 방법, 질병의 진행 과정 및 예후 등을 교육, 훈련
상담	질병의 진행 과정 및 예후, 보호자와 가족 문제, 환경 관리 등에 관한 상담
의뢰 및 연계	가정간호서비스가 종결된 후에도 계속적인 건강관리가 요구된다고 판단되는 환자는 희망에 따라 해당기관으로 의뢰

(2) 가정간호사업소 팀장의 업무

가정간호사업소의 책임자인 팀장은 가정간호관련 정책개발, 사업기획, 관리, 조정, 예산편성, 사업보고, 사업소 시설 및 물품관리, 기록 및 문서관리, 가정전문간호사의 교육, 지도 및 감독, 업무분장과 방문계획 조정, 타 부서와의 연계 및 조정, 질 관리 등 사업소를 운영하는데 필요한 업무를 수행한다(보건복지부, 2010).

3) 미국 가정간호 실무표준에서의 업무와 서비스 내용

우리나라보다 전문간호사의 역사가 깊은 미국의 경우 가정전문간호사의 업무를 다음과 같이 서술하고 있다. 미국간호사협회는 가정전문간호사의 역할과 업무 범위를 가정전문간호사의 학위 수준에 따라 명확하게 서술하고 있다.

(1) 일반가정간호사(Generalist)의 업무

환자, 가족, 간호 제공자에게 간호과정에 의한 직·간접적인 간호를 제공하는 것으로 사정, 간호 계획, 직·간접 간호제공 및 평가, 환자와 간호 제공자 교육, 자원관리, 다학제간 협동, 간호 제공자 감독, 간호수행 향상을 위한 활동이다.

(2) 가정전문간호사(Specialist)의 업무

전문성을 필요로 하는 고위험 대상자와 간호 제공자에게 직접간호 수행, 일반가정간호사에게 자문, 질 관리, 연구, 직원교육 및 평가, 실무적용을 위한 연구, 복잡한 사례에서의 간호 제공자 관리 및 평가, 보험 지불 경향에 대한 모니터, 윤리적 이슈에 대한 논의, 다학제간 협조이다.

(3) 미국 Home health care 서비스 내용

Home health care 서비스에서 급여항목은 전문 간호, 재활치료, 돌봄서비스, 사회복지상담서비스, 보장구 지원이 있고, 비급여 항목은 이동지원, 24시간 돌봄, 도시락 지원, 가사 지원 등의 서비스가 있다. 지역사회의 가정건강센터에 따라 제공되는 급여 및 비급여 서비스 항목은 다를 수 있으며 전문간호에서의 서비스 항목과 서비스 내용은 **Table 1-18**과 같다.

Table 1-18 미국 Home health care 서비스 내용

구분	서비스 항목	서비스 내용
전문간호	치료계획의 관리 및 평가	환자의 회복과 의학적 안정성을 위해 비전문적이지만 필수적인 서비스들의 복합적인 평가 및 관리를 시행하도록 함
	교육 및 훈련	환자, 보호자, 돌봄 제공자에게 질병 또는 상처에 필요한 치료법 등 교육, 훈련
	약물 관리	• 주사: 정맥, 근육, 피하, 약물주입 등 간호사를 통해 안전하고 효과적으로 주입해야 하는 경우 • 경구약: 환자의 상황, 약물의 복용법, 복용 후 간호사에 의해 부작용 관찰이 필요한 경우 실시
	튜브 교체	비위관 삽관, 위루관, 장루관의 교체, 관리, 흡인
	흡인	비강인두, 기관의 흡인
	카테터	치골상부 카테터, 요도관 등의 카테터 삽입, 무균세척, 교환
	상처치료	궤양, 화상, 욕창, 열린 상처, 누공, 튜브관, 침식 등 상처치료
	인공항문 관리	인공항문 수술 후 합병증 관리
	기타	재활간호, 정맥천자, 간호학생 실습, 심리적 평가, 재활 및 교육

[출처: CMS, Medicare Benefit Policy Manual Chapter 7 Home Health Services. (검색일자: 2021.11.5.)]

V 가정간호사업 대상

Home Health Care

1 가정간호사업 대상

의료기관 가정간호 대상자는 의료기관에서 입원, 진료 후 퇴원한 환자와 외래 및 응급실 환자 중 다음에 해당되는 자로서 의사 또는 한의사가 가정에서 계속적인 치료와 관리가 필요하다고 인정한 경우이며, 구체적으로 다음과 같다(보건복지부, 2010).

① 수술 후 조기 퇴원 환자
② 만성질환자(고혈압, 당뇨, 암 등)
③ 만성 폐쇄성 호흡기질환자
④ 산모 및 신생아
⑤ 뇌혈관질환자
⑥ 기타 의사가 필요하다고 인정하는 환자

고정연·윤주영(2019)은 건강보험 자료를 이용한 전국 의료기관 가정간호 실시 및 이용현황분석에서 전국 의료기관에서 건강보험심사평가원에 가정간호 기본방문료를 한 번이라도 청구한 명세서 중 2008년 1월 1일부터 2017년 12월 31일까지 요양 개시분 전체 자료를 검토한 결과, 대상자를 분류한 결과를 보면 가정간호를 이용하는 수진자의 주상병은 2008년부터 2015년까지 본태성 고혈압이 가장 많았으며, 2016년과 2017년에는 수분, 전해질 및 산-염기균형의 기타 장애로 나타났다.

연도별 주상병 상위 5개를 살펴보면, 본태성 고혈압, 뇌경색증, 2형 당뇨병, 위의 악성 신생물, 욕창궤양 및 압박 부위가 2009년부터 2013년까지 분포했으며, 2014에는 달리 분류되지 않은 방광의 신경근육기능장애, 2015년에는 알츠하이머병에서의 치매가 진입하였다. 2016년부터는 수분, 전해질 및 산-염기균형의 기타 장애, 알츠하이머병에서의 치매, 본태성 고혈압, 간의 기타질환, 달리 분류되지 않은 방광의 신경근육기능장애로 주상병 상위 5개의 양상이 변하였음을 알 수 있었다고 하였다.

2 가정간호 대상자 기준

가정간호 대상자를 선정할 때에는 지침에 의한 자료를 활용하여 대상자 선정기준을 분류하고 그 결과에 따라 선정하여야 한다. 또한 가정간호 대상자를 선정하고 간호하기 위해서는 다음과 같이 업무의 절차를 준수하고 정책변화에 따른 서비스 내용과 지침 등을 수정 보완하여야 한다.

첫째, 의료기관 가정간호인 경우 의사가 발행하는 가정간호의뢰서가 있어야 한다. 가정간호의뢰서에는 환자의 상태에 대한 정보를 포함하고 있어야 하고, 그들에게 제공될 서비스뿐 아니라 서비스의 빈도, 기간을 상세하게 기록하는 것이 바람직하다.

둘째, 가정간호의뢰서에 서명한 의사는 해당 서비스의 주치의가 되며, 가정간호사업소는 이들에게 환자의 상태를 정기적으로 보고해야 한다.

셋째, 거동이 불편하거나 치료상 안정이 필요한 자택(가정) 뿐 아니라 일상생활을 영위하여 실질적으로 그의 자택으로 인정할 수 있는 곳에 살고 있는 대상자로 한다. 가정간호 등록 전에 주거하는 곳에 대한 정보와 환자의 기능과 상태, 정신적 상태 및 안정 여부를 기록으로 자세히 남기고, 이러한 사항은 가정간호의 진행 중에도 정기적으로 점검하여 가정간호를 제공하는 데 반영해야 한다.

넷째, 가정간호사업소는 환자에게 안전하고 적절한 서비스를 제공하기 위한 등록기준을 사업소 정책으로 가지고 있어야 한다. 사업소의 등록 기준은 의학기술의 발달로 첨단기술치료를 가정에서 제공하도록 요구하고 있다. 따라서 사업소는 사업소별로 서비스 수용 범위를 포함하는 등록 기준에 대한 정책들을 주기적으로 검토하여 수정·보완해야 한다.

또한 의료기관 가정간호 의뢰기준에 대해서는 보험정책에서 일반적인 안내지침과 업무편람을 제시하고 있지만 가정간호사업소의 규모, 구조, 위치, 제공 서비스, 운영 철학 또는 목표와 같은 요소에 의해 차이가 있을 수 있다. 일반적으로 가정간호사업소는 환자의 의학적, 간호적, 사회적 요구가 적절하게 충족될 수 있는 합리적인 예측을 바탕으로 의뢰기준이 만들어진다. 그러므로 사업소는 가정간호의 의뢰기준을 개발할 때, 최소한 이들 개념을 포함해야 하며, 부가적으로 서비스의 지속과 종결에 대한 기준도 일관성 있게 만들어야 한다(김용순 외, 2008).

일반적으로 가정간호 대상자는 가정간호 전반에 걸쳐 다음과 같은 기준에 부합되어야 하며, 그렇지 않으면 보험급여 혜택을 받을 수 없다. 한국, 미국, 싱가포르의 가정간호, 방문간호 대상자를 살펴보면 다음과 같다.

1) 한국의 의료기관 가정간호 대상자 선정 및 분류 기준

한국의 의료기관 가정간호동의서, 종결 등 가정간호 제반 업무에 필요한 서식지는 6장에서 제시하는 자료를 참고하면 된다. 아래 표는 가정간호 대상자 선정 및 분류 기준으로 『의료기관 가정간호 업무편람』에서 제시하는 서식지이다(Table 1-19).

Table 1-19 한국의 가정간호 대상자 선정 및 분류 기준

수준 / 문제영역	LEVEL Ⅰ	LEVEL Ⅱ	LEVEL Ⅲ
활력증상	계속적 안정	• 현재 이상은 없으나 계속관찰을 요함 • 불안정하나 원인이 규명되고 투약으로 조절 가능	변화가 심함
의식 수준	명료하고 지남력 있음	의식장애가 일정 상태로 계속 유지	의식수준의 악화
영양	• 구강섭취 가능 • 영양장애 없음	• 비위관이나 위장루 영양상태로 합병증 없음 • 특별식, 치료식 또는 삼키는 훈련 단계 • 정맥수액 필요	• 지속적인 오심, 구토 • 영양 및 체액 불균형
배뇨 및 배변	자발적 또는 자기조절 가능	• 간헐 또는 정체도뇨관, 치골상방광, 장루설치술 상태이나 합병증 없음 • 배설 훈련, 교육, 투약, 관장 필요	• 비뇨기계 감염이상 증상 및 감염 • 전해질 불균형

문제영역 \ 수준	LEVEL Ⅰ	LEVEL Ⅱ	LEVEL Ⅲ
호흡기능	• 정상호흡 • 정상 수준의 산소포화도	• 기관지절개관 삽입 상태이나 합병증 없음 • 간헐적인 인공 흡인 • 간헐적 산소 공급으로 호흡곤란 해소 • 비효율적 호흡양상, 객담 배출, 기침이 있으나 호흡곤란, 청색증 없음	• 동맥혈 가스분압, 산염기의 심한 불균형 • 객혈, 청색증, 호흡 시 동통 호소 • 심한 호흡기계 감염, 이물 흡인, 폐쇄
피부	피부 문제 없음	• 급만성 상처 및 피부 관리 필요 • 침습적 카테터나 튜브 필요 • 수술상처 관리 필요 • 봉합사 제거 필요	감염 등의 피부 상태 악화 및 집중적인 처치 필요
일상생활 수행	제한 없고 독립적	부분 또는 완전 의존적	악화
정서 상태 및 적응	정서적 안정과 적응	치매, 우울, 섬망, 불안 등으로 계속 관찰 요함	악화
기타		• 간헐적인 임상병리 검사 결과 감시 필요 • 일정 기간 항생제 투여 필요 • 근육 ,혈관, 피하 주사가 필요 • 중심정맥관 관리 필요 • 배액관 관리 필요 • 자가 관리를 위한 전문적인 교육, 훈련 및 상담, 의뢰 필요 • 말기질환자 • 기타 의사의 판단에 의해 질환 및 상태 관리가 필요	

항목 \ 분류	분류 Ⅰ	분류 Ⅱ	분류 Ⅲ
문제 수준	경한 수준 또는 회복이 된 상태	중등증수준의 전문 인력의 간헐적인 도움이 필요로 되는 상태	중증 수준으로 24시간 전문 인력의 집중적인 도움과 관찰이 필요로 되는 상태
문제 사정	문제영역에서 모두 LEVEL Ⅰ으로 사정된 경우	문제 영역에서 LEVEL Ⅲ가 없으며 1개 이상 LEVEL Ⅱ가 사정된 경우	문제 영역에서 level Ⅲ가 1개 이상 사정된 경우
대상	퇴원 대상자	가정간호 대상자	입원 대상자

• 제안하는 환자 분류: □ 퇴원 대상자 □ 가정간호 대상자 □ 입원 대상자

2) 미국의 메디케어 home health care 서비스 대상자 기준

메디케어 수급자이며 자택에 머무는 시간이 길고 의사의 치료계획에 따라 주기적으

로 관리를 받으며 간헐적으로 물리치료, 작업치료, 언어치료, 전문간호가 필요하다는 의사의 승인을 받은 자이다. 대상자는 기본적으로 Table 1-20에서 2가지 영역의 기준에 부합해야 하며, 기준 1 중 한 가지와 기준 2의 두 가지 모두를 충족해야 한다(이요셉, 2019).

Table 1-20 미국의 Home health care 서비스 대상자 기준

구분	조건	기준
기준 1	OR	질병이나 부상으로 인해 목발, 지팡이, 휠체어, 보행기 같은 보조기구 또는 특별한 운송수단이 필요하거나 누군가의 도움을 받아야 이동이 가능한 자
		의학적으로 자택에서 외출이 되지 않는 환자
기준 2	AND	자택을 벗어날 수 없는 비정상적 상태인 자
		자택을 벗어나려면 상당한 도움이 필요한 자

[출처: CMS, Medicare Benefit Policy Manual Chapter 7 Home Health Services. (검색일자: 2021.11.5.)]

① 의사는 자택을 벗어날 수 없는 환자의 상태를 구체적이고 충분하게 입증해야 하며, 진단명, 질병 지속기간, 질병 진행 상태, 예후, 기능 제한, 치료적 중재와 결과에 대한 자료를 활용하여 전반적인 건강 상태를 기술해야 한다.

② 뇌졸중으로 인한 마비로 휠체어나 보행기구가 필요한 환자, 시각장애나 치매로 인해 보조가 필요한 환자, 상지결손으로 문고리나 손잡이를 잡을 수 없는 환자, 근위축증 등의 신경퇴행성 질환자, 수술 후 통증이나 쇠약이 있는 환자, 심장질환 등으로 신체활동이 금지된 환자, 정신질환 등으로 외출을 삼가는 환자의 경우가 대표적인 예이다. 주간보호센터 출석, 외래의 혈액투석, 화학요법·방사선치료 등 단시간의 외출만 가능한 환자도 대상이 될 수 있다(CMS, Medicare Benefit Policy Manual Chapter 7 Home Health Services).

3) 싱가포르의 Home care service 대상자 기준

Home care service 제공기관에 따라 신체적 장애, 인지적 장애의 장애 정도 및 지리적 제한으로 대상군의 차이가 발생할 수 있으나 다중약제내성균(multi-drug resistant organisms), 암, HIV 양성, 비강영양관 섭식, 요로관, 결장루설치 등의 중증 환자까지도 서비스를 제공한다. 다만 정신질환과 치매는 폭력성이나 통제할 수 없는 행동장애가 없는 경우, 폐결핵은 감염성이 없는 경우, 파킨슨과 심폐질환은 안정된 경우만 서비스가 가능하다. 여기에 서비스 종류에 따른 대상 기준이 추가적으로 마련되어 있다(이요셉, 2019).

싱가포르 Home care service 제공기관의 서비스 대상자 기준은 방문진료, 방문간호, 방문재활, 방문돌봄에 따라 구분이 되나 방문간호에서의 대상자 기준은 전문간호사에 의해 제공되는 전문간호서비스가 필요하며 만성상태 또는 장애로 인해 자택을 벗어나지 못하는 노령층을 기준으로 한다. 싱가포르의 home care service는 방문의료분야의 방문진료, 방문간호, 방문재활과 방문돌봄분야의 방문돌봄, 도시락배달(meals on wheels), 의료적 이동도우미(medical escort&transport) 서비스가 급여로 제공되고 있으며, 제공 기관에 따라 24시간간병서비스(live-in caregivers), 가정복막투석서비스(home peritoneal dialysis) 등이 비급여 형식으로 제공되고 있으며 싱가포르 Home care service 내용 중 방문간호서비스의 내용은 Table 1-21과 같다.

Table 1-21 싱가포르 Home care service 내용

구분	서비스 내용
방문간호서비스 (home nursing services)	• 수술 후 관리(예 주사, 중심정맥, 기관절개, 유동관) • 상처 관리 • 요도관, 유동관의 관리 및 교체 • 장루 관리(예 결장루, 회장루) • 통증 관리 모니터링 • 영양삽입관(Nasogastric tube) 삽입 및 영양식 공급 • 배변 처리 보조 • 질병 상태 모니터링(예 혈압, 혈당체크) • 보호자 교육 및 훈련(예 낙상, 욕창, 영양식 공급 등) • 일상생활 제안 • 약물 합병증 및 복용 모니터링

[출처: Ministry of Health Singapore, Service Requirments for Home Care Service (검색일자: 2021.11.5.)]

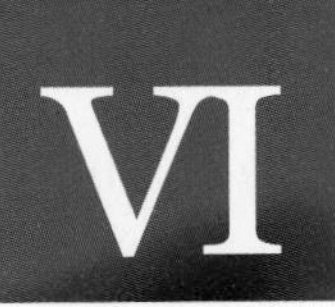

VI 가정간호사업의 기대효과

Home Health Care

가정간호가 보건의료전달체계의 한 영역으로 굳건하게 정착하고 확대된다면 국가와 의료기관 및 그 서비스를 받는 국민들은 다음과 같은 기대효과를 얻을 수 있을 것이다.

1 국가 측면의 기대효과

건강에 대한 국민들의 의료 요구 증가 및 환자의 병원 집중화 현상을 해소하고 의료비 증가를 감소하여 건강보험 재정을 안정시키며 의료수가 조절 및 합리적 비용으로 양질의 의료 서비스를 제공할 수 있다. 또한 노인인구의 증가로 인한 만성질환자와 각종 성인병, 재해로 인한 장애 등을 가정에서 효율적으로 관리를 함으로써 사회적 문제를 해결할 수 있다.

2 의료기관 측면의 기대효과

우리나라의 급속한 고령화로 인한 요양병상의 증가와 장기적 입원의 사회적 입원 문제를 조기퇴원을 통해 병상회전율을 제고하여 병원인력 및 시설의 효율적 활용에 기여할 수 있으며, 무리한 시설 확장 없이 환자 관리와 병원의 재무구조를 해결할 수 있다.

3 국민 측면의 기대효과

불필요한 병원 이용을 최소화하여 시간 및 의료비 절감과 대상자들이 친숙한 환경에서 간호를 제공받음으로써 환자와 가족에게 심리적 안정감과 만족감을 주며 빠른 회복에 도움을 준다. 또한 환자와 가족에게 제공되는 보건교육 및 건강상담과 환자 돌봄에 대한 교육을 통하여 건강 문제의 발견과 자기간호 능력을 향상시키고 가족들의 건강관리 증진을 확보할 수 있다.

가정간호사업의 기대효과를 높이기 위해서는 환자가 가정에서도 충분한 진료, 간호, 재활 및 돌봄서비스를 받을 수 있도록 가정건강서비스 제도를 활성화하여야 하며, 지역사회의 가정건강센터 등을 통해 원활한 서비스를 제공하여야 한다. 가정전문간호사에 의한 전문적인 간호를 통해 노령층 뿐만 아니라 방문의료 및 돌봄서비스가 필요한 환자에게 적절한 서비스를 제공할 수 있도록 방문의료 및 돌봄서비스를 전담하는 기관 또는 조직을 운영할 수 있는 인력의 수급 문제 또한 해결하여야 할 과제이다. 노인장기요양보험의 재가급여서비스, 건강보험의 가정간호서비스, 지자체의 방문의료서비스 등 다양한 방문의료서비스가 있으나 제도에 따라 제공 기관, 대상자, 지역, 서비스 내용이 다르고 서비스 간 연계가 원활하지 않아 이용자의 불편이 따르는 문제를 해결하기 위하여 방문서비스의 통일된 제공 체계를 구축하여야 하는 과제도 해결하여야 한다. 이미 방문간호서비스에서의 전문성을 인정받고 의료기관과 지역사회에서 직접 간호 및 간접 간호를 통한 돌봄을 제공해 온 가정간호사업의 활성화를 통하여 우리나라도 정책적으로 시작되는 커뮤니티케어에서 보건, 의료, 복지 및 주거 분야 등 과제를 해결한다면 자신이 살던 익숙한 환경에서의 행복한 노후를 맞을 수 있을 것이다.

가정간호사업의 문제점 및 발전 방향

Home Health Care

우리나라의 가정·방문형 간호서비스는 보건소 방문건강관리, 의료기관 가정간호, 장기요양 방문간호 순으로 도입되어 제공 주체, 서비스 제공자 및 내용, 재원 등이 상이하며 통합적인 연계체제가 미비하고, 제공자 중심에서 중복되거나 유사한 서비스를 각기 제공하고 있다(오의금 외, 2015). 간호서비스 제공 기관의 지역적 불균형으로 인하여 일부 지역에서는 서비스 요구가 충족되지 못하고 있는 실정으로 다양한 가정·방문형 간호의 분절된 서비스로 인하여 의료기관 가정간호에 미치는 영향도 적지 않다.

미국의 가정간호, 일본의 방문간호제도와 우리나라 의료기관 가정간호사업의 문제점 및 발전 방향에 대해 정리하고자 한다.

1 미국의 가정간호

미국은 2000년 이후 시설 입소 전·후를 보완하는 서비스로만 활용되던 재가돌봄서비스가 시설입소서비스를 대체하는 서비스로 자리 잡고 있다. Medicare 수급대상의 규모와 수급자당 홈헬스서비스 이용이 크게 증가하면서 홈헬스서비스에 대한 정부의 지출 규모가 지속적으로 증가하고 있다. 미국의 재가돌봄서비스는 민간보험 재정이 주요 원천이 되고, 주정부 재량으로 운영되는 재가돌봄서비스 비중이 상대적으로 높아서 지역간 재가돌봄서비스의 내용이나 재원에서 편차가 크다. 1981년 총괄예산조정법(Omnibus Budget Reconciliation Act, OBRA) 통과로 영리기관 진입이 허용된 이래 영리기관의 비율이 70%를 넘는 실정이다.

질 관리 체계에 있어서도 지역 간의 편차가 크며 민간기관 비율이 더 높고 영리기관인 경우가 대부분이다. 이럴 경우, 영리기관에서는 공적비용에 맞추어 서비스의 양이나 질을 낮추는 방식을 쓸 수 있다는 문제점과 지역에 따라서는 과다경쟁 또는 일부 지역에서는 방문간호시설의 부족 현상 등 부작용이 나타날 수 있다(여영현, 2018).

Medicare 환자의 경우 OASIS (Outcome and Assessment Information Set)를 이용하여 초기에 환자 상태를 사정하고 그 이후 주기적으로 환자 상태를 측정하도록 하며 표준화된 도구의 사용으로 서비스 질을 보장하고 주기적으로 환자 상태를 모니터링하는 데 효과적으로 활용하고 있다. 미국의 경우 전국 단위의 표준적 재원(의료급여나 사회보험)으로 실행되는 서비스에 대해서는 연방정부가 질 관리 책임을 지고, 지역기반 프로그램이나 지역자체생산서비스에 대해서는 지방정부가 질 관리에 최종 책임을 갖도록 하고 있다는 점에서 한국과는 명확히 다른 접근을 하고 있다. 이에, 주정부에 따라서는 돌봄서비스에 대해 정량 질 지표 설정이나 자료 수집을 거의 하지 않는 경우도 많으며, 지역 내 자체 네트워킹 강화 등으로 품질관리를 대체하거나 민간 질 관리 인증기관과 협업관계를 형성하여 질 관리의 틀을 구축하는 경우도 있다(Stanhope&Lancaster, 2014). 민간기관이 차지하는 비율이 높기에 서비스 질보다는 비용 절감에 더 민감하게 대처할 수 있다는 문제점이 있고, 민간기관의 경우 지역별 할당을 할 수 없다. 지역에 따라서는 과당경쟁 또는 일부 지역에서는 가정간호사업소의 부족현상 등 부작용이 나타날 수 있으므로 질 관리 계획과 지역별 분포를 고려한 정책이 요구된다.

2 일본의 방문간호

일본은 전국에 12,000개소 이상의 방문간호 스테이션이 있으나 사회적 요구는 증가되는 반면 방문간호사 인력 부족으로 방문간호 스테이션 수의 증가도 느리고 소규모 사업소의 경영 어려움이 나타나고 있다(Japanese visiting nursing foundation, 2021).

방문간호에 대한 사회적 요구가 높아져 2025년에는 12만 명의 방문간호사가 필요할 것으로 추산되고 있으나, 방문간호 스테이션에는 불과 2.5%인 6만 여명이 취업하고 있다. 이러한 현상을 개선하기 위해서는 적극적인 인력확보 대책으로 노무환경 정비와 커리어가 보장되는 지위 향상이 필요하며, 방문간호사가 안심하고 방문간호 업무에 종사할 수 있도록 처우개선이나 일과 생활이 균형을 이룰 수 있도록 하는 것이 과제이다.

일본에서는 시·정·촌이나 도도부현이 지역의 자주성과 주체성을 바탕으로 지역 특성에 맞추어 정든 내 지역에서 변함없는 질적인 삶을 영위하다가 임종을 맞이할 수 있도록 2025년까지 지역포괄케어 시스템을 구축하려고 한다.

향후 2040년을 목표로 사람 간의 유대관계를 재구축하여 어려움이 닥쳐도 고립되지 않고 서로 협력하며, 모든 연령층이 함께 생활하고 여느 때와 변함없이 생활할 수 있는 지역공생사회를 실현하기 위해선 지역사회에서의 의료·간호·개호복지 등 종합적인 지원체제가 필요하다. 사람들이 가능한 한 자신의 잠재능력을 발휘하여 건강을 유지할 수 있고, 만성질환의 악화를 예방하며, 마지막까지 그 지역에서 생활할 수 있는 간호지원이 더욱 더 중요해질 것이다.

이를 실현하기 위해 방문간호의 지속성 확보를 위한 정책적 지원과 방문간호사 대상의 체계적 교육이 필요하며, 치매노인 및 중증장애아 등 지원이 필요한 다양한 대상자에게 적합한 서비스를 연계할 수 있는 전문인력 확보가 필요하다. 또한 지역의 의료기관, 방문간호 스테이션, 개호시설 간의 대상자 동향을 파악할 수 있도록 데이터 연계가 필요하다. 세계적인 대유행인 코로나바이러스감염증-19와 같이 감염병 시대에 맞는 감염대책과 함께 온라인을 통한 케어 등 향후 ICT 활용에 의한 업무효율화를 통한 성과 창출과 방문간호서비스의 질을 높이고 사업의 지속적인 발전을 위한 질 관리를 지속적으로 해야 할 것이다.

3 우리나라 가정간호제도의 문제점 및 발전 방향

1) 가정·방문형 간호서비스 연계 및 상호 협력의 한계

현재 우리나라의 지역사회에서 가정을 방문하여 제공하는 간호서비스로는 의료기관 가정간호, 장기요양 방문간호, 보건소 방문건강관리가 있으며, 이들 서비스의 제공으로 대상자의 건강행위 실천 향상, 만성질환에 대한 자가건강관리능력 향상, 합병증 위험 감소, 의료비 절감 등의 효과가 확인된 바 있다(이건아, 양숙자&우은호, 2018). 이에 따라 커뮤니티케어의 도입은 방문간호서비스의 중요성에 대한 인식 증가와 서비스 요구를 증가시킬 것으로 예상된다. 하지만 국내 가정·방문형 간호서비스는 제공 주체, 서비스 제공자 내용, 재원 등이 상이하며, 이들 간의 통합적인 연계체제가 미비하고, 제공자 중심에서 중복되거나 유사한 서비스를 각기 제공하고 있다(오의금 외, 2015)

의료기관 가정간호 대상자의 82.4%가 70세 이상(국민건강보험공단, 2019)이고, 장기요양 방문간호 대상자의 87.9%가 70세 이상(통계청, 2018)으로, 이들 두 개 유형의 민간 방문형 간호서비스 대상자의 대부분이 노인이라는 공통점을 지니고 있으며, 서비스는 대동소이한 상황이나(보건복지부, 2010; 보건복지부·국민건강보험공단, 2019) 각각 분절된 서비스를 제공하고 있다. 이에 가정간호사회에서는 2018년부터 가정간호와 방문간호의 질 관리를 위하여 사업주관부서 간 상호 소통이 필요함을 건의하였으나 여전히 상호 통합 조정이 미흡한 실정이다.

저소득층 등 취약계층을 우선 사업관리 대상자로 관리하고 있는 보건소 방문간호사업도 사업소관 부서가 다르며, 가정간호와 방문간호와 보건소 방문건강관리사업 또한 상호 협력이나 통합조정이 미흡한 실정이다. 초고령 사회를 맞이하면서 만성질환자의 증가와 더불어 노인의료비 및 요양비 증가에 대비하여 각각의 사업이 서로 연계체계를 구축하여 활성화될 수 있도록 정책적 지원으로 사업의 효율성 제고와 서비스 공급에서 사각지대를 해소할 수 있는 시스템 구축하여 노인보건의료정책의 비전을 제시하고 상호 통합관리가 이루어져야 한다.

이때 민간 부분을 이용하여 가정·방문형 간호를 제공할 경우 지역별 분포를 고려한 정책과 공공과 민간의 역할분담이 요구된다.

2) 가정·방문형 간호 서비스 인력의 자격 기준

의료기관 가정간호와 장기요양 방문간호의 서비스 내용은 거의 동일하게 규정하고 있다. 인력의 자격을 보면 전문간호사가 되기 위해서는 「보건복지부령」으로 정하는 전문간호사 교육과정을 이수한 자(대학원 전문간호사 과정) 또는 보건복지부장관이 인정하는 외국의 해당분야 전문간호사 자격이 있는 사람으로서 보건복지부장관이 실시하는 전문간호사 자격시험에 합격한 후 보건복지부장관의 자격 인정(전문간호사 자격시험 합격)을 받아야 한다[의료법 제78조 제2항, 전문간호사 자격인정 등에 관한 규칙 제3호]. 방문간호의 간호사는 간호업무 경력이 2년 이상인 간호사이며, 간호조무사는 간호보조업무 경력이 3년 이상으로 보건복지부 장관이 지정한 교육기관에서 소정의 교육을 이수한 경우와 치과위생사는 「의료기사 등에 관한 법률」 제2조에 따른 치과위생사로 치과위생 업무를 하는 경우로 한정한다(보건복지부, 2021).

가정간호의 치료적 간호영역은 전문간호 영역임에도 불구하고 일반간호사와 간호조무사가 동일한 서비스를 법적으로 제공할 수 있어서 방문간호서비스 제공인력에 대한 교육 및 훈련 제도가 미흡하다. 가정·방문형 간호의 질 향상을 위하여 향후 이들을 위한 교육 및 훈련체계와 포괄사정·케어플랜 작성을 위한 지침의 개발 등이 요구되며 전문간호사와 일반간호사, 간호조무사의 업무 구분이 명확하게 되어야 한다.

3) 늘어나는 전문간호 수요대비 인력의 부족

가정간호가 제도화되면서 1년 과정의 가정간호 인력양성 프로그램이 있어서 가정전문간호사를 배출하였으나 2003년부터 이 교육프로그램이 대학원 과정으로 되면서 연간 배출 인원이 현저하게 감소하고 있다. 2020년까지 등록된 가정전문간호사는 6,564명이지만, 이 중 5,358명은 2005년 이전 가정전문간호사 1년 교육과정을 통해 배출된 인력으로 현재 50~60대 이상의 연령층이 대부분이다. 석사과정을 통해 배출된 인력은 1,206명으로, 처음 석사과정 도입초기에는 가정전문간호사 대학원 입학정원이 10개 기관 117명으로 시작하여 2008년에는 최고 15개 기관 127명까지였으나, 점점 감소하여 2021년 9월 현재는 5개 기관 37명 정원으로 2020년까지 최근 10년간 연 평균 28.4명의 가정전문간호사가 배출(한국간호교육평가원, 2021)되고 있다.

노령인구의 증가로 지역사회에서 간호인력의 필요성은 증대되고 있으며, 그 안에서 전문간호사의 역할이 확대되고 있으나 의료기관 가정간호의 제공 인력수급문제는 심각하다. 양질의 의료기관 가정간호와 장기요양 방문간호서비스를 제공하고 가정전문간호사의 인력 부족 문제를 해소하기 위하여 의료기관 가정간호와 장기요양 방문간호 대상자의 건강상태 중증도 및 제공되는 서비스의 난이도에 따라 가정전문간호사 또는 일반간호사의 전문성을 반영하여 서비스 제공 인력을 효율적으로 활용하여야 한다.

부족한 가정간호인력 문제 해결을 위하여 가정간호 인력양성 특례 도입이 필요하여 가정간호사회에서는 2018년부터 이에 대하여 지속적으로 정책건의를 하고 있다.

먼저 1년 교육과정을 부활시키거나 단기교육과정을 신설하여 가정간호를 할 수 있는 자격을 부여하고, 가정전문간호사와 구분하여 업무 구분을 명확하게 하여 인력을 활용할 수 있어야 한다.

둘째, 타 분야 전문간호사를 서로가 활용할 수 있는 전문간호사 통합시스템 도입이 필요하다. 한국간호교육평가원에서 제시한 '전문간호사 표준 교육과정' 중 13개 분야별 전공이론 표준교육과정 교과목의 교육 내용을 점검하여 교육과정과 직무를 분석한 결과 유사성이 높은 분야들이 있어 분야간 통합이 가능한 것으로 나타났으므로(김민영 외, 2020) 그룹 간에 필요로 하는 일정교육을 더 이수하게 하여 필요로 하는 전문간호를 할 수 있는 자격을 서로 공유하여 인력난을 해소할 수 있을 것이다.

셋째, 의료기관 가정간호와 장기요양 방문간호서비스의 인프라가 잘 구축되어 있지 않아 근무하기를 기피하는 농어촌 지역에는 보건진료 전담공무원 인력을 활용하도록 한다. 보건진료 전담공무원에게 가정간호에 필요한 일정교육을 이수하게 하고 가정간호를 할 수 있는 자격을 부여하여 농어촌 지역주민에게 보건과 사회 서비스의 연계를 위한 핵심 축으로서의 역할을 하게 한다. 통합 방문간호 기관은 의료기관 가정간호와 장기요양 방문간호를 직접 제공하는 역할을 하여 서비스의 지리적 접근성 및 대상자의 편의를 도모할 수 있고, 더불어 지역사회 가정간호 부활에 밑거름이 될 것이다.

노인인구가 폭발적으로 증가하고 있기에 이들이 지역사회에서 건강한 노년을 보내기 위해서는 노인건강을 관리할 수 있는 인력이 필요하다. 지금까지 재가간호의 선도자 역할을 해 온 가정전문간호사들은 어려운 여건 속에서도 전문가로서의 자질을 유지하고 발전하기 위하여 자기계발을 해왔다. 앞으로도 가정간호의 존속과 활성화, 지역사회 가정간호가 뿌리내릴 수 있도록 끊임없이 연계 서비스를 개발하고 홍보, 서비스 질 향상을 위해 부단한 노력을 해야 할 것이다.

4) 지역사회 가정간호 사각지대 문제

초고령 사회를 목전에 두고 있는 우리나라는 간호와 치료의 연속성 유지를 위하여 가정간호의 필요성은 증대되고 있으나, 가정간호사업소 분포를 보면 Table 1-22와 같이 서울·경기 지역에 사업소가 집중되어 있고, 가정간호가 필요하지만 지역별로 사업소가 없는 곳이 있어 가정간호를 연계할 수 없는 사각지대가 많다. 가정간호 사각지대의 증가는 가정간호에 대한 국민의 접근성과 인식을 낮게 함으로써 가정간호를 이용하여 가정에서 의료서비스를 받을 수 있는 경우에도 병원 입원을 지속하게 한다. 이는 20년 전에 도입된 제도가 효율적으로 활용되지 못하고 있다는 것을 보여주고 있다. 인력난 해소와 더불어 사각지대 해소를 위하여 먼저 상급종합병원과 공공병원에 가정간호를 의무적으로 설치하도록 해야 한다.

Table 1-22 2020년 기준 가정간호사업소 현황

(단위: 개)

서울	부산	인천	대구	광주	대전	경기	강원	충북	충남	전북	전남	경북	경남	울산	세종	제주
32	6	21	8	5	13	65	4	10	8	11	11	2	4	0	0	1

[출처: 2020년 가정간호 청구자료, 건강보험심사평가원&2020년 가정간호사업소 현황, 건강보험심사평가원]

2020년 의료기관 가정간호서비스 제공기관(청구기준)은 전국에 총 201개로, 미설치되어 있는 시군구는 총 155개(59.6%)이다. 설치된 의료기관 가정간호서비스 의료기관은 그중 58.7%가 경기, 서울, 인천 지역에 밀집되어 있으며, 5.47%만이 강원, 경북, 경남, 제주 지역에 분포되어 있다. 울산, 세종 등 가정간호사업소가 전혀 없는 지역도 있는데(**Table 1-22**), 특히 농어촌 지역에는 사업소도 없을 뿐만 아니라 가정간호 인력분포도 열악하고 근무기피지역이라고 판단된다. 결론적으로, 의료기관 가정간호서비스 제공기관의 도시와 농촌 지역 간의 불균형 분포로, 농어촌 지역에 거주하는 노인은 서비스 요구가 있다 하더라도 의료기관 가정간호서비스를 현실적으로 이용하기에 매우 제한적인 상황이다. 가정간호 인력과 사업소가 어느 정도 공급이 원활하고 지역적 분포가 해결되어야 하며, 해결될 경우 치료의 연속성 유지에 가정간호를 활용할 수 있을 것이다.

Table 1-23 상급종합병원 가정간호 실시 현황(괄호 안은 전체 기관수, 2021.3.기준)

(단위: 개)

서울	인천	경기도	강원	충북	충남	전북	전남	경북	경남	전체
11 (14)	3 (3)	3 (5)	2 (2)	0 (1)	1 (3)	0 (2)	0 (3)	4 (5)	3 (7)	27 (45)

[출처: http://www.monews.co.kr/news/articleView.html?idxno=216892&2021.3 기준 건강보험심사평가원 가정간호사업소 현황]

우리나라 상급종합병원의 가정간호사업소 분포는 60% [Table 1-23], 공공병원은 35.9% [Table 1-24]만이 가정간호사업소를 가지고 있다. 가정간호사업소의 지역적 편중 분포를 최소한이라도 해결하기 위하여 가정간호사회에서는 2012년부터 보건복지부에 지속적으로 상급종합병원과 공공병원에 가정간호 의무도입을 건의하고 있다.

Table 1-24 지역거점 공공병원 가정간호사업소 개설 현황(괄호 안은 전체 기관수, 2021.3 기준)

(단위: 개)

서울	인천	경기	강원	충북	충남	전북	전남	경북	경남	제주	적십자병원	전체
1 (1)	0 (1)	6(7)	1(5)	1 (2)	2 (4)	1 (3)	1 (3)	1 (5)	0 (2)	0 (2)	0 (6)	14 (39)

[출처: https://rhs.mohw.go.kr/&2021.3. 기준 건강보험심사평가원 가정간호사업소 현황]

이렇게 함으로써 가정간호사업소 운영 적정화, 가정간호사업 실시 증가로 의료(가정간호) 사각지대 감소 및 일자리 창출에 기여할 뿐만 아니라 정부의 성공적인 커뮤니티케어를 위한 방문의료자원을 확대 활용할 수 있다. 또 노인인구 증가, 만성질환자 증가, 거동불편 대상자 등 증가하는 재가환자에게 가정간호서비스의 이용을 촉진시켜 치료적인 간호와 상담을 통해 병원 입원환자의 입원일수 감소, 재가환자의 재입원율 감소 및 합병증 발생을 감소시켜서 장기적으로 장기입원에 따른 삶의 질 저하 방지, 병원감염 방지 및 건강보험 재정 절감, 건강보험재정 건전화에 기여할 것이다.

상급종합병원에서는 재가 중증·희귀난치 만성질환자의 의료서비스 이용 편익 도모, 퇴원환자의 집으로 퇴원 시 가정간호 연계를 통해서 퇴원 후 치료의 연속성 유지 및 합병증 발생 최소화, 응급실 방문 및 재입원율 감소로 의료서비스 질 향상에 기여, 조기퇴원 및 퇴원 후 타 병원 재입원(전원) 감소에 기여할 것이다.

공공병원에서는 지역 내 만성질환 및 의료취약계층의 의료서비스 연속성과 접근성을 높여 사회 안정망 수립에 기여, 가정간호 연계를 확대하여 재입원율·퇴원 후 응급실 이용률 등을 효율적으로 관리하여 지방의료원의 경영 효율화, 신포괄수가제의 안정적인 수행을 지원함으로써 국가보건의료정책을 충실히 시행할 수 있을 것이다.

상급종합병원의 지정 조건으로 가정간호 포함, 운영평가에도 가정간호제도를 포함시키고, 공공병원의 경우 의무적으로 운영하게 하는 등 다소 강제적인 방법을 동원한다면 전국적인 가정간호 연계체계를 구축하여 재가 만성질환 관리의 사각지대를 해소하고 거동불편, 희귀·난치, 만성질환자의 의료서비스 이용 편익을 증진할 수 있을 것이다.

5) 지역사회 가정간호의 부활과 통합간호 운영

가정간호의 활성화를 위하여 상급종합병원과 공공병원의 가정간호 의무설치와 함께 시범사업 당시 운영되었던 지역사회 가정간호의 부활도 필요하다. 지역사회 가정간호사업소는 법인, 개인 등 민간과 공공보건 의료기관인 보건소 등의 다양한 주체가 운영하는데 가정전문간호사에 의해 제공되는 고난이도의 전문적 간호 서비스를 건강보험수가와 동일하게 적용하여 비용 지불이 가능하며, 민간 및 공공의료기관, 보건소(방문간호사업), 사회복지시설, 종교기관, 타 가정간호사업소와 대상자를 의뢰 및 연계하고 대상자 가족에 의해서도 의뢰 가능한 형태를 가져야 한다고 보고(김의숙 외, 2002)하고 있다.

의료기관 가정간호와 장기요양 방문간호 대상자가 유사한 연령과 질병 특성을 지니고 있으나, 환자 상태가 불안정하여 의사와 긴밀한 협조 하에 간호서비스를 제공해야 하는 치료 중심의 난이도가 높은 전문간호와 만성질환 관리의 일반간호로 제공되는 간호서비스의 내용에서 세부적인 차이가 있다. 그렇기 때문에 분절적으로 제공되고 있는 가정·방문형 간호서비스를 통합하여 수요자의 접근성을 향상시키기 위한 통합방문간호 기관의 설치·운영이 필요하다.

통합방문간호는 지역사회의 보건소 또는 민간에 개설하여 통합간호서비스를 제공하는 시스템으로, 급성기에는 의료기관 가정간호서비스를 이용하고 만성으로 이완되면 장기요양 방문간호를 이용하도록 하는 연계 및 의뢰체계를 구축하는 것이다. 하나의 기관에서 두 가지 형태 서비스를 제공하는 것으로, 대상자 상태에 따라서 의료기관 가정간호나 노인장기요양보험의 방문간호서비스를 제공하고 각각 청구하는 시스템인 통합방문간호 기관을 설치 및 운영한다면 유사 서비스 분절로 수요자가 개별 제공기관을 각각 탐색함에 따라 소비되는 과도한 정보 탐색 비용과 낮은 접근성 문제를 해소할 수 있을 것이다.

우리나라를 전체적으로 볼 때 지역 특성에 따라 의료기관 가정간호 분포가 편중되어 있고 인구밀도도 차이가 많기 때문에, 이런 근본적 차이로 인해 야기되는 가정간호 공급의 불균형을 통합방문간호로 해소하고 급격한 노령화로 인한 급증하는 대상자의 가정간호 요구를 충족시킬 수 있을 것이다. 현재는 보건소 방문건강관리를 제외하면 서비스 종료 후 대상자의 건강상태를 모니터링하거나 장기적으로 추적 관리하지 못하고 있기 때문에 이런 역할을 할 통합방문간호센터에 있는 케어코디네이터나 사례관리자가 할 수 있을 것으로 기대되므로 이는 부족한 인력문제와 서비스 사각지대 해소에 도움이 되리라고 본다.

6) 지역사회 '통합돌봄서비스 제공체계' 구축

초고령 사회를 눈앞에 두고 있는 상황의 우리나라 의료는 아직 급성기 의료를 중심으로 한 의료체계를 가지고 있어 급성기가 지난 후 일상으로 돌아가는 과정에서의 의료적 돌봄이 어려운 실정이다. 고령화되어 자연스럽게 찾아오는 질병들도 급성기 의료에 의존한 치료 중심, 그것도 대형병원 쏠림 현상이 지속되고 있다. 노인인구 증가에 따른 만성질환 유병율과 합병증의 증가로 인한 의료 및 요양서비스 요구의 증가로 선진국은 이미 지역사회 중심에서 보건과 복지가 어우러진 지역사회 통합 돌봄으로 전환을 빠르게 진행하고 있다. 2018년 3월 보건복지부의 커뮤니티케어 추진 계획 발표 당시부터 가정간호사회에서는 '통합돌봄서비스 제공체계' 구축에 대하여 지속적으로 건의하고 있다. 고령사회에서는 무엇보다 돌봄이 먼저 해결되어야 안위가 보장될 수 있다. 우리나라도 통합간호를 시작으로 나아가 '통합돌봄서비스센터(가칭)'를 설립하여 간호와 진료, 돌봄, 재활, 복지서비스를 함께 제공할 수 있는 시스템 도입으로 초고령사회 노인의 건강증진 및 예방적 관리가 강화되고 내가 가장 편안하게 생각하는 커뮤니티에서 편안한 여생을 마무리할 수 있는 성공적인 커뮤니티케어를 실현하는 데 일조해야 할 것이다.

결론적으로 늘어가는 노인의 건강관리에 필요한 인력 양성을 위한 특례제도 도입, 사각지대 해소를 위한 지역사회 가정간호의 부활, 분절된 서비스 제공으로 인한 피해를 줄이기 위한 일반적인 가정간호와 전문적인 가정간호 통합이 필요하다. 이와 함께 간호, 돌봄, 재활, 복지 등을 통합하여 포괄적인 서비스를 제공하면 국민의료비 절감과 대상자의 삶의 질 향상 및 효율적인 가정건강관리체계로 정착할 수 있을 것이다. 이를 실현하기 위해서 정부에서는 장기적인 안목으로 정책을 추진하고 더불어 직역 간 이기주의를 탈피하여 서로 상생할 수 있는 시스템 도입 의지를 가져야 한다.

참고문헌

1. 가정간호역사 편찬위원회. (2014). 가정간호제도 20년 역사와 전망. 서울: HN 사이언스
2. 건강보험심사평가원. 2020년 가정간호 청구자료. 원주: 건강보험심사평가원.
3. 건강보험심사평가원. 2020년 가정간호사업소 현황. 원주: 건강보험심사평가원.
4. 건강보험심사평가원. 2021년 3월 기준 가정간호사업소 현황. 원주: 건강보험심사평가원.
5. 고정연, 윤주영. (2019), 건강보험 자료를 이용한 전국 의료기관 가정간호 실시 및 이용 현황 분석, 가정간호 학회지 261), pp. 36-50
6. 김광주. (1993). 분야별 전문간호사의 자격에 대한 분석 및 고찰. 대한간호 325) pp. 6-30
7. 김명중. (2018). 일본의 2018년 개호보수 개정. 국제사회보장리뷰, 14), pp. 133-142.
8. 김모임. (1991). 가정간호사업과 방문간호사업. 대한간호 302), pp. 6-12.
9. 김민영, 최수정, 전미경, 김정혜, 김희영 & 임초선. (2020). 한국 전문간호사의 분야 체계화 관련 연구, 임상간호연구 262). pp. 240-253.
10. 김용순, 김순례, 왕명자, 박재순, 박인혜, 양순옥, ... 유호신. (2008). 가정간호총론. 파주: 군자출판사.
11. 김조자, 강규숙, 이혜원, 전준영, 서미혜, 허혜경&백희정. (1998). 가정간호총론. pp. 11-22. 서울: 현문사.
12. 김혜숙. (1996). 외국의 전문간호사 제도. 대한간호 351) pp. 15-19.
13. 노인복지법. 2020.12.29. 일부개정본
14. 노인복지법 시행규칙. 2021.6.30. 일부개정본
15. 노인장기요양법. 2020.12.29. 일부개정본
16. 도세록. (2005). 의료이용 양상의 변화와 보건의료 정책과제. 한국보건사회연구원. 보건복지포럼. 2005년 4월 통권 제102호, pp.65-76.
17. 박은옥. (2019). 우리나라 가정방문간호의 현황과 향후 과제. 농촌의학·지역보건학회지 441). pp. 28-38.
18. 보건복지부. (2021). 노인보건복지 사업안내 Ⅰ. 세종: 보건복지부.
19. 보건복지부, 건강보험심사평가원. (2021). 중증소아재택의료 시범사업 지침.
20. 보건복지부. (2016). 말기암환자 호스피스완화의료 가정형 호스피스 업무편람. 세종: 보건복지부.
21. 보건복지부. (2023). 의료기관 가정간호 업무편람. 세종: 보건복지부.
22. 보건복지부·국민건강보험공단. (2019). 노인장기요양 방문간호 급여제공 매뉴얼
23. 보건복지부, 한국건강증진개발원. (2021). 2021년 지역사회 통합건강증진사업(방문건강관리사업) 안내. pp. 2-11.
24. 백희정, 임지영, 조영이, 김인아, 전은영, 노준희, ... 김희정. (2020). 우리나라 가정간호 현황 분석: 2020년

가정간호 근로실태 조사를 기반으로. 한국가정간호학회지 273). pp. 356-371.

25. 서윤진, 남미라, 안옥희. (2005). 의료기관 가정전문간호사의 역할 인식. 지역사회간호학회지 163), pp. 320-328
26. 성명숙, 장희정, 김춘길, 강경화, 남경아&박종덕. (2010). 방문간호의 국내외 현황분석: 한국, 미국, 일본, 독일의 사례를 중심으로. 한국보건간호학회지 242), pp. 211-225.
27. 안옥희, 김희걸, 양숙자, 심문숙, 차남현, 최인희, ... 최의정. (2020). 지역사회간호학 I 개정판 서울: 현문사.
28. 암관리법. 2020.8.11. 타법개정본
29. 여영현, 이건형, 박정원&이세진. (2018). 미국 보건의료개혁의 정책 연혁 및 공공성 분석. 한국공공관리학회지 322), pp. 211-236.
30. 오의금, 이현주, 김유경, 성지현, 박영수, 유재용&우수희. (2015). 재가간호서비스 제공자의 업무 수행 현황과 장애요인. 한국간호과학회 455), pp. 742-751. http://dx.doi.org/10.4040/jkan.2015.45.5.742
31. 유호신. (1994). 종합병원의 가정간호 시범사업 개발 및 기초조사 연구. 한국보건사회연구원.
32. 윤순녕. (1991). 가정간호사업을 위한 간호계의 준비, 대한간호 301). pp. 11-17. http://dx.doi.org/10.24210/kapm.2018.32.2.009
33. 윤희숙. (2010). 노인장기요양보험의 현황과 과제(시리즈번호 2010-01). 세종: KDI한국개발연구원.
34. 의료기사 등에 관한 법률, 2020.12.15. 일부개정본
35. 의료법, 2019.4.23. 일부개정본
36. 의료법 시행규칙. 2021.6.30. 일부개정본
37. 이건아, 양숙자&우은효. (2018). 우리나라 방문건강관리사업의 과거, 현재와 미래. 한국보건간호학회지 321), pp. 5-18. https://doi.org/10.5932/JKPHN.2018.32.1.5
38. 이성자, (1998) 가정간호사제도에 대한 인식 및 태도 조사연구, 한국보건간호학회지 121) pp. 132-146
39. 이숙자, 이진경, 유호신,(1999), 병원중심 가정간호사업 관리대상범위 확대를 위한 기초연구, 가정간호학회지 61), pp. 5-18
40. 이영란, 이명숙, 이인숙, 백희정, 윤희상, 정은숙, ... 손동민(2021). 원론 지역사회간호학[개정8판]. pp. 62-73, 548-559. 서울: 신광출판사.
41. 이요셉. (2019). 미국과 싱가포르의 방문의료·돌봄서비스 동향. 정책동향 133), pp. 83-97.
42. 전문간호사 자격인정 등에 관한 규칙. 제3조. 2021.1.7. 타법개정본
43. 정형선. (2019). 일본의 사례를 통해 본 커뮤니티케어에서 간호사 역할에 관한 연구. 연구보고서. 원주: 연세대학교 원주산학협력단, 2019 May.
44. 조원정. (1991). 가정간호사업의 필요성. 대한간호 301) pp. 6-10

45. 조원정. (1993). 종합병원 중심의 가정간호사업. 대한간호 324) pp. 21-27
46. 조홍준. (2001). 외국의 가정간호와 방문진료 현황. 가정의학회지 225) 별책.
47. 지역사회보건간호학 편찬위원회 편. (2019). 최신지역사회보건간호학 1. 파주: 수문사.
48. 추수경. (1993). 가정간호사업 대상자의 선정기준 개발과 서비스 내용에 관한 연구. 간호학탐구 21) pp. 181-201
49. 한국간호교육평가원. (2021). 2020 KAPN ANNUAL REPORT. 한국간호교육평가원.
50. 한영란, 양숙자, 함옥경, 이건아, 김서현 & 하재영. (2020). 한국보건간호학회지 341). pp. 5-21.
51. 한철우, 김효식. (1989). 미국가정간호제도를 살펴보고. 대한간호 284). pp. 33-36
52. Spiegel, a.e. (1987). Home Health Care CB(2nd Ed). Lippincott Williams and Wilkins.
53. Stanhope, M., & Lancaster. J. (2014). Public health nursing: Population-centered health care in the community. MO: Elsevier.

참고사이트

1. 가정간호사회, http://www.hcna.or.kr, 검색 일자: 2021.10.23.
2. 공익재단법인 일본방문간호재단, 일본의 방문간호제도, https://www.jvnf.or.jp/, 검색 일자: 2021.9.20.
3. 국가법령정보센터, https://www.law.go.kr/, 검색 일자: 2021.9.25.
4. 국민건강보험 서울요양원, 국민건강보험 서울요양원 (xn-2i4bo5fgwadewe.kr), 검색 일자: 2021.9.20.
5. 노인장기요양보험 홈페이지, https://www.longtermcare.or.kr, 검색 일자: 2021.9.20.
6. 보건복지부 국립재활원 중앙장애인보건의료센터, http://nrc.go.kr/chmcpd/html/content.do?depth=pi&menu_cd=02_04_01, 검색 일자: 2021.9.20.
7. 보건복지부 보건복지상담센터, https://www.129.go.kr/faq/faq05_view.jsp?n=1363, 검색 일자: 2021.9.20.
8. 보건의료빅데이터개방시스템-의료통계정보, http://opendata.hira.or.kr/op/opc/olapHumanResourceStatInfo.do, 검색 일자: 2021.9.20.
9. 서울정보소통광장, https://opengov.seoul.go.kr/sanction/22692959, 검색 일자: 2021.10.5.
10. 지역거점공공병원 알리미, https://rhs.mohw.go.kr/, 검색 일자: 2021.10.5.
11. 통계청, https://kostat.go.kr/portal/korea/index.action, 검색 일자: 2021.10.5.
12. 한국전문간호사협회. http://www.kaapn.or.kr, 검색 일자: 2021.10.5.
13. Alliance for Home Health Quality and Innovation, AHHQI HOME HEALTH CHARTBOOK, 2020. Retrieved September 20, 2021, from https://www.ahhqi.org/research/home-health-chartbook
14. Daily medi. Retrieved September 20, 2021, from http://www.dailymedi.com/detail.php?number=864025&thread=22r02
15. Japanese Ministry of Health, Labour and Welfare [JMHLW]. Overview of medical service regime. Retrieved September 20, 2021, from https://www.mhlw.go.jp/
16. Japan Visiting Nursing Foundation. Retrieved September 20, 2021. from https://www.jvnf.or.jp/
17. MEDCAL Obserber. Retrieved September 20, 2021. fromhttp://www.monews.co.kr/news/articleView.html?idxno=216892
18. Medicare .gov. Retrieved November 5, 2021. from https://www.moh.gov.sg/
19. Medi:gate News, Retrieved September 20, 2021. from https://www.medigatenews.com/news/ 2548349482
20. National Allied Health Conference. 2013, Retrieved September 20, 2021. from http://www.nahc.com.au/past-nahc/2013-nahc-program
21. The Centers for Medicare & Medicaid Services. Retrieved September 20, 2021. from https://data.cms.gov/provider-data/topics/home-health-services/process-care-outcome-care-quality-measures/

제 2 장

보건의료체계와 가정간호정책

학/습/목/표

① WHO 보건의료체계의 구성요소와 유형을 확인할 수 있다.
② 한국의 보건의료제도와 현황을 이해할 수 있다.
③ 보건의료정책의 개념과 보건의료정책의 변화를 확인할 수 있다.
④ 보건의료정책의 당면 과제를 이해할 수 있다.
⑤ 보건의료정책과 보건의료정책의 가정간호제도에 대한 영향을 이해할 수 있다.
⑥ 가정간호 정책의 추진 과정, 새로운 제도(정책) 도입에 따른 정책 건의 내용을 이해할 수 있다.
⑦ 의료기관 가정간호의 정책 과제를 이해할 수 있다.
⑧ 재가 방문간호의 차이를 이해할 수 있다.
⑨ 보건의료사회 변화에 따른 의료기관 가정간호의 역할을 이해할 수 있다.

I 보건의료체계

Home Health Care

1 보건의료체계 개요

우리나라의 보건의료체계는 보건의료제도와 같은 의미로도 사용되며, 국가보건의료체계, 보건의료전달체계, 지역사회보건체계 등과 혼용되어 사용하고 있다.

보건의료체계란 한 국가가 국민의 건강권인 보건의료 요구를 충족시키고 건강수준을 향상시키기 위한 보건의료와 관련된 제반의 법률과 제도를 총칭한다. 보건의료제도는 국가정책에서 추구하는 근본 철학과 이념을 반영하여 보건의료에 대한 형평성이나 효율성의 추구와 같은 목적을 달성하기 위한 제도를 일컫는다.

한 국가의 보건의료체계는 그 사회의 기본적인 가치와 목표, 철학, 기술 수준 등 사회 전반에 걸친 요인들의 영향에 따라 형성된 역사적 산물이기도 하다. 또한 국가별로 처한 상황에 따라 다양한 형태의 보건의료체계가 구성되지만, 효율적이며 효과적인 보건의료서비스 제공을 위해 제도를 구축하게 된다.

WHO(1984)의 보건의료체계 구성요소는 보건의료서비스, 보건의료조직, 보건의료자원, 보건의료관리, 보건의료재정으로 나눌 수 있다.

- 보건의료서비스
  - 질병예방적 관점: 1차의료(건강 증진, 질병 예방), 2차의료(진료), 3차의료(재활)
  - 의료기술의 복잡성: 일차보건의료(보건소, 의원), 이차보건의료(병원), 삼차의료(대학병원 등)
- 보건의료조직: 중앙행정조직, 건강보험프로그램, 지방행정조직, 민간행정조직

- 보건의료자원: 인력, 시설, 장비, 지식, 정보, 기술
- 보건의료관리: 리더십, 의사결정(계획, 집행, 평가, 정보지원, 규제)
- 보건의료재정: 공공재원, 민간자원 조직, 지역사회 기여, 외국 원조, 고용주, 개인, 기타

보건의료의 목표는 양질의 총괄적인 의료를 국민에게 언제, 어디서든지, 누구에게나 필요할 때 제공해 주는 것이다. 양질의 보건의료서비스의 구성요소는 다음과 같다.

- 접근용이성(accessibility): 의료 요구자의 이용이 쉽게 접근 방법과 가격이 적절해야 한다.
- 질(quality): 전문적인 능력을 가진 의료공급자(의료인)가 양질의 의료를 제공할 수 있어야 한다.
- 지속성(continuity): 전인적 보건의료서비스 목표를 가지고 상호조정을 통해서 지속성이 유지되어야 한다.
- 효율성(efficiency): 한정된 보건의료자원을 불필요하게 낭비하지 않고 최소의 비용으로 많은 효과를 달성하도록 합리적인 재정 지원, 타당한 보상, 효율적 관리 등이 보장되어야 한다.

2 보건의료체계 유형

보건의료체계는 국가정책에서 추구하는 철학과 이념, 역사적 배경, 사회구조, 보건의료정책의 우선순위에 따라 다양한 형태를 가지게 되며, 시대적 상황에 따라 지속적으로 변화하는 특성이 있다. 따라서 한 나라의 보건의료체계를 한 가지 유형으로 특정 짓기는 어려울 수 있으나 각각의 분류체계를 통하여 그 나라의 보건의료체계의 특성을 파악하는 데 도움이 될 수 있다.

1) 기본 시각에 따른 분류

건강을 국민의 기본권이라고 보는 시각과 시장 원리 관점으로 보는 시각에 따라 보건

의료체계의 특성과 유형이 다르게 나타난다.

보건의료를 기본권으로 보는 견해는 국가 주도하에 모든 계층에게 경제적인 능력에 상관없이 동일하게 보건의료서비스를 이용할 수 있는 유형으로 영국과 같이 형평성을 강조하는 제도적 특성을 갖는 나라에서 나타난다.

보건의료를 시장원리 관점에서 보는 견해는 시장원리에 의해 보건의료자원이 배분되며, 경제적 능력에 따라 보건의료의 양과 질이 달라지는 것이 특징인 유형으로 미국과 같이 자유방임형 특성을 갖는 국가에서 나타난다.

2) Fry의 분류

Fry(1970)는 보건의료체계를 자유방임형, 사회보장형, 사회주의형 3가지로 분류하여 설명하였으며, 이는 가장 널리 통용되는 분류 방법이다.

(1) 자유방임형

국민이 의료인, 의료기관을 자유롭게 선택할 수 있으며 의료비를 보험방식으로 공동부담하는 건강보험제도를 운영한다. 의료기관도 자유경쟁으로 운영되기 때문에 의료의 질적 수준이 높으나 지역 간 의료 불균형, 의료비가 높은 단점이 있다. 대표적인 국가는 미국, 일본, 한국이 포함된다.

(2) 사회보장형

의료의 생산이 국가에 의해 계획적으로 이루어지며, 생산된 보건의료서비스는 국가의 보건조직에 의해 조직되고 재원조달은 세금이나 의료보험료에 의해 운영되며 국민보건서비스(National Health Service, NHS)라고도 한다. 장점은 국가가 건강과 관련된 모든 서비스를 포괄적으로 제공하고 의료기관을 국가가 관리한다. 단점은 대규모 의료조직을 관리함으로써 의료서비스의 비효율성, 의사에 대한 인센티브 부족으로 의료의 질이나 생산성이 떨어지며 일반의에 의한 일차진료를 통해서 의료서비스를 이용할 수 있어서 의료의 선택권이 일부 제한되는 단점이 있다. 대표적인 국가는 영국, 캐나다, 스웨덴, 노르웨이, 뉴질랜드 등이 속한다.

(3) 사회주의형

사회주의 국가에서 취하고 있는 형태로 국가의 기본 목표가 의료자원과 의료서비스의 균등한 분포와 균등한 기회 보장에 있으므로 개개인의 선택권은 없다. 관료조직체계로 인한 의료조직의 경직성, 의료서비스의 질이나 생산성이 떨어지는 단점이 있다. 대표적인 나라는 러시아, 북한이다.

3) Roemer 분류

Roemer(1991)의 matrix형 분류는 보건의료체계의 유형을 결정짓는 가장 중요한 요소가 경제적 수준과 정치적 요소라는 점을 근거로 하여 경제적 요소, 정치적 요소의 두 개의 차원을 가로와 세로로 교차하여 만들어진 분류이다. 가로축의 정부의 개입정도에 따라 자유기업형, 복지지향형, 포괄적 보장형, 사회주의형으로 구분되며 세로축은 경제수준에 따라 선진국, 개발도상국, 극빈국, 자원 풍부 국가로 구분된다.

(1) 자유기업형

보건의료의 수요, 공급, 가격 결정 등을 자유시장에 의존하며, 정부개입은 최소화된다. 선진국은 미국이 해당되며, 개발도상국은 태국, 필리핀이다.

(2) 복지지향형

정부나 제3지불자들이 보건의료 이용과 제공과정에 개입하며, 공공 주도의 의료보험제도 국가가 해당된다. 독일, 일본, 한국이 해당된다.

(3) 포괄적 보장형

복지지향형보다 정부의 개입이 크며 국가 주도의 보건의료서비스 제공과 보건의료자원을 관리한다. 보건의료자원은 형평성 있게 무상으로 제공되고 국민의 건강권 보장을 우선순위에 둔다. 영국, 이스라엘, 쿠웨이트가 해당된다.

(4) 사회주의형

민간의료시장을 완전히 제거하고 보건의료를 중앙정부가 전체적으로 통제하는 유형으로 사회주의 붕괴 이후 상당수 국가가 해당되지 않는다. 구 소련, 구 동구권 국가가 해당된다.

3 한국의 보건의료제도와 현황

한국의 보건의료체계는 국민이 의료인, 의료기관을 자유롭게 선택할 수 있으며, 의료비를 보험방식으로 공동 부담하는 건강보험제도를 운영한다. Fry의 분류로는 자유방임형이고, Roemer 분류로는 정부와 공공 주도의 보험자가 의료이용과 의료서비스 제공 과정에 일정 부분 개입하는 민간중심의 의료공급체계로 운영되는 복지지향형 특성을 갖는다.

WHO의 보건의료체계 구성요소인 보건의료서비스, 보건의료조직, 보건의료자원, 보건의료관리, 보건의료재정 측면에서 살펴보고, 현황에 있어서는 경제협력개발기구(Qrganization for Economic Co-operation and Development, OECD) 보건통계(Health Statistics)로 살펴보고자 한다.

1) 보건의료서비스

"보건의료서비스"란 국민의 건강을 보호·증진하기 위하여 보건의료인이 행하는 모든 활동을 말한다. 국가 주도의 건강관리체계가 미약하고 민간의 의료공급이 중심이 되어 질병예방적 관점에서 1차의료에 해당되는 건강증진, 질병예방이 2차의료에 비해 강화되지 못하였다. 또한 1차의료에서 2, 3차의료로 전달체계가 확립되지 못하여 문지기 역할을 하는 1차의료 기능이 약하고 진료 중심의 2, 3차의료 비중이 크게 자리 잡고 있다. 의료 이용에 있어서도 환자의 선택권이 자유롭게 보장되고 있어서 경증 질환자도 1차의료기관 대신 상급병원 이용률이 높고 다빈도 의료 이용을 촉진하여 외래진료 횟수, 평균 재원일수가 OECD 평균보다 높다고 할 수 있다.

(1) 보건의료 이용

국민 1인당 외래진료 횟수(연간 17.2회)는 OECD 국가 중에서 가장 높았다(OECD 평균: 6.8회). 2019년 우리나라 입원환자 1인당 평균 재원일수는 18.0일로 OECD 국가 중에서 일본(27.3일) 다음으로 길었다(OECD 평균: 8.0일). 급성기 치료를 위한 입원환자 1인당 평균 재원일수는 7.3일로 OECD 평균(6.5일)보다 길었다.

최근 10년간 우리나라 입원환자 1인당 평균 재원일수는 증가 추세를 보이지만, 급성기 치료 환자는 감소 추세를 보였다. 입원 전체는 연평균 1.4% 증가하였고, 급성기 치료는 연평균 3.4% 감소하였다. 2019년 우리나라의 자기공명영상(MRI) 검사는 인구 1,000명당 73.9건으로 OECD 평균보다 적었고(80.2건), 컴퓨터단층촬영(CT)은 인구 1,000명당 248.8건으로 OECD 평균(154.8건)보다 많았다. 최근 10년간 우리나라 CT 검사 수는 연평균 10% 증가하였고, MRI 검사는 연평균 16% 증가하여 지속적인 증가 추세를 보였다.

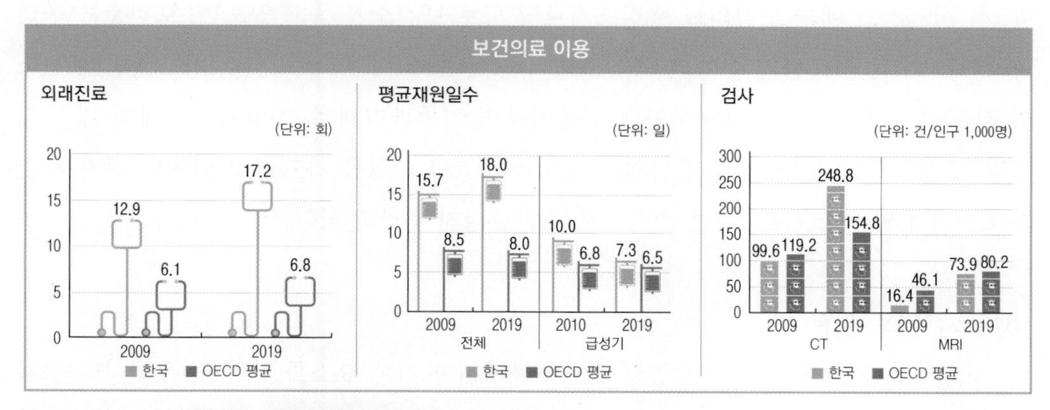

Fig 2-1 보건의료 이용 현황(한국 vs. OECD 평균)
[출처: 보건복지부, OECD 보건통계(Health Statistics), 2021]

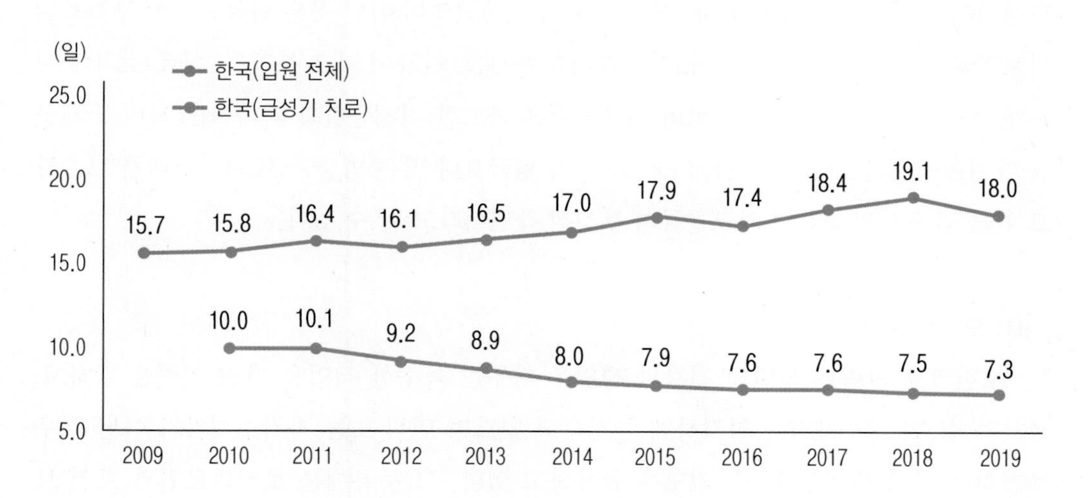

Fig 2-2 입원환자 1인당 평균 재원일수 추이(2009~2019년)
[출처: 보건복지부, OECD 보건통계(Health Statistics), 2021]

2) 보건의료조직

보건의료조직은 보건의료의 공동목표를 수행하기 위하여 보건의료자원을 할당 배분하는 구조라 할 수 있다. 보건의료분야에서 보건관리의 개념을 행정적 개념으로 보건행정이라고 할 때 보건의료행정의 내부 구조를 공공보건의료조직, 민간보건의료조직 및 국제보건의료조직으로 나누어 볼 수 있다.

우리나라의 공공보건 의료조직의 중앙행정조직은 보건복지부이며, 지방보건의료 행정체계는 일반 행정체계와 같이하여 광역시·도와 시·군·구 행정구역별로 이루어져 있다. 각 시·군·구에는 보건의료 행정조직과 별도로 보건소를 두고 있으며, 보건소는 우리나라 지역보건 의료사업 수행의 핵심조직이라 할 수 있다. 전국적인 지방조직인 보건소의 경우 중앙정부인 행정자치부와 보건복지부의 이중관리체계, 지방자치단체의 세 가지 관리 체계를 받고 있다. 민간중심의 의료공급이 70% 이상을 차지하고 있지만 국가 보건의료조직과 민간공급조직과는 유기적으로 연결되지 못하고 있다.

3) 보건의료자원

보건의료자원이란 보건의료공급에 필수불가결한 기본 요소를 말한다. 우리나라는 자유방임형 의료체계로 민간중심의 의료기관이 90% 이상 차지한다. 민간중심의 의료기관은 그 속성상 의료 이용자가 많은 도시지역에 집중하게 되고, 의료 인력 또한 일자리가 많은 도시지역에 많이 분포하게 된다. 이로 인하여 도시권역이 아닌 곳은 의료공급이 부족하여 의료공급 취약지역에 속하게 되고, 의료이용 장애로 인하여 의료 불평등, 의료 소외에 처하게 된다. 또한 많은 민간 중심의 의료기관은 과도한 경쟁유발과 과다 의료서비스 제공을 가져올 수 있는데 우리나라가 OECD 국가 평균보다 많은 병상공급, 의료장비를 보유하고 있는 점은 민간중심의 의료공급의 부정적 측면이라고 할 수 있다.

(1) 보건의료 인력

보건의료 인력은 국민의 건강과 생명을 다루는 특수한 직업을 가진 인력을 말하고, 국가가 법으로 그 자격을 엄격하게 규정하고 있으며 면허 또는 자격소지자가 아닐 경우 보건의료 관계 행위를 할 수 없도록 규제하고 있다. 그 종류에는 보건의료인과 보건 보조의료인이 있다. 임상의사(한의사 포함)는 인구 1,000명당 2.5명으로 OECD 국가 중에서

폴란드, 멕시코에 이어서 세 번째로 적으며, 의학계열(한의학 포함) 졸업자수는 인구 10만 명당 7.4명으로 OECD 국가 중에서 일본, 이스라엘에 이어서 세 번째로 적다(OECD 평균: 인구 1,000명당 임상의사는 3.6명, 인구 10만 명당 의학계열 졸업자수는 13.5명, 2019년 기준). 간호 인력(간호사, 조무사 포함)은 인구 1,000명당 7.9명, 간호사는 4.2명으로 OECD 평균보다 낮으나 간호대학 졸업자는 인구 10만 명당 40.5명으로 OECD 평균(31.9명)보다 높다(OECD 평균: 간호 인력은 9.4명, 간호사 7.9명, 2019년 기준).

(2) 보건의료시설

보건의료시설은 보건의료서비스가 제공되는 장소를 말하며 그 종류로는 병원(의료법), 의원(의료법), 보건소(지역보건법), 조산원(의료법), 약국(약사법) 등이 있다. 우리나라의 병원 병상수는 2019년 인구 1,000명당 12.4개로 OECD 평균(4.4개)의 2.8배이고 일본 다음으로 많았다. 급성기 치료병상은 2019년 인구 1,000명당 7.1개로 OECD 평균(3.5개)보다 2배 이상 많았다.

(3) 보건의료 장비 및 물자

보건의료 장비 및 물자는 질병의 예방, 진단, 치료 및 재활에 필요한 공급물을 말하며 의약품, 의료물자, 의료장비, 보철기구 등이 있다. 의료장비의 경우 자기공명영상장치(MRI)와 컴퓨터단층촬영(CT) 보유 수준은 OECD 평균보다 높았다. 2019년 우리나라의 자기공명영상(MRI) 보유 대수는 인구 100만 명당 32.0대, 컴퓨터단층촬영(CT)은 인구 100만 명당 39.6대로 OECD 평균보다 많았다(OECD 평균: MRI 18.1대, CT 28.4대).

(4) 보건의료관리

전국적인 계획과 관리체계가 미흡하여 의사결정(계획, 집행, 평가, 정보지원, 규제) 체계가 통일되지 못하고 중앙화된 계획관리가 어렵다. 민간의료분야는 보험수가체계를 통한 통제가 가능하다.

(5) 보건의료재정

전국민 건강보험체계로 건강보험재정은 의료보험료와 국가재정 보조로 충당되며,

건강보험 지불체계는 행위별수가제, 후불제로 의료비 통제 기전이 취약하여 비용증가를 통제하기 어려운 체계이다. OECD 국가 평균보다 외래진료 이용 횟수가 가장 높고, 입원기간이 긴 점은 의료 이용량에 대한 통제가 어려움을 보여주고 있으며, 더불어 급속한 노인인구의 증가에 따른 의료비 증가는 건강보험재정의 악화를 초래하고 있다.

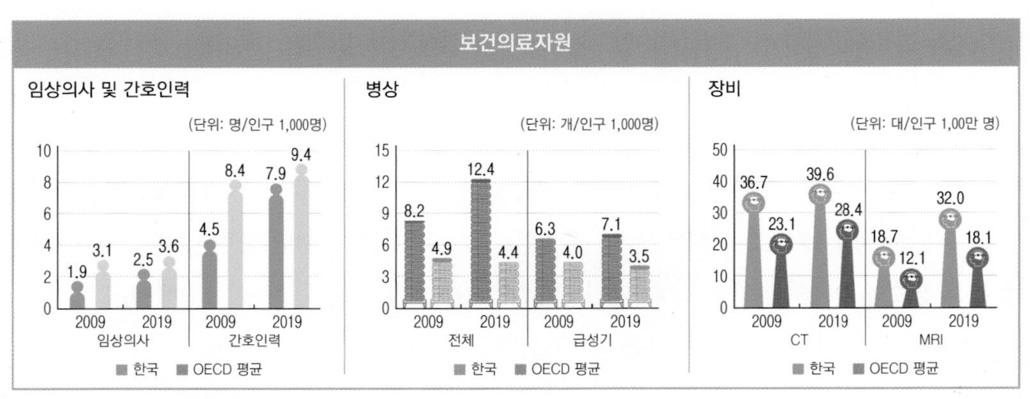

Fig 2-3 보건의료자원(한국 vs. OECD 평균)
[출처: 보건복지부, OECD 보건통계(Health Statistics), 2021]

보건의료부문 서비스 및 재화에 소비된 국민 전체의 1년간 지출 총액을 의미하는 경상의료비는 2019년 국내총생산(Gross domestic product, GDP) 대비 8.2%로, OECD 평균(8.8%)에 비교해서 낮았다. 1인당 경상의료비는 3,406.3 US$ PPP (Purchasing Power Parity; 구매력 평가환율)로 지난 10년간 연평균 7.3%씩 증가하여 OECD (3.1%)보다 높은 증가율을 보였고, 가계가 부담하는 의료비(가계직접부담) 비중은 2009년 34.3%, 2014년 33.9%, 2019년 30.2%로 점차 감소 추세를 보였다.

장기요양 수급자 비율(65세 중 9.6%)은 OECD 평균(12.0%)보다 낮지만, 고령화, 노인장 요양제도 강화 등으로 지난 10년간 빠르게 증가하고 있다(2009년 3.2%, 2014년 7.0%, 2019년 9.6%로 최근 10년간 장기요양 수급자 비율은 연평균 12% 증가). GDP에서 장기요양 지출이 차지하는 비중은 2009년 0.4%에서 2019년 1.1%로 증가하였다.

보건의료정책

1 보건의료정책의 개념

1) 정책의 개념

정책은 바람직한 사회 상태를 이루려는 정책목표와 이를 달성하기 위해 필요한 정책수단에 대하여 권위 있는 정부기관이 공식적으로 결정한 기본방침이다.

문재우 등(2004)은 공공정책의 개념은 여섯 가지가 포함된다고 하였다. 공공정책은 공공기관이 주체이기 때문에 정치 권력성을 가지며, 목표지향적 활동이기 때문에 미래성과 방향성을 가지고, 목표와 함께 그 실현 수단을 핵심으로 한다. 또한 비용과 편익의 배분을 통해서 국민들의 이해관계에 영향을 미치며, 의도적인 행위뿐만 아니라 의사결정을 하지 않는 것(의식적인 부작위)도 포함된다. 마지막으로 정책은 일련의 선택이므로 1회의 선택을 하는 의사결정과 구별되며, 서로 관련된 많은 의사결정들 간에 발생하는 상호작용의 결과이다.

정책의 구성요소는 정책의 목적 또는 목표, 정책수단, 대상 집단이다. 정책의 목표는 정책을 통하여 이루고자 하는 사회나 국가의 바람직한 미래 상태를 말하며 추상적 포괄적 의미의 정책의 목적과 구체적으로 명시할 수 있는 정책 목표로 구분할 수 있다. 정책의 목표는 정책의 추구과정에서 지침을 제공하여 정책 대안의 선택, 집행, 평가에 있어서 근거가 된다. 정책의 수단은 정책의 목표달성을 위한 합리적인 도구나 방법을 말하며, 정책수단을 탐색하고 선택할 때는 정책수단의 효율성, 효과성, 형평성, 실현 가능성을 고려해야 하며 정책집행으로 인한 비용과 편익도 고려해야 한다. 정책은 정책대상집단이 있으며, 정책의 유형에 따라 정책으로 인한 수혜집단과 피해집단이 있다. 규제정책에서는 혜택집단은 광범위하고, 피해집단은 소수일 수 있으며, 분배정책에 있어서 혜택집단은 명시하기 쉬우나 피해집단은 명시하기 어려울 수 있다.

2) 정책 과정

정책은 세 가지 과정을 거쳐서 진행된다.

첫째, 정책의제의 형성이다. 많은 사회문제 중 특정한 문제에 정책적 해결이 필요하여 정부의 정책 입안자에게 관심의 대상으로 부각시키고 정책결정 체계에 안건이나 주제로 선정하는 과정이다. 이것은 특정의 사회문제가 정부의 정책으로 해결되기 위하여 정책결정체계로 들어가는 과정이다.

둘째, 정책결정과정이다. 정책의제 형성 과정에서 채택된 정책의제에 대한 해결책을 정책으로 변화시켜 나가는 과정으로 정책의 작성이나 수립 과정이다. 정책의 수립 과정은 문제의 파악과 정의, 정책목표의 설정, 정책대안의 탐색과 개발, 정책대안의 미래 예측, 대안의 비교와 평가, 최적의 대안 선택과정을 거치게 된다.

셋째, 정책집행과정이다. 정책 결정 체계에서 작성, 산출한 정책을 정책 집행기관이 다양한 환경에 적용하면서 실현해 가는 과정이다. 정책집행 준비단계는 집행계획의 수립, 집행 담당조직 구성, 인사 및 예산 배정, 기타 관련 자원 지원으로 구성된다. 실행단계는 집행계획과 주어진 자원을 활용하여 행정활동을 해나가는 과정이다.

넷째, 정책평가과정이다. 정책평가의 주체가 해당 정책에 대한 내용 및 정책형성 과정, 집행 과정, 정책의 성과 등을 일정한 평가 기준에 따라 평가하고 시정 조치를 공지, 환류하는 과정이다.

3) 보건의료정책의 개념

보건정책은 국가의 근본적이고 필수적인 정책이다. 따라서 정부의 보건의료정책은 보건의료 분야에 있어서 정부의 기본 방침으로 국민의 건강을 위한 정책 목표와 그것을 달성하기 위해 필요한 정책수단에 대해 정부가 공식적으로 결정한 기본방침이라 할 수 있다.

WHO(2000)는 『World Health Report 2000』을 통하여 가장 기본적인 정책 목표를 건강수준과 형평성의 관점에서 건강의 향상으로 제안하였다. 우리나라의 「보건의료기본법」에서는 국민의 건강 및 복지의 증진으로, 「의료법」에서는 국민건강의 보호 및 증진을 목적으로 하고 있다.

보건의료정책은 의료의 접근성, 의료의 질 향상, 의료비용의 세 부분으로 구분할 수 있는데, 이를 보건의료 정책분야의 철의 삼각(iron triangle in healthcare)이라 한다. 또한 보건의료정책의 목적과 세 부분의 적용에 있어서 효율과 형평이 있다. 즉, 보건의료정책의 목적인 국민의 건강관련 삶의 질 향상이 효율적이고 형평성 있게 이루어졌는지와 보건의료의 접근성 제고, 질 향상, 비용 절감이 효율적이고 형평성 있게 이루어졌는지로 적용되어야 한다.

2 보건의료정책의 변화

1) 광복~1960년대 이전

1945년 광복과 더불어 실시된 미군정의 보건행정은 일제 강점기의 관료주의적 위생경찰제(위생 사무를 경찰국에서 관장)와는 다르게 사회, 보건, 노동을 포함한 사회복지 행정을 담당하는 보건후생부가 설치되었다. 1950년 6.25전쟁으로 의료시설이 대부분 파괴되었고 각종 전염병이 창궐하여 보건정책의 우선순위는 방역과 구호 행정에 집중되었다. 전후복구사업이 시작되면서 1954년 전염병 예방법이 제정, 공포되고, 1956년 보건소법이 제정, 공포되었다. 정부는 열악한 재정 여건상 공중보건업무만 주로 담당하고 의료서비스는 민간 부분에서 담당하게 하는 자유방임적 분업구조를 추구하였다.

2) 1960년대~1980년대까지

1961년을 분기점으로 보건의료의 법체계가 정비되기 시작하였다. 1962년 「의료법」이 전면 개정되고, 「보건소법」이 전면 개정되어 전국적인 시·군·구 단위로 보건소 및 보건지소 망을 갖추게 되었다. 1971년까지 전국 192개 보건소와 1,342개 보건지소 설치가 완료되었다. 1963년 「사회보장에 관한 법률」, 「산업재해보상보험법」, 「전염병 예방법」에 의한 예방접종 의무화, 「의료보험법」 제정 등 각종 법적 정비가 이루어졌다. 그러나 모든 국가정책은 경제개발을 중심으로 이루어져 1962년부터 1981년까지 4차에 걸친 경제개발계획정책에서 보건의료는 주요 의제로 상정되지 못하고 질병관리와 가족계획 등 보건의료의 필수적이고 기본적인 사항만 추진되었다.

무의촌(無醫村) 해소는 이 시대 보건의료정책의 가장 우선되는 과제였다. 600여 개의 무의면(無醫面) 해소를 위해 공의(公醫) 배치, 병원선 순회 진료, 1976년 '특정 의무 지정 의사'를 보건소장으로 충원하는 제도를 도입하여 전국 198개 보건소장에 의사를 배치하였다.

1960년대 보건의료자원 분야의 주요 특성은 시·도립병원의 지역의료센터의 지위를 잃게 되어 사립병원이 병원 부분의 발전을 주도하게 되었고, 병원 부분은 의사의 경제적 대우가 열악함에 따라 개업을 선호하여 병원 부분의 역할이 축소되고 개인 의원이 의료서비스 공급의 주축을 이루게 되었다. 또한 미국식 전문의제도의 도입과 양성으로 전문의가 증가하기 시작하였으나 대부분 개업의가 됨으로서 개인 의원의 역할이 강화되는 데 기여하였다.

1978년 알마아타 선언에서 '2000년까지 모든 인류에게 건강을'에 의한 일차보건의료의 철학과 접근방법이 보건정책의 주요 지침이 되었다.

정부가 보건의료에 관심을 가지게 된 것은 1976년 의료보험제도를 실시하면서부터이다. 의료보험제도는 1977년 500인 이상 사업장 근로자를 대상으로 시행되었고, 1979년 공무원·사립학교 교직원, 1988년 농어촌 지역 의료보험, 1989년 전국민 의료보험제도가 실시되었다. 1980년 초부터 차관과 금융 지원을 통하여 민간 의료시설을 건립하였다. 이 시기 주요 특징은 민간병원중심으로 주도권이 정립되었고, 의료보장과 소득 증가로 입원 수요가 증가하기 시작하였고, 종합병원의 외래진료는 의료보장이 확대될수록 증가하는 추세를 보였다.

1980년에는 '경제개발 5개년 계획'의 명칭을 '경제사회발전 5개년 계획'으로 변경하여 보건사회 부분에 투자하기 시작하였다. 의료자원이 취약한 농어촌지역 의료 공급을 확대하기 위하여 병원 건립과 더불어 1980년 「농어촌 보건의료를 위한 특별조치법」에 의한 공중보건의사 및 보건진료원, 「공중보건 장학을 위한 특별조치법」에 의한 공중보건장학의사를 농어촌에 배치하였고, 1983년 전국의 모든 면 단위에 의사를 배치하여 무의면(無醫面)은 공식적으로 해소되었다.

3) 1990년대

정부는 1989년 전국민 의료보험제도 도입으로 국가와 기업의 재정 부담을 우려하여 높은 수준의 본인부담금제도와 급여 제한, 저수가 체계를 실시하였다. 그 결과 의료계는 감소된 수입을 고가 검사 등의 보험진료 외 수입으로 보충함으로써 규제를 벗어났으며, 환자에게도 선택의 자유가 보장되어 의료쇼핑 등의 사회문제가 나타나기 시작하였다. 또한 전국민 의료보험제도 도입으로 증가하는 입원 수요를 위하여 1990년대 초에 지역별 병상제한정책을 폐지하고, 정부에서 장기 저리로 병상증설자금을 지원해주어 병상확충 정책을 시행한 결과 전국적으로 2만 5천 병상을 증설하였다. 민간보건의료 부분의 급격한 성장은 정부의 민영화와 시장주의적 정책과 더불어 의료 부분 투자의 불확실성이 낮다는 점도 활발한 투자를 유도하였기 때문이다. 대기업의 병원 산업 진출은 한국 특유의 현상으로 대기업 병원의 진출로 병원의 운영 효율성과 관리의 편리성을 추구함과 더불어 의료서비스의 고급화를 촉진하였다. 여러 정부에 걸쳐서 의료 이용의 형평성, 의료 공급의 효율성 향상으로 의료비 상승의 억제를 위한 노력에도 보건의료개혁은 이루어지지 못하였다.

장기이식의 증가로 「장기이식에 관한 법률」 제정, 정신질환자의 인권을 강화하는 「정신보건법」이 제정되었다. 또한 1995년 「보건소법」을 「지역보건법」으로 개정하여 보건소의 자체의 진료기능보다는 지역사회 보건의료 기능으로 보건소 역할을 확대하였다. 응급의료체계 구축, 응급처치 요원으로 응급구조사를 양성하는 「응급의료에 관한 법률」을 1994년 제정하고 도로교통 범칙금의 일부를 사용하는 응급의료기금을 신설하였다.

4) 2000년~현재

2000년 7월 실시된 의약분업으로 의사가 처방하고 약사가 조제하는 직능 간 역할이 정립되었다. 그러나 의약분업 시행에 따라 진찰료 수가를 약 12.1% 인상하고 약사에게 조제료와 의약품 관리료를 신설해 주며 외국의 브랜드 의약품 처방 증가 등으로 2002년부터 건강보험재정이 적자로 돌아서 진료비를 지급하지 못하게 되는 '건강보험재정 파탄'을 맞이하였다. 이에 정부는 「건강보험재정 건전화 특별법」을 제정하여 정부의 예산 지원, 담배세로 조성하는 건강증진기금의 60%를 건강보험재정에 투입하였다. 한편 각종 규제를 적용하여 건강보험재정 수요를 감소시켰다.

2000년 7월 직장의료보험공단과 통합함으로써 통합 의료보험체제인 국민건강보험을 달성하였고 건강보험의 보장성을 꾸준히 확대하였다. 아동 · 청소년 · 노인 등의 생애

주기별 건강관리를 강화하고 건강투자를 위한 거버넌스 혁신을 추진하고자 하였다.

건강보험급여 범위 확대 및 본인부담금 경감, 공공보건의료체계를 통한 저소득층의 건강관리 강화로 의료보장성을 강화하였다. 고액 진료비가 발생하는 암, 심장·뇌혈관 질환 등 4대 중증질환자에 대한 보장성 강화는 2005년 본인부담률을 기존에 100분의 50 또는 100분의 20에서 100분의 10으로 낮추기 시작하여 현재는 100분의 5로 더욱 낮아졌다. 2006년 입원환자의 식대가 급여화되었고, 희귀 · 난치질환자에 대한 지원 강화, 의료취약지역에 대한 방문보건사업 확대, 도시지역 보건지소의 설치 확대 등으로 취약계층의 의료접근성이 강화되었다. 또한 2008년 7월 노인장기요양보험제도를 도입하고 기반을 확충하고자 하였다. 2014년 2월 3대 비급여(선택진료비, 상급병실료, 간병비) 개선방안이 발표되었다. 2018년 선택진료비가 전면 폐지되어 특정 의사에게 진료를 받을 때 진료비의 약 50%를 추가로 본인부담하던 진료비가 없어지게 되었다. 2014년 상급병실 급여화가 부분적으로 시작되어 2018년 7월에는 상급종합병원 2·3인용 병실까지 건강보험이 적용되었다. 또한 간병비 부담을 줄이고 입원서비스 질 향상을 위해 2013년 7월부터 포괄간호서비스가 일부 병원에서 시작되었고, 2015년 「의료법」 개정으로 간호·간병통합서비스로 명칭이 변경되고, 2018년 간호·간병통합서비스 병동을 운영 중인 병원은 전국 495개 병원이였으며, 총 37,288 병상으로 확대되었다.

2000년대 중반 의료산업화정책은 자유무역 시장을 개방하는 정책과 함께 시도되었다. 영리병원 도입, 외국인 환자 유치 및 의료 수출, 건강관리서비스 제도와 원격의료 제도 도입 등이었다. 영리병원은 의료기관 개설을 영리 목적으로 하는 기업에게 허용하는 것으로 20여 년간 논의만 하다가 현재는 논의 과정이 중단되었다. 만성질환관리 등을 위한 생활습관개선사업을 의료행위와 별도로 구분하여 건강관리서비스업을 신설하고자 하는 '건강관리서비스법'을 제정하려고 하였으나 의료계와 시민단체의 반대로 중단되었다. 원격의료(telemedicine)는 의사와 환자가 대면하지 않고 컴퓨터 등을 이용하는 진료방법으로 1990년대 농어촌, 섬 지역 보건지소와 대학병원 간 원격의료자문이 시범사업으로 진행되었고, 2000년대 의사와 환자 간의 원격의료 허용 문제가 2008년부터 현재까지 지속적으로 정책으로 상정되어 논의되고 있다. 2020년 3월 코로나19 감염병의 확산으로 전화상담 및 처방이 한시적으로 허용되고, 장기화로 한시적인 비대면 의료가 일부 시행되고 있어 전세계적인 전염병 확산이 사회 전반의 비대면 체계가 의료계에도 영향을 주고 있다.

2018년부터 보건의료전달체계의 개선 측면에서 지역사회중심의 통합 돌봄이 실현될 수 있는 통합의료체계 구축을 위해 노력하고 있으며, 지역 내 보건과 복지서비스 간 협업과 연계를 강화하는 것을 목표를 하고 있다. 주로 읍면동사무소와 보건소 등 공공기관과의 협업과 연계에 초점을 두고 있으며, 선도 사업을 통한 모형 개발을 진행 중에 있다.

3 보건의료정책의 당면 과제

한국은 전국민 건강보장을 실현하는 국민건강보험체계를 갖추고 있으나 의료이용 제어장치가 부재하여 OECD 국가 평균을 상회하는 많은 병상과 고가의 의료장비를 보유하고 있으면서 국민 1인당 입원 기간이 길고, 고가 장비 검사 비율, 1인당 외래진료 횟수 등이 높다. 의료 이용자의 선택권이 보장되지 않고, 의료전달체계도 확립되지 않았으며, 공급자 측면에서도 공급량을 통제하기 어려운 행위별 수가제, 후불제 등의 지불보상제도를 운영하고 있다. 또한 지속적인 건강보험 보장성 강화로 인하여 건강보험재정의 지출이 크게 증가하고 있다. 2020년 65세 이상 노인은 전체 인구의 15.4%를 차지하고 있으나, 건강보험 요양급여비는 42.3%를 차지하고 있다. 이와 같이 건강보험급여비는 인구구조 변화와 맞물려서 증가되고 있으며 재정파탄의 위험성이 증가하고 있다. 통계청의 『장래인구추계』에 따르면 2025년 65세 이상 노인인구는 25%까지 증가할 것으로 전망하고 있으며, 2050년 노년부양비는 77.6%로 생산가능인구(15~64세) 약 1.3명이 노인 1명을 부양할 것으로 예상하고 있다.

OECD는 병원중심의 분절적인 보건의료체계의 문제점을 지속적으로 지적해 왔는데, 이러한 문제점은 노인과 만성질환자에게 적합하지 않은 급성기 진료에 초점을 두고 있기 때문에 발생한다. 또한 의료서비스 시설과 인력이 수도권 대도시 중심으로 집중되어 의료자원이 불균형적으로 분포하고 있다. 1차의료는 지역사회에서 고유의 역할과 기능을 제대로 하고 있지 않으며 중소병원의 역할은 모호하고 상급종합병원 · 대형병원으로의 환자 쏠림 현상은 가속화되고 있다.

또한 의료기관 간 연계가 미흡하고 지역사회 자원과의 연계가 단절되어 있는데, 특히 지역사회 내에서 의료와 복지자원 연계가 부족한 실정이다.

보건의료정책과 가정간호정책의 실현

Home Health Care

의료기관 가정간호는 1990년 가정간호사제도부터 현재에 이르기까지 정부의 보건의료 정책, 특히 건강보험정책과 밀접한 영향을 받으면서도 보건의료 환경변화와 유사한 제도 도입에 영향을 받아 변화되어 현재에 이르고 있다.

1 보건의료정책의 가정간호제도에 대한 영향

1) 전국민 의료보험의 도입과 가정간호사제도

1989년 전국민 의료보험 도입으로 인해 종합병원 입원 수요가 급격하게 증가하여, 입원 병상이 부족해 입원 대기가 길어지는 등 사회적인 문제가 크게 대두되었다. 이로 인하여 의료계 일부의 많은 반대에도 불구하고, 1990년에 입원환자의 조기 퇴원에 따른 입원 대체서비스 제공을 목적으로 한「의료법 시행규칙」제54조 업무 분야별 간호사인 가정간호사제도의 도입을 촉진하는 계기가 되었다. 그러나 전국민 의료보험의 도입은 의료보험 재정 악화에 대한 정부의 우려로 보험급여 제한, 높은 본인부담률과 저수가제를 유지하면서 입원 병상 증설 정책을 동시에 시행하게 되었다. 이러한 정부의 보건의료정책은 가정간호 시범사업 시에도 그대로 적용되어 가정간호 이용에 대한 보험급여 제한과 높은 본인부담률 등으로 가정간호 이용에 대한 진입 장벽을 높게 하였다.

2) 가정간호 보험급여 제한과 2인 이상 가정간호 인력 배치

(1) 방문횟수 등의 보험급여 제한(1994년~2019년)

1994년 1차 병원중심 시범사업부터 2001년 제도화 이전까지 관리대상지역 거주자로서 입원경력이 있는 환자에 한하여 월 4회 방문까지 의료보험 적용이 가능하였다. 즉, 월

4회 초과 방문과 관리지역 외 거주 환자가 가정간호 이용 시에는 환자가 전액 본인부담하게 하였다. 더불어 가정간호 교통비 수가는 처음부터 환자가 전액 부담하는 수가(100분의 100 본인부담)로 책정되어 가정간호 이용 시 본인부담금을 더욱 높게 하였다. 또한 입원경력이 없는 환자는 응급실 내원 또는 입원 후 퇴원하여 가정간호가 의뢰되게 하는 불편함을 초래하였다. 이와 같이 시범사업 시기에는 월 4회 방문, 2001년 이후 월 8회 방문만 보험급여가 가능한 점은 집중적인 방문이 요구되거나 입원대체서비스 제공이 필요한 환자의 가정간호 이용에 장애가 되었고, 환자의 본인부담률이 높은 점도 가정간호 이용을 제한할 수 있어서 본래 목적으로 가정간호제도가 정착하는 데 부정적인 영향을 미치게 되었다.

(2) 가정간호 실시 기준인 2인 이상의 가정전문간호사 배치(2001년~현재)

2001년 제도화된 의료기관 가정간호는 2인 이상의 가정전문간호사 배치를 의무화하고 있다. 최소한의 질 보장 장치로써 2인 배치를 의무화하였으나 가정간호 실시 초기 가정간호 대상자 확보가 어렵거나 2인의 가정전문간호사 구인이 어려운 경우(특히, 비수도권의 중소도시) 가정간호 실시를 차단하는 부정적인 효과를 가져왔다.

2인의 가정전문간호사 배치 요건은 휴가 시에도 연속적인 가정간호 제공이 가능하고 지지체계가 되는 긍정적 효과가 있으나 가정간호 수요가 많지 않은 의료기관의 가정간호 실시에 대한 진입 장벽이 되었다.

3) 가정간호 수가의 저수가 체제 유지 영향(2001년~2013년)

가정간호 수가 또한 정부의 저수가 정책 속에서 1997년 2차 시범사업 시에 책정된 수가가 인상되지 않은 채로 유지되다가 2001년 상대가치 점수제가 도입되면서 상대가치점수로 환산되어 원가보전이 되지 않는 저수가가 유지되었다. 가정간호 수가가 원가보전이 되지 않는 점은 의료기관의 가정간호 실시를 기피하는 주요 요인이 되어 가정간호서비스의 공급이 제한되는 문제를 초래하였다. 이러한 문제가 장기간 지속되면서 전국적인 가정간호서비스의 공급 불균형과 사각지대 증가로 전국적으로 이용 가능한 서비스로 정착되지 못하였다. 또한 가정간호 실시기관이 새로 생기지 않고 오히려 가정간호 대상자 감소로 기존의 가정간호 실시기관이 가정간호를 중단하면서 가정전문간호사 일자리가 감소하여 이로 인한 가정전문간호사 교육기관의 감소까지 가져오게 되었다.

4) 입원병상 증가 및 보장성 강화 정책 등의 영향(2004년~2019년)

1990년 초부터 시행된 정부의 병상 증설 정책으로 입원 병상이 증가하였고, 2003년 이후 요양병원 병상수가 급격히 증가하였다. 요양병원 병상 수는 2003년 8,355병상에서 2015년 228,765병상으로 27배 증가하여 전체 병상의 37%를 차지하였다(전체 병상 수는 2003년 304,089병상에서 2015년 614,224병상으로 2.4배 증가). 2002년 입원료 수가가 24.4% 인상되었고, 2005년부터 암 등의 4대 중증질환자의 입원 시 본인부담금 감소 등의 건강보험 보장성 강화, 실손의료보험 가입 증가, 노인인구의 증가와 가족구조의 변화로 돌봄이나 의식주 해결 목적의 사회적 입원 증가와 맞물려서 공급자와 수요자 측면에서 입원 병상(특히, 요양병원)이 지속적으로 증가되었다.

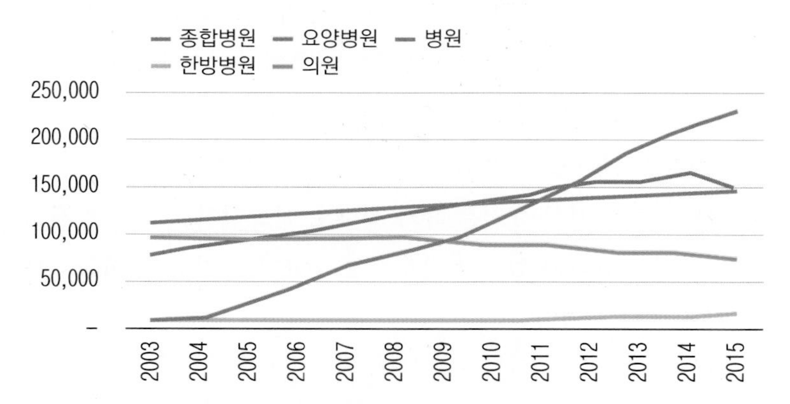

Fig 2-4 연도별 의료기관 종별 병상 수 변화
[출처: 보건복지부 통계연보, 2016]

입원 대기가 길어지는 입원 병상 부족은 병원 경영진의 조기퇴원 노력으로 퇴원환자의 가정간호 연계가 활성화될 수 있으며, 병원의 병상 가동율이 최소한 90% 이상이 되어야 퇴원환자의 가정간호 연계가 활성화될 수 있다. 1990년대 초기 설립된 서울 소재 대형병원의 경우 경영효율화를 위해 입원일수를 줄이고 병상 가동률을 높이기 위한 방안으로 가정간호제도가 적극적으로 활용되었다. 그러나 병상 가동률이 90% 미만으로 잉여 병상이 많을 경우 적극적인 가정간호 연계에 한계가 있다. 최근에는 경영의 효율화를 위해 입원일수 감소를 목적으로 조기퇴원에 따른 가정간호 연계보다도 요양병원 등에 전원하는 사례가 증가하고 있어서 가정간호 대상자를 확보하는데 한계가 있었다. 이와 같이 국가 전체의 가용병상 증가는 가정간호의 활용을 저해하는 커다란 요인이 될 수 있다.

집으로의 퇴원 대신 다른 의료기관으로의 전원이나 요양병원 입원 증가는 2020년 전 세계적인 COVID-19 (Corona Virus Disease 2019)의 확산으로 주춤하게 되었고, 가정간호 등의 재가서비스 이용 경향성은 증가하였으나 COVID-19가 의료 이용 형태에 어떠한 영향을 미쳤는지는 추적관찰이 필요하다.

5) 노인장기요양보험제도 도입 영향(2008년~2014년)

2008년 7월 노인장기요양보험제도의 시행은 가정간호 실시기관의 직접적인 감소를 가져오게 되었다. 노인장기요양보험제도는 2005년 7월 1차 시범사업을 시작으로 2008년 6월까지 3차 시범사업을 실시함으로써 요양시설과 방문간호사업소가 확충되었다. 요양시설은 2005년 543개(입소가능인원 24,195명)에서 2008년 1,754개(입소가능인원 59,331명)로 3배 이상 증가하였다. 이와 같이 요양시설 증가에 따라 의료인이 부재한 요양시설 입소자에게 가정간호가 제공되었으며, 중소병원에서 운영하는 가정간호사업소의 경우 요양시설에 대한 방문 비중이 높았다. 그러나 노인장기요양보험이 제도화되면서 2008년 7월 요양시설 입소자에 대한 가정간호 건강보험급여가 제한됨에 따라 요양시설 방문이 많은 중소병원·의원은 가정간호 대상자 감소로 가정간호 실시를 중단하는 경우가 많았다. 의료기관 가정간호 실시기관은 2007년 214개소로 가정간호 제도화 이후 가장 많았으나, 2008년 198개로 가정간호 실시기관 수가 점차 감소하기 시작하여 2014년 115개까지 감소하였다. 상급종합병원과 종합병원의 경우 2014년 가정간호 실시기관은 2007년 대비 21%, 30% 감소하였지만, 병원(요양병원 포함)과 의원은 2014년 가정간호 실시기관은 2007년 대비 각각 64%, 77%로 크게 감소하였다.

2008년 노인장기요양보험제도의 시행으로 재가급여인 방문간호는 의료기관 가정간호와 서비스 내용이 유사하고 노인 대상자가 많다는 공통점에서 여러 전문가들은 서비스의 중복과 가정간호 대상자의 이동으로 의료기관 가정간호의 위축을 우려하였다. 그러나 노인장기요양보험 재가급여는 매월 통합 한도 내에서 방문요양, 방문간호 등의 서비스와 나누어 사용하다 보니 방문요양 급여를 최대한 사용하기 위하여 방문간호 이용을 선호하지 않았고 이러한 경향은 노인장기요양보험 방문간호의 확대에 걸림돌이 되었다. 이정석 등(2012)의 연구에 따르면 방문간호 제공기관은 2009년 565개소에서 2011년 476개소로 지속적으로 감소하였고, 재가 장기요양 기관 중 방문간호 기관은 2009년 3.4%에서 2011년 2.6%로 감소하여 2011년 말 재가 장기요양 이용자 중 방문간호 이용자는 1.8%, 전체 재가 장기요양 급여비 중 방문간호 급여비는 0.4% 차지하는 것으로 나타났다. 이와 같이 노인장기요양보험 방문간호가 활성화되지 않으면서 가정간호 이용 대상자가 노인장기요양보험 방문간호로 이동한 경우는 많지 않았다.

가정간호 대상자가 노인장기요양보험제도의 시행으로 요양시설 입소나 방문간호 이용으로 일부 감소한 측면은 있으나 가정간호 실시기관이 직접적으로 감소한 요인은 요양시설 가정간호의 제한이라고 할 수 있다.

6) 요양시설에 대한 의료기관 가정간호 제공(2014년～현재)

종합병원 이상의 가정간호사업소는 해당 기관의 퇴원 또는 외래환자로 가정간호가 대부분 실시되는데 반하여 중소병원·의원은 병상수가 적고 통원 가능한 경증 진료환자가 많아서 외부 요양시설 입소자의 가정간호 실시로 가정간호 수요가 대부분 충족되었다. 2008년 7월 노인장기요양보험제도 시행 이후에도 요양시설 입소자에게 가정간호를 제공해 왔던 OO의원이 2009년 7월 요양기관 업무정지 처분과 가정간호 보험급여 환수조치에 따라 행정소송을 제기한 결과, 요양기관 업무정지 등 처분취소 결정(대법원 2011.9.29), 2014년 5월 대법원에서 정부의 상고 내용을 기각하여 요양시설 입소자에게 가정간호를 제공한 것이 적법하다고 판결하였다(대법원 2014. 5. 16. 선고 2011두16841 부당이득금징수처분취소).

2014년 12월 보건복지부의 행정해석으로 요양시설에 가정간호가 허용되었다. 이로 인하여 상급종합병원과 종합병원은 가정간호 실시기관의 증가가 없는데 반하여 병원(요양병원 포함)은 가정간호 실시기관이 2017년 39개로 증가하기 시작하여 2019년에는 43개로, 2014년에 비하여 3배 증가하였다. 의원은 가정간호 실시기관이 2016년 25개로 증가하기 시작하여 2019년에는 47개로, 2014년에 비하여 5.2배 증가하였다. 2014년 장기요양시설 입소자의 가정간호 이용은 전체 가정간호 이용자의 3.4%에 불과하였으나 2015년 11.3%, 2016년 33.6%, 2017년 47.3%, 2018년 52.5%로 급격히 증가하였다. 의료기관 종별 가정전문간호사의 연간 방문건수를 분석한 연구에서는 병원급, 의원급에서의 방문건수가 2016년 이후 급속히 증가하고 있다.

의료기관 가정간호는 대상자를 개별 방문하여 서비스를 제공하는 특성상 교통시간 등이 소요되어 방문 횟수를 대량으로 증가시키기 어려우나 요양시설 입소자에 대한 가정간호 제공은 교통 시간이 적게 소요되고 짧은 시간 내에 많은 대상자에게 가정간호를 제공할 수 있어서 가정간호서비스 양을 증가시킬 수 있는 공급자 요인이 되었다. 또한 2014년부터 기본 방문료의 상대가치점수가 의료기관 종별로 차등되어 의원급의 상대가치점수의 점수 당 단가는 병원보다 높아서 기본 방문료 수가가 최상위의 상급종합병원 수가와 비슷하였다(예 2020년 상급종합병원 수가 73,230원, 의원은 73,160원).

정부는 요양시설에 과다 방문하는 가정간호 사례가 증가함에 따라 가정전문간호사 1인당 1일 방문횟수를 제한하는 보험 기준과 요양시설 방문 시 기본 방문료의 50% 감산에 대한 보험고시를 마련하게 되었다(2019.10.30. 보건복지부 보도자료).

7) 가정간호 수가 인상 효과(2010년~2020년)

2008년 이후 가정간호사업소의 급격한 감소로 의료자원의 효율적 활용 측면에서 의료기관 가정간호를 활성화하기 위한 목적으로 2020년까지 세 차례의 가정간호 수가 인상 등이 있었다. 의료기관 가정간호 도입 목적은 조기퇴원 환자의 입원대체 서비스 제공과 거동이 불편한 만성질환자의 의료편익 제공이다.

수가 인상 이후 퇴원환자(또는 조기퇴원 환자) 연계가 많은 상급종합병원과 종합병원에서는 가정간호 실시기관이 증가하지 않고 오히려 점차 감소하고 있다. 따라서 상급종합병원이나 종합병원에서의 가정간호 실시를 확대시키기 위해서는 상급종합병원 지정 기준에 가정간호서비스 제공 여부를 요소로 포함시키는 등의 다른 접근이 필요하다.

수가 인상으로 주로 수도권·대도시에 위치한 병원·의원의 중심의 가정간호 실시 증가 효과가 나타나 지역적 불균형 심화는 해소되지 않았으며, 거동이 불편한 만성질환자의 의료편익 제공 측면에서는 요양시설 가정간호 확대가 필요 이상으로 이루어졌다. 그러나 요양시설 입소자에 대한 가정간호 제공은 현재 요양시설이 가지고 있는 의료사각화 문제가 해결되기 전까지는 만성·노인질환자의 연간 급성기 병상 입원 일수 감소 측면에서는 일정 부분 기여하고 있다고 볼 수도 있다.

2010년 기본 방문료 수가 인상 배경(2009.8. 건강보험정책심의위원회 보고자료)

- 가정간호서비스 중단으로 지역적 불균형 심화
- 가정간호서비스가 적절히 공급되지 못하면 가정에서 치료가 가능한 환자의 입원이 증가하여 장기적으로는 건강보험재정부담 증가 요인이 됨

[출처: 가정간호 수가·심사기준의 이해, 건강보험심사평가원 급여기준실]

2014년 기본 방문료 수가 인상 배경

- 선택진료제도 개편 시행(2014.8)에 따른 병원의 수입을 보전해 주기 위한 수가인상 중 하나
- 가정간호가 필요한 중증의 조기퇴원 환자에 대하여 적절한 서비스 제공을 위해 의료자원의 낭비를 줄이고 효율적인 입원대체서비스 활성화를 위해 개선이 필요함

[2014.7. 선택진료 개편관련 수가조정방안 설명회, 건강보험심사평가원]

8) 2020년 가정간호 수가 체계 변화 영향

20020년 1월 변화된 가정간호 수가 체계는 수가 인상과 가정간호 이용자의 보장성 강화(교통비 급여화로 비용 부담 감소), 가정간호 남용을 방지하기 위한 규제(가정전문간호사 1인당 월평균 방문횟수 제한, 요양시설 방문 시 기본 방문료 수가 감산)로 정리된다.

우리나라의 비용지불체계는 행위별 수가제, 후불제로 서비스 양을 얼마든지 증가시킬 수 있는 요소가 있으며, 가정간호에서도 방문수가 인상과 환자부담 감소, 2014년 개선된 연간 방문횟수 제한 폐지, 1일 2회 이상 방문에 대한 방문료 수가 인정은 요양시설 방문과 같이 가정간호 제공 횟수를 쉽게 증가시킬 수 있는 요인이 있다.

1인당 1일 방문 횟수 제한은 공급자 측면의 규제를 통하여 가정간호 이용량을 통제할 뿐만 아니라 적정 수준의 가정간호 제공을 위한 최소한의 질 보장장치라고 할 수 있다. 또한 가정간호 실시의료기관에서는 가정간호 수요에 따라 가정간호 제공인력을 배치할 수 있는 실질적인 근거가 있음으로써 인력 증원에 대한 의사결정이 쉬워지고, 이로 인한 가정전문간호사 일자리 증가와 방문업무 과다로 인한 가정간호 실무자의 소진도 예방하는 효과가 나타날 수 있게 되었다.

요양시설 가정간호 제공에 대하여 일률적으로 기본 방문료 수가 50% 감산은 일부 고려가 필요한 부분이 있다. 요양시설 방문이 많은 기관에서 특정일, 특정 요양시설 입소자 중 여러 명의 대상자에게 연이어 가정간호가 제공된다면 교통비 산정(교통 시간에 대한

인건비와 차량 유지비)이 일부 제외될 수 있지만, 요양시설 방문이 적은 기관에서 병원 퇴원 후 요양시설로 재입소하는 대상자에게 한시적으로 가정간호를 이용하는 경우 방문수가의 원가 보전이 안 되어 제한하는 효과를 가져올 수 있기 때문에 추후 재조정이 필요한 부분이다.

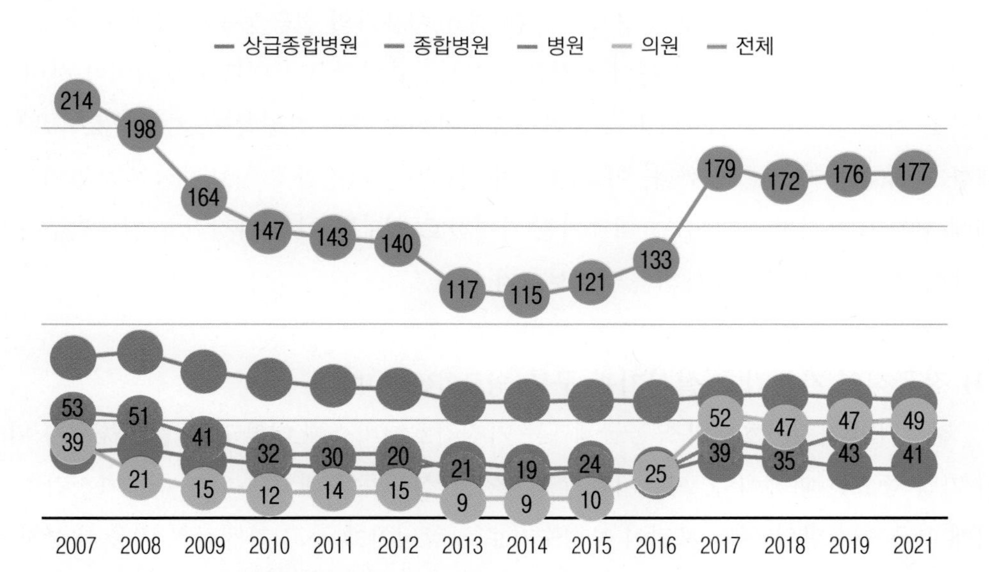

Fig 2-5 연도별 기관종별 가정간호 실시기관 수

* 가정간호 실시기관수: 요양기관의 진료월 기준 또는 청구기준, 데이터 추출 시점에 따라 기관수는 차이가 있으며, 기본방문료 청구 실명제(2017년 9월) 이전에는 실시기관, 인력에 오류가 있음

** 병원: 요양병원, 한방병원이 포함

[출처: 가정간호 실시기관(2007~2012). 송종례 등, 2014; 가정간호 실시기관(2013~2019). 백희정, 2021; 가정간호 실시기관(2021.10.3. 기준). https://www.hira.or.kr]

2 가정간호정책의 추진 과정과 사례

보건의료정책은 의료의 접근성 향상, 의료의 질 향상, 의료비용 절감이 해당 분야의 핵심 요소이며 정책의 집행과 실현 과정에서는 효율성, 형평성이 중요하다. 보건의료정책의 중요한 목적인 국민의 건강 관련 삶의 질 향상을 위해 보건의료의 접근성 제고, 질 향상, 비용 절감을 위한 정책이 효율적이고 형평성 있게 실현되고 적용되어야 한다.

가정간호제도는 의료비 절감과 거동이 불편한 만성질환자에 대한 의료서비스 이용의 편리함을 제공하고자 하는 두 가지의 가치가 있다. 의료비 절감은 국민의 의료비 상승과 제한된 자원, 재정을 효율적으로 사용하기 위한 보건의료정책의 중요한 과제이며, 이러한 과제를 달성하기 위해서는 전국적인 가정간호서비스 공급체계가 마련되어야 한다. 또한 의료이용의 접근성 측면에서도 가정간호가 필요한 대상자가 전국 어디서든 가정간호서비스를 이용 가능해야만 형평성에 문제가 없고 접근성이 보장될 수 있다.

의료기관 가정간호에 대한 정책 방향은 의료 이용자의 접근성을 높이기 위한 것으로 서비스 공급 측면에서는 최소한의 가정간호 실시기관이 전국적으로 확보되어야 하며, 가정간호 이용자 측면에서는 비용 부담이 적고, 이용 절차가 간편하며, 가정간호서비스에 대한 인지(홍보)가 있어야 한다. 이를 통하여 의료기관 가정간호가 보편적인 보건의료 체계에 정착되는 것이다. 2001년 의료기관 가정간호 제도화 이후 가정간호 실무전문가 단체에서 추진한 정책 추진 사례를 살펴보고자 한다.

1) 전국적인 가정간호 실시기관 구축(의료기관 측면)

전국적인 가정간호서비스 공급체계는 가정간호서비스에 대한 접근성을 높이기 위해서 가장 중요한 과제이다. 의료기관의 가정간호 실시가 확대되기 위해서는 가정간호 실시에 따른 최소한의 원가 보전이 보험수가로 보장되어야 하고 가정간호 이용 대상자 확보될 수 있어야 하며, 가정전문간호사 배치(인력확보)가 가능해야 한다.

가정간호 실무전문가 단체의 가정간호 실시기관 증가를 위한 주요 정책 건의는 가정간호 수가 인상 건의, 요양시설 방문 허용, 지역거점 공공병원과 상급종합병원 의무 설치였으며 이에 대한 정책 건의 사례를 살펴보고자 한다.

(1) 가정간호 수가 인상 정책 건의 사례

가정간호 수가는 1997년 수가가 2001년 상대가치 점수화되고 이후 상대가치 점수가 인상이 되지 않으면서 원가 보전이 안 되는 문제가 발생하였고 의료기관 가정간호 제도화 초기부터 의료기관의 가정간호 실시가 확대되지 못한 주요 원인이었다. 가정간호 수가 인상은 실무전문가 단체의 최우선 정책 과제였다. 2004년 간호협회를 통한 정부 대상의 상대가치점수 조정 건의, 2006년 국회 청원으로 수가 인상 건의가 있었다. 2009년 상대가치 점수 조정 시기에 가정간호 수가 인상 건의는 정부의 수가 정책을 담당하는 보건복지부 보험급여과 건의, 최종적으로 건강보험정책심의위원회 위원들을 통해 이루어져

2010년 1월부터 기본 방문료 수가가 43.28% 인상되었다.

수가인상 건의 내용 일부(2009.7. 대한간호협회 가정간호사회)

가정간호 수가의 원가 보전율은 약 50%이며, 의료기관에서는 적자사업으로 인식되어 가정간호사업소 개설의 가장 큰 장애요인이 되고 있으며, 요양시설에 대한 가정간호 불허로 가정간호사업의 채산성이 더욱 악화되어 가정간호 축소 및 폐쇄가 급증함. 이로 인하여 건강보험 이용 환자의 재가케어시스템이 붕괴되고 있음.

이와 같이 정책 건의는 적절한 시기(정부의 상대가치점수 조정 시기)와 적절한 상황(가정간호 실시기관의 급격한 감소 시기), 적합한 정책 건의 대상(수가 결정에 영향력 있는 정부 당국자 등)을 통한 설득과 꾸준한 건의 노력으로 가능하였다.

2010년 수가 인상은 13년 만에 이루어진 것으로, 한 차례의 수가 인상으로 가정간호 서비스에 대한 원가가 충분히 보장되지 않았고, 이후에도 다른 요인에 의해 가정간호 실시가 중단된 의료기관도 있었고, 가정간호 실시기관이 새롭게 증가하지는 않았다. 따라서 수가 인상 이후에도 지속적인 가정간호 수가 개선에 대한 대정부 건의 노력은 보험당국자에게 가정간호 수가의 원가 보전 미흡과 가정간호 실시기관의 증가 필요성을 인식시킴으로써 2014년, 2020년 두 차례의 수가 인상으로 이어지게 되었다.

(2) 요양시설 가정간호 허용(2008년 8월~2014년)

노인장기요양보험이 제도화되면서 2008년 7월 요양시설 입소자에 대한 가정간호 건강보험급여가 제한됨에 따라 요양시설 방문이 많은 중소병원·의원은 가정간호 대상자 감소로 가정간호 실시를 중단하는 경우가 많았다. 이와 같이 가정간호 실시기관의 급격한 감소는 가정간호제도에 대한 존립 위기로 받아들여졌으며, 가정간호 중단으로 요양시설 입소자의 병원 이용에 따른 불편감, 비용 증가 문제가 발생하였다. 가정간호 실무전문가 단체에서는 전문적인 처치 등의 선별적인 가정간호 허용을 적극적으로 건의하였다. 그러나 이러한 정책 건의는 받아들여지지 않았고, 2014년 5월 대법원에서 요양시설 입소자에게 가정간호를 제공한 것이 적법하다고 판결한 결과로 요양시설 입소자에게 가정간호 제공이 가능하게 되었다.

의료기관 가정간호 연계를 통한 노인장기요양시설의 의료접근성 제고 방안
(보건복지부 건의 내용 일부, 2010.7. 대한간호협회 가정간호사회)

○ **장기요양시설의 의료사각화 원인**
- 요양시설 입소자는 대부분 고령의 만성질환자로 의료적 관리가 필요하나, 전문 의료인력이 부족하고 의료서비스를 위한 시설인프라가 없는 상태로 의료사각화 문제 발생

○ **의료접근성 제고를 위한 정부의 대책 및 현황**
- 보건의료인력 추가 배치에 대한 요양급여 인센티브제(2009. 9)는 소규모 시설에서는 효과가 없으며, 도입 검토 중인 장기요양시설 전담주치의 제도는 대도시 이외 지역에서는 실현 가능성이 낮음

○ **요양시설 가정간호가 불허된 지 2년이 경과하였어도 대상자의 요청에 의해서 100% 본인 부담으로 가정간호를 받고 있는 요양시설 입소자가 있음**
- 장기요양보험 대상자는 의료적인 문제발생 시 입원, 외래 및 응급진료를 받을 수 있는 것처럼 가정간호가 필요한 경우 건강보험이 적용되는 가정간호서비스를 받을 권리가 있음

○ **외부 병원 방문에 따른 이동의 불편 및 경제적 부담 증대**
- 요양시설 입소자의 평균연령은 80.5세이며, 활동이 자유롭지 못한 경우가 74%로 응급상황이 아닌 기관지 절개관 교환, 주사수액 치료 등을 위한 병원 통원에 따른 대상자의 불편감 초래

○ **요양시설의 의료적 관리 부재와 병원 퇴원 시 가정간호 비연계로 건강보험 노인의료비 증가**
- 김상환(2010)의 연구에서 요양시설 입소자의 20%에서 1인당 평균 1.6회의 병원 입원(2회 이상 입원 37%), 평균 입원일수는 15일, 입원 당 진료비는 평균 260만 원으로 조사됨

○ **기관지 절개관 교환 등의 전문적인 처치, 검사 및 주사 서비스에 한해 가정간호를 허용 건의 항목**

구분	EDI 보험청구 코드	서비스 내용
치료(7종)	E7230, M0060, M011, M0121, M0131, Q2614&21, R3577	기관지절개관 교환, 비위관 교환, 방광루관 교환, 유치도뇨관 교환, 심각한 수준의 욕창과 하지궤양, 복잡장루, SaO_2 모니터, 각종 튜브 관리, 수술상처 및 봉합사 제거
주사/검사	KK 코드, 00 코드	주사 및 수액치료, 펌프 사용, 각종 진단의학 검사

(3) 지역(광역) 거점병원의 가정간호 실시 의무화 건의(2009년~현재)

상급종합병원의 경우 의료전달체계의 최상위 병원으로써, 특히 국립대병원은 광역거점병원의 역할을 수행하며, 2012년 당시 전국 44개 병원이 지정되었다. 또한 지역거점공공병원은 2005년 지방의료원 설립 및 운영에 관한 법률 제정에 따라 의료취약지역의 의료접근성 제고와 건강격차 완화와 공공성 강화 추진을 목적으로 설립되어 34개 지방의료원과 6개의 적십자병원이 운영되고 있다.

가정간호 수가의 원가 보전 미흡 등 여러 요인으로 수도권, 대도시 중심으로 한 가정간호를 실시함으로써 가정간호서비스 공급이 지역적으로 불균형이 심화되고 사각지대가 많아서 전국 어디서나 가정간호 이용을 받기 어려운 상황에 이르렀다.

가정간호 실무전문가 단체에서는 민간병원에서는 의료기관 가정간호의 수익성 등을 이유로 가정간호 실시를 기피할 수 있으나 지역거점의 역할과 공공성을 가지는 지역거점 공공병원 및 상급종합병원에 가정간호 실시 확대를 통하여 전국적인 가정간호서비스 공급체계 확보를 위하여 정책 건의를 하였다.

2009년 이후 여러 차례 지역거점 공공병원 운영평가에 가정간호를 포함하는 내용을 보건복지부 관련 부처에 건의하였고, 2012년부터는 상급종합병원에 가정간호 실시를 촉진하기 위하여 상급종합병원 지정 기준에 가정간호 실시를 포함하도록 최근까지도 건의해오고 있다.

지역거점 공공병원은 매년 실시하는 정부의 운영평가 결과에 따라 정부 예산지원이 차등 지급되기 때문에 운영평가 항목의 중요성이 높았다. 가정간호 실시 내용은 2010년 시범적으로 채택되었다가 가정간호 미실시 기관의 반발로 폐지와 재상정을 반복하였다. 지역거점 공공병원의 경우 지역의 중소도시에 위치하면 가정전문간호사 인력구인이 어려워 미실시하는 사례가 있었다. 이에 반하여 상급종합병원의 경우 대도시 지역에 위치해 있고 기관 내에 대부분 가정전문간호사 자격증 소지자가 있음에도 불구하고 기관 내 우선순위에 밀려서 미실시되는 경우가 많았다. 정책 건의 내용은 다음과 같다.

지역거점 공공병원의 가정간호사업소 필수 설치 건의

(보건복지부 건의 내용 일부, 2012.5. 대한간호협회 가정간호사회)

- 지역거점 공공병원 가정간호 운영은 34개 지방의료원 중 17개 기관(전체의 50%)에서 실시
- 가정간호서비스 사각지대는 충남, 충북, 경남, 제주, 강원지역 일부 지역으로 전국적인 가정간호 연계체계가 구축되기 위해서는 사회안전망 기능 수행기관으로써 수익성 측면에서 민간의료기관이 기피하는 가정간호사업을 지역거점 공공병원에서 필수적으로 실시할 수 있는 방안을 적극적으로 모색 필요
- 가정간호사업의 수익성 측면에서 민간병원에서의 사업소 폐쇄가 급격히 증가, 지역거점 공공병원에 조속히 가정간호사업을 필수적으로 실시하도록 건의
  1. 지역거점 공공병원 운영평가에 가정간호사업수행에 대한 평가기준 마련:
     2010년 실시되었던 '가정간호사업 수행 및 지원'에 대해 정규 평가 항목으로 추가
  2. 가정간호사업수행에 따른 인건비와 차량 운영 등에 대한 경상예산 지원

표 1 상급종합병원 및 지역거점 공공병원 가정간호 실시 현황(2012.5.기준, 괄호 안은 전체 기관 수)

	충남	충북	제주	경남	강원	전남	전북	경기	경북	인천	서울
지방의료원	04)	12)	02)	03)	15)	23)	22)	66)	35)	11)	11)
상급종합	13)	01)	-	45)	22)	03)	02)	35)	44)	12)	12(17)
계	17)	13)	02)	48)	37)	26)	24)	9(11)	79)	23)	13(18)

상급종합병원에 가정간호사업 필수 운영 건의
(보건복지부 건의 내용 일부, 2019.5. 대한간호협회 가정간호사회)

○ 상급종합병원은 '중증질환에 대하여 난이도가 높은 의료행위를 전문적으로 하는 종합병원'
○ 입원환자 중 전문 진료질병군 비중이 제3기('18~'20)에서 21%로 강화되고, 제4기에도 의료전달체계 구축과 상급종합병원 쏠림 현상을 해소하기 위해 중증질환 비율을 상향 예정임
○ 퇴원 후 당해 의료기관에서 직접 경과의 관찰이 필요한 환자와 집으로 퇴원하길 원하는 중증·희귀난치 만성질환자의 퇴원 후 합병증 발생 최소화, 응급실 방문 및 재입원율 감소를 위하여 가정 내 전문적인 추후 관리가 필요함
○ 각 지역의 국립대병원은 광역거점병원으로 공공보건의료기관 역할을 수행해야 하나, 제3기 상급종합병원 중 가정간호 실시기관은 27개 기관(63%)이며, 충북권, 전북권, 전남권 및 울산광역시는 가정간호 실시 상급종합병원이 없음. 가정간호를 필요로 하는 환자가 전국 어디서든지 가정간호를 이용할 수 있도록 광역거점병원에는 가정간호 실시가 필요

표 1 상급종합병원 가정간호 실시 현황(괄호 안은 전체 지정기관 수, 2019. 5.기준)

서울	경기 서북부	경기 남부	강원	충북	충남	전북	전남	경북	경남	전체
11(14)	3(4)	3(4)	1(1)	0(1)	1(3)	0(2)	0(3)	4(4)	4(7)	27(43)

○ 상급종합병원에서의 중증질환 비중을 높일수록 병원 또는 의원에 회송 강화 정책과 더불어 집으로 퇴원하거나 상급종합병원에서 직접 경과의 관찰이 필요한 환자에 대한 가정간호 연계가 이루어질 수 있도록 상급종합병원 지정기준에 의료기관 가정간호가 포함되어야 함

2) 가정간호 이용자의 접근성 향상

가정간호제도 초기부터 가정간호를 이용하는데 여러 가지 제도적 제한이 많았다. 이러한 제한점은 가정간호 현장의 실무전문가들의 지속적인 대정부 건의로 개선되어왔다. 정부에서는 사회적으로 논란이 많은 커다란 사안 이외는 전체 국민의 소수가 이용하는 가정간호제도의 소소한 문제를 알기 어렵다. 따라서 여러 가지 소소한 제한점들은 현장에 있는 실무전문가들을 통해서 정부에 건의하여 개선사항을 알 수 있고 개선해 나갈 수 있다. 환자의 가정간호 이용 편익을 위한 대정부 건의는 간호전문직의 환자의 대변인, 옹호자 역할이라고 할 수 있다.

(1) 가정간호 교통비 급여화(2009년~2019년) 정책 건의 사례

가정간호 교통비수가는 100분의 100 본인부담 수가(2017년 7,803원)로 장기간 가정간호가 필요한 만성질환자나 주 2회~3회 이상의 다빈도 방문이 필요한 환자의 경우 가정

간호 이용에 대한 본인부담 비용이 컸다. 가정간호 이용 비용 측면에서 접근성 강화는 교통비 수가의 급여화가 가장 중요하였다. 2014년부터 2019년까지 70세 이상에 대한 기본 방문료 수가의 연령 가산 30%가 적용되어 경제적으로 소진된 노인환자의 비용 부담이 더욱 가중되었다.

새로운 방문간호 형태로 도입된 다른 제도를 살펴보면, 2008년 노인장기요양보험 방문간호는 교통비 수가가 방문료에 포함되어 급여화되었고, 2016년 가정형 호스피스 시범사업 시에도 가정간호 교통비 수가와 동일한 수가였지만 급여로 적용되었다. 2017년 수가기준으로 단순드레싱 목적으로 암 환자 방문 시 환자 부담금액은 상급종합병원 가정간호는 10,130원, 가정형 호스피스는 4,200원이며, 노인장기요양보험 방문간호는 5,040원(30분 미만 기준)으로 본인부담금의 차이가 컸다. 산정 특례 적용이 안 되는 70세 이상 가정간호 환자는 1회 방문 비용을 약 30,000원 수준으로 부담하였다.

이와 같이 교통비 수가로 인한 환자의 비용 부담 가중으로 가정간호 실무전문가 단체에서는 2009년부터 본격적으로 최우선 정책 과제로 교통비 수가 건의를 지속하였고, 이로 인해 2020년에는 교통비 수가가 폐지되고 기본 방문료에 포함되어 급여화되었다.

국회, 보건복지부 교통비 급여화 건의 내용 일부(2011년 대한간호협회 가정간호사회)

○ 100대 100 본인부담 보험수가는 보험제도의 보장성 취지에 어긋나기 때문에 한시적으로 운영되어야 함에도 불구하고 2001년 제도화 이후 지속적으로 유지되는 것은 보험제도의 보장성 원칙 및 중증질환자의 보장성 강화 측면에서도 형평성에 위배됨
○ 가정간호서비스는 만성질환으로 경제적으로 소진되거나 취약한 대상자가 대부분 이용하기 때문에 교통비 100% 본인부담은 의료비 부담을 가중시킴
  - 가정간호 이용자 중 65세 이상 노인이 60%이상, 암 환자 27%, 기초생활 수급권자가 50% 이상
○ 따라서 경제적 취약계층인 만성질환(암 등 중증질환, 희귀난치질환 등)·노인환자의 건강보험 보장성 강화와 재가의료서비스에 대한 형평성 제고 측면에서 가정간호비용 부담액의 30~50%를 차지하는 교통비 수가에 대한 급여요율 개선이 필요함

(2) 방문 횟수 제한 등의 건의

① 가정간호 대상자 기준에 입원 경력 삭제 건

2001년 가정간호 대상자 보험 고시 기준에 '조기퇴원환자 또는 과거 입원 경력이 있는'이라는 조항이 있어서 입원 경력이 없어도 가정간호가 필요한 재가환자가 가정간호를 받을 수 있도록 건의하여 관련 내용이 삭제되었다(2005.9. 적용).

② 방문횟수 확대

다빈도 방문이 필요한 만성 상처, 암 환자 수액요법 등은 월 8회 방문이 초과되어 100% 본인 부담하거나 가정간호가 제한되는 문제로 인하여 연간 96회로 통합해줄 것을 건의하여 2007년 7월부터 연간 96회로 방문 횟수에 대한 보험이 가능하여 빈번한 방문이 필요한 환자에게 보험급여 혜택이 가능해졌다.

3) 새로운 제도(정책) 도입에 따른 정책 건의

2001년 의료기관 가정간호 제도화 당시 넓은 의미의 방문간호로서 의료기관 가정간호가 유일하였다. 그러나 사회가 변화하면서 가정간호 대상자와 겹치거나 유사한 제도의 시행은 가정간호제도의 위축을 가져올 수 있는 가능성이 있었고, 방문간호의 특성상 서비스 공급체계 구축이 어려운 점에서 유사한 새로운 제도 도입 시 의료기관 가정간호 시스템이 필요하였다. 이에 가정간호 실무전문가 단체에서는 가정간호에 영향을 미칠 수 있는 새로운 제도 도입에 관심을 가지고 가정간호제도의 활용을 건의하였다.

(1) 의료기관 인증평가에 가정간호 포함(2009년~2010년)

2010년 의료기관 인증제도 도입에 따라 2009년 의료기관평가 인증 추진위원회, 보건복지부 관련 부처에 정책 건의를 함으로써 300병상 이상 대형병원 인증평가 항목(평가 기준 3.1.5: 진료의 연속성을 유지하기 위한 퇴원 및 전원 절차)에 '진료의 연속성을 유지하기 위해 가정간호가 필요한 경우 퇴원 시 의료기관에서 직접 가정간호서비스를 제공하거나 가정간호서비스를 제공하는 타 기관으로 연계하도록 조사항목에 포함한다'를 포함시켰다.

(2) 노인장기요양보험제도 도입 시 의료기관 가정간호에서 방문간호가 가능하도록 건의

2009년 노인장기요양보험제도 도입 시 의료기관 가정간호에서 방문간호가 가능하도록 노인장기요양보험 방문간호에 한하여 겸직이 가능하게끔 보건복지부에 건의를 하였고, 그 결과 2010년 의료기관 가정간호사업 업무편람에 반영되었다.

(3) 암 관리, 완화의료에 가정간호사업소와 가정전문간호사 활용 건의(2012년~2014년)

「암 관리법」은 2003년 5월 제정되어 재가 암 환자에 대한 가정방문사업(제12조 재가암

환자 관리사업)과 말기암환자에 대한 가정방문 보건의료사업(제21조 완화의료사업)을 하게 되어 있었다. 또한 완화의료전문기관 및 지역암센터를 지정하여 재가(말기) 암 환자 관리를 위한 가정방문 사업을 하게 되어 있어 대부분 1~2명의 소규모 전담인력을 별도로 배치하여 실시하고 있다.

2012년 의료기관 가정간호 대상자는 치료암 또는 말기암환자가 전체 대상자 중 약 30%를 차지하고 있었다. 지역암센터 12개 기관 중 7개 기관(41.7%), 완화의료 전문기관 44개 기관 중 26개 기관(52.3%)에서 의료기관 가정간호를 운영하고 있으나, 같은 기관 내에서 운영하고 있는 가정간호사업소를 활용하지 않고 대부분 지역 암센터 내에 별도의 가정방문 인력을 두고 운영하였다. 2012년 재가암환자와 말기암환자의 효율적인 관리를 위하여 의료기관 가정간호를 활용하도록 지역암센터와 완화의료전문기관 평가 기준에 가정간호사업 시행을 건의하였다.

또한 정부는 재가 말기암환자 대상의 가정 호스피스 완화의료제도를 2014년 도입 예정임을 발표하였다. 따라서 가정간호를 이용하는 암 환자가 많은 측면에서 2012년 보건복지부 관련 부처에 가정 호스피스 완화의료기관의 인프라 구축과 제한된 의료인력의 효율적 활용을 위하여 일정 기준이 충족된 가정간호사업소나 가정전문간호사도 가정 호스피스 완화의료제도 시행에 활용하도록 건의하였다. 결국 2016년 가정형 호스피스 시범사업 시 가정 호스피스 전담간호사 자격 기준 중 하나로 호스피스 표준교육을 이수한 가정전문간호사도 가정형 호스피스 전담간호사로 참여할 수 있게 되었다.

(4) 지역사회 통합 돌봄에 가정간호 활용 건의(2019년~현재)

정부는 2018년 3월 12일 재가·지역사회 중심으로 각종 사회서비스를 제공하는 커뮤니티케어(Community Care) 추진 계획에 대해 발표하였다. 정부 내 〈커뮤니티케어 추진본부〉를 구성하고 '모두가 어울려 살기 위한 지역사회 포용 확대' 추진 계획 속에서 2018년 7월까지 '커뮤니티케어 로드맵'을 발표하고, 〈재가 및 지역사회 중심 선도사업〉 모델을 개발하여 2019년부터 커뮤니티케어 선도사업을 단계적으로 추진해 나갈 계획을 구체화하였다. 커뮤니티케어에 대한 명칭은 2019년 지역사회통합 돌봄으로 변경되었고 선도사업 기관 모집을 통하여 선도사업을 일부 시행하고 있다.

2019년 가정간호 실무전문가 단체인 가정간호사회, 가정간호 관련 학회인 한국가정간호학회는 지역사회 통합 돌봄에서 의료기관 가정간호의 활용을 건의하였고, 한국커뮤니티케어보건의료협의회와 함께 보건의료가 적극 참여하는 정책 건의를 하면서 여러 보건의료 직능 단체 간 논의를 진행해오고 있다.

3 의료기관 가정간호의 정책 과제

의료기관 가정간호의 첫 번째 과제는 가정간호서비스 사각지역 해소로 전국적인 가정간호 공급체계 구축이다.

건강보험심사평가원에 등록된 의료기관 가정간호 실시기관은 전국 177개로(2021년 10월 3일 기준), 고정연 등(2020)의 연구에서는 2017년 전국 가정간호 실시기관은 경기지역(63개)이 35.2%를 차지하고, 서울·경기·인천지역이 109개로 전국 가정간호 실시기관의 약 61%를 차지하고 있다. 지역별 가정간호 실시기관은 울산광역시 0개, 광주광역시 2개, 경북 2개, 강원 3개, 경남 5개, 부산 6개이다. 이와 같이 가정간호 실시기관은 수도권에 집중되어 있고 지역적 불균형이 심화되어 전국적으로 이용 가능한 서비스로 정착하지 못하고 있다.

두 번째 과제는 가정간호 수요 증가와 전국적인 가정간호 공급체계 구축을 위하여 가정전문간호사 인력의 공급을 증가시키고 전국적으로 배치시키는 것이다.

인력공급 측면에서 가장 큰 문제는 교육기관의 감소로 가정전문간호사 인력배출의 감소와 지역적인 불균형 심화이다. 가정간호 교육기관과 교육정원은 2013년부터 감소되기 시작하여 2007년부터 2020년까지 대학원 과정을 통하여 총 443명이 배출되었고, 매년 약 24명(최소 14명~최대 32명)이 배출되고 있다. 더욱 커다란 문제는 가정간호 교육기관이 수도권과 일부 지역에 제한적으로 있다는 것이다. 2009년 강원, 충북, 부산, 울산, 경남지역은 교육기관이 없었고, 2021년에도 가정간호 교육기관은 서울 2개교, 경기 1개교, 대전 1개교, 전북 1개교가 있으며, 인천, 강원, 충북, 부산, 울산, 경남, 전남지역은 교육기관이 없다. 이와 같이 지역적인 인력 배출의 불균형은 10년 이상 지속된 문제로, 권역별로 가정전문간호사 배출이 안 되면 의료기관에서 가정전문간호사를 구하지 못하여 가정간호를 실시하지 못함으로써 가정간호서비스 사각지대가 지속될 수 있다. 이는 가정간호 미실시 지역과 가정간호 교육기관 부재가 일치하고 있는 점에서 알 수 있다.

세 번째 과제는 의료기관 가정간호의 보건의료체계 속에서의 역할과 정체성의 확립이다.

2001년 가정간호 제도화 당시 입원대체서비스 제공과 거동불편 만성질환자의 의료 편익을 위해 도입되었고, 2021년 현재 사회변화에 따라서 가정간호와 유사한 여러 제도들이 도입되었으나 가정간호와의 연계가 부족한 상태이다. 2008년 노인장기요양보험 방문간호, 2020년 가정형 호스피스 사업 제도화 이후에도 의료기관 밖의 대상자에게 직·간접으로 의료가 제공될 수 있는 가정간호 대상자와 중복되는 유사한 제도가 많은 영역에서 도입되고 있다. 2018년, 2019년 건강보험법 개정으로 방문요양급여가 가능한 가정용 인공호흡기환자 재택의료 시범사업, 1차의료 (한의)방문진료 수가 시범사업, 복막투석 환자 재택관리 시범사업, 1형 당뇨병환자 재택의료 시범사업, 분만 취약지 임신부 재택의료 시범사업, 심장질환자 재택의료 시범사업, 재활환자 재택의료 사업 등이 그 예이다.

이와 같이 다양한 제도와 점차 자리 잡을 지역사회 통합 돌봄 제도화 과정에서 의료기관 가정간호만의 핵심적인 역할을 찾아내면서 전국적으로 확대되지 못하다면 다른 유사 제도로 통합·흡수·약화되어 보건의료제도의 하나로 그 역할을 다하지 못할 수도 있다.

1) 전국적인 가정간호서비스 공급체계 구축

정부는 가정간호서비스의 공급 확대와 사각지대 해소를 위하여 2010년부터 세 차례에 걸쳐 방문료 수가가 인상되었다. 그러나 병원·의원급에서의 가정간호 실시만 증가하였을 뿐 종합병원, 상급종합병원은 가정간호 실시가 증가하지 않았다. 따라서 전국적인 가정간호서비스 공급과 사각지대 해소를 위해서는 수가 인상 이외의 다른 정책 수단이 필요하다. 또한 자원의 효율적 활용 측면에서도 퇴원환자 연계 효과가 큰 종합병원, 상급종합병원의 가정간호 실시 증가를 위한 정책 마련이 필요하다.

(1) 상급종합병원 가정간호 실시 의무화

상급종합병원 가정간호 실시기관은 2008년 36개에서 2021년 27개로 오히려 감소하였다. 제4기 상급종합병원(2021~2023년)은 대부분 가정간호 미실시 기관이 새롭게 상급종합병원으로 지정되면서 전체 상급종합병원 45개 중 18개 기관(40%)이 미실시하고 있다. 상급종합병원 지정은 종별가산율 30%가 적용되고 권역 응급의료기관 지정, 연구병원 지정 등의 여러 가지 국책사업 지정을 위한 필수조건이다. 상급종합병원 수는 전국 45개로 제한되며 3년마다 지정하는데, 중증질환자 비율 증가 등 지정기준이 복잡하고 어려워지는데도 불구하고 상급종합병원 지정을 원하는 기관들이 많아서 상급종합병원 지정을 위한 경쟁률이 치열하다. 따라서 상급종합병원 지정기준을 충족하기 위하여 많은 병원들이 노력하고 있으며, 가정간호 실시를 상급종합병원에 확대하기 위해서는 지정기준 적용이 가장 효과적인 정책수단이다.

상급종합병원의 가정간호 확대는 전국 광역거점병원에 가정간호 실시기관이 있음으로써 가정간호서비스 사각지대 해소와 전국적인 공급체계 확보에 중요한 역할을 담당할 수 있다. 더불어 보건의료 제도 중 하나로 의료기관 가정간호의 위상 강화, 장기적으로는 가정전문간호사의 양질의 일자리 창출로 가정전문간호사 교육과정에 대한 지원 증가와 이로 인한 교육기관 확대 효과도 발생될 수 있다. 가정간호 교육기관의 불모지대인 대구·경북, 부산·경남지역에 가정간호 교육기관 개설을 위한 유일한 대안이 될 수 있다.

(2) 의료기관 가정간호 실시 기준 완화 검토

2001년 의료기관 제도화 시 「의료법 시행규칙」 제24조에 의한 2인 이상의 가정전문간호사 배치 목적은 최소한의 질 보장 장치로 마련되었으며, 제도화 당시 가정전문간호사 인력공급은 1년간의 직무교육 실시로 2000년에서 2004년까지는 연간 약 660명, 2005년에서 2006년까지는 연간 약 380명이 배출되어서 2인 이상 배치에 따른 인력공급에 문제가 없었다. 현재 가정전문간호사는 연간 약 24명이 배출되는 상황에서는 가정간호 수요 증가와 전국적인 가정간호 실시기관의 확대를 위하여 가정간호 실시를 위한 2인 이상의 인력 배치에 대한 재검토가 필요하다.

2020년 1월부터 월 평균 가정전문간호사 1인당 1일 7건 초과 시 보험급여가 제한되는 제도와 2017년 9월부터 기본 방문료 청구 실명제(방문간호사 면허번호 기재)가 실시되어 최소한 1인당 적정 수준의 방문이 가능하게 되었다. 이와 같은 제도 시행 이전에는 방문환자 증가에 따른 인력증원 미실시로 1인당 과다방문에 따른 현장 실무자의 소진, 배치된 가정전문간호사의 가정간호 이외의 겸직업무 등으로 실제 방문인력은 법적인 요건보다 적게 배치되는 경우가 있었다.

가정간호제도화 초기부터 가정간호 대상자는 많지 않아서 1인으로 가정간호 실시를 원하는 의료기관은 다수 있었으며, 이와 관련하여 정부에 건의하는 병원도 있었다. 2001년 이후 다수의 가정간호 현황조사 연구에서는 가정전문간호사 1인이 근무하는 의료기관이 있었으며, 고정연 등(2020)의 최근 연구에서도 2017년 의료기관당 가정전문간호사 인력 분포는 평균 2.6명으로 1명에서 최대 17명까지 분포하는 것으로 나타났다.

2021년 현재 1인 이상으로 가정간호 실시를 허용할 경우 우려점(방문업무 과다, 기존 인력의 감축 등)들이 제도적으로 일부 보완되었고, 가정전문간호사 인력공급의 한계와 가정간호 수요 증가로 가정간호 실시를 위한 인력 배치기준을 검토할 수 있는 시기가 도래하였다. 다만, 가정간호 현장에서 적정수준의 업무량과 적정수준의 가정간호가 제공될 수 있도록 1인으로 가정간호를 실시할 경우 월평균 1인당 1일 방문건수는 현재보다 더 제한할 필요가 있다(예를 들면, 월 평균 1일 4건 또는 5건 초과 제한). 또한 퇴원환자에 대한 가정간호 연계를 확대하기 위하여 종합병원 이상의 기관에만 한시적으로 인력 배치 기준을 완화하는 것을 고려할 수 있다.

2) 가정전문간호사 인력공급 한계에 대한 대안 마련 필요

정부의 수가 개선 노력과 의료기관 가정간호에 대한 국민적인 인식 향상은 특히, COVID-19 (Corona Virus Disease 2019)로 인하여 요양병원 대신 재가간호 이용에 대한 인식이 더욱 확대되는 계기가 되었다. 향후 가정간호 수요는 이용자, 공급자(병원) 측면에서 감소하지 않고 증가할 것으로 예상된다.

그러나 가정간호 수요 증가에 비하여 가정 전문간호사의 인력 공급은 극히 제한적이며 수도권 지역에 한정되어 있다. 이러한 인력 공급의 제한은 향후 의료기관 가정간호의 발전을 저해하는 가장 큰 요인이며, 수요에 비하여 인력공급이 장기간 제한된다면 다른 인력으로 대체되거나 다른 시스템으로 대체될 수 있는 위험성이 내포되어 있다.

가정간호 인력 배출을 늘리는 문제는 대학원 정원을 조정하는 문제, 전문간호사 교육기관으로 승인되는 절차 등의 여러 요인들이 뒤섞여 있고, 정원이 늘더라도 자격증 배출까지 2~3년이 소요된다. 이와 같은 인력 공급의 제한과 인력 증원을 위한 제도적인 개선이 어려운 부분에 대해서 10여 년 전부터 일부 실무전문가로부터 제기되어온 대안을 정리하면 다음과 같다.

첫째, 「의료법 시행규칙」 제24조에 의한 가정간호 실시 인력배치 기준을 1인으로의 완화를 검토해야 한다. 이것은 최소한의 인력으로 종합병원 이상 기관에 가정간호 실시 확대와 가정간호 사각지대 최소화로 전국적인 서비스 공급체계 구축을 위함이다.

둘째, 현재의 석사 수준의 가정전문간호사를 일정 수준 이상(예 1인 이상)으로 배치하고 일정 기간의 가정간호 직무교육 이수자를 배치하는 방안이다. 이와 유사한 사례는 병원에 배치해야 하는 감염관리 전문간호사 공급 부족에 따른 전문간호사 배치 시 인센티브를 지급하는 사례가 있다.

셋째, 가정전문간호사 이외에도 소정의 직무교육을 이수한 노인전문간호사 등의 전문간호사를 가정간호 인력으로 활용해야 한다는 의견도 있다. 몇 개의 전문간호사 영역 이외에는 인력만 배출되고 제도적으로 활용되지 못하고 있어서 국가 차원의 의료자원이 낭비되고 있기 때문이다.

재가 방문간호, 재택의료(방문의료)의 현황

1 재가 방문간호

재가 방문간호는 병원 내에서 이루어지는 임상 간호와 대비되어 의료기관 밖의 재가 환자를 대상으로 하며, 간호사가 재가환자의 거주지를 방문하여 간호를 제공하는 방문간호가 대부분이다. 일부 영역은 여러 직종의 보건의료인의 방문이 같이 이루어지지만 간호사에 의한 방문간호가 70% 이상을 차지하며 간호사가 주도적인 역할을 하는 의미에서 넓은 의미의 방문간호 영역으로 포함하였다.

1991년부터 배출된 가정간호사(2000년 가정전문간호사로 변경)는 의료기관 가정간호에서 가정간호 업무를 수행하였을 뿐만 아니라 이후에 도입된 다른 방문간호 영역에서도 제도 도입 초기 전문지식과 가정간호 경험을 토대로 제도적인 정착에 기여하였다.

1) 보건소 방문건강관리

보건소 방문건강관리는 「지역보건법」 제11조에 근거하여 지역주민의 건강증진 및 질병예방·관리를 위하여 보건소의 전문인력이 지역사회 취약계층을 대상으로 가정 및 사회복지시설을 방문하여 건강 문제를 발견하고 보건의료서비스를 직접 제공하거나 의뢰 연계하는 보건의료사업이다(보건복지부, 2018).

1960년대부터 WHO project의 일환으로 시도와 중단을 반복하다 1990년에 일부 지방자치단체 보건소에서 부분적으로 실시하였으며, 1995년 12월 지역보건법에 보건소의 방문보건사업의 법적 근거가 마련됨에 따라 1999년 공공근로사업 중 하나인 노인·저소득층 등 의료사각지대에 있는 계층을 대상으로 실시되었다. 공공근로 방문간호사업을 계기로 각 지방자치단체에서는 방문간호사의 전문지식 함양 등을 위해 국고와 지방비를 투입하여 각 대학의 가정간호사 직무교육에 위탁교육을 실시하였고, 2000년에서 2004년까지 연간 가정전문간호사는 500~700명 배출되었는데 상당수가 보건소 간호사였다. 보건소 간호사 중 가정전문간호사 배출인력의 증가로 일부 보건소에서는 보건소 방문간호의 일환으로 전문적인 간호서비스를 제공하기도 하였다. 2007년 맞춤형 방문보건사업으로 전국적으로 확대되었고, 인력부족을 개선하기 위하여 전국 보건소에 2,000여명의 보건의료 인력(간호사, 영양사, 물리치료사 등)을 배치하였으며, 방문보건의 대부분은 간호사에 의한 방문간호가 실시되었다. 2008년 노인장기요양보험제도의 도입으로 보건소 방문간호에서 직접간호 제공이 중단되고, 지역 내 취약대상자의 발굴과 등록, 만성질환 관리 교육 등을 실시하였다. 2013년부터는 시행되고 있는 통합건강증진사업은 지자체가 지역사회 주민을 대상으로 실시하는 건강생활 실천 및 만성질환 예방, 취약계층 건강관리를 목적으로 하는 사업을 통합하여 지역 특성 및 주민 수요에 맞게 기획·추진하는 사업으로, 사업 분야는 음주폐해 예방(절주), 신체활동, 영양, 비만 예방 관리, 구강 보건, 심뇌혈관질환 예방 관리, 한의약 건강 증진, 아토피·천식 예방 관리, 여성·어린이 특화, 지역사회 중심 재활, 금연, 방문건강관리, 치매 관리로 구성되고, 국가가 제시하는 사업유형 및 자체 개발 프로그램으로 운영되며, 이 중 방문건강관리사업이 포함되었다.

보건소 방문건강관리사업은 정부 및 지방자치단체의 예산으로 운영되며, 사회적 취약계층 등에 제공되는 공공보건 서비스로 전국의 256개 보건소에서 통합건강증진사업 중의 하나로 실시하고 있다.

2) 노인장기요양 방문간호

노인 장기요양 보험법에 의한 재가급여 종류 중 하나인 노인장기요양 방문간호는 건강 문제가 있는 수급자에게 제공되는 유일한 재가 의료서비스이다. 노인장기요양보험법 제23조 장기요양급여의 종류에 의한 방문간호는 '장기요양요원인 간호사 등이 의사, 한의사 또는 치과의사의 지시서에 따라 수급자의 가정 등을 방문하여 간호, 진료의 보조, 요양에 관한 상담 또는 구강위생 등을 제공하는 장기요양급여'이다. 방문간호지시서는 기존의 가정간호에서 의사의 가정간호 의뢰 및 처방으로 사용되고 있는 가정간호의뢰서의 내용을 대부분 포함하였다.

노인장기요양보험 방문간호는 2006년 4월부터 실시된 2차 시범사업(당시 노인수발보험제도)에서 간호수발(현재 방문간호) 시범사업으로 시작되었으며, 시범사업 당시 가정전문간호사가 적극 참여하였다.

방문간호를 제공하는 기관은 관리책임자 1명, 간호(조무)사 1명 이상을 두어야 한다. 의료기관이 방문간호를 제공하는 경우 그 책임자는 의사(한의사, 치과의사 포함) 중 상근자로 하고 보건진료소 및 의료기관이 아닌 재가 장기요양기관이 방문간호를 하는 경우 관리책임자는 간호경력 2년 이상인 간호사로서 상근하는 자로 하게 되어 있다. 방문간호 제공인력은 2년 이상의 간호업무 경력이 있는 간호사, 최근 10년 이내에 3년 이상의 간호보조업무 경력과 별도의 직무교육(이론 360시간, 실습 340시간)을 이수한 간호조무사, 치과위생업무를 담당하는 치과위생사로 한정하고 있다.

노인장기요양보험 이용자는 등급자에 한하여 이용이 가능한데, 2014년 6월 등급체계를 변경하여 기존에는 1~3등급자만 이용 가능하였으나 1~5등급까지 확대하였고, 2017년 인지 지원등급(경증치매)이 신설되었다. 치매교육을 이수한 간호(조무)사는 인지지원 등급자에게 방문간호가 제공될 수 있게 되었다.

3) 가정형 호스피스

호스피스·완화의료 및 임종과정에 있는 환자의 「연명의료결정에 관한 법률」(약칭: 연명의료결정법, 2020년 4월 7일 일부개정) 제21조 호스피스사업의 중 하나로 가정형 호스피스는 호스피스전문기관의 법정 필수 인력을 중심으로 구성된 가정형 호스피스팀원이 가정에서 지내기를 원하는 말기 환자와 가족에게 대상자의 가정에서 제공하는 호스피스 서비스를 말한다.

가정형 호스피스의 대상자는 법령에서 정한 신청절차에 따라 호스피스 이용을 신청하고 호스피스기관으로부터 가정에서 호스피스 서비스를 제공받는 말기 환자이다. 말기 환자는 암, 후천성면역결핍증, 만성 폐쇄성 호흡기질환, 만성 간경화 질환자 중 적극적인 치료에도 불구하고 근원적인 회복의 가능성이 없고 점차 증상이 악화되어 담당의사와 해당 분야 전문의 1명으로부터 수개월 이내에 사망할 것으로 예상되는 진단을 받은 환자이다.

2016년 전국 21개 의료기관에서 시범사업을 시작하였으며, 시범사업 초기 의료기관 가정간호를 시행했던 기관을 중심으로 호스피스 표준교육을 이수한 가정전문간호사가 상당수 참여하여 호스피스 대상자에게 가정 호스피스를 제공하였고 제도적 기틀을 세우는데 일익을 담당하였다. 이후 시범사업에서 가정 호스피스 대상자가 증가하지 않고 의사의 방문이 활성화되지 않는 등의 여러 문제로 시범사업이 지연되었으나 2020년 9월 제도화되어 2021년 39개 의료기관에서 실시하고 있다. 말기암 대상은 39개 기관, 후천성면역결핍증은 4개 기관, 만성폐쇄성호흡기질환은 8개 기관, 만성간경화질환자는 8개 기관에서 하고 있어서 대부분 말기암환자를 대상으로 하고 있다(2021년 1월 기준).

가정형 호스피스는 의사, 간호사, 사회복지사 방문에 따른 각각의 수가가 산정되며, 호스피스 표준교육 이외에도 가정형 호스피스 직무교육을 별도로 이수해야 한다. 가정형 호스피스 전담간호사의 자격은 호스피스 전문간호사(표준 교육시간의 일부 면제), 완화의료 경력 2년 이상 간호사로서 호스피스 표준교육 이수자, 가정전문간호사로서 호스피스 표준교육 이수자가 가능하다. 호스피스 대상자에 대한 방문은 간호사, 의사, 사회복지사 방문 이외에도 성직자, 자원봉사자가 방문할 수 있는데 방문의 대부분은 가정 호스피스 전담간호사에 의한 방문이다.

2 재가 방문간호의 현황 비교

우리나라는 1994년 병원중심 가정간호 시범사업을 시작으로 방문간호가 본격적으로 제도권 내에서 시작되었으며, 2000년 이후 의료기관 가정간호(이하, 가정간호)를 포함한 4개의 방문간호 영역이 제도화되었다.

보건소 방문건강관리사업은 통합건강증진사업으로 편입되어 건강증진사업 중심의 영역으로 다른 영역과 방향성에서 차이가 커졌으며, 직접 간호가 제공되는 분야는 가정간호, 노인장기요양보험 방문간호(이하, 방문간호), 가정형 호스피스(이하, 가정 호스피스)이다.

말기질환자 간호 측면에서는 가정간호와 가정 호스피스가 대상자 부분에서 중복이 되지만 시점과 상황에 따른 대상자의 서비스 이동 개념이 크다고 할 수 있다. 호스피스로 가는 과정에서 전환기 간호(transitional care) 또는 징검다리 역할을 가정간호에서 하고 있다.

노인·만성질환자 간호영역에서는 가정간호와 방문간호의 대상자가 일부 중복되지만, 가정간호는 퇴원 후 연계 중심과 입원대체서비스 측면에서 고난이도 복합처치 대상자가 상대적으로 많으며, 방문간호는 건강 상태가 안정된 만성질환자 관리 측면이 많다.

보험수가 측면에서도 가정간호는 방문료 이외에도 행위별 수가와 약제, 처방성 의료소모품비가 급여로 인정되고, 방문횟수 제한이 없지만, 방문간호는 재료비 산정이 불가능하고 장기요양 수급자가 재료비를 부담하는 것도 인정되지 않으며 방문횟수도 제한되어 고난이도 복합처치가 많은 대상자는 방문간호에서 관리하기가 어렵다. 또한 방문간호는 제도 초기 1~3등급자만 요양급여가 가능하였지만, 장기요양등급체계가 5등급까지 확대되고 경증치매환자(인지지원등급)에 대한 방문간호가 가능하여 직접 간호영역에서 예방적 간호영역으로 확장되고 있다.

이와 같이 4개 영역의 방문간호는 관련법, 수가체계, 대상자 특성, 인력 등 여러 가지 측면에서 다르게 적용되고 있으며, 고유의 특성과 특화된 영역으로 각각 분화되고 있어서 지역사회 통합 돌봄에서 재가·지역사회 대상자 특성에 맞는 다양한 방문간호서비스를 제공해 줄 수 있는 중요한 자원이다.

또한 가정간호와 가정 호스피스는 제도화되기까지 시범사업 기간이 길었으며, 이것은 의료기관에서 제공하는 서비스 특성상 서비스 공급기관을 증가시키기 어렵다는 점을 반영하고 있다. 현재까지 우리나라의 의료기관은 입원, 외래, 응급환자 중심의 의료서비스 제공기관이고, 재가영역의 서비스는 부가적인 영역이기 때문이다. 따라서 지역사회 통합 돌봄에서 퇴원환자 지역사회 연계를 위해서는 가정간호는 중요한 자원이라고 할 수 있으며, 의료기관 가정간호기관의 증가가 제한되는 점은 향후 지역사회 통합돌봄사업이 활성화될 때에는 지역사회 중심의 방문간호사업소가 필요한 이유이기도 하다.

구분	의료기관 가정간호	보건소 방문건강관리	노인장기요양 방문간호	가정형 호스피스
주요 법	의료법	지역보건법	노인장기요양보험법	연명의료결정법
대상자	의사(한의사) 의뢰 환자	지역사회 취약계층	요양 등급 1~5, 인지지원 등급	가정형 호스피스 대상자
내용	기본 간호, 치료적 간호 등	상담, 교육, 등록, 연계 등	예방적 간호, 방문 간호지서에 의한 간호 등	호스피스간호, 치료적 처치
인력	가정전문간호사	의사, 간호사, 물리치료사 등 다학제	간호사, 간호조무사, 치과위생사	의사, 간호사, 사회복지사 등 다학제 접근

구분	의료기관 가정간호	보건소 방문건강관리	노인장기요양 방문간호	가정형 호스피스
주요보험수가 (2021년, 상급종합 기준, 원)	방문료(74,290) + 행위료·재료·약제	국비, 지방비 예산 운영	• 방문료: -30분 미만 36,530원 -30~60 미만 45,810원 -60분 이상 55,120원	방문료(86,000) + 교통비(8,370) + 통합 환자관리료(28,090) + 행위료·재료·약제
본인부담 (주요 대상)	100분의 20	무료	100분의 15	100분의 5
시범사업	1994~1999년(6년)	없음	2006년 7월(1년)	2016년 3월(4년6개월)
제도화	2001년	1999년 공공근로 방문 시작	2008년 7월	2020년 9월
실시 기관	177개(2021.10. 기준)	256개 보건소 (2019.6. 기준)	774개(2020.12. 기준)	39개(2021.4. 기준)
인력 현황 (2019년, 간호사)	626명	1,557명(2018년 기준)	• 간호사: 1,793명 • 간호조무사: 4,567명 • 재가급여비의 0.5%, 221억 원	평균 1~2명 전담간호사 배치

[출처: 2019 건강보험통계연보, 2020 노인장기요양보험통계연보, https://www.hira.or.kr/co/search.do]

3 재택의료(방문의료)

재택의료는 의료기관을 내원하기 어려운 환자의 가정 등의 거주지를 의사, 간호사 등의 의료인이 직접 방문하여 필요한 의료서비스를 제공하는 것이다. 재가방문간호와 다른 점은 의사의 방문진료가 포함되는 것이며, 포괄적인 방문의료 개념으로 방문간호보다 상위의 개념으로 본다면 의료기관 가정간호, 노인장기요양 방문간호, 보건소 방문건강관리 사업도 포함된다고 할 수 있다.

의사가 환자의 거주지를 직접 방문하여 제공되는 방문진료는 2016년 가정형 호스피스 시범사업 시에 최초로 건강보험 수가가 적용되었다. 건강보험법 개정으로 2018년 장애인 건강주치의 시범사업, 2019년 18세 미만의 중증소아 재택의료 시범사업, 2019년 일차의료 방문진료 수가 시범사업이 도입되었다. 1차의료 (한의)방문진료 수가 시범사업은 거동이 불편하여 의료기관에 내원하기 어렵다고 의사가 판단한 환자를 대상으로 지역 내에서 (한의원)의원급 의료기관의 (한의사)의사가 직접 방문진료를 하여 (한의)의료서비스를 제공하는 것이다.

가정형 호스피스의 경우 병원 내 완화의료센터 소속 의사(대부분 겸직 의사)의 방문진료가 이루어지는 것으로 의사의 방문량이 많지 않으나 1차의료 (한의)방문진료 수가 시범사업은 많은 수의 의원급 1차의료기관 의사의 방문진료라는 측면에서 그 의미가 다르다고 할 수 있다. 또한 최초의 방문의료 개념 측면에서 의료기관 가정간호가 유일하게 건강보험 적용이 되는 의료제도였으나 건강보험법 개정에 의해 다양한 직종, 다양한 대상으로 방문에 따른 요양급여가 가능한 점에서 다르다고 할 수 있다.

V 보건의료 사회 변화에 따른 의료기관 가정간호의 발전 방향

1 건강보험재정 건전화를 위한 의료기관 가정간호의 역할

우리나라가 가지고 있는 저출산 고령화 문제는 향후 국가사회 전체로 파급력이 큰 문제이다. 보건의료 분야에서는 노인 인구 증가에 따른 노인 의료비 증가, 보장성 확대와 신기술의료로 보험재정 증가, 비용통제가 어려운 지불보상 체계로 인하여 건강보험재정이 한계에 다다르고 있다. 이와 같은 문제는 국가 차원에서 병원과 시설 중심의 분절적인 보건복지체계에서 지역사회 통합 돌봄으로 국가사회시스템의 변화가 필요하면서, 건강보험재정의 문제는 지불보상체계의 변화도 시급하다.

정부는 1997년 2월부터 DRG 제도를 시범 운영해 왔으며, 2002년 1월부터 7개 질병군에 대해 본 사업 실시와 2013년 7월 종합병원 이상 의료기관에 7개 질병군 DRG 제도가 전 의료기관으로 확대되었다. 또한 2009년부터 공공병원에서의 신포괄수가제를 실시하고 있다. 정부의 이러한 시도는 전체 질환 중 극히 일부에 해당되며, DRG 질환군 확대는 여러 가지 난관에 부딪혀 있다. 그러나 건강보험재정의 고갈이 향후 10년 이내에 올 수 있다고 예견되고 있기 때문에 어떠한 형태로든 진료비를 통제할 수 있는 지불체계 등의 변화가 본격화될 것이다. 이미 일부에서는 공공병원에서의 수가 총액제 도입에 대한 의견이 나오고 있다.

의료기관 가정간호는 병원에서 집으로의 입원대체 서비스를 제공하여 입원 기간을 단축할 수 있고 치료의 연속선상에서 안정적으로 연계될 수 있는 장점이 있다. 상급병원에서 입원일수를 줄여서 퇴원해도 퇴원 시 요양병원 등으로 연계되면 전체 입원일수와 병원진료비가 감소하는 것이 아니라 일 기관에서만 입원일수와 진료비가 감소하는 것이다. 궁극적으로는 집으로 퇴원하여 지역사회 자원이 연계되어야만 급성기 진료나 입원치료, 사회적 입원, 시설입소를 최소화할 수 있다.

이와 같이 수가총액제나 포괄수가제 등으로의 지불보상체계 변화 시 입원 진료량(일부는 외래진료)을 줄이고 집이나 지역사회로 퇴원한 환자에게 입원 대체 서비스를 제공하는 것은 의료기관 가정간호의 가장 중요한 역할이며, 이미 시행 중인 다른 재가방문간호나 1차의료 방문진료와 차별되는 역할이라고 할 수 있다.

따라서 건강보험재정 건전화를 위해서는 종합병원 이상의 의료기관에 가정간호 실시를 확대할 수 있는 제도 마련이 적극 필요하다.

2 의료기관 가정간호의 징검다리 역할

의료기관 가정간호는 병원에서 제공되는 전문간호 특성상 관리 대상자는 수술 등의 급성기 치료 환자, 만성질환자, 중증 희귀난치질환자, 말기질환자 등의 다양한 대상자를 포함하며, 퇴원 후에도 입원대체서비스를 제공할 뿐만 아니라 치료의 연속성 유지 측면에서 역할을 가지고 있다. 또한 대상자의 건강상태, 대상자를 둘러싼 가정환경과 자원, 서비스 요구도 등에 따라 다양한 서비스로 이동하는 데 있어서 전환기 간호(transitional care) 또는 징검다리 역할을 할 수 있다.

전환기 간호는 대상자가 서로 다른 장소나 서비스로 이동할 때 의료의 연속성을 보장하고 예방 가능한 부정적인 결과(재입원, 응급실 방문 등)를 줄이는 데 목적이 있으며, 이동하기 전부터 요구도 사정, 필요한 자원의 연계 및 모니터링 등을 제공하는 활동이다. 전환기 간호는 작게는 의료기관 내에 집중치료실(intensive care unit)에서 일반 병동으로 이동 시에 적용될 수 있지만, 합병증 발생 위험이 있는 대상자가 집으로 퇴원하는 경우처럼 장소의 이동 시 전환기 간호를 위하여 단기간 가정간호가 필요할 수 있다.

장소의 이동은 급성기 치료기관에서 가정으로의 이동뿐만 아니라 요양병원이나 요양시설에서 가정으로도 해당되며, 대상자의 여러 상황에 따라 의료기관 가정간호나 노인장기요양 방문간호 등으로 연계될 수 있다. 또한 입원치료와 계획된 입원치료(수술 등) 사이에 가정간호가 징검다리 역할로써 제공될 수 있다.

전환기는 장소의 이동 이외도 급성기에서 만성질환 상태 또는 만성질환 관리 상태에서 급성기로의 상태 변화, 중증질환 상태에서 말기 상태로 전화되는 등의 대상자의 건강

상태에 따른 다른 보건의료서비스로의 전환 시에 징검다리 역할로서 가정간호가 이용될 수 있다. 재가환자의 경우 건강 상태 등에 따라 장기요양서비스와 장기요양서비스 중간에 아급성기에 징검다리 역할로써 가정간호를 이용하거나, 치료암 단계의 암 환자가 말기 상태로 건강 상태가 변화된 경우 의료기관 가정간호에서 가정형 호스피스로 이동할 수가 있다.

장기요양보험 – 가정간호 – 장기요양보험 연계 사례	가정간호→가정 호스피스 연계 사례
인지장애, 와상 상태의 50세 A씨는 미혼으로 요양시설에 있었으나 양쪽 대전자 부위의 4단계 욕창 및 좌측 대전자 골절 수술 부위 감염으로 상급종합병원에 입원하였다. 욕창치료 및 좌측 대전자 부위에 핀 제거 수술을 받고 양쪽 둔부의 욕창 등의 상처치료를 위해 음압치료를 받다가 조기퇴원하여 가정간호가 연계되었다. A씨는 퇴원 시 독립적인 일상생활이 불가능하여 혼자 사는 형이 같이 살면서 방문요양 서비스를 하루 4시간 받게 되었다. 4개월간의 욕창치료는 주 2~3회 가정간호와 월 2회의 외래진료를 통해서 완치되었다. 욕창 등의 상처가 완치되어 가정간호는 종결되고 욕창 예방관리와 인지장애로 장기요양보험 방문간호가 연계되었다.	64세 B씨는 췌장암 진단을 받고 항암치료 후 식욕부진 등으로 집에서 수액치료를 위해 가정간호를 의뢰했다. 3개월간의 항암치료는 입원과 퇴원을 반복하면서 이루어졌고, 퇴원 후 재입원 전까지 가정간호가 연계되어 항암치료와 관련한 증상 관리를 위해 가정간호가 여러 차례 제공되었다. 이후 항암치료에 치료 효과가 없고 다른 부위로의 전이가 발견되는 등의 말기 암 상태로 악화되어 암 치료가 중단되었고 호스피스로 연계되었다. 사망 전 약 1개월간 완화 병동 입원과 가정 호스피스 연계를 반복적으로 이용하였다.

3 지역사회 통합 돌봄에서의 의료기관 가정간호의 역할

1) 정부의 지역사회 통합 돌봄 계획

정부는 2018년 3월 지역사회 통합 돌봄에 대한 커뮤니티 케어(Community Care) 추진 계획을 발표하였고, 같은 해 11월 지역사회 통합 돌봄 기본계획 1단계인 노인 커뮤니티 케어 로드맵을 발표하였다. 커뮤니티케어란 주민들이 살던 곳(자기 집이나 그룹홈 등)에서 개개인의 욕구에 맞는 서비스를 누리고 지역사회와 함께 어울려 살아갈 수 있도록 주거, 보건의료, 요양, 돌봄, 독립생활의 지원이 통합적으로 확보되는 지역주도형 사회서비스 정책이다(관계 부처합동 지역사회 통합 돌봄 기본계획 보도자료, 2018.11.20.).

지역사회 통합 돌봄 기본계획 1단계는 노인이 살던 곳에서 건강한 노후를 보내기 위한 것으로 2025년까지 지역사회 통합 돌봄 제공기반 구축을 목표로 하고 있으며, 4대 핵심요소는 주거, 건강의료, 요양 돌봄, 서비스 연계이다.

지역사회 통합 돌봄 기본계획 내의 보건의료 분야를 살펴보면 지역사회 기반 방문보건·의료서비스 제공, 퇴원 시 재가 서비스 연계, 건강이 취약한 노인에게 지역사회 기반 1:1 맞춤형 의료제공이 있다(Table 2-2).

정부는 2019년 6월부터 8개 지방자치단체에서 선도사업을 시작하였고, 이후에는 16개 지방자치단체로 확대하여 실시하고 있다. 선도사업 대상자는 노인, 장애인, 노숙인·정신질환자로 선도사업 필수 연계사업 중 보건의료사업은 요양병원 통합 환자평가 및 케어 플랜 수립 사업, 의료기관 퇴원지원 시범사업, 지역사회 방문진료 수가 시범사업, 요양병원 퇴원환자 방문진료 시범사업, 1차의료 만성질환관리 시범사업이다. 또한 의료기관 퇴원 지원, 방문진료 시범사업, 재가 의료급여 시범사업 등 건강보험·장기요양보험 재정을 활용한 사업을 동시에 실시하고 있다.

Table 2-2 지역사회 통합 돌봄 내 보건의료 영역 서비스

영역	서비스
방문 보건·의료	집중형 방문 건강서비스 인프라 구축: 보건지소 기능 전환, 시군구 건강생활지원센터 확충
	방문건강관리: 보건소 방문건강관리 인력 확대
	방문의료: 의사, 간호사 등이 거동이 불편한 노인을 방문하여 방문의료 제공
	가정형 호스피스
	방문간호: 지역사회 간호 관련 단체 등의 협력으로 지역사회 통합적 간호 및 건강 돌봄 서비스 제공
퇴원 시 재가서비스 연계	병원의 지역연계 시: 입원 초기부터 퇴원계획 수립, 지역사회 자원과 연계 지원
	회복 재활: 재활의료기관 지정·운영
	장기요양시설 내 전문 요양실 설치·운영: 장기요양 등급자인 퇴원 노인 대상으로 간호 및 재가복귀서비스 제공
	재가급여 조기 제공: 퇴원 시 장기요양 등급 판정 전에도 재가급여 제공
	재가 의료급여 신설: 장기입원 후 퇴원한 의료급여 대상자에게 재택의료, 간병, 돌봄 등의 통합 서비스 제공
건강 취약 노인 대상 맞춤형 의료	1차의료기관 만성질환 관리
	고위험 독거노인, 치매환자 예방·건강 관리

[출처: 관계부처합동 지역사회 통합 돌봄 기본계획 보도자료, 2018.11.20.]

2) 지역사회 통합 돌봄에서의 의료기관 가정간호의 역할

만성질환, 노인, 장애인 등 건강과 복지 취약계층이 개개인의 욕구에 맞는 서비스를 누리고 지역사회에서 함께 어울려 살아가기 위해서는 주거, 보건의료, 요양, 돌봄, 독립생활의 지원이 통합적으로 확보되고 연계되어야 한다.

이런 점에서 의료기관 가정간호를 비롯한 여러 가지 재가 방문간호 영역은 이미 병원퇴원환자를 비롯한 건강취약 계층을 대상으로 다양한 방문간호를 실시해 왔다. 의료기관 가정간호 대상자가 요양과 복지가 연결될 경우 의료기관 가정간호만으로도 퇴원 후 요양병원에 입원하는 사회적 입원을 예방할 수 있고 장기입원도 줄일 수 있다. 또한 장기입원 의료급여 환자의 경우도 중증 만성질환자이면서 독거 상태가 많아서 퇴원 후 거주지에 갈 수 있으려면 요양과 복지의 연계가 필수적이면서 의료기관 가정간호와 같이 병원의 주치의와 연결된 전문적인 방문의료가 필수적이다.

정부는 지역사회 통합 돌봄 선도사업을 통하여 여러 가지 통합적 모형개발과 적용을 시도하고 있다. 방문진료 사업은 급성기, 만성중증, 만성질환, 호스피스 대상자를 의사, 간호사 등이 방문하여 방문의료를 제공하는 것이다. 그러나 병원의 입원서비스나 외래진료에 비하여 찾아가는 방문의료는 서비스 제공의 특성상 교통시간 등이 소요되어 많은 환자를 방문할 수 없다. 우리나라의 행위별 수가제는 서비스 제공량을 늘리면서 민간의료가 유지될 수 있는데 방문의료에서는 방문횟수 등을 많이 늘릴 수 없으며, 더군다나 의사의 방문진료가 활성화되기 위해서는 정부의 수가보다 최소 2배 이상 높아야 가능성이 있다. 의사의 방문진료 수가가 높아질 경우 전국적으로 쉽게 제공될 수 있으려면 비용효과적인 대체서비스가 더욱 많이 공급될 필요성이 대두된다. 이와 같은 방문진료의 특성을 고려하여 충분한 방문진료 수가가 적용되지 않는다면 방문진료 서비스는 전국으로 활성화될 수 없으며, 방문진료 의사의 공급도 충분하지 않을 것이다. 이렇게 시설 및 기관 중심의 의료서비스에 비해 재가 방문의료서비스는 그 특성상 대량의 서비스 공급이 어려우므로 이에 대한 확대가 어려울 수 있다.

노인 만성질환자나 장기입원 의료급여환자 등이 의료기관 퇴원 후 지역사회에서 안전하게 일상생활을 영위하기 위해서는 주거, 돌봄, 요양 등의 자원이 연결되어야 하지만 의료의 연속성에서 건강관리가 잘 이루어져야 가능하며, 의료의 요구도에 따라서 전문적인 관리나 중증의 복합적인 건강 문제를 가진 대상자일 경우 병원과 연계된 전문적이고 수준 높은 방문간호가 제공되어야만 한다. 이와 같이 대상자의 의료 요구도 정도에 따라 기존의 방문간호 영역의 재가간호가 이동할 수 있도록 자원연계가 가능하다면 더욱 효과적일 수 있다.

의료기관 가정간호는 30년 이상 시행착오와 어려움을 극복하고 유지되어 온 제도로써 지역사회 통합 돌봄에서 퇴원환자 연계와 방문의료 제공 측면에서 중요한 자원이 될 것이며, 가정간호 대상자에게 지역사회 통합 돌봄이 제공된다면 시너지 효과가 발휘될 것이다. 또한 지역사회 통합 돌봄에서의 활용도를 높이기 위해서는 가정간호 실시기관의 확대와 인력공급의 제한점이 해결되어야 한다.

참고문헌

1. 가정간호역사 편찬위원회: 가정간호제도 20년 역사와 전망: HN 사이언스, 2014.
2. 간호정책연구회: 보건의료와 간호정책: 에듀팩토리, 2021.
3. 고정연, 윤주영: 건강보험 자료를 이용한 전국 의료기관 가정간호 실시 및 이용 현황 분석: 2008년-2017년. 가정간호학회지 26: 36-50, 2019.
4. 권이승, 문승권, 최은미: 보건의료 정책학: 가톨릭관동대학교 출판문화원, 2019.
5. 대한예방의학회 편찬위원회: 예방의학과 공중보건학 Ⅲ, 제4판: 계축문화사, 2021
6. 문재우: 보건정책론: 계축문화사, 2004.
7. 백희정: 가정전문간호 인력과 공급의 적정성. 가정간호학회지, 27: 137-145, 2020.
8. 송종례, 이미경, 황문숙, 윤영미: 의료기관 가정간호의 현황(2007-2012): 가정간호 급여 청구자료 분석. 가정간호학회지 21: 127-138, 2014.
9. 안옥희, 김희걸, 양숙자, 심문숙, 차남현, 최인희, 박선욱, 전미순, 이상주, 최희정외 공저: 지역사회간호학 Ⅰ, 개정판: 현문사, 2020.
10. 안옥희, 김희걸, 양숙자, 심문숙, 차남현, 최인희, 박선욱, 전미순, 이상주, 최희정외 공저: 지역사회간호학 Ⅱ, 개정판: 현문사, 2020
11. 이정석, 황라일, 한은정(2012). 노인장기요양보험의 방문간호 제공기관별 특성별 서비스 제공 추이. 지역사회간호학회지 23(4): 415-426, 2012.
12. 이현주, 김유경, 오의금: 퇴원환자를 위한 간호사 주도 전환 프로그램의 내용과 효과에 관한 체계적 문헌고찰(2017). 임상간호연구 23: 376-387, 2017.
13. 최연희, 이지현 외 공저: 최신 지역사회보건간호학 1, 개정판: 수문사, 2018
14. 황윤희, 이가언: 요양병원 장기입원 노인의 재가 전환 경험: 지역사회 통합 돌봄 독거노인을 중심으로. 지역사회간호학회지 32: 383-395, 2021.

참고사이트

1. 건강보험심사평가원, 세부조건별 찾기, 가정간호 실시기관. Available from https://www.hira.or.kr/rd/hosp/getHospList. do?pgmid=HIRAA030002020000, 검색 일자: 2021.10.02
2. 건강보험심사평가원, 고시 주요 개정내역. Available from https://www.hira.or.kr/dummy.do?pgmid=HIRAA020036000000&cmsurl=/cms/policy/02/01/1341854_27024.html&subject, 검색 일자: 2021.09.28

제 3 장

가정간호관련 법과 윤리

학 / 습 / 목 / 표

① 가정간호 시 관련 법규와 법적 시스템에 대하여 이해할 수 있다.
② 의료사고의 4가지 요소를 설명할 수 있다.
③ 가정에서 발생 가능한 학대와 관련한 법을 이해할 수 있다.
④ 가정간호사업 관련법을 이해할 수 있다.
⑤ 대상자의 권리 4가지 종류를 나열할 수 있다.
⑥ 생명윤리의 4대 원칙을 적용하여 윤리적 쟁점을 논의할 수 있다.
⑦ 생명윤리위원회와 의료기관윤리위원회의 역할을 이해할 수 있다.
⑧ 연명의료와 연명의료결정법에 대해 이해할 수 있다.

본장에서는 법적 시스템에 대한 간략 소개, 의료사고에 대한 이해와 대책, 가정전문간호사가 보건행정기관에 보고(신고)해야 할 사항, 환자안전법, 학대 관련법, 가정간호사업 관련법, 환자의 권리와 책무 및 생명윤리 4원칙과 연명의료에 대하여 알아보고자 한다.

I 법적 시스템

1 법률의 이해

가정전문간호사는 가정간호를 제공하는 과정에서 여러 가지 법적, 윤리적 딜레마를 경험하게 된다. 문명과 의료기술이 발전함에 따라 가정간호 업무도 더욱 복잡해졌고 법적·윤리적 책임 또한 증가되어 가정전문간호사의 법에 대한 높은 인식과 윤리적 지침이 요구된다. 즉, 가정간호도 법적 테두리 안에서 수행하고 또 보호받아야 하며, 의료사고를 예방하기 위하여 지침이 되는 길잡이가 필요하다.

법적 시스템으로 3가지 형태의 법적 조치인 형사처벌, 행정처분, 민사소송에 대하여 살펴보겠다.

1) 형사처벌(criminal action)

형사처벌이란 '법률을 위반한 사실이 있어 법에 의해 처벌을 받는 것 또는 처벌을 받기 위해 정식으로 경찰서 등의 사고조사 및 처리가 이루어지는 것'으로, 정부가 범법자에 대해 범죄를 고소하는 것을 말한다. 보건업무 종사자들은 의무 태만으로 인한 환자 사망, 보험청구 부정행위, 허위 기록 및 마약 절도 등의 경우 구속될 수 있다. 범죄로 밝혀질 경우 형이 집행되어 집행유예나 벌금형 같은 것들이 내려진다.

2) 행정처분(administrative law actions)

행정처분이란 '행정청의 공법상 행위로써 특정사항에 대하여 국민의 권리·의무에 직접 영향을 미치는 행위를 가리키는 것'이다. 행정처분은 불만사항을 조사하거나 특별조치를 취하기 위해 입법부에서 권한을 부여받은 주무부서에 의해 조치가 취해진다. 환자나 가족이 민원을 제기하면 보건담당 부서는 간호 관련 불만사항을 조사할 수 있다. 의료법에 근거하여 보건기관이나 개인사업자는 잘못된 행위를 보고해야 할 의무가 있으며, 결과에 따라 의료인은 권한 무효, 권한 중지 혹은 제한을 받는다. 이의도 제기할 수 있는데, 이런 과정에서 간호사의 면허 취소, 중지 혹은 제한 등의 행정처분이 내려질 수 있다.

3) 민사소송(civil action)

민사소송은 개인 간의 분쟁을 해결하기 위해 설계된 것으로, 가정전문간호사는 여러 형태의 민사소송에 휘말릴 수도 있다. 가장 흔한 민사소송은 의료사고와 태만 관련 고소이다. 민사소송의 목적은 원인이 된 상해에 대해서 사람에게 벌을 가하는 것이 아니고 돈으로 보상을 받고자 하는 것이다.

2 의료사고에 대한 이해와 대책

의료사고란 보건의료인이 환자에 대하여 실시하는 진단·검사·치료·의약품의 처방 및 조제 등의 의료행위로 인하여 사람의 생명·신체 및 재산에 대하여 피해가 발생한 경우를 말한다(「의료분쟁조정법」 제2조).

의료사고는 다음의 4가지 요소가 모두 포함되어야 한다.

- 의무 설정
- 의무의 위반(간호의 표준 위반)
- 상해
- 인과관계(간호사의 의무 태만이 환자 상해의 원인이 됨)

1) 의무 설정

가정간호에서 의무설정은 가정간호사업소와의 계약에 의해 발생되며, 의무는 가정간호사업소의 정책과 절차에 따른 간호표준에 따라 결정된다. 그러므로 가정전문간호사는 가정간호사업소의 정책과 절차의 중요성을 인식하는 것이 중요하다.

의료문제가 대두되면 변호사는 의무기록을 검토하고, 적용 가능한 정책과 절차에 대해 기록과 비교해서 차이가 나는 부분이 의료사고로 논쟁거리가 된다. 따라서 가정간호 사업소는 간호사의 실무활동, 자격 및 규칙, 보건복지부와 협회 및 학회에서 제정한 임상 지침과 직무기술, 관련문헌 그리고 전문가의 견해를 포함하여 여러 다양한 자원을 종합 분석해서 정책과 절차를 결정하도록 하며 다음과 같은 지침을 포함하는 것이 좋다.

- 모든 사업소는 정책과 절차를 가져야 한다.
- 정책과 절차는 모든 구성원이 접근 가능해야 한다.
- 정책과 절차는 강제성 용어보다는 자율권이 있는 용어로 표현되어야 한다.
  예 '적절할 때', '간호사의 전문적인 판단에 따라' 등
- 서비스에서 정책과 절차에 대하여 변화나 추가의 여지가 있어야 한다.
- 정책과 절차는 매년 재검토되어야 한다.
- 매년 재검토된 내용은 기록으로 수정되어야 한다.

2) 의무 위반

가정전문간호사는 간호표준에 위반된 상황이 발생하지 않도록 주의해야 한다. 일반적인 의무 위반의 예로는

- 적응증이 되는데도 정확한 시술을 적용하지 않는 것
- 전문 간호를 훈련되지 않은 보조인력에게 위임하는 것
- 중요한 환자 상태 변화를 의사에게 보고하지 않는 것
- 환자나 보호자에게 가정용 의료장비 작동 방법을 교육시키지 않은 것

등이 해당된다.

3) 상해

의료사고로 제기되려면 환자에게 상해가 있어야 한다. 일반적으로 상해란 마비, 뇌손상, 골절, 반흔 같은 신체적 상해를 말하며 정신적 손상은 신체적 손상과 연결되어 배상 청구가 될 수 있다.

4) 인과관계

인과관계는 가장 논쟁이 많은 분야로 간호사의 의무 위반이 환자 상해의 원인이 된다는 증거가 있어야 한다.

5) 기록

(1) 사건보고서

환자와 관련된 사고가 발생하면 24시간 내에 해당 직원이 사건보고서를 작성하고 결재 경로를 밟는다. 사건보고서 열람은 사건을 검토하는데 관련된 사람만으로 제한하고 자물쇠로 장치가 되어 있는 보관소에 보관한다. 사건보고서는 신뢰에 영향을 주기 때문에 복사하지 않는다.

(2) 간호기록

환자와 관련된 사고는 방문기록지에도 기록하여야 한다. 기록을 통해 변호사는 간호의 표준에 부합되었는지, 추적간호와 치료에 대한 환자의 반응은 어땠는지 확인한다.

가정전문간호사는 자신과 환자를 보호하기 위하여 등록 당시 환자의 간호사정 내용과 환자와 보호자에게 실시한 간호 및 교육사항, 일상적이지 않은 사건(예 담당의사와 연락이 안될 때), 가정전문간호사의 지시 불이행 사항(예 병원진료를 권했으나 거부 또는 주저할 때) 및 종결 사유는 모두 정확히 기록하도록 한다.

6) 의료사고 피해구제 및 의료분쟁 조정

종합병원급 이상의 의료기관은 의료사고 예방 정책과 사업에 대한 자문 등 의료사고 예방 업무를 효율적으로 수행하고 관련 사항을 심의·의결하기 위하여 〈의료사고예방위원회〉를 설치하도록 하였다.

부득이하게 발생한 의료사고의 피해를 신속·공정하게 구제하고 보건의료인의 안정적인 진료환경을 조성하기 위하여 '의료사고 피해구제 및 의료분쟁 조정 등에 관한 법률(약칭: 의료분쟁조정법)'이 제정되었으며, 중재와 상담업무를 전담하는 〈한국의료분쟁조정중재원〉이 있다.

3 보건행정기관에 신고 의무사항

1) 법정 감염병

가정전문간호사는 법정 감염병을 해당 보건행정기관(의료기관인 경우 해당 부서)에 신고해야 한다. 가정전문간호사 본인이 전염병에 노출되었다면 가정간호사업소의 정책과 절차에 따른다.

> 보건복지부에서는 2010.12.29.부터 "종전의 전염병이라는 용어를 전염성 질환과 비전염성 질환을 모두 포함하는 감염병이라는 용어로 변경한다"고 설명하였다.
> 감염병의 예방 및 관리에 관한 법률(약칭: 감염병예방법)[시행 2021. 9. 10.]
> [출처: 의학신문(www.bosa.co.kr)]

2) 학대

가정전문간호사는 가족에 의한 환자 학대나 태만이 있는지 확인되면 노인보호전문기관, 아동보호전문기관, 장애인권익옹호기관 또는 수사기관에 신고해야 한다. 관련법은 학대 부분에서 다루었다.

3) 사고

보건행정기관에 신고할 의무는 없으나 가정전문간호사가 사고를 당했을 때 즉, 주사바늘에 찔린 사건, 교통사고를 비롯한 안전사고 등은 사건보고서를 쓰도록 한다. 가정간호사업소 정책에는 간호사에게 업무 중에 발생한 사고에 대하여 사건보고서를 쓰고 의학적 치료를 받는 것에 대한 절차가 기술되어 있어야 한다.

4 환자안전법

2010년과 2012년도에 각각 항암제 투여경로 오류로 발생한 환자 사망에 대한 반성에서 비롯되어, 환자안전에 대한 체계적이고 총괄적인 관리를 위하여 '환자안전을 위하여 필요한 사항을 규정함으로써 환자의 보호 및 의료 질(質) 향상에 이바지함을 목적으로 한' 「환자안전법」이(2015. 1. 28. 제정) 2016. 7. 29부터 시행되었다(2020. 1. 29에 일부 개정). 이

법은 환자안전사고의 자율보고, 환자안전기준과 지표, 환자안전 전담인력의 배치와 환자안전위원회의 설치·운영, 그리고 국가환자안전위원회의 운영과 환자안전 종합계획의 마련 등을 주요 내용으로 하고 있다[제2조(정의), 제5조(환자의 권리와 책무), 제14조(환자안전사고의 보고 등) 참조].

5 의료기관 인증평가

우리나라 의료기관 평가는 1963년부터 수련병원 인준을 위한 병원심사제도로 시작하여 1994년 의료보장 개혁과제의 일환으로 '의료기관 서비스 평가 제도'라는 명칭으로 시행하였다. 2009년 6월부터 평가 제도를 인증 제도로 전환하여 환자안전과 의료의 질 향상을 촉진하기 위하여 의료기관 평가를 실시하여야 한다는「의료법」제47조 2항에 따라 '의료기관 평가'라고 변경되었다가 2010년 10월에 의료기관 평가인증원을 개원하고 2011. 1. 24부터 의료기관의 자발적·지속적 서비스 질 향상과 환자안전의 수준 제고를 통하여 국민(소비자)에게 양질의 의료서비스 제공하는 목적으로 의료기관 평가인증제가 본격 시행되었다. 2020년 3월 4일부터 '「의료법」제58조(의료기관 인증) ① 보건복지부장관은 의료의 질과 환자안전의 수준을 높이기 위하여 병원급 의료기관 및 대통령령으로 정하는 의료기관에 대한 인증(이하 "의료기관 인증"이라 한다)을 할 수 있다'로 개정되고, 의료기관 평가에 2004년부터 '환자의 권리와 편의' 부문이 포함되었으며 평가 부문은 환자권리 존중 및 보호이다.

6 학대

학대의 사전적 의미는 '사람이나 동물을 정신적으로나 육체적으로 괴롭히고 가혹하게 대함'이다. 우리나라에는「노인복지법」,「아동복지법」및「아동학대 범죄의 처벌 등에 관한 특례법」,「장애인 복지법」에 학대에 대한 자세한 내용이 있다. 의료인은 학대 사실을 알게 된 경우 보호전문기관 또는 수사기관에 신고할 의무가 있으며 미신고 시 과태료를 부과하고 있다.

가정전문간호사는 대상자의 가정을 직접 방문하므로 가족에 의한 환자 학대나 태만이 있는지 살핀다. 노인, 아동 또는 장애인을 대상으로 신체적, 정서적, 의료적 필요를 제공하지 않아서 건강을 위험하게 만드는 태만이나 신체적, 도덕적, 정신적으로 잔인한 학대, 유기, 착취 등을 확인하면 신고해야 한다. 의료기관 가정간호사업소에서는 학대사실을 어떤 경로를 통해 신고할지에 대한 지침을 관련 부서(예 사회사업실, 총무팀, 원무팀, 가정간호운영위원회 등)와 협의하고 정리해 둘 필요가 있다. 다음은 노인, 아동, 장애인에게 가해지는 학대와 신고의무에 대한 관련법이다.

1) 노인 학대: 「노인복지법」 [시행 2022. 3. 22.] [법률 제18609호, 2021. 12. 21., 일부개정]

제1조(목적)

이 법은 노인의 질환을 사전예방 또는 조기발견하고 질환 상태에 따른 적절한 치료·요양으로 심신의 건강을 유지하고, 노후의 생활안정을 위하여 필요한 조치를 강구함으로써 노인의 보건복지증진에 기여함을 목적으로 한다.

제39조의6(노인학대 신고의무와 절차 등)

① 누구든지 노인학대를 알게 된 때에는 노인보호전문기관 또는 수사기관에 신고할 수 있다. 〈개정 2007. 4. 11.〉

② 다음 각 호의 어느 하나에 해당하는 자는 그 직무상 65세 이상의 사람에 대한 노인학대를 알게 된 때에는 즉시 노인보호전문기관 또는 수사기관에 신고하여야 한다. 〈개정 2011. 6. 7., 2015. 12. 29., 2016. 12. 2., 2017. 10. 24., 2018. 3. 13., 2018. 12. 11., 2021. 12. 21.〉

1. 「의료법」 제3조제1항의 의료기관에서 의료업을 행하는 의료인 및 의료기관의 장

- 후략 -

제61조의2(과태료)

② 다음 각 호의 어느 하나에 해당하는 자에게는 500만원 이하의 과태료를 부과한다. 〈개정 2015. 12. 29., 2018. 12. 11., 2021. 12. 21.〉

1. 제39조의11제2항에 따른 명령을 위반하여 보고 또는 자료 제출을 하지 아니하거나 거짓으로 보고하거나 거짓 자료를 제출한 자
2. 제39조의6제2항을 위반하여 노인 학대를 신고하지 아니한 사람

2) 아동 학대

(1)「아동복지법」[시행 2022. 7. 1.] [법률 제17784호, 2020. 12. 29., 일부개정]

제3조(정의)

이 법에서 사용하는 용어의 뜻은 다음과 같다. 〈개정 2014. 1. 28.〉

1. '아동'이란 18세 미만인 사람을 말한다.

- 중략 -

7. '아동학대'란 보호자를 포함한 성인이 아동의 건강 또는 복지를 해치거나 정상적 발달을 저해할 수 있는 신체적·정신적·성적 폭력이나 가혹행위를 하는 것과 아동의 보호자가 아동을 유기하거나 방임하는 것을 말한다.

7의2. '아동학대 관련 범죄'란 다음 각 목의 어느 하나에 해당하는 죄를 말한다.

가.「아동학대범죄의 처벌 등에 관한 특례법」제2조 제4호에 따른 아동학대범죄

- 후략 -

(2)「아동학대범죄의 처벌 등에 관한 특례법」(약칭: 아동학대처벌법) [시행 2022. 1. 27.] [법률 제17906호, 2021. 1. 26., 일부개정]

제1조(목적)

이 법은 아동학대 범죄의 처벌 및 그 절차에 관한 특례와 피해아동에 대한 보호절차 및 아동학대 행위자에 대한 보호처분을 규정함으로써 아동을 보호하여 아동이 건강한 사회 구성원으로 성장하도록 함을 목적으로 한다.

제10조(아동학대 범죄 신고의무와 절차)

① 누구든지 아동학대 범죄를 알게 된 경우나 그 의심이 있는 경우에는 아동보호전문기관 또는 수사기관에 신고할 수 있다.

② 다음 각 호의 어느 하나에 해당하는 사람이 직무를 수행하면서 아동학대 범죄를 알게 된 경우나 그 의심이 있는 경우에는 아동보호전문기관 또는 수사기관에 즉시 신고하여야 한다. 〈개정 2016. 5. 29., 2019. 1. 15., 2020. 3. 24., 2022. 12. 27.〉

- 중략 -

15.「의료법」제3조제1항에 따른 의료기관의 장과 그 의료기관에 종사하는 의료인 및 의료기사

3) 장애인 학대: 「장애인복지법」 [시행 2022. 12. 22.] [법률 제18625호, 2021. 12. 21., 일부개정]

제59조의4(장애인학대 및 장애인 대상 성범죄 신고의무와 절차)

① 누구든지 장애인 학대 및 장애인 대상 성범죄를 알게 된 때에는 제59조의11에 따른 중앙장애인권익옹호기관 또는 지역장애인권익옹호기관(이하 '장애인권익옹호기관'이라 한다)이나 수사기관에 신고할 수 있다. 〈개정 2015. 6. 22., 2015. 12. 29., 2017. 12. 19.〉

- 중략 -

3. 「의료법」 제2조 제1항의 의료인 및 같은 법 제3조 제1항의 의료기관의 장

- 중략 -

21. 「노인장기요양보험법」 제2조 제5호의 장기요양요원

⑦ 제2항에 따른 신고의무자가 소속된 기관·시설 등의 장은 소속 장애인학대 신고의무자에게 신고의무에 관한 교육을 실시하고, 그 결과를 관계 중앙행정기관의 장에게 제출하여야 한다. 〈신설 2020. 12. 29.〉

7 가정간호 관련법

「의료법」 제33조에 의거, 의료기관 외에서 시행할 수 있는 의료행위의 범위에 가정간호를 포함한다고 의료법을 개정하여(2000.1월) 가정간호 대상자, 업무의 범위, 담당인력 등 가정간호사업의 세부사항을 명시한 「의료법 시행규칙」 제24조를 신설함으로써 가정간호사업에 대한 법적 근거가 마련되었다.

가정간호의 기초 지식을 포함한 업무수행 요령, 기록 작성, 감염 및 안전 관리, 건강보험 청구, 의료법 등을 담아, 일선 의료기관에서 가정간호사업을 신규 개설하거나 운영하는데 필요한 지침서인 『의료기관 가정간호사업 업무편람』을 보건복지부에서는 가정간호사회와 함께 작성하여 업무 및 운영의 근거로 삼고 있다(2010.5., 2022.12. 개정).

가정간호 관련법을 이곳에 모아보았다.

1) 가정간호 개설

(1)「의료법」[시행 2021. 12. 30.] [법률 제17787호, 2020. 12. 29., 일부개정]

제33조(개설 등)

① 의료인은 이 법에 따른 의료기관을 개설하지 아니하고는 의료업을 할 수 없으며, 다음 각 호의 어느 하나에 해당하는 경우 외에는 그 의료기관 내에서 의료업을 하여야 한다. 〈개정 2008. 2. 29., 2010. 1. 18.〉

1.「응급의료에 관한 법률」제2조 제1호에 따른 응급환자를 진료하는 경우
2. 환자나 환자 보호자의 요청에 따라 진료하는 경우
3. 국가나 지방자치단체의 장이 공익상 필요하다고 인정하여 요청하는 경우
4. 보건복지부령으로 정하는 바에 따라 가정간호를 하는 경우

- 후략 -

(2)「의료법 시행규칙」[시행 2022. 11. 22.] [보건복지부령 제918호, 2022. 11. 22., 타법개정]

제24조(가정간호)

① 법 제33조 제1항 제4호에 따라 의료기관이 실시하는 가정간호의 범위는 다음 각 호와 같다. 〈개정 2010. 3. 19.〉

1. 간호
2. 검체의 채취(보건복지부장관이 정하는 현장검사를 포함한다. 이하 같다) 및 운반
3. 투약
4. 주사
5. 응급처치 등에 대한 교육 및 훈련
6. 상담
7. 다른 보건의료기관 등에 대한 건강관리에 관한 의뢰

② 가정간호를 실시하는 간호사는「전문간호사 자격인정 등에 관한 규칙」에 따른 가정전문간호사이어야 한다.

③ 가정간호는 의사나 한의사가 의료기관 외의 장소에서 계속적인 치료와 관리가 필요하다고 판단하여 가정전문간호사에게 치료나 관리를 의뢰한 자에 대하여만 실시하여야 한다.

④ 가정전문간호사는 가정간호 중 검체의 채취 및 운반, 투약, 주사 또는 치료적 의료

행위인 간호를 하는 경우에는 의사나 한의사의 진단과 처방에 따라야 한다. 이 경우 의사 및 한의사 처방의 유효기간은 처방일로부터 90일까지로 한다.

⑤ 가정간호를 실시하는 의료기관의 장은 가정전문간호사를 2명 이상 두어야 한다.

⑥ 가정간호를 실시하는 의료기관의 장은 가정간호에 관한 기록을 5년간 보존하여야 한다.

⑦ 이 규칙에서 정한 것 외에 가정간호의 질 관리 등 가정간호의 실시에 필요한 사항은 보건복지부장관이 따로 정한다. 〈개정 2010. 3. 19.〉

2) 가정전문간호사 명칭 및 자격

(1) 명칭 변경

기존의 업무분야별 간호사인 '가정간호사' 명칭을 「의료법」 제56조 및 「동법 시행규칙」 제54조의 개정에 따라 '가정전문간호사'로 변경되었다.

■ 의료법 [시행 2021. 6. 30.] [법률 제17787호, 2020. 12. 29., 일부개정]

> **제78조(전문간호사)**
> (1) 보건복지부장관은 간호사에게 간호사 면허 외에 전문간호사 자격을 인정할 수 있다. 〈개정 2008. 2. 29., 2010. 1. 18.〉
> (2) 전문간호사가 되려는 사람은 다음 각 호의 어느 하나에 해당하는 사람으로서 보건복지부장관이 실시하는 전문간호사 자격시험에 합격한 후 보건복지부장관의 자격인정을 받아야 한다. 〈개정 2018. 3. 27.〉
> 1. 보건복지부령으로 정하는 전문간호사 교육과정을 이수한 자
> 2. 보건복지부장관이 인정하는 외국의 해당 분야 전문간호사 자격이 있는 자
>
> \- 후략 -

(2) 자격인정

「의료법 시행규칙」 제54조에 있던 '전문간호사 자격구분 및 기준'이 아래와 같이 2021.1.7일에 「전문간호사 자격인정 등에 관한 규칙」으로 변경되었고 2022.4.19. 일부개정되었다. 종전 의료법 시행규칙에 따라 교부된 업무분야별 간호사(가정간호사)의 자격증은 전문간호사 자격증을 발급받은 자로 인정되었다.

현행법에는 전문간호사가 행할 수 있는 업무 범위에 대한 별도의 규정이 없어 일반간호사와 동일한 업무만 수행할 수 있는지 전문 업무도 수행할 수 있는 것인지 불분명한 측면이 있으므로, 시행규칙에 위임되어 있던 전문간호사의 자격인정 요건을 법률에 명시하며, 전문간호사 자격을 인정받은 경우 해당 분야에서 간호 업무를 수행하도록 함으로써 전문간호사 자격 제도를 활성화하고 전문 의료인력을 효율적으로 활용하려는 것임.
[출처: 법제처 제공]

■ **전문간호사 자격인정 등에 관한 규칙** [시행 2022. 4. 19.] [보건복지부령 제881호, 2022. 4. 19., 일부개정]
제1조(목적) 이 규칙은 「의료법」 제78조에 따라 전문간호사의 자격 구분, 자격 기준, 자격증, 그 밖에 자격인정에 관하여 필요한 사항을 규정함을 목적으로 한다. 〈개정 2022. 4. 19.〉
제2조(자격구분) 전문간호사 자격은 보건·마취·정신·가정·감염관리·산업·응급·노인·중환자·호스피스·종양·임상 및 아동분야로 구분한다.
부 칙 〈보건복지가족부령 제7호, 2008. 4. 11.〉
제1조 (시행일) 이 규칙은 공포한 날부터 시행한다.
제5조 (전문간호사 자격증에 관한 경과조치) 보건복지부령 제364호 「전문간호사 자격인정 등에 관한 규칙」의 시행 당시 종전의 「의료법 시행규칙」 제56조에 따라 전문간호사 자격증을 교부받은 자는 제12조의 개정규정에 따라 전문간호사 자격증을 발급받은 자로 본다.

(3) **업무 범위** : 「의료법」 제78조 제3항

가. 「의료법 시행규칙」 제24조에 따른 가정간호

나. 가정전문간호 제공을 위한 협력과 조정

다. 가정전문간호 분야의 교육, 상담, 관리 및 연구 등 전문성 향상

라. 그 밖에 환자의 간호요구에 대한 관찰 등 가정전문간호에 필요한 업무

3) 가정간호 제공 장소

노인장기요양보험제도 시행 이후에 요양시설 입소자에게 가정간호를 제공해 왔던 일개 의료기관이 2009년 7월 국민건강보험공단으로부터 요양기관 업무정지처분과 가정간호 보험급여 환수조치를 받았다. 이에 따라 해당 의료기관에서 행정소송을 제기한 결과 요양기관 업무정지 등 처분취소 결정(대법원 2011.9.29.)을 받았고, 2014년 5월 대법원 전원 합의로 요양시설 입소자에게 가정간호를 제공한 것이 적법하다고 판결하였다(대법원 2014. 5. 16. 선고 2011두16841 부당이득금징수처분취소).

이후 보건복지부의 행정해석(2014.12.11.)으로 요양시설 입소자에게 가정간호 제공 시 요양급여 청구가 가능하게 되었다.

이는 국민건강보험공단이 「의료법 시행규칙」 제24조 (3)항(가정간호는 의사나 한의사가 의료기관 외의 장소에서 계속적인 치료와 관리가 필요하다고 판단하여 가정전문간호사에게 치료나 관리를 의뢰한 자에 대하여만 실시하여야 한다.)을 가정간호 제공 장소를 환자의 자택으로 한정지은 것과 '가정간호는 대면진료 내지 원내진료 원칙에 대한 예외 사유에 해당하므로 그 요건은 신중하고 엄격하게 해석되어야 한다. 이 사건 환자들은 요양시설에서 장기간 요양 중이고, 질병 내용이나 정도도 의료법이나 이 사건 고시에서 정한 가정간호 요건에 해당하지 아니한다'고 주장하였으나, 고등법원은 '이 사건 가정간호가 의료법이나 이 사건 고시에서 정한 요건을 충족하지 못하였다고 인정할 증거가 없다. 오히려 이 사건 환자들은 모두 고혈압, 당뇨, 암, 치매 등 만성 질환을 앓고 있고, 그 중 99명은 입원진료 후 퇴원한 경력도 있다. 의사인 원고(의료기관)는 이 사건 환자들이 입원을 요하고, 계속적인 치료와 관리가 필요하다고 판단하여 가정전문간호사에게 치료나 관리를 의뢰하였다. 피고 주장은 이유 없어 피고 항소를 기각한다'고 판결했다는 점에서 시사하는 점이 크고 지역사회 간호의 확대가 요구되는 현 시점에서 가정간호 제공 장소와 대상자에 대한 폭넓은 이해가 요구된다 할 수 있겠다.

[출처: 서울고등법원 2011. 6. 22. 선고 2010누31913 판결 '부당이득금징수처분취소' → 종합법률정보 판례)]

대법원 판례문 내용 요약

국민건강보험의 요양급여대상인 가정간호는 의료기관에서 입원진료를 받았거나 입원이 요구되는 환자 중 의료법이 규정한 '가정간호'가 필요하고 그 진료행위 정도로 환자의 건강을 보호하고 증진하는 데 충분하다는 의사나 한의사의 판단을 전제로, 해당 환자들에 대하여 입원진료 대신 가정간호를 실시함으로써 당사자의 불필요한 비용 부담이나 수고를 덜게 하고 의료자원의 효율적인 이용을 도모하기 위한 것임을 알 수 있다. 이러한 입법 취지를 고려하면, 국민건강보험의 요양급여대상으로서 가정간호가 이루어지는 적합한 장소에는 환자의 자택만 아니라 환자가 일상생활을 영위하여 실질적으로 그의 자택으로 볼 수 있는 곳도 포함된다.

[출처: 대법원 2014. 5. 16. 선고 2011두16841 판결 '부당이득금징수처분취소' → 종합법률정보 판례]

8 노인장기요양보험법에 따른 방문간호 제공 및 방문간호센터 개설

2008년 7월 「노인장기요양보험법」의 시행에 따라 간호사 등이 의사, 한의사 또는 치과의사의 지시서(이하 '방문간호지시서'라 한다)에 따라 수급자의 가정 등을 방문하여 간호, 진료의 보조, 요양에 관한 상담을 제공할 수 있게 되었다[제23조(장기요양급여의 종류) 1의

다항. 방문간호 참조].

우리나라 노인장기요양보험제도는 65세 이상 노인으로 장기요양등급 판정을 받은 경우 서비스를 받을 수 있는데, 장기요양서비스 대상자는 일상생활 수행능력 저하로 일상생활 수행을 지원하는 돌봄 서비스뿐만 아니라 급·만성 질환을 복합적으로 가지고 있어 의료서비스에 대한 요구가 높은 대상이다. 급여의 종류는 시설급여와 재가급여로 나누는데, 재가급여에는 방문요양, 방문간호, 방문목욕, 주야간보호, 단기보호 등이 포함된다.

「노인장기요양보험법」에 근거한 노인장기요양보험 방문간호는 간호사 또는 간호조무사가 서비스를 제공할 수 있다. 방문간호를 제공하는 기관은 노인장기요양기관이며, 간호사와 보건복지부가 지정한 교육기관에서 700시간의 교육을 받은 간호조무사가 기본간호, 통증, 감염, 투약 등에 관한 교육과 상담, 수동적 관절운동을 포함한 신체기능 훈련, 의료기관 연계 및 건강사정 등의 간호서비스를 제공하고 있다.

「노인장기요양보호법」 제31조(장기요양기관의 지정) ① 제23조제1항제1호에 따른 재가급여 또는 같은 항 제2호에 따른 시설급여를 제공하는 장기요양기관을 운영하려는 자는 보건복지부령으로 정하는 장기요양에 필요한 시설 및 인력을 갖추어 소재지를 관할 구역으로 하는 특별자치시장·특별자치도지사·시장·군수·구청장으로부터 지정을 받아야 한다. 〈개정 2013. 8. 13., 2018. 12. 11., 2020. 3. 31.〉에 따라 방문간호센터를 개설하여 방문간호를 수행할 수 있다('1장 노인장기요양보험의 방문간호' 참조).

간호윤리

간호사가 실무에서 만나는 여러 의사결정의 순간들은 특정 간호 상황에서 직면하는 윤리적 선택의 문제, 개인의 윤리적 가치체계를 이해하는 문제라고 볼 수 있다. 이제는 전문직 종사자로서 쉽게 접하게 되는 도덕적 딜레마와 윤리적 갈등을 어떻게 철학적 기반을 가지고 해결할 수 있을지 그 기준을 제시할 필요성이 대두되고 있으며 간호사 자신의 윤리적 가치체계의 확립이 필요하다. 또한 각각의 의사결정의 상황에서 밀접한 관계를 가지는 법적·윤리적 문제가 어떤 연관을 가지고 작용하게 되는지 생각해 볼 필요가 있다.

1 대상자의 권리와 책임

권리란 특정한 이익을 주장하거나 누릴 수 있는 법률상의 능력으로, 환자 권리란 환자가 법적, 도덕적, 윤리적으로 당연히 보호와 치료를 받아야 하는 것을 의미한다.

의료인에 대한 사회인식의 변화, 건강에 대한 개념과 관심의 변화, 의료기관에 대한 평가체계의 변화 등으로 대상자가 자신의 건강을 위하여 권리와 책임을 지는 일과 이를 보장하는 의료인의 임무는 이제 의료영역에서 중요한 관심사가 되었다. 이제는 건강에 대한 의사결정도 스스로 하고자 정보 제공을 요구하고 건강증진 개념의 확산으로 질병 예방을 위하여 건강한 생활습관에 대한 지식과 정보를 가지고 건강문제를 스스로 관리하고 책임지겠다는 의식이 강화되었다. 이에 따라 대상자의 권리에 대한 요구가 높아졌고, 의료법상 건강권과 환자의 알 권리 측면에서 법체계도 갖추어졌다.

우리나라의 가정간호사업소에 환자의 권리가 어떻게 적용되고 평가되는지 공식화되어 있는 것은 없다. 그러나 가정간호사업소는 의료기관에 소속된 조직이므로 의료기관 평가 지침서(보건복지부, 의료기관평가인증원)에 포함되어 있는 지표들을 검토하여 정책에 반영할 필요가 있다.

간호사는 대상자의 권리를 법적·윤리적 측면에서 철저히 보장해 주는 한편 환자의 책임에 대해서도 설명해야 한다. 대상자의 책임에 해당하는 것은 환자의 알 권리에서 기술한 바와 같이 진료 제공 시 환자가 지켜야 할 치료계획 준수, 치료계획 불응 시 발생한 결과에 대한 책임, 원내 규정 준수, 병원 직원 및 다른 환자에 대한 존중, 병원과 체결된 비용 지불 의무에 대한 책임 등의 내용을 포함한다. 자신의 건강 상태에 대한 정보를 정직하고 자세하게 제공하는 일, 안전한 가정환경을 유지하여 위험에 처할 요인을 제거하는 일, 방문 약속일 등을 지킬 수 없게 될 때 담당 간호사에게 미리 알려주는 일, 명확하지 않은 것에 대한 정보를 문의하는 일 등에 대하여서도 미리 설명해주어 자신의 책임 또한 지켜야 함을 알려주도록 하고 등록 시 안내문에 기재하고 동의서명을 받는다(〈가정간호안내문〉과 〈가정간호동의서〉 견본은 부록 참조).

가정간호사업소는 환자를 가정간호 대상자로 등록할 때 환자의 권리와 책임, 종결기준에 대한 인쇄물을 환자와 보호자에게 제공하면서 설명하고 환자가 이해하고 동의하면 동의서를 받는다.

이것은 폭력적이거나 간호지시 불이행 환자를 종결시키는 방법으로 사용할 수 있다. 정규적인 의학적 관찰을 요구하는 상태에 있는 환자를 종결시켜야 할 경우는 종결 전에 법률가에게 조언을 받는 것이 좋다.

환자권리에 대한 역사를 간략히 살펴보면, 1981년 세계의사회 총회에서는 '환자의 권리에 관한 리스본 선언'을 공포했고, 1995년 WHO는 환자 권리를 의료에서의 인권과 인간의 가치, 정보권, 동의권, 비밀 보장권, 치료 수혜권, 권리의 적용과 실행이라고 제시하였다.

국내의 경우 소비자 문제를 연구하는 시민의 모임에서 1985년 10개 조항의 환자의 권리 선언안을 발표하였고, 1993년 세브란스병원에서는 '환자권리장전'을 국내 최초로 병원 차원에서 선포하여 이를 시발점으로 현재 대부분의 병원에서 환자권리장전을 구체적으로 명시함으로써 환자 권리를 증진시키고 최상의 의료서비스를 제공하도록 하고 있다.

그 후 2000년 의료법에 환자의 권리가 포함되었으며, 현재는 의료기관의 평가 체계 속에 질 관리 평가 항목의 한 부분으로 '환자의 권리와 편의' 영역이 포함되어 있고, 모든 의료기관에서 자체적으로 '환자권리장전'들을 제정하여 전 직원들이 숙지하도록 발전하였다. 2000년대 들어 의료법이 국민의 건강권과 환자의 알 권리 측면에서 개정되었는데 그 내용으로 건강권, 보건의료에 관한 알 권리, 보건의료서비스에 관한 자기결정, 비밀보장이 포함된다[보건의료기본법 제1조(목적), 제2조(기본 이념), 제6조(환자 및 보건의료인의 권리) 및 의료법 시행규칙 제1조의3(환자의 권리 등의 게시) 참조].

의료계에서 환자권리에 대하여 가장 대표적 윤리 지침으로 삼고 있는 리스본 선언 내용을 보면

- 환자는 자유롭게 자기의 의사를 선택할 권리를 가진다.
- 환자는 아무런 외부의 간섭도 없이 자유롭게 임상적, 논리적 판단을 내릴 수 있는 의사에 의해 보살핌을 받을 권리를 가진다.
- 환자는 자신의 병에 대한 적절한 정보를 얻은 후에 치료를 수락하거나, 거부할 권리를 가진다.
- 환자는 자기의 의사가 자신의 진료 상 또는 개인적인 여러 가지 비밀을 존중해 줄 것을 기대할 권리를 가진다.
- 환자는 품위 있게 죽을 권리를 지닌다.
- 환자는 어떤 종교의 성직자의 도움을 비롯한 정신적, 도덕적 위로를 받아들이거나 거절할 권리를 가진다.

등이다(의료윤리자료집, 1998).

이에 본장에서는 의료법 속의 「보건의료기본법」 제2장 보건의료에 관한 국민의 권리와 의무에 있는 건강권, 보건의료에 관한 알 권리, 의료서비스에 관한 자기결정, 비밀보장에 대한 관련법을 살펴보려 한다.

1) 건강권

「보건의료기본법」 제2장 보건의료에 관한 국민의 권리와 의무 제10조(건강권 등)
(1) 모든 국민은 이 법 또는 다른 법률에서 정하는 바에 따라 자신과 가족의 건강에 관하여 국가의 보호를 받을 권리를 가진다.
(2) 모든 국민은 성별, 나이, 종교, 사회적 신분 또는 경제적 사정 등을 이유로 자신과 가족의 건강에 관한 권리를 침해받지 아니한다. 〈전문개정 2010. 3. 17.〉

2) 환자의 알 권리

윤리적으로 검토해 볼 수 있는 환자와 의사, 간호사 간의 가장 중요한 이슈는 대상자의 진단과 예후에 대하여 진실하고 정직하게 알려주어야 하는가에 대한 문제이다.

진실 말하기에 대한 윤리적 근거는 환자의 자율성, 환자의 신체적, 정신적 이점과 더불어 내재된 선에 두고 있으며, 이런 이유들은 진실을 말해 주어야 한다는 가치들의 근거가 되고 있다.

Anthony (2004)의 연구에서 보면 '진실 말하기'에 대한 이슈는, 특히 암환자간호와 완화간호(palliative care), 정신간호 분야에서 일하고 있는 간호사들이 많이 직면하게 되는 윤리적 문제로 나타났다. 이 외에도 위약 치료 시, 후천성면역결핍증 진단의 고지, 사전 동의를 받아야 하는 경우에 '진실 말하기'라는 윤리적 문제에 직면한다고 보고하였다.

일반적으로 환자들은 자신에 대한 치료활동과정과 간호를 결정하기 위하여 진실을 말해 줄 것을 원한다. 여러 연구 결과에서 환자들은 실패, 죽음과 같은 나쁜 소식조차도 모두 말해 줄 것을 바란다.

제11조(보건의료에 관한 알 권리)
(1) 모든 국민은 관계 법령에서 정하는 바에 따라 국가와 지방자치단체의 보건의료시책에 관한 내용의 공개를 청구할 권리를 가진다.
(2) 모든 국민은 관계 법령에서 정하는 바에 따라 보건의료인이나 보건의료기관에 대하여 자신의 보건의료와 관련한 기록 등의 열람이나 사본의 교부를 요청할 수 있다. 다만, 본인이 요청할 수 없는 경우에는 그 배우자·직계존비속 또는 배우자의 직계존속이, 그 배우자·직계존비속 및 배우자의 직계존속이 없거나 질병이나 그 밖에 직접 요청을 할 수 없는 부득이한 사유가 있는 경우에는 본인이 지정하는 대리인이 기록의 열람 등을 요청할 수 있다. 〈전문개정 2010. 3. 17.〉

3) 보건의료서비스에 관한 자기결정권

제12조(보건의료서비스에 관한 자기결정권)
모든 국민은 보건의료인으로부터 자신의 질병에 대한 치료 방법, 의학적 연구 대상 여부, 장기이식(臟器移植) 여부 등에 관하여 충분한 설명을 들은 후 이에 관한 동의 여부를 결정할 권리를 가진다. 〈전문개정 2010. 3. 17.〉

이러한 설명 및 동의 의무는 의료행위에 대한 환자의 자기결정권을 보호하자는 목적의 「헌법」 제10조 인간의 존엄성과 행복 추구권에 근거하고 있다.

가정전문간호사가 간호를 제공하면서 환자에게 사전동의서를 받아야 할 의료적 처치나 간호중재는 가정에서 실시하기에 안전하지 못하므로 하지 않는 것이 좋다.

가정간호에서 설명과 사전동의는 의료적 처치 부분보다는 가정간호사업소에 등록할 때와 종결을 결정할 때이며, 이 때 사전동의란 치료에 대한 동의를 대상자로부터 받기 위하여 모든 관련정보를 제공한 후 자율적으로 동의하고 협조하는 것을 의미한다. 이는 법적이고 윤리적인 요구조건이며, 관련된 정보를 제공할 때는 환자의 권리 영역에서 살펴보았던 '사실 말하기'에 대한 정직의 윤리규칙을 고려하여야 한다.

이러한 '동의'란 대상자가 간호에 적극적으로 참여자가 되는 것을 뜻하며, 구두 동의뿐 아니라 서면 동의를 구하여야 한다. 구두로 설명하여야 하며 서면으로 배부한 것은 설명을 위한 준비용으로 본다. 보건의료서비스에 대한 자기결정권 권리는 간호사 윤리강령에도 포함되어 있으며 더 크게는 생명의료윤리 대원칙 중의 하나인 자율성 존중의 원칙에 잘 나타나 있다.

그러므로 간호사는 대상자에게 여러 가지 간호에 대한 정보를 충분히 제공하여야 하며, 대상자가 간호를 수락하거나 거부할 자유가 있음을 이해하고 자기결정권을 존중하여야 한다.

4) 비밀보장

제13조(비밀 보장)
모든 국민은 보건의료와 관련하여 자신의 신체상·건강상의 비밀과 사생활의 비밀을 침해받지 아니한다.
〈전문개정 2010. 3. 17.〉

대상자의 비밀보장은 의료인의 비밀유지의무에 해당하는데, 이는 민법상 인격권의 보호로서 생명, 신체, 자유, 명예, 정조, 성명, 사생활의 비밀 등의 보호를 받을 권리를 말하고, 형법상으로는 업무상 비밀누설죄와 관련된다. 업무상 비밀누설죄란 개인이 숨김없이 이야기하고, 신뢰하는 직업에 종사하는 사람에 의하여 침해받아서는 안 되는 개인의 비밀을 말한다. 이는 대상자의 동의, 긴급피난의 경우, 정당행위의 경우 비밀유지 의무가 면해질 수 있다.

나이팅게일 선서에 있는 '간호하면서 알게 된 개인이나 가족의 사정은 비밀로 하겠다'는 서약이나, 한국간호사윤리강령에서 비밀보장과 관련된 조항이 있는 것은 우리가 대상자의 비밀보장을 통하여 대상자들이 건강관리전문직에게 거는 신뢰의 측면을 강조하는 것이다.

사생활의 비밀보장은 사람에 대한 비밀보장과 정보에 대한 비밀보장, 두 가지 측면에서 논의된다. 사람에 대한 비밀보장은 인간에 대한 자율성, 가치와 같은 의미를 말하고 정보에 대한 비밀보장은 타인이 환자의 허락 없이 환자의 자료에 대한 정보를 얻을 수 없다는 것이다. 환자가 자신의 정보를 지키려는 개인적 권리로 타인에게 자신의 정보를 누출하지 않으려는 비밀보장(privacy)과 의료인이 환자들의 개인적인 정보를 다루면서 비밀유지를 해야 하는 두 가지 의미로도 볼 수 있다.

비밀보장의 문제는 윤리적 문제일 뿐 아니라 법적인 문제이기도 하다. 예로서 의무기록을 잘 관리하지 못하여 비밀이 유지되지 못한 경우 소송의 이유가 될 수 있다. 치료적, 개인적 정보를 보호받을 권리를 대상자들이 갖고 있음을 충분히 알고 있으나 본의 아니게 비밀유지가 되지 못하는 경우가 종종 발생할 수 있다. 사무실에서 대상자에 대한 기록이 노출 되는 경우, 대상자를 방문한 가족이나 친지들이 정서적 지지를 하고자 하니 사실을 알려달라고 할 때 알려 줄 가능성이 생기게 된다. 이러한 경우 이를 결정할 수 있는 사람은 오직 환자 자신임을 기억하여야 한다. 환자가 사생활이 보호받지 못함을 알게 되고 비밀이 보장되지 않음을 알게 될 때 환자와 간호사 간의 신뢰는 파괴된다. 신뢰는 환자가 의료인에게 가지는 일차적 믿음이기 때문에 신뢰의 파괴는 환자의 안녕을 위협할 수 있다.

보건의료법규에 나타난 대로 간호사는 대상자의 사생활을 존중하고 직업상 알게 된 개인의 비밀을 공개하지 않아야 한다. 간호사는 인간의 존엄성을 존중하며 임무를 수행할 때에 대상자의 사생활 존중이 인격존중에서 가장 기본임을 알아야 한다. 이때 비밀이란 간호사가 대상자나 가족, 의료진으로부터 직접 전달받은 사항뿐 아니라 간호사가 관찰한 것, 들은 것, 이해한 것 등 모두가 포함된다(연세대학교 보건정책 및 관리연구소, 1999).

건강관리요원들과 환자의 정보를 공유하여 환자에게 양질의 간호를 제공하는 것 또한 간호의 기본 책임이다. 이때는 환자의 치료와 복지, 그리고 환자 간호에 직접적으로 포함되는 타당한 경우에만 정보를 공개하여야 한다. 학술적인 논의 등으로 대상자의 정보를 다루어야 할 경우, 대상자가 다른 사람에게 해를 가할 우려가 있다고 판단되거나 자해를 가할 우려가 있다고 판단될 때에도 위해성을 방지하기 위하여 필요한 관계자에게 필요한 정보만 전하여야 한다[예 후천성면역결핍증의 정보는 「후천성면역결핍증 예방법」(약칭: 에이즈예방법)제7조(비밀 누설 금지)에 따라 관계자에게 필요한 정보만을 공개할 수 있으며, 가족과의 관계에서도 대상자 스스로 가족에게 설명하도록 하는 신중함을 보여야 한다].

의료기관평가지침서의 환자의 사생활 보호 영역에 따르면 환자의 사생활 보호란 '개별 환자의 의료보장 유형, 진단명, 환자상태, 연락처(전화번호 등)의 개인 및 진료정보가 제시되어 있지 않는 상태'로 정의하고 있다.

2 생명윤리원칙

간호사들은 보건의료체계에서 그들의 독특한 위치 때문에 생명 윤리에 관심을 가질 수밖에 없고 환자, 가족과 의사 사이에서 중요한 위치에 있다. 그들은 관련된 사람들의 의학적, 법적, 및 윤리적인 관심에 귀를 기울이는 한편, 문제가 되는 의료를 전달할 책임이 있다. 실제 임상에서 간호사들은 반드시 '이 사람에게 무엇을 해주어야 하는가?'라는 윤리적 질문을 고려해야 한다.

생명과 관련되어 환자와 의사, 간호사 혹은 다른 보건의료 종사자의 관점에서 의료행위에 발생하는 윤리 문제들을 논의하고 시도하는 것이 의료윤리이며, 모든 생명과학에서 생기는 문제들을 포함하는 주제의 범위를 넓히고자 시도하는 것을 생명윤리학이라 한다.

1) 생명윤리의 네 가지 원칙

생명윤리는 아래의 네 가지 원칙으로 구성되어 있으며 생명윤리학에서 광범위하게 적용되어 왔다(Beauchamp and Childress, 2001).

- 자율성(autonomy)
- 선행(beneficence)
- 악행금지(nonmaleficence)
- 정의(justice)

(1) 자율성의 원칙

자율성은 자치 또는 자기 통치를 말한다. 자율적 인간을 '이해, 합리화, 심사숙고, 독립적 선택'과 같은 자기 통치 능력을 포함하는 것이라고 확장하여 정의하면서 윤리적 규율에 다음과 같이 접근하고 있다.

- 사실을 말한다.
- 타인의 프라이버시를 존중한다.
- 신뢰성 있는 정보를 보장한다.
- 환자들의 사정에 관해 동의를 얻는다.
- 요청 받은 경우에 타인이 중요한 결정을 내리는 데 도움을 준다.

가정간호에서 자율성과 관련된 가까운 개념은 의사결정의 역량이다.

'환자 또는 대상자가 그들이 정보매체를 이해하고, 어떠한 결과를 계획하거나, 그들의 가치관에 비춰 정보를 조정하고 간호제공자나 연구자들에게 자유롭게 원하는 바를 전달할 수 있는 능력을 가졌다면 충분히 의사결정을 내릴 수 있다'라고 결론을 내렸지만 '목표에 도달하기 위해 평소 적절한 수단을 고를 수 있었던 사람이라도 특별한 환경에 처하면 때때로 적절한 수단을 고르지 못할 수도 있다'고도 덧붙였다.

아내(환자)가 낙상으로 지난주에만 해도 세 차례 응급실에 내원하였던 노인 부부에 관한 사례이다. 그 환자는 봉합한 상처소독이 필요하고 타박상으로 인해 고통을 겪고 있다. 주 간호자인 남편이 혼자서 아내를 침대나 의자로 끌어올리려고 애썼다고 했다. 환자는 병원이나 요양시설에 가지 않고 자신의 집에 있고 싶다고 했었다. 그러나 이러한 상황에서 자율적 선택을 실행할 수 있는가? 그녀는 친숙한 집에서 안전하게 남편과 함께 있을 수 있을까? 다른 가족 구성원들은 있는가? 가족들이 이 부부의 이러한 상황에 대하여 알고 있는가? 환자가 선택한 결정이 과연 타당하고 안전한가? 노인장기요양보험제도를 이용하고 있는지, 이용 가능한지 등을 확인하였는가?

(2) 선행

선행은 긍정적인 선행(타인에게 행하는 긍정적인 의무)으로 설명한다. 선행의 원칙을 두 가지로 나누는데 하나는 긍정적인 선행과 또 다른 하나는 공리주의적인 선행이다. 공리는 '최고의 종합적 결과를 산출해 내기 위한 득과 실을 조절하는 행위'로 정의된다. 선행의 의무에 대한 윤리적 원리는 다음과 같다.

- 타인의 권리를 보호하고 옹호한다.
- 타인에게 발생하는 해악을 막아준다.
- 타인에게 해가 발생할 수 있는 상태를 만들지 않는다.
- 장애인을 돕는다.
- 위험으로부터 사람들을 구한다.

간호를 제공하고 최선책을 찾기 위하여 간호사들은 의사와 협진하고, 더 자주 방문하고 또는 더 좋은 치료재료를 사용하는 등의 일이 가정간호를 포함한 모든 간호업무에서 흔히 일어나는 일이다. 이것은 공리주의 입장에서 선행의 원칙을 실천하는 것이다.

[예] 심해진 욕창으로 인해 장애인단기보호시설에 입소해 있는 하반신 마비 환자를 방문 중이다. 환자는 경제적 여건으로 인해 VAC 치료가 필요한 상황인데도 받지 못하고 있어 사회사업실과 협의하여 치료비 지원을 받아 VAC 적용을 하면서 상처가 호전될 수 있었다.

(3) 악행 금지

'타인에게 해를 끼치지 않게 할 의무'로 말할 수 있는데 '악행금지의 원칙은 생물학적인 삶의 유지를 고려하지 않고, 또한 환자의 통증, 고통, 불편을 생각하지 않은 치료를 시작하고 유지하는 것을 막는 것이다'라고 설명할 수 있다. 이 윤리원칙은 다음과 같은 원리로 접근되었다.

- 살인하지 않는다.
- 통증이나 고통을 만들지 않는다.
- 무능력하게 만들지 않는다.
- 위법하지 않는다.
- 타인의 생명을 빼앗지 않는다.

(4) 정의

더 구체적으로 말하면 분배적 정의를 말하며 공정하고 정당하며 사회적 협력이라는 용어로 구성되는 정당화된 표준에 의하여 적절한 분배로 간주되는 것이다. 정의의 범위는 여러 가지 이득과 의무, 즉 재산, 자원, 세금, 특허, 기회 등을 할당하는 정책들을 포함한다. 분배적 정의의 타당한 주요 원칙으로 다음과 같은 내용을 말하고 있다.

각각의 사람들에게 동일하게 분배하기, 각각의 사람들의 요구·노력·공헌에 따르기, 각각의 사람들의 자유 시장 교환에 따르기이다.

56세 된 딸이 4년 넘게 어머니의 간병을 도맡아 한 유일한 가족인데 최근 몹시 지쳤다고 한다. 약하고 늙은 부모에게 마땅히 간호를 제공해야 할 정의의 의무와 혼자 간병을 하는 게 얼마나 과도한 부담을 주는 것인지에 대한 것이다.

정의와 권리라는 단어는 이 가족에게 두 가지의 타당성을 생각해 보게 한다. 첫째, 정의는 가족구성원 모두에게 공정히 분배되어야 한다. 그 가족 중 한 사람에게만 과도한 짐을 지우는 것은 옳지 않다. 둘째, 정의는 개인의 계획을 보호하고 사람들의 생명과 정의에 중점을 두어 계획해야 한다. 이는 개개인의 생명에 중요한 의미를 갖거나 개개인 존재의 핵심을 구성하는 활동을 침해하는 윤리적인 한계를 입증한다.

담당간호사는 이 딸이 4년 동안 간호해온 짐으로 인해 지쳤다는 것을 미처 인식하지 못하였다. 이 점이 바로 그 환자를 관리하는 데 있어 문제를 해결할 수 있는 핵심이라는 것을 깨닫지 못한 것이다.

2) 생명윤리 및 안전

(1) 생명윤리정책 목표

안전 인프라를 구축하는 것이며 인간 및 인체 유래물을 연구하거나 배아, 유전자 등을 취급할 때 생명윤리 및 안전을 확보하여 인간의 존엄과 가치를 침해하거나 인체에 위해를 주는 것을 방지하고 국민의 건강과 삶의 질 향상에 이바지하는 데 있다.

(2) 법적 근거: 「생명윤리 및 안전에 관한 법률」(약칭: 생명윤리법)

2004년 1월 29일 제정(2005. 1. 1 발효)하여 2013년 2월 2일 전부 개정하여 법률을 시행하였다. 〈2020. 12. 29. 일부 개정〉

주요 내용은 아래와 같다.

- 인간 대상 연구 및 인체유래물 연구의 윤리적 심사 제도 도입
- 국가생명윤리심의위원회 및 기관생명윤리위원회 구성·운영
- 인간복제 및 이종 간의 착상 등 금지
- 배아생성의료기관 및 배아연구기관의 지정·등록 및 관리
- 인체유래물 은행 관리
- 유전자검사, 유전정보 등의 보호 및 이용, 유전자치료 관련 기관 준수사항 및 관리

동법에 따라 생명과학·의과학(醫科學)·사회과학 등의 연구 분야, 종교계·윤리학계·법조계·시민단체 또는 여성계, 관계부처 장관 등의 위원으로 국가생명윤리심의위원회 구성·운영하며 국가의 생명윤리 및 안전에 관한 정책 수립에 관하여 심의 및 자문 역할을 하고 있다. 위원회 산하에 위원회 안건의 효율적인 심의를 위해 5개 분야별(생명윤리안전정책, 배아, 인체유래물, 유전자, 연구대상자보호) 전문위원회가 구성되어 활동하고 있다.

3) 가정 간호와 윤리적 쟁점

최근 생명공학의 급속한 발전으로 인간생명에 대한 조작이나 간섭의 기회가 점차 확대되고 있을 뿐만 아니라 의료의 과학기술주의와 상업주의의 팽배로 병원의 대형화, 관료적 조직화 추세가 심화되고 있다. 간호사는 간호 활동 과정 중에 야기되는 복잡·다양하며 이해가 상반되는 윤리적 딜레마에 직면하여 효과적으로 대처하기 위한 비판적 사고와 윤리적 가치관 및 간호철학이 확립되어야 한다. 가정전문간호사는 사고로 인한 불구, 뇌사, 노인의 임종 시 치료의 계속 여부, 가정전문간호사가 수행하여야 할 범위 이외의 일을 해야 하는 경우, 의사와 협력체계 형성의 어려움 등 여러 가지 윤리적인 문제에 직면할 수 있다. 가정간호는 병원이 아닌 가정에서 가정전문간호사가 윤리적 딜레마 상황에 처할 때 개인의 윤리적 가치인식이나 양심에 의하여 환자 상태에 대해 판단하고 결정해야 되는 경우가 많다. 또한 간호사의 윤리적 행위는 직업에 대한 주체성과 가치관 같은 긍정적인 자아인식과 자기감정의 조절 위에서 이루어지며 윤리적 가치 인식이 흔들리고 윤리적 딜레마에 직면하게 될 때 간호실무 활동의 질적인 면에 영향을 주고 직무 만족에도 영향을 미친다는 점에서 그 중요성이 강조되고 있다.

최근에는 환자안전을 최우선으로 해야 하는 감염병 팬데믹 상황에서 간호사들은 외부 세계와의 고립된 환자들의 투병 과정을 실존적 삶의 위협상황으로 파악하여 환자와 가족을 위한 실존적 옹호자로서의 전인적 돌봄을 요구받고 있다. 그러나 방역대책에 따라 간호사들이 돌봄의 윤리를 실천할 수 없는 어려운 상황에 대해 윤리적 고뇌를 경험하고 있다.

(1) 생명윤리에 관한 관심 고조

가정간호를 수행할 때 생명윤리는 윤리적인 활동의 논의를 넘어서 의사결정을 내리는 데 영향을 미치는 실재적인 딜레마이다.

대부분의 경우 윤리적인 문제들은 삶과 죽음과 관련된 중요한 사건으로 신문에 보도되기도 한다. 예를 들면 뇌사자들의 생명유지 장치를 빼거나, 식물상태 환자들에게 식이 제공 중단하기, 또는 종교적 이유로 부모들이 환아의 치료를 보류시키는 일 등이 있다. 특히 가정간호에서는 환자와 간호제공자가 일상생활을 상당 시간 함께 함에 따라 환자와 간호제공자들 간에 친밀한 관계가 형성되므로 이러한 윤리적인 문제에 자주 부딪히게 된다. 그러나 현장에서 가정간호 수행 중 이러한 윤리적인 문제에 관한 논의가 관련 기관과 직원, 가족들 간에 거의 이루어지지 않음을 알 수 있다.

(2) 가정간호에서의 윤리적 딜레마

'가정전문간호사의 윤리적 딜레마와 임파워먼트 및 직무만족 관계'(김성희, 2011) 연구에 의하면 가정전문간호사가 경험하는 환자간호와 관련된 윤리적 딜레마는 '경제적 상태에 따라 치료나 간호를 포기할 때'가 가장 높게 나타났고, '위험요인이 있는 대상자를 방문하는 문제', '대상자 또는 가족이 개인적으로 도움을 요청할 때', '시간부족으로 인한 대상자 방문 시 문제', '근무시간외(휴일, 야간)에 방문을 요청할 때', '변화된 대상자 상태에 대한 즉각적인 판단과 관련된 문제', '휴가와 관련되어 스케줄 조정과 관련된 문제', '수가와 관련되어 실무를 실시하지 못할 때', '대상자의 요구와 의사의 지시 사이의 문제', '의사와의 문제', '간호사 간에 기술통일과 관련된 문제'순으로 조사되었고 'HIV/AIDS와 감염성 질환을 가진 환자와 관련된 문제'나 '정규직, 비정규직간의 문제', '간호직무표준 이행과 관련 문제'는 상대적으로 낮았다.

이와 같이 가정간호 관리에 윤리문제가 존재하고 있으며, 이 문제를 다루는 일이 중요하나 전문자문위원회의 연간 보고를 보면 윤리적 문제는 보고된 것이 없는 것으로 나타났다. 이는 해당 기관과 임상 의료인들이 윤리적 문제를 인지하지 못하거나 보고하고 있지 않다고 본다. 윤리적 문제의 딜레마와 해결 가능한 논의에 대해 인지하는 것은 치료를 더욱 효과적이게 하고 가족 지지에도 영향을 주며 안전한 생활의 중요성을 말해주고 효과적으로 관리하게 할 것이다.

가정간호 시 윤리적 갈등을 겪었던 사례들이다.

- 장기간 식물상태인 환자에게 경관영양을 1/3로 줄여 제공하고 있어 매우 수척해지고 욕창이 생기고 있는데 주보호자는 '간호사가 경제적인 것까지 책임질 거 아니면 그냥 모른 척 해 달라'며 기관절개관 교환만을 위해 계속 방문해 주기를 요청하는 경우

- 20대의 선천성 질병 환자의 기관절개관이 빠졌는데도 보호자는 아무 조처 없이 이틀을 지내다 방문시간 약속을 위해 전화한 간호사에게 '이미 예견된 일이고 큰 아이도 동일 질병으로 이렇게 사망했다. 아직 자가 호흡이 있으니 병원에는 안 가겠다. 환자의 생사는 신의 뜻에 맡기겠다.'고 하는 경우

- 기관절개관 교환을 위해 주1회 방문하는 20대 환자의 보호자는 2살 위의 형이다. 형제만 거주하고 있다. 환자는 불안증이 있어서 형이 외출이라도 하면 불안하다며 머리맡에 늘 식칼을 두고 지낸다. 밤새 게임하고 낮에 잠든 젊은 보호자를 깨우고 잠자리를 치우며 간호처치를 하는 것도 편치 않은데 침대 머리맡의 식칼까지.. 간호사의 안전은 몹시 불안하다. 따뜻하고 친절한 간호나 교육 제공은 어렵고 빨리 빠져나와야 하는 경우

(3) 해결을 위한 실마리

윤리적 문제에 관해 말하기 위해서는 그것을 인식하는 것이 가장 우선이다. 이를 위해 훈련과 조직적인 지지가 필요하다. 전문가들은 생명윤리에 관해 이해하고 윤리문제를 정의하는 방법과 연구로부터 얻을 수 있는 문제와 상태를 인지하는 방법에 관해 알아야 한다. 또한 문제를 공개하려는 의지를 갖고 각종 정보를 수집하며 생명윤리위원회 또는 의료기관윤리위원회에 정보를 제공하거나 직면한 딜레마에 대한 지지와 이해 및 해결책을 찾기 위해 다른 가정간호사업소에 정보를 제공해야 할 필요가 있다.

이러한 지지 체계가 전문적 자문그룹에 의해 제공되기는 하지만 현장에서 종종 윤리적 딜레마에 대한 인지도나 이러한 딜레마를 공개하려는 의지가 약한 것을 볼 수 있다.

의료기관과 정책을 결정하는 집행부에 가정간호 현장에서 발생하는 다양한 윤리적 갈등 상황을 알리고 공동의 의사결정을 위한 방안으로 가정간호운영위원회, 기관 내 의료윤리위원회 등에 갈등사례를 공유하고 지침을 찾기 위한 노력이 필요하다.

교육을 통하여 이러한 인식을 높일 수 있다. 윤리 전문학자는 가정간호사업소에 효과적인 정보자료와 윤리관련 단어를 소개하고 딜레마를 분석하기 위한 틀을 제공하며 간호사들의 경험과 그들의 대상자에 대한 이야기를 서로 공유할 수 있도록 격려한다. 또한 윤리자문위원회를 구성하여 윤리적 문제와 관련된 정책 수립 시 조언하여 전문적인 자원을 계속 제공할 수 있다. 다른 자원으로는 대학의 생명윤리센터나 윤리학 네트워크를 이용할 수 있다.

우리나라의 윤리관련 정보는 한국의료윤리학회(medicalethics.jams.or.kr)와 한국생명윤리학회(koreabioethics.jams.or.kr)에서 얻을 수 있다.

3 연명의료

우리나라에서도 2018년 2월 4일부터 호스피스·완화의료 및 임종과정에 있는 환자의 「연명의료결정에 관한 법률」(약칭: 연명의료결정법)이 시행되면서(2020. 4. 7., 2021. 12. 21. 일부개정) 연명의료결정제도가 생겼다.

1) 연명의료결정제도

임종과정에 있는 환자가 무의미한 연명의료를 시행하지 않거나 중단할 수 있는 기준과 절차를 마련하여 국민이 삶을 존엄하게 마무리할 수 있도록 돕는 제도를 말한다.

우리나라 연명의료결정법에 있는 내용을 다음과 같이 요약하였다.

2) 연명의료

임종과정에 있는 환자에게 하는 의학적 시술로써 치료효과 없이 임종과정의 기간만을 연장하는 것을 의미하며(「연명의료결정법」 제2조제4호 및 동법 시행령 제2조) 심폐소생술, 혈액투석, 항암제 투여, 인공호흡기 착용, 체외생명유지술(ECMO), 수혈, 혈압상승제 투여, 그 밖의 연명의료(담당의사가 환자의 최선의 의익을 보장하기 위해 시행하지 않거나 중단할 필요가 있다고 의학적으로 판단하는 시술)가 해당된다. 연명의료결정법에서 명시한 연명의료의 정의는 일반인들이 가지고 있는 연명의료 개념과는 매우 상이하므로 충분한 설명을 통해 이해를 돕도록 한다.

3) 연명의료 결정(유보 또는 중단)

향후 본인이 환자가 되었을 때 의료기관윤리위원회가 설치된 의료기관에서 ① 임종과정에 있는 환자라는 의사의 의학적 판단과 ② 본인의 의사 확인(사전연명의료의향서 및 연명의료계획서 확인 등)을 통해 이루어지게 된다.

4) 연명의료 결정에 대한 본인의 의사 표시 방법

말기환자 또는 임종 과정에 있는 환자의 경우 담당의사에게 연명의료계획서의 작성을 요청할 수 있고, 19세 이상 성인은 누구나 사전연명의료의향서를 작성하는 방법이 있다.

※연명의료계획서 및 사전연명의료의향서는 국립연명의료관리기관에 등록되어 관리되는 법적효력을 가진 문서이다.

(1) 연명의료계획서

말기환자 또는 임종 과정에 있는 환자는 담당의사와 상의하여 연명의료의 결정에 관한 자신의 의사를 연명의료계획서로 남겨놓을 수 있다. 담당의사가 연명의료계획서를 작성한 경우, 환자가 임종 과정에 있게 되면 이를 근거로 연명의료는 유보 또는 중단될 수 있다. 환자는 연명의료계획서에 대해 언제든지 변경 또는 철회를 요청할 수 있으며 이 경우 담당의사는 이를 반영하여야 한다.

(2) 사전연명의료의향서

19세 이상 성인은 누구나 사전연명의료의향서 작성을 통해 자신의 연명의료에 관한 의사를 미리 밝혀둘 수 있다. 사전연명의료의향서는 보건복지부가 지정한 사전연명의료의향서 등록기관을 방문하여 상담 후 작성할 수 있다. 사전연명의료의향서를 작성한 사람은 언제든지 그 의사를 변경하거나 철회할 수 있다.

가정전문간호사가 근무하는 의료기관이 사전연명의료의향서 등록기관으로 지정이

되어 있다면 가정전문간호사가 국가생명윤리정책원에서 실시하는 교육을 이수하고 환자 상담을 진행하며 서식 등록을 할 수 있다.

5) 의료기관윤리위원회

① 연명의료중단등결정 및 그 이행에 관한 업무를 수행하려는 의료기관은 보건복지부령으로 정하는 바에 따라 해당 의료기관에 의료기관윤리위원회를 설치하고 이를 보건복지부장관에게 등록하여야 한다.

② 윤리위원회는 연명의료중단등결정 및 그 이행에 관하여 임종 과정에 있는 환자와 그 환자가족 또는 의료인이 요청한 사항에 관한 심의 등의 활동을 수행한다.

6) 국립연명의료관리기관

보건복지부는 연명의료결정제도에 관한 사항을 적정하게 관리하기 위하여 국립연명의료관리기관을 두고 있다. 연명의료결정제도에 관한 자세한 사항과 Q&A는 국립연명의료관리기관 홈페이지(www.lst.go.kr)을 통해 확인할 수 있다.

7) 기타 사항

(1) 보건관리대행자(후견인)

우리나라의 경우 보건관리대행자(후견인)에 대한 법이나 규정이 없다.「연명의료결정법」제18조는 환자의 의사를 확인할 수 없고 환자가 의사표현을 할 수 없는 의학적 상태인 경우 '환자가족 전원의 합의'를 통해서 환자를 위한 연명의료중단등결정을 할 수 있다고 하고 있다. 따라서 가족이 없는 환자가 연명의료에 대해 자신의 의사를 표현할 수 없는 경우 연명의료 유보 및 중단 등을 결정할 수 없다.

미국의 경우 어떤 주는 보건관리대행자의 지정을 요구한다. 의사는 환자가 치료에 대한 보건관리결정과 결과를 이해할 수 없거나 듣지 못한다는 사실을 확인하면 보건관리대행자가 의료관리에 관한 환자의 희망을 진술하도록 지정할 수도 있다.

(2) DNR 처방

DNR (Do Not Resuscitation)은 임상에서 많이 활용하고 있는 문서이기는 하나, 의료기관에서 자체적으로 활용하여 오던 임의 서식이며, DNR은 '임종과정'이라는 의학적 판단을 전제하기보다 '심정지'라는 특수 상황에 대하여 활용되는 서식이다.

특히 환자의 의사능력에 대한 확인 없이 가족 또는 불특정 대리인에 의해 환자에 대한 연명의료 유보 또는 중단을 결정하는 경우는 환자의 자기결정을 존중하고 대리결정을 허용하지 않은 「연명의료결정법」의 입법취지에 부합한다고 보기 어렵다.

따라서 「연명의료결정법」과 관계없이 응급상황 등 의료기관 판단 하에 DNR 사용의 가능성은 있겠으나 「연명의료결정법」에 따라 보호받을 수 있는 결정은 아니다.

III 발전방향

1 가정·방문간호의 통합을 위한 법령 개정

우리나라에서 가정·방문간호에 대한 요구와 필요는 점점 증가할 것으로 사료된다. 특히 커뮤니티 케어의 도입은 재가간호의 필요를 더 높일 것으로 예상된다. 간호의 질은 향상시키고 포괄적이면서 지속 가능한 가정·방문간호가 제공될 수 있도록 촘촘한 정책과 각 사업인력이 안정적인 근무 여건에서 책임감을 갖고 일할 수 있는 여건과 안전한 근무환경을 마련해 주어야 한다. 또한 가정방문간호사업유형마다 관련법이나 인력, 사업대상이 다르지만 서비스 이용자의 건강관리에 효과가 있고, 비용-편익이 상당히 높은 것으로 여러 연구에서 확인되고 있으므로 가정·방문간호가 통합적으로 제공될 수 있는 방안을 모색하고 가정방문간호 제공인력기준이나 방문간호 수가체계의 개선과 같은 법령의 개정 등의 뒷받침이 필요하겠다.

아래 내용은 김의숙 등(대한간호, 2000년)이 현 의료기관중심가정간호제도의 제한점들을 확대 보완하여 법률 제정을 제안한 〈가정간호사 자격과 업무 및 가정간호사업 등에 관한 법률제정 검토〉에서 현행법의 제한점에 관한 내용 일부를 발췌하였다.

1) 법 논리상의 제한점

가정간호사업을 의료기관 중심의 보건의료서비스와는 다른 별도의 서비스 제도로 인정하지 않고 기존 의료기관에서 시행하는 의료행위를 가정으로의 확장적, 예외적 허용이라는 점에서 법 정책적 제한이 이미 내재되어 있는 점

2) 가정간호 제공

병원 중심의 가정간호 모델을 전제로 가정간호를 규정하고 있으므로 그 제공이 의사의 의뢰와 처방에 의존하고 있는 점

3) 개설자의 제한

가정간호를 실시할 수 있는 기관을 의료기관으로 제한하고, 그 중 종합병원, 병원, 한방병원, 요양병원에 국한시키고 있어 결과적으로 가정간호서비스의 이용을 제한함으로써 보건의료서비스의 형평성이라는 측면에서 크게 문제가 되는 점

4) 대상자의 제한

가정간호사업 실시기관 소속 의사가 가정간호가 필요하다고 판단하여 가정전문간호사에게 의뢰한 자에 한하여 실시한다고 규정함으로써 가정간호대상자를 제한시키는 점

5) 가정간호 행위의 제한

가정전문간호사가 검사, 투약, 주사 또는 치료적 의료행위를 하는 경우에는 의사의 진단과 처방에 의하여야 한다고 규정하고 가정간호의 범위 등에 관한 사항은 보건복지부장관이 정하도록 하고 있다. 즉, 가정전문간호사가 간호진단에 의한 검사 및 처치 등에 관하여 권한을 부여받거나 일정한 범위에서 처방권과 처치권을 인정하는 부분이 반영되지 못하고 있는 점

이상과 같은 제한점을 풀고 확대하려면 의사의 의업권과의 갈등과 충돌이 야기될 것이나 이는 의사의 진료 보조적 역할을 강조하는 지금의 의료법적 체계에서 상당부분 비롯된 것이라 하겠다. 따라서 간호사의 자격과 업무를 규정한 간호법 체계를 구축하고 각 법에 흩어져 있는 간호사의 업무관련 규정들의 체계화를 이루며 보건의료서비스를 제공받기 위한 보건복지적 측면에서 보아야 할 것이다.

이 검토에서는 앞으로 커뮤니티케어 등 지역사회에서 가정간호의 수요가 증가되는 것에 비해 가정전문간호사의 공급이 원활하지 않은 것을 감안하여 가정간호 제공자의 자격과 업무를 구분하여 인력관리를 하는 것이 필요하다. 가정간호사는 보건복지부장관이

인정하는 교육기관에서 대학원 또는 그 수준이 달하는 교육과정을 이수하여 보건복지부 장관이 부여한 '가정전문간호사' 자격이 있는 자로서 3년 이상의 가정간호 실무 경험이 있는 자와는 그 자격과 업무범위를 구분할 필요가 있다.

2 윤리교육

의료인들은 대학의 교육과정 이수를 통해 윤리적 개념에 대한 기본적인 지식을 배운 적이 있으나 실제 임상에서 윤리적 딜레마 상황에 부딪혔을 때에는 윤리이론이나 원칙보다는 개인적 양심, 종교 신념, 인습을 우선하여 의사결정을 내리는 경향이 있다. 첨단의학이 새롭게 도입되고 환자들의 기대도 점차 높아지는 상황에서 의료계는 날마다 새로운 윤리적 상황에 접하며, 대학 졸업 후에도 윤리교육은 지속되어야 한다. 임상현장에서 직면하게 되는 윤리적 갈등을 해결하고 올바른 윤리적 의사결정을 내릴 수 있도록 하기 위해서는 윤리교육이 필수적이며, 윤리교육은 졸업 후에도 좋은 윤리 실천사례를 개발하고 윤리적 딜레마를 효과적으로 처리할 수 있는 능력을 습득할 수 있도록 해야 한다는 연구들을 토대로 의료인의 지속적인 윤리교육이 필요하다.

김용순, 안성희 등(2004)의 연구에서도 윤리교육을 대학 교과과정 중에 받고 끝나는 경우가 많으므로 간호사를 위한 지속적인 교육 프로그램을 개발하여 윤리적인 가치관과 간호철학을 확립시켜야 되고 윤리적 딜레마를 중재해 줄 수 있는 제도적 장치도 필요하다. 윤리적 딜레마 경험 시 같은 경험을 하는 사람들과의 상담과 토론을 통해 더 쉽게 해답을 얻을 수 있다며 병원 내 상담기관의 필요성에 대해 언급하고 있다. 이에 각 의료기관의 생명윤리위원회 뿐 아니라 윤리위원회 활동이 강화되는 것은 물론 생명윤리에 대한 정기적인 교육과 윤리적 딜레마가 유발되는 사례를 다룬 윤리적 의사결정 세미나를 정기적으로 개최하고 간호사들이 겪는 윤리적 딜레마에 대한 상담이 적극적으로 시행되어야 함을 시사하였다. 간호사는 전문직 자아개념을 확고히 하여 딜레마에 보다 잘 대처할 수 있도록 노력해야 한다.

참고문헌

1. 가정간호역사편찬위원회 : 가정간호제도 20년 역사와 전망, 서울, 사이언스, 2014
2. 공병혜 : COVID-19 팬데믹에서의 간호윤리:돌봄의 윤리적 관점에서, 한국의료윤리학회지, 24(3), 303-315, 2021
3. 구홍모 : 환자안전법, 문화를 바꾸다, 의료기관평가인증원, 2017
4. 국민건강보험공단 빅데이터실 : 노인장기요양보험 통계연보, 국민건강보험공단, 2019
5. 김미정, 김영경, 신수진 : 한국 전문간호사의 업무 성과, 성인간호학회지, 26(6), 630-641, 2014
6. 김성훈 : 보건의료법규, 서울, 현문사, 2007
7. 김성희 : 가정전문간호사의 윤리적 딜레마와 임파워먼트 및 직무만족 관계(석사), 수원, 아주대학교, 2011
8. 김숙영, 안혜영, 김현숙 : 병원종사 간호 인력의 직장폭력 경험 실태, 한국직업건강 간호학회지, 17(1), 76-85, 2008
9. 김왕배 : 작업장 폭력:직무환경의 영향을 중심으로, 형사정책연구, 20(2), 173-201, 2009
10. 김용순, 김순례, 왕명자, 박재순, 박인혜 : 가정간호총론, 서울, 군자출판사, 2008
11. 김의숙, 고일선, 김주희, 김기경 : 가정간호사 자격과 업무 및 가정간호 사업 등에 관한 법률제정 검토, 대한간호, 39(3), 66-72, 2000
12. 김효미 : 가정전문간호사의 전문직 자율성에 관한 연구(석사), 서울, 성균관대학교, 2012
13. 김희걸 : 커뮤니티 케어에서 코디네이터로서의 간호사의 역할. 지역기반 통합적 건강 돌봄 인프라 구축을 위한 커뮤니티 케어, 국회 토론회, 2018
14. 문준혁 : 직장 내 폭력으로부터 근로자 보호, 사회보장법연구, 5(2), 207-236, 2016
15. 박은옥, 김정희 : 제주 지역 병원 간호사의 직장 폭력 경험 실태, 한국산업간호학회지, 20(2), 212-220, 2011
16. 박은옥 : 우리나라 가정방문간호의 현황과 향후 과제, 농촌의학지역보건, 44(1) 22-38, 2019
17. 보건복지부 : 의료기관가정간호 업무편람, 2023
18. 보건복지위원회 : 제332회 제2차 보건복지위원회 회의록, 의료정책포럼, 13, 177-197, 2015
19. 서문자, 김소선, 신경림 등 : 가정 간호사의 실무체험 연구, 대한간호학회지, 30(1), 84-97, 2000
20. 설미이, 신용애, 임경춘 등 : 한국 전문간호사제도의 현황과 활성화 전략, 간호학의 지평, 14(1), 37-44, 2017
21. 성명숙, 장희정, 김춘길 등 : 방문간호의 국내외 현황분석-한국, 미국, 일본, 독일의 사례를 중심으로-, 한국보건간호학회지, 24(2), 211-225, 2010
22. 안성희, 김용순, 조갑출, 엄영란, 이순행 : 간호사가 경험한 간호윤리 문제 및 윤리지침 요구도, 대한간

호협회 윤리소위원회 보고서, 2003
23. 양현순 : 가정전문간호사의 전문직업성, 성격특성 및 감정노동(석사), 대전, 건양대학교 일반대학원, 2018
24. 연세대학교 보건정책 및 관리 연구소 : 국민건강증진 기반조성을 위한 보건의료법령 체계정비, 보건복지부 연구과제 보고서, 149-155, 1999
25. 연세대학교 의과대학 : 의료윤리 자료집, 40-50, 1998
26. 윤경아 : 반복적인 클라이언트 폭력과 노인복지시설 종사자의 심리적 건강, 2007년 한국노인복지학회 추계학술대회 발표 자료집, 7-14, 2007
27. 이인숙, 이광옥, 강희선, 박연환 : 보건소 방문보건인력들이 경험하는 폭력 실태와 폭력 후 반응 및 대처 양상, 대한간호학회지, 42(1), 66-75, 2012
28. 이지선, 최은희, 정혜선 : 종합병원 여성간호사의 폭력경험이 우울에 미치는 영향, 한국콘텐츠학회논문지, 18(2), 103-112, 2018
29. 장금성, 이명하, 김인숙, 김상희, 신미자, 하나선, 공병혜, 정경희 : 간호윤리학과 전문직, 서울, 현문사, 2015
30. 전혜숙 : 환자 권리에 대한 개념 분석(박사), 서울, 이화여자대학교 간호대학, 2019
31. 제남주, 박미라, 방설영 : 의료인의 윤리적 이슈, 윤리적 딜레마와 윤리교육 요구도 조사, 디지털융복합연구, 18(10), 285-296, 2020
32. 한성숙, 조영이 : 가정전문간호사의 윤리적 가치인식, 윤리적 갈등 및 직무만족도와의 관계, 가정간호학회지, 12(1), 1-40, 2005
33. Margaret A. Burkhardt, Alvita K. Nathanie : 간호윤리학, 서울, 정담미디어, 2014

참고사이트

1. 가정간호사회, www.hcna.or.kr
2. "간호사 근무환경 및 처우개선 종합대책 발표", 위아너스, RN 게시판, https://cafe.daum.net/NursePaper/2yqN/3052?svc=cafeapi
3. "간호사 67% '최근 1년 간 폭언 피해에 시달린 경험 있다', M메디소비자뉴스, http://www.medisobizanews.com/news/articleView.html?idxno=80736
4. "거창군, 사회복지공무원 등의 안전 대책 마련", 골든트리뉴스, http://www.goldentreenews.com/news/article.html?no=92603
5. 국가법령정보센터, www.law.go.kr
6. 국립연명의료관리기관, www.lst.go.kr

제 4 장

가정간호실무표준

학 / 습 / 목 / 표

① 간호표준과 가정간호표준을 설명할 수 있다.
② 의료기관인증표준에 포함된 가정간호표준을 설명할 수 있다.
③ 가정전문간호사가 갖추어야 할 역량을 설명할 수 있다.

I 간호표준과 가정간호표준

1 간호표준

국가마다 국민에게 안전한 간호를 제공하기 위해 간호표준을 가지고 있다. 국제간호협회(International Council of Nursing, ICN)에서는 간호표준이 사회의 요구와 자원에 따른 변화 및 개선에 적용될 수 있도록 융통성을 가져야 하며, 국민, 간호적문직 및 실무간호사와 관련되어 합리적이며 명확하고 적절한 진술이어야 한다는 개발 원리를 제시하였다. 대한간호협회는 ICN의 간호표준 개발 원리를 참고하여 2003년 간호표준을 개발하였다.

대한간호협회에서 개발한 간호표준과 간호활동기술서는 간호사의 핵심역할과 기능을 명시하고, 공통의 언어와 형식 사용을 제안하며, 전체적인 간호의 맥을 제시하고 협력조정의 역할을 함으로써 각 간호 분야의 특성과 차별성을 제한하지 않는 범위 내에서 간호에 대한 일관성 있는 접근이 가능하도록 하고 있다. 따라서 개발된 간호표준 및 간호활동기술서는 전체 간호실무를 광범위하게 포괄하였고, 간호과정과 전문직 역할에 대해 합당한 행위를 제시하여 신규간호사부터 경력간호사, 그리고 전문간호사 수준까지 포함하고 있다.

대한간호협회가 설정한 간호표준은 두 가지로 직접간호제공 시에 적용되는 간호실무표준(standards of care)과 전문직으로서 필요한 전문직수행표준(standards of professional performance)이 있다. 간호실무표준은 간호실무의 핵심을 건강과 질병에 대한 인간의 반응을 사정(assessment)하여 진단(diagnosis)하고 간호중재를 규명하여 수행(implementation)하고, 이를 평가(evaluation)하는 간호과정(nursing process)의 적용에 대한 것이다. 전문직수행표준은 전문직으로서 간호사 자신의 교육적 배경과 위치에 적절한 전문직 활동에 참여하고 자신과 대상자, 그리고 동료들에 대해 책임을 갖는 전문직으로서의 역할을 수행하는 것이다.

간호실무표준은 12개의 표준과 표준별로 수행을 평가할 수 있는 기준이 제시되어 있다. 또한 간호표준별 간호활동을 간호실무표준 영역과 전문직수행표준 영역에 대해 일(task) 및 일 요소(task element)로 진술하고 있으며, 일 요소는 3단계(1단계: 신규간호사, 2단계: 경력간호사, 3단계: 전문간호사) 수준으로 구분하고 있다(Table 4-1).

Table 4-1 한국간호표준(대한간호협회, 2003)

영역	구분	표준
간호실무표준	표준 I. 자료수집	간호사는 대상자의 건강과 관련된 자료를 수집한다.
	표준 II. 진단	간호사는 수집된 자료를 분석하여 간호진단을 내린다.
	표준 III. 계획	간호사는 간호 대상자의 간호목표 달성을 위해 필요한 간호계획을 세운다.
	표준 IV. 수행	간호사는 간호계획에 따라 간호중재를 수행한다.
	표준 V. 평가	간호사는 간호중재를 평가한다.
전문직 수행표준	표준 VI. 윤리	간호사는 대상자의 입장에서 모든 간호행위와 의사결정을 윤리적으로 수행한다.
	표준 VII. 업무 수행평가	간호사는 전문직 실무표준과 관련 법규에 준하여 간호업무 수행을 평가한다.
	표준 VIII. 교육	간호사는 최신 지식과 능력을 습득하고 유지한다.
	표준 IX. 연구	간호사는 연구를 수행하고 그 결과를 실무에 활용한다.
	표준 X. 협동	간호사는 동료를 지지하고 건강 팀과 협동한다.
	표준 XI. 자원 활용	간호사는 간호업무에 필요한 자원을 활용한다.
	표준 XII. 간호의 질 관리	간호사는 간호의 질을 평가한다.

2 가정간호표준

가정간호의 질적수준을 지속적으로 향상시키기 위해서는 합리적이고 조직적인 가정간호 업무 활동에 대한 표준이 필요하다. 대한간호협회에서 제시한 간호표준은 전체 간호실무를 포괄하고 있으므로 가정간호 분야에서는 가정간호 직무표준이 필요하다. 가정간호서비스 제공인력은 가정전문간호사가 간호표준에서 제시하고 있는 간호활동의 모든 수준이 포함되어야 한다.

가정간호표준은 1999년 10개의 표준(가정간호서비스의 조직, 최고 책임자와 서비스 감독자의 역할, 이론, 자료수집, 진단, 계획, 중재, 평가, 전문성 개발, 윤리)과 79개 기준 및 94개 지표로 구성된 〈가정간호실무표준〉이 석사학위 논문으로 개발되었다. 2004년도에는 박사학위 논문으로 구조, 과정 및 결과 측면의 16개로 구성된 〈가정간호표준〉이 개발되었다. (Table 4-2).

Table 4-2 가정간호실무표준(1999년 개발)

표준	정의
표준 1. 가정간호서비스의 조직	가정간호 최고책임자와 가정간호서비스 감독자의 역할
표준 2. 이론	가정간호사는 실무에서 판단의 근거로 이론적 개념을 적용한다.
표준 3. 자료수집	가정간호사는 포괄적이고, 정확하며, 체계적인 자료들을 지속적으로 수집하고 기록한다.
표준 4. 진단	가정간호사는 수집한 자료를 이용하여 간호진단을 결정한다.
표준 5. 계획	가정간호사는 목표를 달성하기 위한 간호계획을 개발한다. 간호계획은 간호진단에 근거하고 치료적, 예방적, 재활적인 간호행위를 포괄한다.
표준 6. 중재	가정간호사는 간호계획에 따라 안위를 제공하고, 건강의 회복, 향상, 증진을 도모하며, 합병증 및 후유증 예방과 재활을 돕기 위한 중재를 수행한다.
표준 7. 평가	가정간호사는 목적 달성을 확인하고 데이터베이스, 간호진단, 간호계획을 수정하기 위해 지속적으로 중재에 대한 환자와 가족의 반응을 평가한다.
표준 8. 전문성 개발	가정간호사는 전문성 개발에 대한 책임이 있으며, 동료들의 전문성 향상에 기여해야 한다.
표준 9. 연구	가정간호사는 가정간호에 대한 전문적인 지식을 지속적으로 개발할 수 있는 연구활동에 참여한다.
표준 10. 윤리	가정간호사는 대한간호협회가 제정한 간호사윤리강령을 실무에서 윤리적 의사결정의 지침으로 활용한다.

Table 4-3 **가정간호표준(2004년 개발)**

구분	표준	정의
구조	표준 1. 가정간호기관은 사업의 철학과 목적을 수립한다.	가정간호사업기관은 기관의 설립 이념과 가정간호사업 실시 배경에 따른 철학과 목적을 수립한다.
	표준 2. 가정간호사업기관은 조직 및 운영체계를 수립한다.	가정간호사업기관은 가정간호사업을 자율적으로 수행하는 데 필요한 조직을 편성하여 기능을 부여하고, 운영방침을 정하여 사업을 해 나갈 수 있는 체계를 수립한다.
	표준 3. 가정간호사업기관은 공간 및 장비와 물품을 확보한다.	가정간호사업기관은 가정간호 업무 수행을 위하여 지속적이고 독립적으로 사용할 수 있는 전용 사무실과 필요한 장비 및 물품을 구비한다.
	표준 4. 가정간호사업기관은 사업관리체계를 수립한다.	가정간호사업기관은 가정간호사업의 목표 달성을 위하여 환자 및 지역사회의 요구에 부응하는 서비스를 계획하고 인력, 재정, 정보 및 물적 자원을 효율적으로 기획, 조직, 집행, 지휘, 통제하는 체계를 수립한다.
	표준 5. 가정간호사업기관은 환자 관리체계를 수립한다.	가정간호사업기관은 환자 간호의 목표 달성을 위하여 의뢰 단계에서 종결 단계까지 환자 방문과 관련하여 발생되는 모든 업무를 효율적으로 기획, 조직, 집행, 지휘, 통제하는 체계를 수립한다.
	표준 6. 가정전문간호사는 상급 수준의 사정을 수행한다.	가정전문간호사는 과학적 인식 방법의 체계를 이용하여 임상 증상과 증후들을 해석하고 과거의 구체적인 상황과 비교하면서 전체적으로 환자의 상태를 파악한다.
	표준 7. 가정전문간호사는 목표 달성을 위하여 간호진단을 확인하고 간호계획을 수립한다.	가정전문간호사는 과학적 사실에 근거하고 성취 가능한 간호목표를 수립한다. 또한 풍부한 경험과 노하우를 활용하여 정확하게 문제 핵심에 접근하며 간호진단을 도출하고 간호계획을 수립한다.
	표준 8. 가정전문간호사는 전문적인 간호를 수행한다.	가정전문간호사는 고위험 환자의 복합적이고 심각한 간호 요구를 해결하기 위하여 환자별로 계획된 전문적 간호를 독자적으로 수행한다.
과정	표준 9. 가정전문간호사는 간호계획에 의한 간호수행 결과와 목표 달성 정도를 평가한다.	가정전문간호사는 고위험 환자의 복합적이고 심각한 간호 요구를 해결하기 위하여 환자별로 계획된 전문적 간호를 독자적으로 수행한다.
	표준 10. 가정전문간호사는 환자의 권리를 존중하고 윤리적인 방법으로 간호 문제를 해결한다.	가정전문간호사들은 환자들의 존엄성을 유지하면서 성실하고 평등하게 간호하며 윤리적 갈등을 초래하는 문제가 발생했을 경우 간호사 윤리강령에 의해 윤리적으로 문제를 해결한다.

구분	표준	정의
과정	표준 11. 가정전문간호사는 환자와 간호제공자, 학생, 일반간호사 및 지역사회를 대상으로 교육한다.	가정전문간호사는 환자의 회복을 촉진하고 빠른 기능 회복과 건강한 행동을 유도하기 위하여 환자와 간호제공자 및 가족을 교육하며 교육자료를 개발한다. 또한 가정전문간호사 교육과정생과 일반 간호사 교육뿐 아니라 지역사회 건강관리 능력을 향상시키기 위해 지역사회 주민과 보건의료인을 교육한다.
	표준 12. 가정전문간호사는 대상자의 상담 요구를 파악하고 상담한다.	가정전문간호사는 도움을 청하는 대상자에게 전문적 지식과 경험에 근거하여 문제의 본질을 파악시키고 해결 방법을 스스로 찾도록 도와준다.
	표준 13. 가정전문간호사는 자원을 확보하고 효율적으로 활용한다.	가정전문간호사는 사례 관리자로서 저렴한 비용으로 적정기간 내에 기대한 간호목표에 도달할 수 있도록 필요한 자원을 확보하고 효율적으로 활용한다.
	표준 14. 가정전문간호사는 전문성 개발과 전문직 발전을 위한 활동에 지속적으로 참여한다.	가정전문간호사는 전문직을 유지하고 발전시킬 책임이 있으므로 전문성 향상을 위하여 끊임없이 자기개발을 하고 가정간호사업의 발전을 위하여 전문직 단체 활동에 적극적으로 참여한다.
	표준 15. 가정전문간호사는 연구에 참여한다.	가정전문간호사는 가정간호 실무에 대한 과학적 근거의 확장과 연구 결과 적용으로 실무를 향상시키기 위하여 지속적으로 연구에 참여한다.
결과	표준 16. 가정간호사업에 대한 결과를 측정하고 평가한다.	가정간호사업의 결과는 가정전문간호사에 의해 제공된 간호의 결과를 측정하는 것으로 환자의 건강 상태 변화, 가정간호 서비스 만족도, 환자와 가족의 지식과 기술의 향상 정도를 평가하는 것이다.

학위논문으로 개발된 2개의 가정간호표준이 대한간호협회의 간호표준과 차이를 보이는 부분은 구조적 측면의 추가이다. 가정간호사업은 의원에서부터 상급종합병원까지 의료기관에서 가정간호사업을 담당하는 전담부서를 설치 또는 지정하여 운영하게 되므로 구조적 측면의 표준이 필요하다. 그러나 이러한 구조적 측면의 표준은 의료기관의 크기에 따라 기관 표준에 가정간호 조직에 대한 표준을 포함하여 관리할 수 있다.

3 미국 가정간호표준

1) 가정간호사

미국에서는 약 14만 명 이상의 간호사가 가정간호 분야에 종사하고 있다. 가정간호는 간호실무의 특정 분야로서 가정과 지역사회에서 환자와 가족, 돌봄 제공자의 최적의 건강과 안녕을 증진시키는 목적을 가지고 있다. 따라서 가정간호사(home health nurse)는 환자, 가족, 돌봄 제공자가 최고수준의 신체적, 기능적, 영적, 심리사회적 건강을 달성하도록 하기 위해 힘을 북돋게 하는 목적을 가지고 전체론적 접근을 한다. 가정간호사는 모든 연령과 문화, 그리고 생의 말기를 포함한 건강과 질병의 모든 단계에 있는 환자에게 간호서비스를 제공한다.

가정간호는 환자의 거주지에 주거하는 모든 연령대의 환자에게 적용되는 간호로 개인가정과 요양시설 및 보조생활시설(assisted living)에서 서비스를 제공한다. 전 생애주기에 있는 환자를 돌보는 가정간호사는 일차, 이차 및 삼차예방 수준의 의료서비스를 포괄하여 제공하며 지역사회 자원을 조정하여 건강관리 서비스를 전달한다. 따라서 가정간호 실무는 개인 건강의 전체적인 관리 측면에서 질병이나 장해의 치료를 강조한다.

미국에서 가정간호사는 학사수준의 간호사(RN)를 선호한다. 그 이유는 학사수준의 교육과정에서는 지역사회 건강의 원리와 실무, 사례관리, 환자교육과 리더십에 대해 강조하기 때문이다. 가정간호사협회에서는 가정간호사를 위해 프로그램 관리, 개념과 모델, 질병관리, 최근의 이슈와 경향, 연구를 포함한 핵심 교육과정을 개발하였다. 가정간호는 특정 지식과 기술, 그리고 역량이 필요하므로 지속적으로 역량을 강화하는 계속교육이 필요하다.

2) 가정간호실무표준

미국간호사회(American Nurses Association, ANA)에서는 1986년에 가정간호실무표준(Scope and Practice for Home Health Care)을 처음으로 개발하여 출판하였고, 1992년과 1999년, 2007년에 수정·보완을 거쳐 2014년 2차 개정판을 출판하였다. 미국의 가정간호는 지역사회중심의 가정간호사업(Community-based Home Health Care)도 가능하므로, 일반간호사(RNs)와 석사 또는 박사학위를 가진 전문간호사(APRNs)가 모두 가정간호서비스를 제공할 수 있다. 따라서 개정 가정간호실무표준에는 이들의 역할을 포괄하고 있다.

실무표준은 6개의 가정간호실무표준(standards of practice for home health nursing)과 10개의 가정간호전문직수행표준(standards of professional performance for home health nursing)으로 구성되어 있으며 기준은 실무간호사에 상급실무간호사의 기준이 추가되어 있다(Table 4-4).

Table 4-4 미국 가정간호실무표준 및 전문직수행표준(ANA, 2014)

구분	표준
가정간호실무표준(standards of practice for home health nursing)	
표준 1. 사정(assessment)	가정간호사는 환자의 건강과/또는 상황과 관련된 포괄적인 데이터를 수집한다.
표준 2. 진단(diagniosis)	가정간호사는 진단, 욕구(needs), 문제를 결정하기 위해 사정자료를 분석한다.
표준 3. 결과 확인 (outcome identification)	가정간호사는 환자, 가족, 돌봄 제공자와 돌봄 상황에 따라 개별화된 계획에 대해 예상되는 결과를 확인한다.
표준 4. 계획(planning)	가정간호사는 예상되는 결과를 얻기 위한 전략과 대안을 설정하고 계획한다.
표준 5. 이행(implementation)	가정간호사는 개별화된 환자 계획을 수행한다.
표준 5A: 간호조정 (cordination of care)	가정간호사는 간호를 조정한다.
표준 5B: 건강 교육 및 건강 증진(health teaching and health promotion)	가정간호사는 건강과 안전한 환경을 증진하기 위한 전략을 사용한다.
표준 5C: 상담(consultation)	가정전문간호사는 확인된 계획에 영향을 미치고 타 건강관리 제공자와 환자의 능력을 강화하며 변화를 영향을 미칠 수 있도록 상담을 제공한다.
표준 5D: 처방 권한 및 치료 (priscriptive authority and treatment)	가정전문간호사는 법과 규정에 따라 처방권한, 처치, 의뢰, 치료 및 요법을 사용한다.
기준 6. 평가(evaluation)	가정간호사는 결과 달성을 향한 과정을 평가한다.
가정간호 전문직수행표준(standards of professional performance for home health nursing)	
표준 7. 윤리(ethics)	가정간호사는 실무를 윤리적으로 한다.
표준 8. 교육(education)	가정간호사는 현재 간호실무를 반영하는 지식과 역량을 획득한다.
표준 9. 근거기반 실무와 연구 (evidence-based practice and research)	가정간호사는 근거와 연구결과를 실무에 통합한다.

구분	표준
표준 10. 실무의 질(quality of practice)	가정간호사는 질적 간호실무에 기여한다.
표준 11. 의사소통(communication)	가정간호사는 모든 실무 분야에서 다양한 형식으로 효과적으로 의사소통한다.
표준 12. 리더십(leadership)	가정간호사는 전문적인 실무환경과 전문분야에서 리더십을 발휘한다.
표준 13. 협업(collaboration)	가정전문간호사는 환자, 가족, 돌봄 제공자, 학제 간 건강 관리팀, 기타 간호실무 수행자들과 협업한다.
표준 14. 전문실무평가 (professional practice evaluation)	가정전문간호사는 전문 실무표준과 지침, 규칙, 법령, 규칙, 규정과 관련하여 본인의 간호행위를 평가한다.
표준 15. 자원활용(resource utilization)	가정간호사는 안전하고 효과적이며 재정적으로 책임있는 간호서비스를 계획하고 제공하기 위해 적절한 자원을 활용한다.

II 의료기관 인증표준과 가정간호표준

1 국내 의료기관 인증표준과 가정간호표준

의료기관 환자의 안전과 의료의 질 향상을 위하여 자발적이고 지속적인 노력을 유도하여 의료소비자에게 양질의 의료서비스를 제공하도록 하기 위한 제도는 의료기관 평가인증제도이다. 우리나라는 의료기관 평가를 위해 2000년에 설립한 의료기관평가인증원(Korea Institute for Healthcare Accreditation)에서 「의료법」에 따라 모든 규모의 의료기관을 평가하고 있다. 의료기관 인증기준의 틀은 의료기관이라면 마땅히 환자 안전보장을 위해 노력해야 한다는 기본 전제 하에, 환자의 입장에서 진료과정을 추적 조사할 수 있도록 구성하였고, 의료서비스의 질 향상 및 감염관리를 위해 노력하고, 양질의 환자 진료를 지원하는 기능과 조직의 전문성을 강조하였으며, 마지막으로 지표를 통한 성과관리 측면을 포함하고 있다. 즉, 인증기준은 기본가치체계와 환자진료체계 및 조직관리체계가 유기적으로 상호교류하면서 의료의 질을 향상시키고 나아가 의료기관이 성과를 도출해내도록 유도하는 성과관리체계를 가지고 있다. 따라서 인증평가는 4개의 영역(domain), 13개의 장(chapter), 92개의 기준(standard)과 의료기관 규모에 따라 차이가 있는 조사항목에 따라 진행된다(Table 4-5).

Table 4-5 의료기관 평가기준

영역	장
Ⅰ. 기본가치체계	1장 환자 안전보장 활동
Ⅱ. 환자진료체계	2장 진료전달 체계와 평가
	3장 환자 진료
	4장 의약품 관리
	5장 수술 및 마취 진정관리(가정간호 비해당)
	6장 환자권리 존중 및 보호
Ⅲ. 조직관리체계	7장 질 향상 및 환자안전 활동
	8장 감염관리
	9장 경영 및 조직운영
	10장 인적자원관리
	11장 시설 및 환경 관리
	12장 의료 정보/의무 기록 관리
Ⅳ. 성과관리체계	13장 성과 관리

우리나라는 「의료법시행규칙」에 의거하여 가정간호사업은 의료기관의 장이 2명 이상의 가정전문간호사를 두어야 가정간호 부서 개설 및 가정간호를 제공하는 의료기관 가정간호사업이 가능하다. 따라서 의료기관 평가인증에서 가정간호 부서에 대한 평가가 포함되어야 한다. 그러나 가정간호서비스는 환자가 있는 장소인 가정 또는 주거지에서 제공되므로 의료기관 평가에 포함하기 어려운 부분도 있을 수 있다. 현재 가정간호가 포함된 기준은 〈2장 진료전달체계와 평가〉에서 '퇴원 시 가정간호가 필요한 경우에는 정보를 제공한다' 외에는 없다.

의료기관평가인증원의 표준은 간호표준이 될 수 있으며, 가정간호 분야에 대한 평가가 함께 이루어진다면 가정간호의 질적 향상과 질적 수준의 유지에도 도움이 될 것이다. 그러므로 의료기관평가인증에 가정간호 부서에 대한 평가기준이 추가되어야 할 것이다.

2 국제 의료기관 인증표준과 가정간호표준

의료기관의 국제적인 인증은 Joint Commission International (JCI)에서 국제표준에 따라 실시하고 있다. JCI는 국제적 공동체의 표준을 기반으로 의료기관 평가에 대해 객관적인 방법을 제공하므로 국제적 합의에 기반을 둔 표준과 지침을 적용함으로써 의료기관의 안전한 환자치료와 지속적인 의료행위 개선을 도모하는 것을 목적으로 한다. 인증 과정은 자발적으로 이루어지고 있어 평가를 받고자 하는 기관은 JCI에서 제시하고 있는 환자의 안전과 건강관리의 질 향상에 대한 모든 평가항목에 대해 요건이 충족되거나 또는 충족을 위한 개선활동을 해야 한다. 비록 JCI 인증 서비스가 국제적 공통 인식에 따른 기준에 바탕을 두고 있지만 지역에 따라 사회, 문화적 배경이 다르므로 이를 감안하여 적용가능한 기준을 사용하기도 한다.

JCI에서는 국제환자안전목표(International Patient Safety Goals, IPSG)을 제시하고 있다. 국제환자안전목표(IPSGs)는 환자안전의 구체적인 개선책을 마련하도록 촉진하는 것이 목적이며, 의료제공 시 문제가 있는 분야를 강조하고, 이러한 의료문제에 대한 근거 및 전문가 기반의 합의를 이루어 해결책을 제공할 수 있도록 하고 있다. 즉, JCI는 환자안전표준에 따라 의료기관을 평가한다.

국제환자안전목표는 다음과 같다.

① 환자를 올바르게 식별한다.

② 효과적으로 커뮤니케이션을 개선한다.

③ 고위험(High-alert) 약물의 안전성을 개선한다.

④ 안전한 수술을 보장한다.

⑤ 의료 관련 감염의 위험을 감소시킨다.

⑥ 낙상으로 인한 상해 위험을 감소시킨다.

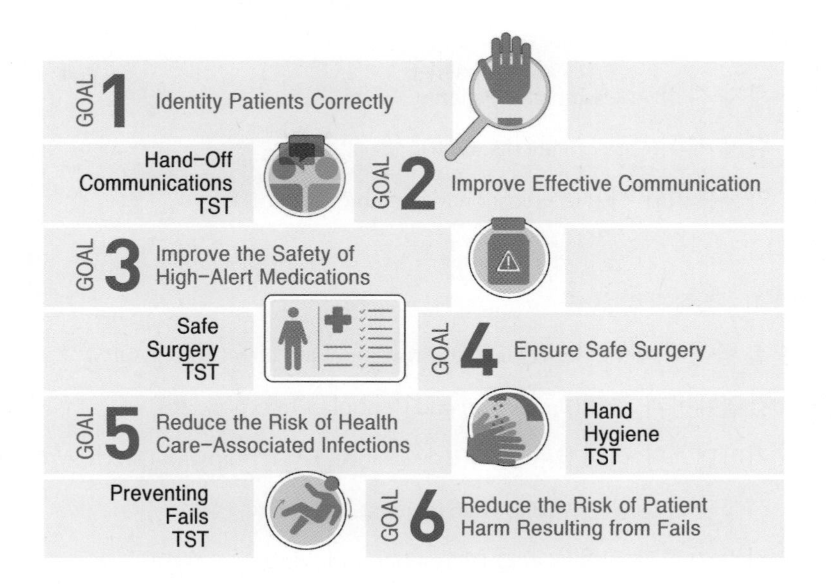

Fig 4-1 JCI의 국제환자안전목표(IPSG)
[출처: Joint Commission International website (www.jci.org)]

JCI에서는 가정간호표준(JCI Standards for Home Care)을 환자중심 케어(patient-centered care)와 건강조직관리(home care organization management)의 두 영역으로 구성하고 있다. 환자중심 케어 영역 중 국제환자 안전 목표 중 ④번 '안전한 수술 보장'은 가정간호에 해당되지 않으므로 이를 제외하였으며, 인증을 위해 평가를 받고자 하는 조직이 국제환자 안전 목표의 또 다른 항목에 대해서도 비해당 사항이 있을 수 있으므로 이는 평가 시 사전 협의가 필요함을 고지하고 있다. 가정간호표준은 처음 설정한 이후 계속해서 수정·보완하고 있으며, 2022년부터 실시하는 가정간호 인증에는 다음의 표준을 적용하고 있다.

미국의 가정간호는 다학제 접근이므로 간호사 외에도 의사, 물리치료사, 작업치료사 등 다양한 전문가들이 서비스를 제공한다. 따라서 가정간호표준의 환자에 대한 케어(care)는 다학제 전문인력 모두가 준수해야 하는 내용이다.

- 영역 I : 환자중심 케어 표준
  - 국제환자안전목표(Internatioanl Patient Safety Goals, IPSG)
  - 케어 접근과 지속성(Access to Care and Continuity of Care, ACC)

- 환자중심 케어(Patient-Centered Care, PCC)
- 환자 사정(Assessment of Patients, AOP)
- 환자 케어(Care of Patients, COP)
- 약물관리와 사용(Medication Managemet Use, MMU)

• 영역 II: 조직관리 표준
  - 질 향상과 환자안전(Quality Inprovement in Patient Safety, QPS)
  - 감염예방과 관리(Prevention and Control of Infection, PCI)
  - 거버넌스와 리더십과 관리(Governance, Leadership and Direction, GLD)
  - 시설관리와 안전(Facility Management and Safety, FMS)
  - 직원 자격과 교육(Staff Qualifications and Education, SQE)
  - 정보관리(Management of Information, MOI)

가정전문간호사의 역량

Home Health Care

역량(competency)은 '어떤 일을 해낼 수 있는 능력'이라는 사전적 의미가 있으며 흔히 수행능력을 말한다. 1967년 간호학자인 유라(Yura)와 월시(Walsh)는 간호과정에서 필수적인 3가지 유형의 기술(skill)은 지적능력(intellectual skill)과 대인관계술(interpersonal skill), 그리고 기술력(technical skill)이라 하였다. 1985년 노만(Norman)은 임상 역량을 5가지 역량인 실무능력(clinical skills), 지식과 이해력(knowledge and understanding), 대인관계 속성(interpersonal attributes), 문제해결과 임상 판단(problem-solving and clinical judgement), 그리고 기술력(technical skills)으로 구분하기도 하였다. 이들 외에도 여러 학자들이 간호에 필요한 간호역량(nursing competencies)을 제시하였고, 이는 간호교육과정 개발의 틀로 이용하기도 한다.

1 간호사의 역량

미국의 간호교육협회(AACN,2021)에서는 역량중심의 교육(competency-based education)을 위해 전문간호교육을 위한 필수역량을 제시하고, 이를 간호교육 프로그램의 구조로 삼고 있다. 필수역량은 10개의 영역과 각 영역별 역량 및 하위역량으로 구성되어 있다. 10개의 영역은 간호실무지식, 환자중심 간호, 인구집단건강, 간호학문을 위한 학식, 질과 안전, 전문가 간 협력, 체계중심의 실무, 정보학과 보건의료기술, 전문직업성, 개인 전문성 및 리더십 개발이다. 각 영역별로 전문간호 입문을 교육인 학부교육과 상급수준의 간호교육의 역량을 제시하고 있다.

뿐만 아니라 학사수준과 석사수준의 간호교육에서 교육인증의 틀로써 적용하고 있는 간호사를 위한 질과 안전 교육(Quality and Safety Education for Nurses, QSEN) 역량이 있다. QSEN 역량은 환자중심 간호(Patient-Centered Care), 팀워크와 협업(Teamwork & Collaboration), 근거기반 실무(Evidence-Based Practice), 질 향상(Quality Improvement), 안전(Safety), 그리고 정보학(Informatics)의 6개 영역으로 구분되어 있고, 이들 역량은 간호표준을 위해 간호사가 갖추어야 할 역량이다.

① 환자중심 간호: 환자(대상자)를 통제의 원천으로 인식하고 환자의 선호도, 가치 및 요구에 대한 존중을 바탕으로 온정적이고 조정된 간호를 제공하는 완전한 파트너로 인식하는 것
② 팀워크 및 협업: 간호와 전문가 간 팀 내에서 효과적으로 기능하여 개방적인 의사소통, 상호 존중 및 공유 의사 결정을 촉진하여 양질의 환자 간호를 성취하는 것
③ 근거기반 실무: 최적의 간호서비스를 제공하기 위한 임상 전문성과 환자/가족의 선호도 및 가치와 함께 최신 근거를 통합하는 것
④ 질 향상: 자료를 사용하여 간호과정의 결과를 관찰하고, 개선 방법을 통해 변경사항을 설계 및 테스트하여 건강관리체계의 질과 안전을 지속적으로 개선하는 것
⑤ 안전: 시스템 효과와 개별 수행 모두를 통해 환자와 제공자에 대한 위해 위험을 최소화하는 것
⑥ 정보학: 정보 및 기술을 사용하여 커뮤니케이션, 지식 관리, 오류 완화 및 의사 결정을 지원하는 것

간호교육에서 적용하고 있는 역량은 실무에서 필수적인 핵심 역량이다. 그러나 병원과 지역사회의 다양한 영역에서 각각 필요로 하는 추가 역량이 있을 수 있다. 특히 전문간호 영역의 경우 심화된 역량과 영역별로 추가로 필요한 역량이 있다. 2019년 라슨(Larson)은 지역사회 보건간호사의 핵심 역량(core competencies)으로 분석과 사정, 정책개발/프로그램 기획, 의사소통, 문화 역량, 지역사회 실무, 공중보건과학, 재정기획과 관리, 리더십과 체계적 사고가 필요함을 강조하였으며, 이러한 역량은 지역사회 기반 실무를 하는 가정전문간호사에게도 필요한 역량이다.

2 가정전문간호사의 역량

가정전문간호사는 병원에서 퇴원하여 지역사회에 거주하는 환자를 간호하므로 병원간호사와 지역사회간호사에게 필요한 역량을 모두 갖추어야 하며, 전문간호사이므로 일반간호사에 비해 높은 수준의 역량이 필요하다. 그러므로 가정전문간호사의 역량은 간호사의 필수역량에 더해 가정간호 고유 업무에 필요한 역량이 추가되어야 한다.

1) 환자중심간호 역량

환자중심의 간호(patient-centered care)는 근거를 기반으로 환자를 참여시키는 전략을 사용한다. 이러한 전략은 환자가 자신의 건강 상태를 관찰하고 건강을 증진시키는 치료계획을 준수하는 데 보다 적극적으로 참여하는 파트너가 되도록 동기를 부여하는 것이다. 환자참여 중재는 동기부여 인터뷰, 환자 성공을 촉진하는 장기 목표를 세우고 이를 실행 계획으로 옮기는 것 등이 포함된다. 가정전문간호사는 환자 교육을 제공할 때 성인 학습, 건강 이해력, 코칭, 긍정적 강화, 문제 해결 및 정보 공유 원칙을 사용할 수 있어야 한다. 또한 환자의 개별 요구와 선호도를 확인하고 이해하며 관리한 다음 이러한 요구와 선호도를 충족시키기 위해 해당 치료를 조정할 수 있어야 한다. 때로 가정전문간호사는 환자의 요구와 선호도를 충족하기 위해 치료 경로와 근거기반 지침에서 파생된 치료를 개별화해야 한다.

2) 통합적 사고 역량

가정전문간호사가 갖추어야 할 필수 역량은 무엇보다 시스템을 볼 줄 알고, 효과적인 간호중재를 시의적절하게 제공할 수 있는 통합적인 사고(integrated thinking) 역량이다. 또한 대상자 및 가족과 시의적절하게 의사소통을 하고, 통합적 사고를 통해 최선의 의사결정을 수행할 능력을 갖추는 것이 필요하다. 또한 가정전문간호사의 의사결정이 환자와 시스템 수준에서 어떠한 영향을 미칠 수 있는지 고려하여 의사결정에 반영하는 능력을 기르는 것도 필요하다.

3) 근거기반실무 역량

근거기반 치료와 환자중심 치료를 모두 제공하는 능력은 긍정적인 의료 환경의 일부이다. 과학적인 연구가 점점 더 빠른 속도로 보고되고 있으므로 근거와 일치하는 의료를 유지하기 위해 가정전문간호사는 최신 연구를 기반으로 간호의 표준으로 정착시키는 과정에서 임상 문헌, 데이터베이스 및 임상 진료 지침에 접근할 수 있어야 한다.

4) 위험 상황 인지 역량

가정전문간호사는 지역사회에서 단독으로 업무를 수행하므로 보다 통제된 환경에서 간호사가 접하지 못하는 많은 위험한 상황에 노출된다. 악천후에 환자의 집으로 운전하는 위험, 위험하거나 폭력적인 이웃이 있는 환자 방문, 과도한 위험이 있는 집에서 일하는 위험, 폭력적이고 위협적인 환자와 가족 및 간병인이 있는 가정으로 방문하는 것은 간호사 개인의 안전에 위험이 될 수 있다. 대부분의 경우 가정전문간호사는 현장에 있기 때문에 위험을 가장 잘 평가할 수 있는 인력이다. 따라서 가정전문간호사는 폭력이나 부상으로부터 자신과 동료를 보호하기 위해 간호 및 안전 문헌의 권장 사항을 따르고 조직 정책 및 절차 개발에 참여해야 한다. 가정전문간호사들은 자신과 동료가 어떠한 위험한 상황에 노출되어서는 안될지 결정할 자율성과 권한이 있어야 한다. 가정전문간호사는 자신의 건강이나 안전을 과도하게 위험에 빠뜨리는 행위를 해서는 안 된다. 때때로 환자의 집을 즉시 떠나는 것이 간호사의 안전을 확보하는 가장 좋은 방법이기도 하다. 간호사의 안전이 보장될 때 환자의 필요를 충족하기 위한 대체 계획을 수립할 수 있기 때문이다

이러한 필수역량을 바탕으로 가정전문간호사는 다음의 활동을 수행할 수 있다.

① 국가 및 지역사회 차원의 불안정한 의료 환경을 인식한다.
② 환자를 돌보는 과정에서 발생하는 수많은 윤리적 문제를 해결하고, 가정건강관리를 위한 양질의 의료서비스를 제공한다.
③ 최상의 근거기반 사례를 구현하는 데 기여한다.
④ 환자 결과의 향상을 목표로 연구를 직접 수행하거나 관련 연구에 적극 참여한다.
⑤ 환자 치료의 질 향상을 위해 최신 정보 기술을 사용한다.
⑥ 환자 치료 및 가정 건강관리서비스에 대한 경제적 보상에 영향을 미치는 입법 및 규

제의 제도 변화로 일어나는 재정적 문제를 인식하고 이를 서비스 제공 시 활용한다.

⑦ 환자 치료에 부정적인 영향을 미치지 않도록 전략적 계획을 수립한다.

⑧ 전문가 간 협업을 할 수 있어야 한다.

참고문헌

1. 김혜영(2005), 가정간호표준개발. 이화여자대학교 박사학위 논문.
2. 보건복지부(2023). 의료기관 가정간호 업무편람, p. 9~16.
3. 송종례(1999). 한국의 가정간호실무표준 개발. 연세대학교 보건대학원 보건학 석사학위 논문.
4. American Nurses Association. (2013a). ANA recognized terminologies that support nursing practice. Retrieved from http://www.nursingworld.org/terminologies
5. American Nurses Association. (2013b). Safe patient handling and mobility: Interprofessional national standards across the care continuum. ANA.
6. Association for Professionals in Infection Control and Epidemiology (APIC). Home Care Membership Section, Embry, F. C., Chinnes, L. F., et al.(2008). APIC-HICPAC surveillance definitions for home health care and home hospice infections. Retrieved from http://www.apic.org/resource_/tinymcefilemanager/ practice_guidance/hh-surv-def.pdf
7. Auer, P., & Nirenberg, A. (2008). Nurse practitioner home-based primary care: A model for the care of frail elders. Clinical Scholars Review, 1(1), 33-39.
8. Benefield, L. (2000). Critical Competencies for Nurses in the New Millennium. Home Healthcare Nurse, 18(1), 17-21.
9. Bergquist-Beringer, S., & Gajewski, B. J. (2011) Outcome and Assessment Information Set data that predict pressure ulcer development in older adult home health patients. Advances in Skin and Wound Care, 24(9),404-414.
10. Blumenthal, D., & Tavenner, M. (2010). The "meaningful use" regulation for electronic health records. New England Journal of Medicine, 363(6), 501 - 504.
11. Bowles, K. H., Potashnik, S., Ratchliff, S. J., Rosenberg, M., Shih, N.-W., Topaz, M., Naylor, M. D. (2013). Conducting research using the electronic health record across multi-hospital systems. Journal of Nursing Administration, 43(6), 355-360.
12. Calys, M., Gagnon, K., & Jernigan, S. (2012), A validation study of the Missouri Alliance for Home Care fall risk assessment tool. Home Health Care Management & Practice, 25(2), 39-44.
13. Candy, B., Holman, A., Leurent, B., Davis, S., & Jones, L. (2011). Hospice care delivered at home, in nursing homes and in dedicated hospice facilities: A systematic review of quantitative and qualitative evidence. International Journal of Nursing Studies, 48(1), 121-133.
14. Centers for Disease Control and Prevention (CDC). (2012). Use and characteristics of electronic

health records systems among office-based physician practices: United States, 2001-2012. Retrieved from http://www.cdc.gov/nchs/data/databriefs/db111.htm

15. Centers for Medicare & Medicaid Services (2021). Home Health Agency (HHA) Center Retrieved from https://www.cms.gov/Center/Provider-Type/Home-Health-Agency-HHA-Center
16. Corbett, C. F., Setter, S. M., Daratha, K. B., Nuemiller, J. J., & Wood, L. D. (2010). Nurse-identified hospital to home medication discrepancies: Implications for improving transitional care. Geriatric Nursing, 31(3),188-196.
17. Dwyer, L. L., Harris-Kojetin, L. D., Valverde, R. H., Frazier, J. M., Simon, A. E., Stone, N. D., & Thompson, N. D. (2013). Infections in long-term care populations in the United States. Journal of the American Geriatrics Society, 61(3), 341-349.
18. Fazzi Associates. (2009). The Blackberry report: The national state of the home care industry. Retrieved from http://www.leadinghomecare.com/blog.2009/10/blackberry-report-national-state-of.html
19. Fazzi Associates. (2013). National state of the industry: Home care and hospice. Retrieved from http://www.fazzi.com/id-2013-state-of-the-home-care-industry-study.html
20. Friedman, D. J., Parrish, R. G., & Ross, D. A. (2013). Electronic health records and US public health: Current realities and future promise. American Journal of Public Health, 103(9), 1560-1567.
21. Gomes, B., Calanzani, N., Curiale, V., McCrone, P., & Higginson, I. J. (2013). Effectiveness and cost-effectiveness of home-based palliative care services for adults with advanced illness and their caregivers. Cochrane Database of Systematic Reviews, 6, Art. No. CD007760.
22. Hall, P. B., Poole, R., & Hall, C. A. (2013). Bridging the gaps in supportive information systems. Home Healthcare Nurse, 31(8), 419-428.
23. Harris, M. (2010). Handbook of home health care administration, fifth edition. Jones & Bartlett.
24. Heeke, S., Wood, F., & Schuck, J. (2014). Improving care transitions from hospital to home: Standardized orders for home health nursing with remote telemonitoring. Journal of Nursing Care Quality 29(2), E21-28.
25. Hoban, M. B., Fedor, M., Reeder, S., & Chernick, M. (2013). The effect of telemonitoring at home on quality of life and self-care behaviors of patients with heart failure. Home Healthcare Nurse, 31(7), 368-377.
26. Institute of Medicine (IOM). (2010). The future of nursing: Leading change, advancing health.

National Academy of Sciences.

27. Larson, R., & Reif, L. A.. (2019). Leveling the core competencies of public health nursing to evaluate senior baccalaureate nursing students. Public Health Nursing. 36(5), 744-751.
28. National Institute for Occupational Safety and Health (NIOSH). (2010). Occupational hazards in home healthcare. Retrieved from http://www.cdc.gov/niosh/docs/2010-125/pdfs/2010-125.pdf
29. Joint Commission International.(2012). Joint Commission International Accreditation Standards for Home Care. p. 39-40, p. 45-46.
30. Madigan, E. A., Gordon, N. H., Fortinsky, R. H., Koroukian, S. M., Piña, I., & Riggs, J. S. (2012). Rehospitalization in a national population of home health care patients with heart failure. Health Services Research, 47(6), 2316-2338.
31. Madigan, E. A., Schmotzer, B. J., Struk, C. J., DiCarlo, C. M., Kikano, G., Pina, I. L., & Boxer, R. S. (2013). Home health care with telemonitoring improves health status for older adults with heart failure. Home Health Care Services Quarterly, 32(1), 57-74.
32. Madigan, E.A., & Vanderboom, C. (2005). Home health nursing research priorities. Applied Nursing Research, 18(4), 221-225
33. Martin, K. S. (2005). The Omaha System: A key to practice, documentation, and information management (reprinted 2nd ed.). Health Connections Press.
34. Martin, K. S., & Utterback, K. B. (2014). Home health and related community￢based systems. In R. Nelson & N. Staggers, Health informatics: An interprofessional approach (pp. 147-163). Elsevier.
35. Masotti, P., McColl, M. A., & Green, M. (2010). Adverse events experienced by homecare patients: A scoping review of the literature. International Journal for Quality in Health Care, 22(10), 115-125
36. McBride SE, Beer JM, Mitzner TL & Rogers WA.(2011). Challenges for Home Health Care Providers: A Needs Assessment. Phys Occup Ther Geriatr, 29(1), 5-22.
37. McClelland, M., McCoy, M., & Burson, R. (2013). Clinical nurse specialists: Then, now, and the future of the profession. Clinical Nurse Specialist, 27(2), 96-102.
38. Mitzner TL, Beer JM, McBride SE, Rogers WA & Fisk AD.(2009). Older Adults' Needs for Home Health Care and the Potential for Human Factors Interventions. Proc Hum Factors Ergon Soc Annu Meet, 53(1), 718-722.
39. Monsen, K. A., & deBlok, J. (2013). Buurtzorg Nederland. American Journal of Nursing, 113(8), 55-59.
40. Monsen, K. A., & Kerr, M. J. (2004). Mining quality documentation for golden outcomes. Home

Health Management and Practice, 16(3), 192–199.

41. Monsen, K. A., Westra, B. L., Oancea, S. C., Yu, F., & Kerr, M. J. (2011) Linking home care interventions and hospitalization outcomes for frail and non-frail elderly patients. Research in Nursing and Health, 34(2), 160–168.
42. National Association of Clinical Nurse Specialists (NACNS). (2010). Clinical nurse specialist core competencies. Retrieved from http://www.nacns.org/docs/CNSCoreCompetenciesBroch.pdf
43. Naylor, M.D., Stephens, C., Bowles, K.H., & Bixby, M.B. (2005). Cognitively impaired older adults: From hospital to home. American Journal of Nursing, 105(2), 52–61.
44. Nelson, R., & Staggers, N. (2014). Health informatics: An interprofessional approach. Elsevier.
45. O'Connor, M., & Davitt, J. K. (2012). The Outcome and Assessment Information Set (OASIS): A review of validity and reliability. Home Health Care Services Quarterly, 31(4), 267–301.
46. Omaha System. (2013). References. Retrieved from http://www.omahasystem.org/references.html
47. Plemmons, S., Lipton, B., Fong, Y., & Acosta, N. (2012). Measureable outcomes from standardized nursing documentation in an electronic health record. ANIA-CARING, 27(2), 4–7.
48. Registered Nurse Association of Ontario. (2010). Nursing care of dyspnea: The 6th vital sign in individuals with chronic obstructive pulmonary disease. Retrieved from http://rnao.ca/bpg/guidelines/dyspnea
49. Rogers, E.M. (1995). Diffusion of innovation (4th ed.). The Free Press.
50. Schlachta-Fairchild, L., Rocca, M., Cordi, V., Haught, A., Castelli, D., MacMahon, K., . . . , Arnaert, A. (2014). Telehealth and applications for delivering care at a distance. In R. Nelson & N. Staggers, Health informatics: An interprofessional approach (pp. 125–146). St. Elsevier.
51. Siegel, J. D., Rhinehart, E., Jackson, M., & Chiarello, L. (2007). Guideline for isolation precautions: Preventing transmission of infectious agents in healthcare settings. Retrieved from http://www.cdc.gov/hicpac/pdf/isolation/isolation2007.pdf
52. Spoelstra, S. L., Given, B., You, M., & Given, C. W. (2012). The contribution falls have to increasing risk of nursing home placement in community dwelling older adults. Clinical Nursing Research, 21(1), 24–42.
53. Suter, P., Gorski, L., Hennessy, B., & Suter, N. (2012). Best practices for heart failure: A focused review. Home Healthcare Nurse, 30(7), 394–405.
54. Suter, P., & Hennessey, B. (2011). Effective use of technology to engage both patients and provider

partners. Caring : National Association for Home Care Magazine, 30(8), 20-25.

55. Topaz, M., Golfenshtein, N., & Bowles, K. H. (2014). The Omaha System: A systematic review of the recent literature. Journal of the American Medical Informatics Association, 21(1), 163-170.
56. U.S. Department of Health and Human Services (U.S. DHHS). (2013). Telehealth. Retrieved from http://www.hrsa.gov/ruralhealth/about/telehealth/telehealth.htm
57. Vincent, A. E., & Birkhead, A. C. (2013). Evaluation of the effectiveness of nurse coaching in improving health outcomes in chronic conditions. Holistic Nursing Practice, 27(3), 148-161.
58. Visiting Nurse Associations of America (VNAA). (2013). VNAA blueprint for excellence: Patient engagement. Retrieved from http://www.vnaablueprint.org/patient-engagement_1.html
59. Visiting Nurse Service (VNS) of New York. (2013). VNSNY research. Retrieved from http://www.vnsny.org/vnsny-research
60. White, M., Garbez, R., Carroll, M., Brinker, E., & Howie-Esquivel, J. (2013). Is "teach-back" associated with knowledge retention and hospital readmission in hospitalized heart failure patients? Journal of Cardiovascular Nursing, 28(2), 137-146.

제 5 장

간호이론의 정의

학 / 습 / 목 / 표

① 간호이론에 대해 설명할 수 있다.
② 나이팅게일(Nightingale)의 환경이론을 설명할 수 있다.
③ 로저스(Rogers)의 인간고유성 이론을 설명할 수 있다.
④ 왓슨(J. Watson)의 인간돌봄 이론을 설명할 수 있다.
⑤ 파시(Parse)의 인간되어감 이론을 설명할 수 있다.
⑥ 오렘(Orem)의 자가간호결핍이론에 대한 내용을 설명한다.
⑦ 라이스(Rice)의 자가간호를 위한 역동적 자기결정모델(Model of Self-Determination for Self-Care)에 대한 가정간호 적용사례를 설명할 수 있다.

I 간호이론

간호이론은 현장에서 일어나는 간호 실무에 추상적 의미를 부여하며 방향성을 제시해 주는 생각의 틀로써, 다양한 간호대상자들에게 제공되는 각기 다른 실무, 그리고 간호 실무의 축적으로 나타나는 수많은 성과들을 간호 지식체로 통합할 수 있도록 하는 역할을 한다. 퍼시트(Fawcett)는 간호의 이론 구성체를 추상성의 수준에 따라 메타패러다임(metaparadigm), 철학(philosophy), 개념모형(conceptual model), 이론(theory)과 임상적 지표(empirical indicator)로 체계적으로 구분하였다. 초기에는 이러한 체계를 hierarchy로 명명하였으나 각각의 구성 요소가 독립적으로도 전체성을 띄며 이론 구성체의 요소로 전체의 일부가 되기도 하는 특성을 반영하기 위해 holarchy (hole + hierarchy)로 부르게 되었다. 이 이론 구성체(structural holarchy) 전체가 현대 간호의 이론적 지식체 구성을 보여주는 틀이라 할 수 있다**(Fig 5-1)**.

1 메타패러다임

이론 구성체를 이루는 요소 중 메타패러다임(metaparadigm)은 형이상학(metaphysics)과 어떤 현상을 바라보는 생각의 틀 혹은 과학적 사고방식을 뜻하는 패러다임(paradigm)의 합성어로, 한 학문의 중심이 되는 현상을 나타내는 포괄적인 개념(global concepts)이고, 그러한 개념이나 개념 간의 관계를 서술하는 포괄적인 전제(global propositions)를 뜻한다. 대부분의 학문에서는 하나의 메타패러다임 아래 여러개의 개념적 모델이 있고, 그 개념적 모델 아래 여러개의 이론들이 있는 계층구조를 이루고 있다.

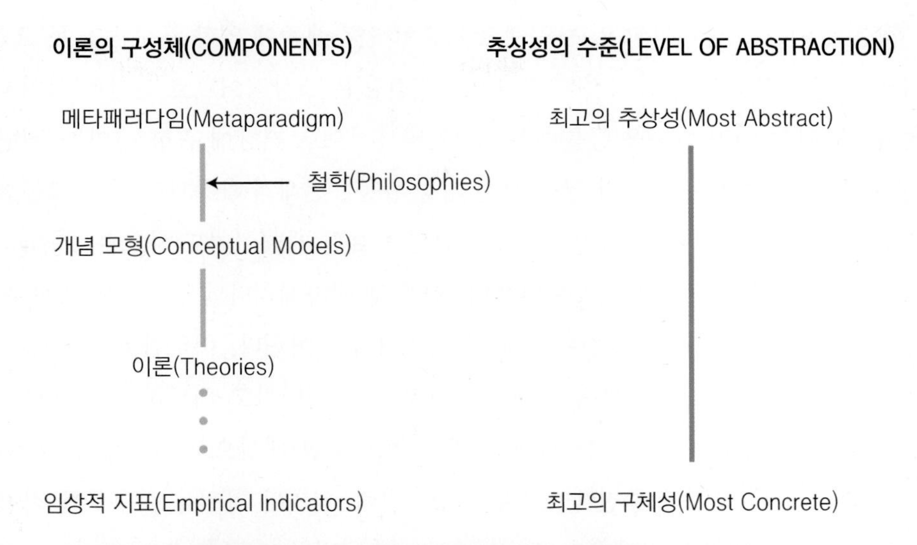

Fig 5-1 현대간호이론의 구성체: 구성요소와 추상성의 수준(Fawcett, 2005)
[출처: 서은영(2011) 상황특이적 이론 합성을 통한 한국적 간호이론 개념 개발. Perspectives in Nursing Science (간호학의 지평), 8.의 p. 11.]

간호학에서도 메타패러다임은 간호이론 구성체의 가장 추상적인 수준의 요소로 간호 실무, 교육, 연구 전반에 대한 가장 포괄적인 사고의 틀이다. 간호학에서는 1970년대 후반 학자들 사이에서 간호의 주개념이 확인되기 시작했고, 여러 과정을 거쳐 간호의 메타패러다임에 대한 합의가 이루어져 '인간', '환경', '건강', '간호'의 4개 개념을 메타패러다임으로 구성하였다. 간호의 메타패러다임은 타학문과 차별되는 독특성, 포괄성, 중립성, 범위와 본질의 보편성 등 메타패러다임이 될 만한 조건을 만족시키며, 간호학의 관심 영역, 관심 현상을 공유할 수 있게 하며 간호학이 한 독립된 학문으로서 존재하는 명분을 제공하고 있다.

간호의 메타패러다임 중 '인간'은 인간에 대한 간호학적인 견해에서 인간을 부분으로 이루어져 있는 개체로서 파악하려는 특수구성론적인 견해(particularistic point of view)와 인간을 전체적으로 파악해야 한다는 전인적 견해(holistic point of view)로 나누어진다. 특수구성론적인 견해에 따르면 인간은 기계와 같이 휴식을 취하고 있다가 외적인 힘에 반응하는 존재로, 이 경우 행위는 인과관계의 선상에서 나타나거나 자극-반응의 형태로 나타난다. 전인적 견해에 의하면 인간은 통합적인 전체로서 능동적이며 환경과 상호작용한다. '환경'은 인간을 둘러싸고 있는 일체의 것으로 인간생존에 영향을 주는 모든 요인으로 정의되며, 물리적 환경과 사회적 환경이 있다. '건강'은 추상적이므로 간단히 정의 내리는 것은 쉽지 않다. 여러 학문을 통틀어서 볼 때 역사적으로 건강에 관한 정의는 '질병이 없는 상태', '안위를 느끼는 것', '잘 균형 잡힌 기능 활동', '신체적 활동과 심리적 활동의 균형 등으로 다루고 있다. 건강은 가정간호와 관련된 중요한 개념이기도 하므로 2장의 가정간호와 관련된 개념'에서 구체적으로 다룬다. 간호의 메타패러다임 중 '간호' 또한 복합적, 포괄적, 추상적인 개념이므로 간단하게 정의 내리기는 어렵다. 미국간호협회(1980)는 간호를 '실제적·잠재적 건강문제에 대한 인간의 반응을 진단하고 치료하는 것'으로 정의하였고, 대한간호협회(1980)는 '모든 개인, 가족, 지역사회를 대상으로 하여 건강의 회복, 질병의 예방, 건강의 유지와 증진에 필요한 지식, 기력, 의지와 자원을 갖추도록 직접 도와주는 활동'으로 정의하고 있다.

2 철학

이론 구성체를 이루는 요소 중 철학은 메타패러다임에서 개념 모형으로 구체화하는 데 영향을 미치며, 철학적 관점은 간호의 현상을 규명하는 인간, 건강, 간호, 환경을 어떤 존재론적, 인식론적 관점으로 조망할 것인가를 결정해 준다. 근대와 현대 철학은 현실 세계를 보는 관점과 인과관계, 인식의 해석 정도에 따라 반응(reaction), 상호교류(reciprocal interaction), 동시작용(simultaneous action) 등의 세계관으로 분류한다. 근대와 현대 철학 사조 중 간호학에 영향을 많이 끼친 사조로는 논리실증주의, 구조주의, 탈구조주의, 포스트모더니즘, 해석학, 현상학, 비판이론, 페미니즘 철학 등이 있다.

3 개념 모형

간호이론 구성체의 세 번째 요소는 개념 모형(conceptual model)으로, 이는 간호학의 주된 관심 현상을 명명한 비교적 추상적이고 객관적인 개념, 개념에 대한 진술, 그리고 개념 간의 관계를 광범위하게 서술한 명제를 포함하는 틀을 일컫는다. 개념 모형들의 특징은 메타패러다임의 네 가지 요소와 요소 간의 관계를 각 개념 모형의 중심이 되는 한

두 가지 개념으로 정의하고 있다는 것이다. 개념 모형들은 개발자들이 임상 경험이나 연구결과에서 아이디어를 얻었으나 직관과 연역적 접근을 통해 현실 세계를 추상적으로 반영하는 개념을 도출한 것으로써 직접 임상적 지표로 측정할 수 없는 특징을 가지고 있다.

어떤 이론적 모형을 추상성에 따라 분류할 때 다양한 주장이 펼쳐지기도 하는데, 주로 교과서에서 거론되는 간호학의 개념 모형은 일곱 가지가 있다. 일곱 가지 간호학의 개념모형은 존슨(Dorothy Johnson)의 행동체계모형(Behavioral system model), 킹(Imogene King)의 개념체계(Conceptual system), 르바인(Myra E. Levine)의 보전모형(Conservation model), 뉴만(Neuman)의 체계모형(Systems model), 오렘(Dorothea E. Orem)의 자가간호틀(Self-care framework), 로저스(Martha E. Rogers)의 인간고유성과학(Science of unitary human beings), 로이(Callista Roy)의 적응모형(Adaptation model) 등이다(Fawcett, 2005). 오렘은 자기간호(self-care)를 하는 주체로서의 인간을, 로이는 변화된 환경에 적응하는 주체로서의 인간을, 리바인은 인간의 전체성 보존(The conservation of the human being's wholeness)을, 로저스는 에너지 장으로서의 인간을 중심으로 하여 나머지 건강, 간호, 환경과의 관계를 규명하고 있다(Fawcett, 2005). 존슨과 킹, 뉴만은 각기 약간 다른 체계(system)로 간호 대상자를 명명하고 나머지 건강, 간호, 환경과의 관계를 정의하고 있다.

4 이론

간호이론 구성체의 네 번째 요소는 이론(theory)으로, 이는 개념 모형으로부터 도출된 비교적 구체인 개념과, 개념에 대한 협의의 진술문이나 개념 간의 관계에 대한 내용을 포함하고 있는 틀이다. 이론은 어떤 현상을 기술하고 설명하며 예측하고 통제 또는 처방하려는 목적을 가진 상징적 서술로서 이론의 기능은 논리적 특성이 있으며 검증이 가능한 가설의 기반이 되기도 한다.

간호학에서는 이론을 범위에 따라 추상성과 관심현상의 범위에 따라 메타이론(meta-theory), 거대이론(grand-theory), 중범위이론(middle range-theory)과 실무이론(practice-theory)으로 구분한다(Fig 5-2).

Fig 5-2 간호이론 구성 전략

[출처: Walker, L. O. & Avant, K. C. (1988). Strategies for theory construction in nursing (2nd Eds.) Norwalk, Connecticut: Appleton & Lange, p.12.

네 가지 수준 중 가장 높은 수준인 메타이론은 간호이론과 관련된 광범위한 문제에 초점으로 두고 있으며, 이론개발과 관련된 철학적인 방법론을 다룬다. 두 번째 수준의 이론은 거대이론으로 간호 실무에 대한 광범위한 관점을 명확히 해주는 넓은 개연적 체계와 관점을 기초로 간호현상을 보는 방법으로 이루어진다. 세 번째 수준의 이론은 중범위이론으로 거대이론과 간호 실무를 연결시켜줄 수 있다. 그러나 제한된 변수를 포함하고 적용범위에 한계가 있어 검증이 가능하지만 일반화하기에는 문제가 있다. 네 번째 수준의 이론은 실무이론으로 직접적인 실무를 위한 것이며, 계획된 목표와 목표성취를 위한 활동의 처방이 주요 요소가 된다.

이론이란 실제에 관해 사고하는 방법으로 토론이나 저서를 통해 현상을 객관화할 수 있어 간호를 제공할 대상의 특수한 상황에 들어가기 전에 이론적이고 전문적인 사고를 하도록 노력해야 하는 부분과 개인의 목적 달성, 선택의 자유, 건강관리 결정의 독자성, 그리고 자가간호에 대한 개인과 가족의 책임 등을 중요하게 판단해야 한다. 간호이론은 간호영역 내에서 간호현상을 보다 잘 이해하고 설명할 뿐 아니라 이를 통제하고 예측할 수 있도록 하기 때문에, 이론을 개발하는 것은 곧 간호실무 및 간호학문의 발전과도 직결된다고 할 수 있다.

5 임상적 지표

간호이론 구성체의 마지막 요소는 임상적 지표(empirical indicators)로, 가장 구체적인 수준의 측정 요소, 측정 방법, 도구, 실험상황, 절차 등을 포함한다. 임상적 지표는 중범위 이론의 개념으로부터 도출하며 이론의 적합성과 타당성을 입증해 줄 수 있는 현실 세계와의 중개자 역할을 담당한다.

이론의 이해를 바탕으로 간호이론을 구축하는 영역은 매우 중요하며, 간호이론의 구축을 통해 간호의 전문적인 역할수행 및 간호사-환자-돌봄 제공자간의 관계를 정의할 수 있다. 이론가들이 간호의 주요 패러다임인 인간, 환경, 간호, 건강에 대한 개념의 초점을 어디에 두었는가에 따라 이론가를 욕구 및 문제중심이론가와 인간중심이론가 등으로 나누어 볼 수 있다(Table 5-1).

Table 5-1 이론의 초점에 따른 이론가 분류

이론가의 분류	이론가
욕구 및 문제중심 이론가	나이팅게일, 압델라, 핸더슨, 오렘, 홀, 팬더
상호작용중심 이론가	페플라우, 올란도, 위덴바, 킹, 에릭슨, 톰 린, 스와인, 릴-시스카, 버나드
체계중심 이론가	존슨, 로이, 베티 뉴만, 르바인, 레니저, 머서
에너지장중심 이론가	로저스, 파시, 마가렛, 뉴만, 피츠패트릭
인간중심 이론가	왓슨, 패터슨과 제라드, 베너, 아담

[출처: 이소우 외(2015). 간호이론의 이해. 수문사. p. 62.]

주요 간호이론

간호 실무에 상당한 영향을 주는 많은 간호 이론들이 있다. 대표적인 이론으로는 나이팅게일(Florence Nightingale)의 환경이론, 로저스(Martha E. Rogers)의 인간고유성 이론, 왓슨(Jean. Watson)의 돌봄의 철학과 과학, 파시(Rosemarie Rizzo parse)의 인간되어감 이론, 오렘(Dorothea Elizabeth Orem)의 자가간호 결핍이론, 그 밖에도 뉴만(Betty Neuman)의 체계모형, 로이(Callista Roy)의 적응모형 등이 있으며, 중간단계의 이론으로는 콜카바의 안전 이론, 증상관리 이론 등이 있다.

본 절에서는 주요 이론인 나이팅게일의 환경이론, 로저스의 인간고유성 이론, 왓슨의 돌봄의 철학과 과학, 파시의 인간되어감 이론, 오렘의 자가간호 결핍이론에 대해 설명하고자 한다.

1 나이팅게일의 환경이론

플로렌스 나이팅게일은 1820년 이탈리아에서 태어났으며, 1851년 독일의 카이제베르트에서 간호교육을 받았다. 나이팅게일은 크리미아 전쟁에서 군인들을 간호하는 동안 병동의 환경과 영양 상태를 개선하기 위해 노력하였고, 부상당한 병사의 사망률을 42%에서 2%로 감소시키기도 하였다. 크리미아 전쟁 후 1860년 런던의 세인트 토마스 병원에 간호학교를 설립하였고, 간호학교 커리큘럼의 기초가 된『간호에 관한 노트(Notes on Nursing, 1859)』를 저술하였다. 나이팅게일의 주요저서인『간호에 관한 노트』에서는 질병은 반드시 고통이 수반되는 것은 아니며 치료의 과정이라고 하였다. 최초의 간호이론가이자 환경이론가인 나이팅게일은 질환은 부패나 중독의 과정을 경감하기 위해 노력이 필요한 상태라 여겼으며, 간호사는 일차적으로 질환에 관한 증상이 아닌 고통의 원인이나 그 증상에 초점을 맞춘 중재를 해야 한다고 믿었다.

1) 주요개념

플로렌스 나이팅게일의 환경이론(emvironmental theory)에서 주요 개념은 '환경'으로, 환자의 주변 환경을 간호계획에 통합하고, 환경은 물리적 환경, 심리적 환경, 사회적 환경으로 분류한다. 물리적 환경과 관련이 있는 5가지 요소인 환기, 채광, 충분한 온기, 악취의 통제, 소음의 통제 등이 환자의 회복에 미치는 영향요인이다. 이외에도 심리적인 환경으로는 소통이나 충고, 변화가 포함된다. 환경이론에서는 환경에 영향을 받은 신체가 정신에 영향을 미치는 기전에 대한 이해는 부족하였으나 환자에게 자극을 줄 수 있는 여러 가지 요인에 대해 파악하였고 특히 간호사는 전체 환경 속에서 환자의 안락함과 건강회복을 중심으로 생각하면서 환경과 위생의 중요성을 다시 한 번 강조하였다.

나이팅게일의 환경이론을 메타패러다임 측면에서 살펴보면, 첫 번째 인간은 간호를 제공하거나 환경의 영향을 받는 존재이며, 질환에 대해 알맞은 환경이 존재하는 한 환자는 회복 능력이 있는 존재이다. 둘째, 환경은 개인의 삶과 발달에 영향을 미치는 외적인 조건과 힘이다. 셋째, 건강은 개인이 최대한으로 역량을 발휘함으로써 안녕을 유지하는 것이며 질병은 본래부터 부여받은 회복의 과정으로 간주하였다. 건강과 질병은 간호사 관심의 초점이며, 간호사는 치유과정을 통해 개인을 돕는 역할을 한다. 넷째, 간호는 신선한 공기, 채광, 보온 ,청결, 안정, 적절한 식이를 제공하는 데 목적이 있으며 가능한 최적의 환경을 보전함으로써 개인의 회복 과정을 촉진시킨다.

2) 간호 실무에서의 활용

환경이론에서 간호사의 역할은 환자가 회복하고 일상적인 환경으로 돌아갈 수 있도록 돕는 것이다. 나이팅게일의 간호원칙은 오늘날의 간호실무에서도 매우 중요하게 적용이 되고 있다. 간호의 역할은 인간이 자연적으로 치유될 수 있도록 도와주며 최적의 상태를 제공하는 것으로, 간호사는 신선한 공기, 광선, 깨끗한 물, 효과적인 배수, 청결, 보온, 조용, 적절한 식이와 같이 적절한 환경 상태를 제공하도록 노력하는 것이 중요하다. 이러한 나이팅게일의 이론은 오늘날 손 씻기 및 감염폐기물 처리와 같은 기본적인 감염관리 실무에 반영되었으며, 이는 가정간호에서도 매우 중요한 간호활동이다. 또한 환자에게 환경적 조건인 환기와 보온, 소음, 빛, 침상 환경 등을 최상으로 하여 치유를 도와야 한다는 주장이 현대에는 환자안전에 관련된 위험요인과 관련되어 있어 가정간호에서 환자간호를 위한 환경관리의 중요성을 이해하는 데 도움이 되고 있다.

2 로저스의 인간고유성이론

로저스는 1936년 미국 녹스빌 종합병원 간호학교에서 간호학을 시작하였고, 1937년 테네시에 있는 조지 피바디대학에서 보건간호학사를 취득했다. 이후 대학에서 교수를 시작하기 전까지 방문간호사협회에서 일했으며, 피닉스에서는 방문간호서비스(Visiting Nursing Service)를 설립하기도 하였다.

1) 주요 개념

로저스의 인간고유성이론(theory of unitary human beings)은 간호학이 인간과 환경 분야(에너지 형태) 연구에서 제시하는 이론이다. 인간-환경 분야 과정의 통합은 패턴을 가지고 계속해서 변화하는 개념이다. 여기서 인간과 환경은 축소할 수 없고 영합적인 에너지 분야로 패턴에 의해 특징된다. 패턴은 높고 낮게 흐르고 계속해서 창조적이며 예측 불가능한 방식으로 변화한다. 이와 관련하여 환자와 간호사는 상호 선택, 상호 참여, 상호 인식과 돌봄을 포함하는 과정에서 서로 함께 한다.

인간고유성이론은 간호를 과학이자 예술(science and art)로 보며, 고유한 인간을 볼 수 있는 방법을 제공한다. 간호의 목적은 인간의 건강 증진과 안녕이며, 간호중재는 사람과 환경과의 조화로운 상호작용을 촉진하고 최적의 건강을 달성하기 위해 개인의 전체성을 강화하고 인간과 환경 패턴 또는 조직을 재배치하는 것을 추구하는 것으로 본다.

로저스의 인간고유성이론을 메타패러다임 측면에서 살펴보면 다음과 같다.

첫째 인간(인간고유성, unitary human beings)은 패턴에 의해 식별되는 분할할 수 없는 범차원적 에너지 장으로 정의하고, 고유한 특성을 지닌 통합된 전체로서 부분에 대한 지식으로는 예측할 수 없으며 자신만의 뚜렷한 특성을 지닌 존재로 본다. 즉, 인간과 환경은 끊임없이 물질과 에너지를 상호 교환한다. 인간의 삶의 과정은 시간과 공간의 연속체를 따라 비가역적으로 일 방향으로 진화하며, 패턴과 조직이 인간을 규명하고 혁신적인 전체성을 반영한다. 그러므로 개인인 인간은 추상과 심상, 언어, 사고, 감각, 그리고 감정에 대한 능력으로 특징된다.

둘째, 건강(health)은 삶의 과정의 표현으로 정의하며, 건강은 인간과 환경의 동시적 상호작용에서 오는 특성과 행동이다. 건강과 질병은 동일한 연속체의 일부로 보며 삶의 과정에서 발생하는 여러 사건들은 한 사람이 자신의 최대 건강 잠재력을 어떻게 달성하는가를 보여준다.

셋째, 간호(nursing)는 사람을 섬기기 위해 존재하는 것이고, 안전한 간호는 간호사가 자신이 하는 실무에 적용하는 과학적 간호 지식의 속성과 양에 달려있다고 본다. 간호의 목표는 사람들이 자신의 최대 건강 잠재력을 달성토록 돕는 것이며, 건강 유지 및 증진, 질병예방, 간호진단, 중재, 재활 등은 간호의 목표에 대한 범위를 포함한다. 간호의 관심은 모든 사람, 즉 건강하거나 아픈 사람, 부자나 가난한 자, 젊은이와 노인에 있으며, 간호서비스의 영역은 가정, 학교, 일터, 병원, 요양원, 클리닉 등 사람들이 있는 곳으로 확장된다.

넷째, 환경(environment)은 패턴에 의해 식별되고 인간 장과 통합된 환원할 수 없고 분리할 수 없는 범 차원의 에너지 장이다. 에너지 장(energy field)은 생물과 비생물 모두의 기본 단위이며, 사람과 환경을 환원할 수 없는 전체로 보는 길을 제공한다. 에너지 장은 강도, 밀도와 범위에 따라 계속해서 달라진다.

2) 하위 개념

하위개념으로는 개방성(Openness), 범 차원(Pandimensional), 패턴(Pattern), 동종역학의 원칙(Principles of Homeodynamics), 상호성의 원칙(Principle of Reciprocity), 동기화 원칙(Principle of Synchrony), 완전의 원칙(Principle of Integrality), 공명의 원칙(Principle of Resonancy)과 나선의 원칙(Principle of Helicy)이 있다. 먼저 개방성은 인간과 환경 영역 사이의 에너지 흐름을 막는 경계는 없으며, 인간과 환경은 개방형 시스템을 가지는 특성이 있다. 범 차원은 '공간적 또는 시간적 속성이 없는 비선형 영역'으로 정의하였다. 패턴은 단일 파동으로 보이는 에너지장의 구별되는 특성으로 정의한다. 동종역학의 원칙은 생체 시스템에서 내부 작동의 비교적 안정적인 상태를 말하며 동종역학의 세 가지 원리에는 공명, 나선성 및 완전성이 있다. 상호성의 원칙은 인간과 환경의 불가분성을 가정하고 삶의 과정에서 순차적인 변화가 인간과 환경의 상호작용에서 발생하는 연속적이고 확률적인 수정이라고 예측하는 것을 의미한다. 다음으로 동기화 원칙은 시공간의 임의의 시점에서 인간 장의 실제 상태와 환경 장의 실제 상태의 동시적 상호작용에 의해 인간 행동의 변화가 결정되는 것이다. 완전의 원칙은 인간과 환경은 불가분의 관계에 있기 때문에 삶의 과정에서 순차적으로 발생하는 변화들은 인간과 환경 사이의 상호작용에 의해 지속적으로 수정되기도 한다는 것이다. 공명의 원칙은 인간과 환경 사이에서 일어나는 변화의 본질을 의미하는 것이다. 나선의 원칙은 인간과 환경의 끊임없는 교류로 인해 변화가 계속되는 역동적이고 개방적인 체계를 말한다.

간호의 대상은 개인뿐만 아니라 집단이기로 하므로, 둘 또는 그 이상의 사람이 모여 집단을 형성할 때도 고유의 에너지 장을 포함하며 이는 고유의 환경장과 통합되어 있다. 그러므로 한 집단 구성원에 대한 정보는 집단에 대한 정보를 제공해 줄 수 없다. 즉, 개인과 같은 부분으로부터 집단과 같은 전체를 일반화하면 안 되고 인간과 환경에 대한 간호의 초점은 고유한 것이라 할 수 있다.

3) 인간고유성의 과학과 간호과정

인간에 대한 로저스의 사상은 끊임없이 변화하는 에너지 장으로서 다른 장들과 상호작용을 하는데, 이러한 관점은 특히 완화요법을 받고 있거나 호스피스 상황인 가정간호에서 적용하기 용이하다고 할 수 있다. 믿음, 희망, 그리고 사랑과 같은 감정은 쉽게 측정할 수는 없으나 존재하는 것은 분명하다. 전통적인 치료법이 실패할 때, 환자는 대체요법을 추구하거나 완화요법에서 안정을 경험할 수 있다. 이러한 요법들은 맛보고, 만지고, 냄새 맡고, 듣고, 보는 등의 방법으로 인간 간의 상호작용을 경험하게 하며, 로저스는 이러한 경험(앎)을 패턴인식(pattern recognition)과 가치의 중요성 인식(appreciation)으로 명명하였다. 비록 로저스의 주장이 물리학적인 것에 토대를 두고 있지만, 간호사는 간호사와 환자의 심미적인 상호작용이 어떻게 일어나며 왜 그것이 의미 있는 것인가를 설명하는 데 중요한 요인임을 이해하여야 한다.

4) 간호 실무에서의 활용

로저스는 비침습적인 치유 양상은 직접적인 물리적 간호보다는 인간-환경 장 사이에서 발생한다고 하였다. 그러므로 전문직 실무는 의존적인 기능이 아니라 상호 협력하는 기능을 담당하며 간호사는 사람들이 더 좋은 건강이라고 인식하도록 해야 한다. 또한 로저스는 건강잠재력에 초점을 두는 치료적 접촉, 유머, 지시적 삼상요법, 색채와 빛과 음악의 사용 및 명상 등과 같은 비침습적 방식(non-invasive modality)의 간호 실무를 제시하였다. 이러한 비침습적인 방식들은 오늘날 가정간호에서도 대상자를 위해 적용하고 있으며, 대체 또는 보완요법으로 언급되고 있다.

3 왓슨의 철학과 인간돌봄이론

왓슨은 정신간호학과 교육심리상담학을 전공하였으며, 환자 간호를 환자와 주의 깊고 진실하며 개인적인 상호작용을 포함하는 전체적인 치료로 설명하는 인간돌봄이론(theory of human caring)을 개발하였다. 왓슨의 돌봄의 철학과 과학은 간호사가 환자에게 어떻게 간호를 표현하는가를 설명한다.

1) 돌봄의 철학과 과학

왓슨의 인간돌봄이론은 간호학에 도덕적이고 철학적 기초를 제시하면서 간호에 있어서 돌봄의 실무가 간호학의 핵심이라고 말한 돌봄의 과학이론으로 '돌봄 과학(caring science)'으로 불리기도 한다. '돌봄(caring)'은 간호사와 대상자 간의 인간관계 속에서 이루어지는 도덕적 가치를 포함하기 때문에 간호의 본질을 규정짓는 존재론적 특성이면서 간호의 윤리적 특성이기도 하다. 즉, 돌봄은 환자의 경험에 적극적으로 참여하는 염려와 관심에서 비롯된 공감이나, 연민, 친밀감이라는 도덕적 감정을 동반한다. 더 나아가 주의 깊은 경청, 환자에 대한 옹호와 교육, 함께 있기, 접촉 등은 돌봄의 도덕적 속성으로부터 발전한 전문화된 간호 행위로 본다.

돌봄의 치료적 요소로는 인본주의적-이타적 가치 체계 형성, 믿음과 희망의 주입, 자신과 타인에 대한 감수성 배양, 도움과 신뢰 관계 개발, 감정 표현 촉진, 의사 결정을 위한 문제 해결 사용, 교육-학습 촉진, 지원 환경 촉진, 인간 욕구 충족 지원, 실존적-현상학적 힘의 허용 등 10가지가 포함된다. 이들 중 인본주의적-이타적 가치 체계 형성, 믿음과 희망의 주입, 자신과 타인에 대한 감수성 배양의 3가지 요소는 돌봄의 과학을 위한 '철학적 기반'을 형성하였고 이를 바탕으로 나머지 7가지 요소가 돌봄이론의 기반이 되었다.

2) 주요개념

왓슨의 이론에는 인간, 건강, 환경/사회, 간호의 4가지 주요 개념이 있다.

첫째, 인간은 일반적으로 완전한 기능을 갖춘 통합된 자아로서의 사람에 대한 철학적 견해는 인간은 자신의 부분의 합보다 더 크고 다른 것으로 간주한다. 인간의 건강에는 높은 수준의 전반적인 신체적, 정신적, 사회적 기능이 포함된다. 둘째, 건강은 단지 질병이 없을 뿐만 아니라 신체적, 정신적, 사회적으로 완전한 안녕상태를 말한다. 셋째, 환경은 모든 영향력을 포함한 사회로 정의되며, 가치를 부여하며 인간의 행동방식 및 추구하는 목적을 결정한다. 마지막으로 간호는 각 개인이 질병, 고통 그리고 존재에서 의미를 찾도록 도와줌으로서 인간성을 보호하고 고양하며, 보존하는 돌봄(human caring)에 관여하며 자기인식, 자기통제, 그리고 자기치유를 할 수 있도록 돕는다.

3) 간호 실무에서의 활용

최근 들어 '돌봄'(caring)은 윤리적 행위의 기준으로서 간호학자들의 연구에서 간호의 본질적 개념이자 윤리적 개념으로 다양하게 사용되고 있다. 몰스(Morse)는 간호학자들이 간호의 주요 개념으로 규정하고 있는 돌봄의 내용을 '인간의 존재론적 특성으로서의 돌봄', '도덕적 이상으로서의 돌봄', '정서적 돌봄', '대인관계로서의 돌봄', '특수한 간호중재로서의 돌봄'인 5가지 범주로 설명하였다.

간호에서 돌봄이 성공적으로 실천되기 위해서는 돌봄의 요구를 정확히 파악하기 위한 전인적(holistic)인 인간의 이해 과정이 필요하다. 전인적으로 인간을 이해한다는 것은 간호를 필요로 하는 인간, 즉 돌봄의 욕구를 지닌 인간을 전체적으로, 통합적으로 이해해야 함을 의미한다.

가정전문간호사는 환자의 가정을 방문하여 독자적으로 서비스를 제공해야 하므로 윤리적 가치 인식이 중요하다. 이는 환자의 권리를 존중하고 대상자의 복합적이고 심각한 간호 요구를 해결하기 위해 대상자별 계획적이고 전문적인 간호를 수행하면서, 가정전문간호사는 스스로에게 '현재 대상자의 욕구를 해결하기 위하여 필수적으로 수행해야 하는 행위는 무엇인가?'라는 질문을 하며 해답을 찾기 위해 대상자와 대상자와의 관계에 책임감을 가져야 한다. 또한 대상자와의 대화를 통해 직면한 상황을 총체적으로 이해하고자 노력해야 한다. 간호사-대상자의 관계는 간호를 일방적으로 주고받는 관계가 아니므로 서로 영향을 주고받으며 성장하게 되는 공고히 연결된 관계이므로, 돌봄에 대한 책임의 윤리를 통해 가정전문간호사는 간호전문직으로서의 도덕 실천적 돌봄 행위의 기초를 공고히 하도록 노력해야 한다.

4 파시: 인간되어감 이론(Human Becoming Theory)

파시는 피츠버그대학교의 교수와 듀케인대학교 간호학과 학장을 역임하였다. 1983년부터 1993년까지 뉴욕시립대학교 헌터대학의 간호연구센터의 교수이자 코디네이터로 일하였으며, 1993년부터 2006년까지 시카고의 로욜라대학의 교수를 역임하였다.

파시의 인간되어감 이론은 생물학적, 심리학적, 사회학적, 영적 요인의 조합으로 사람을 환경과 지속적으로 상호 작용하는 단일 존재로 정의하였다.

1) 주요개념

인간되어감 이론은 의미(meaning), 리듬감(rhythmicity), 초월(transcendence)의 세 가지 주제를 중심으로 개발 되었다. 인간되어감 이론은 간호의 목표로 간호사가 각자의 관점에서 삶의 질에 집중할 수 있도록 하였으며, 1981년 '인간-생활-건강(Man-living-health)' 이론으로 처음 발표되었다가, 1992년에 '인간되어감 이론'으로 명칭을 변경하였다.

첫째, 의미(meaning)는 인간되어감(human becoming)의 상황에서 개인의 의미를 선택하는 것이며, 한 개인의 현실은 그가 환경에서 살아가는 경험을 통해 의미를 부여받는다는 것이다. 둘째, 리듬감(rhythmicity)은 인간되어감이 우주와 관계되는 리드미컬한 패턴을 공동으로 만들어내고 있으며, 인간과 환경이 리드미컬한 패턴으로 공존한다고 하였다. 셋째, 초월(transcendence)은 인간되어감이 사람이 설정한 한계를 넘어서는 것을 의미하며, 사람은 끊임없이 자신을 변화시키고 있다고 정의한다. 인간되어감 이론은 개인의 가치에 근거를 두고 실무에 유용하게 활용될 수 있는 총체적 접근방법이며, 인간의 본질적 특성을 이해하는 것이 추구하는 목적이다.

파시는 로저스의 이론에서 나선성의 원리, 통합성의 원리, 공명성의 원리 등 세 가지 원리와 에너지 장, 개방성, 패턴과 조직 범차원성 등 네 가지 개념을 도입하였으며, 실존적 현상학에서는 인간의 주관성 지향성 인간의 공존 공동구성 상황에서의 자유 등을 도출하여 인간되어감 이론의 가정, 개념 및 원리를 구성하였다. 파시의 인간되어감 이론은 인간과학 전통의 존재론 및 인식론과 일치하는데, 이 이론은 건강과 관련된 보편적인 현상을 탐구하는 데 있어 풍요롭고 창조적이며 인간주의적이다.

간호의 관점에서 인간되어감 이론 속의 인간은 부분의 합 그 이상이며, 환경과 인간은 불가분의 관계이고, 간호는 추상적인 지식체를 사용하여 사람들을 돕는 인문 과학 및 예술이라고 하였다. 또한 간호사가 문제를 해결하는 데 초점을 두지 않고 환자를 자신의 환경을 통해 경험하는 전체 사람으로 보고 있기 때문에 간호사는 더 강한 간호사-환자 관계를 만들 수 있도록 한다.

간호란 '진정으로 함께 있어 주는 것'이며, 진정으로 함께 있어 준다는 것은 인간되어감 이론에서 말하는 대상자 자신들의 체험에 관해 명료하게 의미를 부여하도록 돕는 것이기도 하다. '진정으로 함께 있어 주는 것'은 대상자의 성장을 있는 그대로 바라보면서 함께 있어 주는 것이며 조건 없이 사랑을 베풀고 틀에 얽매이지 않게 살아가는 것이다. 간호사는 개인이나 가족이 상황의 의미에 대해 말하거나 행동하는 것을 판단하거나 분류하거나 변화를 유도하지도 않고 오직 개인과 가족과 더불어 움직이며 새로운 가능성을 공동창조하기 위해 주체 대 주체로서의 관계를 수행하는 것으로, '마주보며 대화함, 조용하게 몰입함, 오랫동안 있어 줌'을 적용하는 것이다.

2) 간호 실무에서의 활용

파시의 인간되어감 이론은 가정전문간호사의 업무에서 대상자들이 자기발견을 할 수 있도록 함께하는 분위기를 만들어 주는 것이 간호의 초점이 되어야 함을 시사한다. 이를 감안할 때 간호 실무자는 자신의 가치체계에 따라 판단하여 대상자를 변화시키려 하지 말고 대상자의 입장에서 삶의 질을 증진시켜 주기 위한 인식을 가져야 할 것이다.

5 오램의 자가간호결핍이론

오램은 1914년 메릴랜드주 볼티모어에서 태어났다. 1930년대 초, 워싱턴 프로비던스(providence) 병원, 간호학교에서 간호사 면허를 받았으며 1939년과 1945년에 미국 가톨릭대학교에서 학사와 석사학위를 받았다.

오램의 자가간호결핍이론(self-care deficit theory)은 1959년과 2001년 사이에 개발되었다. 자가간호결핍이론은 간호이론 중 모든 간호 사례에 적용될 수 있는 일반적인 개념으로 넓은 범위를 포괄하는 주요이론이다.

1) 주요개념

자가간호결핍이론(Self-Care Deficit Theory)은 간호 실무에 기본이 되는 세 가지 개념으로 자가간호, 자가간호결핍 그리고 간호체계를 설명하며, 이론은 안녕상태를 유지하기 위한 개인과 가족의 건강에 초점을 맞추었다. 첫째 개념인 자가간호는 건강증진, 안녕, 건강유지를 돕는 기초적인 활동을 포함한다. 둘째 개념은 자가간호결핍으로 개인이 자신의 자가간호 요구를 더 이상 충족할 수 없을 때 발생한다. 자가간호 요구는 음식, 공기, 휴식, 사회적 상호작용, 그리고 다른 인간적 기능요소들에 관한 요구를 포함하며, 오램은 이를 일반적, 발달적, 건강이탈 자가간호 요구로 범주화하였다. 이러한 자가간호 요구는 개인, 가족, 지역사회의 건강관련 행위에 초점을 두기도 한다. 셋째 개념인 간호체계는 다차원적인 것으로 전체적 보상체계, 부분적 보상체계 그리고 지지적 교육체계로 나타난다. 만일 환자가 자신의 건강요구를 충족할 수 있는 능력이 없어 전적인 간호 활동이 필요한 경우에는 전체적인 보상으로 구분한다.

자가간호결핍이론에서 인간은 신체적, 정신적, 인간상호적, 사회적인 4개의 측면으로 설명하고 있다. 인간은 보편적, 발달적, 자가간호 요구를 가지고 계속적으로 자가간호를 할 수 있는 총체이다. 환경적 상황은 인간의 외적주변을 의미하는 것으로 물리적, 정신적, 사회적 상황이 포함된다. 건강은 구조적, 기능적으로 통합되어 있고 완벽한 전체성의 특성이 있으나 신체적, 정신적, 대인적, 사회적 측면을 분리할 수 없는 통합의 상태를 의미한다,

간호는 한 개인이 주어진 기능을 제대로 수행할 수 있도록 돕는 것으로 한 인간이 다른 인간을 도와주는 창조적인 노력이다. 간호(돌봄)는 간호사와 환자에 의해 행해지는 것으로 여기며, 간호사의 역할은 환자가 자가간호를 수행하기 위해 필요한 능력을 가질 수 있도록 교육과 지지를 제공하는 것이다.

2) 간호 실무에서의 활용

자가간호결핍이론은 환자의 자가간호 능력을 향상시키기 위해 환자를 교육하고 간호를 의학과 구별하기 위한 간호과정에서 사용되었다. 텍사스 대학교의 대학원 교과과정에는 자기간호이론을 양로원의 특수 환자에게 적용하는 내용이 포함되어 있다. 자기간호의 개념은 청소년 알코올 중독자, 류마티스성 관절염 환자, 유방절제술을 받은 여성, 울혈성심부전 환자, 당뇨 환자, 신장이식 환자, 복막투석 환자, 어린이 호스피스 간호 등에 적용되었다.

가정간호 실무를 위한 간호이론

Home Health Care

1 라이스의 자가간호를 위한 역동적 자기결정모델

라이스가 개발한 자가간호를 위한 역동적 자기결정모델(Dynamic Self-Determination for Self-Care Model)은 자가간호를 위해 환자로 하여금 무엇이 자신의 건강을 균형있게 할 것인가에 대한 선택을 역동적으로 결정하도록 하는 것이다.

1) 주요개념

자가간호를 위한 역동적 자기결정모델의 주요 요소로는 자가간호를 위한 환자 동기 요인(Patient Motivational Factors for Self-Care), 최적의 건강에 대한 환자 지표(Patient Indicators of Optimal Health)와 촉진자로서의 가정전문간호사(Home Care Nurse as Facilitator)이다(Fig 5-3).

(1) 자가간호를 위한 환자 동기 요인(Patient Motivational Factors for Self-Care)

이는 건강신념에 관한 인간의 내적 인식, 사회문화적인 영향, 통제의 소재(locus of control), 지지체계, 사용 가능한 자원, 그리고 질병과정 등을 포함하는 환자(그리고 간호제공자), 자가간호에 관한 많은 동기적인 요소들로부터 가져온 것이다.

(2) 최적의 건강에 대한 환자 지표(Patient Indicators of Optimal Health)

자가간호를 위한 역동적 자기결정모델은 건강이라는 궁극적 목표를 향해 인간을 변화시키는 역동적인 과정을 설명하고 있다. 궁극적인 건강은 최상의 기능수준으로부터 생겨나며 이는 생리적인 안정, 인간의 내적 조화, 공명(resonance), 자신의 건강에 대한 만족감, 삶의 질 등을 포함한 많은 지표로 평가될 수 있다.

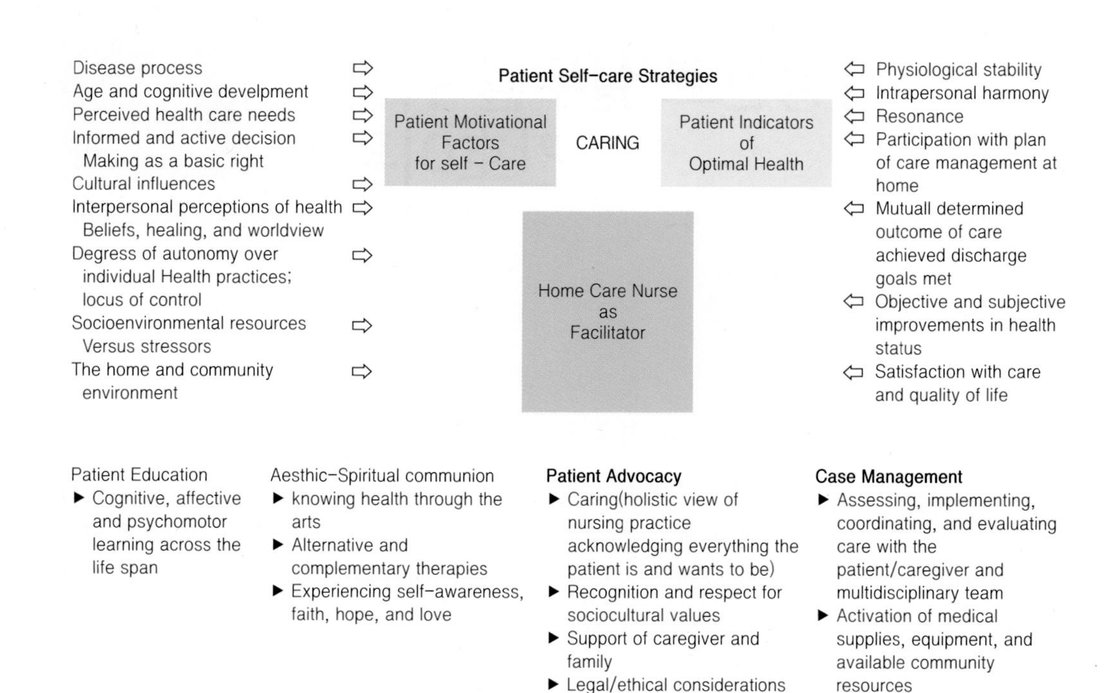

Fig 5-3 자가간호를 위한 역동적 자기결정 모델
[출처: Home Care Nursing Practice: Concepts and Application]

(3) 촉진자로서의 가정전문간호사(Home Care Nurse as Facilitator)

가정전문간호사는 환자가 자가간호를 위한 자기결정을 하도록 돕는 촉진자(facilitator)의 역할을 하는 것인데, 이를 위해 건강교육, 환자 옹호, 영적-심미적 교감 그리고 사례관리 등 다양한 방법을 사용한다.

2) 기본 전제

자가간호를 위한 역동적 자기결정모델에서 환자(돌봄 제공자)는 돌봄의 전인적인 존재(holistic entity)로 여겨진다. 건강관리 요구(간호중재)는 환자와 간호사에 의해 서로 합의하에 결정된다. 건강관리 요구에 대한 환자의 인식은 본인이 추구하고 알고 있는 궁극적인 건강에 관한 생애 전반의 연속선에 투영된다. 이러한 균형은 마음, 신체, 그리고 영혼의 요구가 없고 자연과 조화를 이룰 때 성취된다.

자가간호를 위한 역동적인 자기결정은 환자로 하여금 건강요구와 목표성취와의 격차를 좁히도록 한다. 간호사-환자-돌봄 제공자 사이의 관계(caring relationship)는 의존, 상호의존과 독립의 단계를 따라 이동한다. 질병 또는 장애의 악화는 환자가 그 이전 단계로 퇴행하게 되는 원인이 되기도 한다. 마찬가지로 질병의 경과, 장애 또는 인지발달은 환자로 하여금 어떤 단계에 머물기 쉽도록 한다. 간호사-환자-돌봄 제공자 사이의 관계 3단계는 다음과 같다.

(1) 의존(Dependence)

초기에는 가정전문간호사가 대부분의 간호를 수행하며 궁극적 건강을 위한 동기적인 요소를 이해시키고 환자/돌봄 제공자와 함께 일함으로써 자가간호를 촉진하기 시작한다.

(2) 상호의존(Interdependence)

기술, 지식 그리고 자신감을 얻어감에 따라 환자/돌봄 제공자는 점점 간호의 많은 부분을 수행하게 되며 필요에 따라 가정전문간호사는 강화와 지지를 한다.

(3) 독립(Independence)

환자/돌봄 제공자는 자가간호 활동을 수행할 수 있으며 궁극적 건강 상태를 달성한다. 가정간전문간호사에 의한 중재는 없거나 최소한이다.

3) 가정간호에서 자가간호를 위한 역동적 자기결정의 기본 전제

- 환자 개개인은 자신의 건강 전반에 많은 영향을 미치며, 이는 궁극적인 건강에 이르는 어떤 방법을(동기적인 요소들을 통해서) 찾기 위한 고유한 특성이다.
- 궁극적인 건강은 기능면에서의 최고 수준을 의미하며 다차원적이다.
- 의료적인 치료와 건강교육의 과정은 궁극적인 건강을 보장하지는 않는다. 왜냐하면 가정간호는 간호사나 다른 건강전문가에 의해 간헐적으로 제공되며 궁극적인

건강은(그들이 누구이며, 그들이 원하는 것은 무엇인지를 포함하는) 환자의 전체 삶의 과정을 반영하기 때문이다.

- 환자는 생애 주기에 따른 전인적인 존재(holistic entity)로 간주된다.

자가간호에 대한 역동적인 자기결정은 자신의 건강과 균형을 이루는 것에 대한 환자의 선택권이기도 하므로 가정전문간호사는 자가간호에 대한 대상자의 자기결정을 촉진하도록 노력해야 한다. 가정전문간호사는 광범위한 지지, 교육, 그리고 자원을 제공할 수 있지만, 대상자의 건강간호 요구를 적극적으로 다룰 수 없다면 간호계획은 성공하기 어려울 것이다. 가정간호의 목적이 단지 환자의 안녕만을 위한 것은 아니다. 안녕(wellness)은 분명 가정이라는 치료적 환경(home milieu)에서 이루어지는 간호활동의 바람직한 결과이지만, 항상 보장되는 것은 아니기 때문이다.

4) 가정간호 실무에서의 활용

(1) 자가간호를 위한 역동적 자기결정모델 활용을 위한 질문

이 이론은 다양한 측면에서 가정전문간호사가 활용하기에 유용하다. 먼저 가정전문간호사는 다음과 같은 질문을 활용할 수 있다.

- 건강과 관련하여 무엇을 알거나 배우고 싶습니까?
- 최상의 건강 상태를 느끼기 위해 필요하다고 생각하는 것은 무엇입니까?
- 당신이 될 수 있다고 믿는 건강수준을 성취하기 위해 저와 기꺼이 함께 하시겠습니까?

이와 같은 질문 외에도 가정전문간호사가 환자를 가정간호에 등록할 때 간호계획을 위하여 다음의 질문을 사정 도구로써 적절히 사용할 수 있다. 또한 초기 사정 후에 다음과 같은 질문을 사용할 수 있다.

- 환자/돌봄 제공자(보호자)의 건강관리 요구는 무엇인가(즉각적으로 의사에게 의뢰가 필요한가?)?
- 환자/돌봄 제공자(보호자)는 어떤 종류의 서비스나 간호를 원하는가?

(2) 자가간호를 위한 역동적 자기결정모델 구체적 적용 사례

라이스의 모델을 적용한 가정간호활동을 구체적인 사례를 중심으로 설명하면 다음과 같다.

사례

정씨는 44세 남자로 작은 기업을 운영하고 있으며, 5년 전에 당뇨를 진단 받았다. 주치의는 지속적인 약물복용을 권유하였으나 가끔씩 약을 복용하다가 의사와 상의하지 않고 약물복용을 중단하였다. 3개월 전에 열이 나는 증상이 있어 동네 의원에서 진료를 받은 적이 있으나 이후에는 한방병원에서 치료를 받았다. 발등(8×3 cm)과 발바닥(2.1×1 cm)에 상처를 가지고 응급실을 경유하여 입원하였고, 왼쪽 두 번째 발가락을 절단한 후 퇴원하면서 항생제 투여 및 상처 간호를 위해 가정간호에 의뢰되었다.
첫 방문에서 정씨는 "당뇨는 합병증이 무섭다는데 합병증 때문에 걱정이에요. 담배를 끊어야 하는데 그것도 쉽지 않고, 토요일과 일요일에는 내가 스스로 상처를 소독해야 하는데..."라고 걱정을 표현하였다. 평소에 회사 일과 관련하여 술자리가 많았다고 하며 규칙적으로 하는 운동은 없다.
학원 강사로 일하는 부인(41세)과 딸(15세), 아들(12세)이 있고 함께 살고 있다.

모델의 세 가지 요소 중 자가간호를 위한 환자 동기 요인(Patient Motivational Factors for Self-Care)과 최적의 건강에 대한 환자 지표(Patient Indicators of Optimal Health)는 환자와 가족에 관한 자료를 수집하고 분석하는 틀로 활용할 수 있다. 특히, 최상의 건강에 대한 환자 지표는 초기 자료수집 항목일 뿐 아니라 가정간호서비스가 제공된 이후 효과를 평가하거나 대상자의 목표 달성 여부를 평가하는 지표로 활용될 수 있다. 독립적인 수준의 자가간호, 건강관리 결과에 대한 성취 인정, 건강 상태에 대한 객관적·주관적 향상, 건강관리 대한 만족감 및 삶의 질 등은 기능적·심리적 측면의 지표, 생리적인 안정은 객관적인 생리학적 측면의 지표, 인간 내적인 조화와 공명은 환자 스스로의 인식 또는 상호 관계를 통한 간호사의 인정으로 확인할 수 있는 지표로, 건강관리 계획에의 참여는 가정간호 중재 초기에 과정적인 지표로서 측정할 수 있다(Table 5-2).

Table 5-2 자가간호를 위한 역동적 자기결정모델을 적용한 가정간호 대상자 자료수집 및 분석의 예

요소	내용	사례 적용
자가간호를 위한 환자의 동기 요인	질병 과정	5년 전 당뇨 진단, 합병증으로 왼쪽 2nd 발가락 절단 수술받음
	연령, 인지발달	44세 남자, 작은 규모의 기업 운영
	개인이 인지하는 건강관리 요구	발 상처 소독, 합병증 예방 방법
	정보에 근거한 적극적인 의사결정	최근까지 당뇨관리에 대한 정보 수집을 하지 않았으며 건강 관리자에게 관련 사항을 상의하는 행위 없었음
	문화적인 영향	유통업을 운영하고 있어 거래업체 및 직원들과 술자리가 많고 주변 친구들도 운동보다는 술자리를 통해 스트레스를 해소함
	건강신념, 치유, 세계관에 관한 인간 상호 간의 인식	지금까지 당뇨관리에 대한 경험이 없고 당뇨성 족부궤양으로 건강관리에 대한 자신감은 더 없어지고, 다른 합병증이 발생할지도 모른다는 우려를 하고 있음
	통제의 소재(locus of control)	스스로 당뇨 발 소독을 하고자 노력함
	사용 가능한 자원 (사회 환경적인 자원 vs 스트레스원)	정보수집을 위한 인터넷 활용이 가능한 자원이지만, 발가락 절단으로 인한 상실감과 추후 또 다른 합병증이 발생할지도 모른다는 생각과 함께 사회로의 복귀가 늦어지거나 어려울지도 모른다는 생각이 스트레스원임
	가정 및 지역사회 환경	거주하는 주택은 아파트 9층으로 집에서 도보로 20여분 거리에 운동시설이 있는 공원이 있음. 버스나 자가용으로 15분 거리에 보건소가 있고 보건소에서는 당뇨 환자를 위한 건강관리 프로그램이 열리고 있으며 당뇨관리를 위해 다니는 병원은 차로 40분 거리에 있음
최적의 건강에 대한 환자 지표	생리적인 안정	최근의 AC (식전 혈당) = 162 mg/dL, HbA1c (당화혈색소) = 9.8%
	인간 내적인 조화	신체적인 위기를 맞은 후 아직은 안정 상태에 도달하지 못하였음
	공명(reasonance)	스스로 당뇨질환에 대한 심각성을 깨닫고 내적으로도 많은 생각을 하며, 당뇨관리를 위해 건강관리자의 도움을 받고 이를 이행하고자 노력하고 있음
	건강관리 계획에 참여	주말에는 상처 소독을 스스로 해야 할 텐데, 담배 끊어야 할 텐데라고 표현함
최적의 건강에 대한 환자 지표	독립적인 수준의 자가간호	필요성을 인지하고 있으나 아직 구제적인 행동으로 보이지는 않음
	건강관리 결과에 대한 성취 안정	구체적으로 경험하지 않음
	건강 상태에 대한 객관적·주관적 향상	현재 스스로 인정하는 주관적인 건강 상태는 '하'임(간호수행 시 점검하여 변화된 정도를 확인)
	건강관리에 대한 만족감, 삶의 질	그동안 자신의 건강관리에 대해 후회하고 있음

마지막 요소인 촉진자로서의 가정전문간호사(Home Care Nurse as Facilitator)는 자료수집 및 분석을 통해 확인된 간호문제에 대해 간호사가 어떤 서비스를 어떤 방법으로 제공할 것인지를 계획하는 데 도움을 준다(Table 5-3).

Table 5-3 자가간호를 위한 역동적 자기결정모델을 적용한 가정간호중재 계획의 예

	범주	내용	사례 적용(중재계획)
촉진자로서의 가정전문간호사	환자 교육	인지적 학습(지식)	당뇨교육에 참여, 자료(책자, 시각적 자료) 등을 통해 당뇨병의 기전 및 관리에 대한 지식을 향상시킨다.
		정의적 학습(태도)	당뇨환자 및 가족으로 구성된 자조그룹에 참여하도록 하여 당뇨관리의 중요성을 인식하고 자신감을 가지도록 유도한다.
		심동적 학습(기술)	가정전문간호사는 상처 간호의 시범을 보이고 환자가 자가 소독 및 자가관리를 수행할 수 있도록 하고 이를 모니터링하여 격려 및 조언을 한다.
	영적-심미적 교감	예술작품을 통한 건강의 이해	환자가 선호하는 문학작품을 중심으로 만성질환에 대한 이해를 돕고 관리에 대한 희망과 의욕을 줄 수 있는 작품을 선정하여 감상한 후 가족과 자조그룹 및 가정전문간호사와 의견을 나눈다.
		대체보완요법	환자나 가족이 관심을 갖는 대체보완요법을 확인 후 그 효과를 확인할 필요가 있는 부분은 함께 계획을 세우고 직·간접적으로 규명하도록 한다.
		자기 인식, 믿음, 희망, 사람에 대한 경험	환자가 상처 간호 및 건강관리의 필요성을 인지하여 수행함으로써 만족감을 경험하도록 하고, 가족과 함께하는 건강 활동을 행하여 서로의 믿음에 대해 확인하도록 한다. 또한 장기간 건강관리를 통해 당뇨를 관리하고 있는 사람에 대한 사례를 통해 삶에 대한 희망을 갖도록 한다.
	환자 옹호	돌봄(전인적인 관점)	환자와 가족에 경험을 충분히 경청하여 가정전문간호사는 계획한 간호서비스를 가족과 함께 수행하며 환자와 가족이 원하고 성취 후 만족감을 경험할 수 있는 부분에 우선순위를 둔다.
		사회·문화적 가치에 대한 인정과 존중	환자가 중요하게 생각하는 사업운영에 대한 가치를 인정하고 직장생활에 복귀해서도 당뇨관리를 위해 할 수 있는 일들에 대해 함께 계획하고 수행하는 행위에 대해 평가한다.

범주	내용	사례 적용(중재계획)
환자 옹호	돌봄 제공자와 가족 지지	가족의 어려움을 경청하고 정서적으로 지지하면서 가족과 함께 환자를 위해 할 수 있는 행위에 대해 설계한다.
	전문가적 실무표준을 포함한 법적/윤리적 고려	가정전문간호사는 당뇨환자 간호에 대한 최신 지견을 항상 습득하고 전문간호사로서의 실무표준 및 환자권리에 대해 자주 확인한다.
사례 관리사	팀으로 수행하는 건강관리	가정전문간호사는 환자의 주치의, 당뇨교육 전담간호사와 협력하여 환자의 건강관리를 계획하고 지속적으로 의사소통을 한다.
	자원의 활성화 연계	병원에 준비되어 있는 다양한 교육자료 및 관련 용품, 매체를 통해 얻을 수 있는 다양한 자료와 보건소 및 지역사회 자원 등에 관한 정보를 환자와 가족에게 제공하고 활용할 수 있도록 계획을 수립·시행한다.
	질 관리	환자, 가족, 다른 가정전문간호사, 주치의 등과 주기적인 집담회를 통해 환자 관리에 대한 평가를 수행하고 가정간호서비스에 대한 질 관리를 수항한다.
	리더십: 팀워크	함께 근무하는 가정간호사업소의 가정전문간호사들과 리더십 관련 교육기회를 함께하며 논의하는 시간을 갖고 실제적인 가정간호 현장에서 어떻게 행할 수 있을지에 대해 계획하고 수행한다.

위와 같이 라이스의 자가간호를 위한 역동적 자기결정모델을 활용하면 가정간호 대상자 및 가족의 건강 향상을 위한 자료수집, 간호 중재 계획, 목표 수립 및 달성 여부를 확인하는 평가에 이르는 과정을 보다 체계적으로 수행할 수 있다. 또한 이 모델은 임상경로(clinical pathways)를 개발하거나 간호계획을 수립하기 위한 이론적 기틀로 사용될 수 있다. 예를 들어 상처 간호 및 당뇨환자 교육이 성공적이기 위해서는 간호에 대한 환자와 돌봄 제공자(caregiver)의 자가결정 욕구(self-determined needs)를 정확히 사정하는 것이 필요하다. 최적의 건강을 달성하게 됨에 따라 가정간호서비스는 종결이 될 수 있다. 또한 의료기관 등에서 호스피스 케어를 받던 환자들이 죽음을 맞이하기 위해 가정으로 돌아가기도 하는데, 궁극적인 가정간호의 목적은 환자와 돌봄 제공자에게 가정에서 그들의 건강관리 요구를 성공적으로 수행할 수 있도록 이해, 지원, 치료, 정보 그리고 간호를 제공하는 것이므로 가정전문간호사는 환자 및 가족의 선택을 존중하며 자가간호를 통해 궁극적인 최적의 건강을 관리할 수 있도록 돕는 것이다.

2 증상관리 이론

증상관리 이론(symptom management theory)은 UCLA, San Francisco (UCSF) 간호대학의 교수들로 구성된 증상관리연구팀에 의해 1994년 증상관리모형(symptom management model)으로 개발되었다. 모델의 개념은 오렘의 자가간호 모델, 자가간호 증상 모형과, 인류학, 사회학, 심리학의 모형을 기반으로 하였다. 이후 2001년 수정과 보완을 거쳤으며, 2018년 중간단계이론(middle range theory)이론으로 발전하였다.

1) 주요개념

증상관리 이론의 세 개의 필수 개념은 증상 경험(symptom experience), 증상관리 전략(symptom management strategies)과 증상 상태의 변화(빈도, 강도, 고통 등)가 주요 관심이 되는 결과(outcomes)이다. 이들 개념은 간호연구를 위한 상황적 고려를 상기시키는 역할을 하기 위해 간호과학(인간, 환경, 건강/질병)의 세 개 영역 안에 내포된다(Fig 5-4).

첫째, 증상 경험은 증상에 대한 개인의 인식, 증상의 의미에 대한 평가, 증상에 대한 반응을 포함한다. 증상에 대한 인식은 대상자가 자신이 평소에 느끼고 행동하는 것으로부터의 변화를 알아차리는가를 의미한다. 증상에 대한 평가는 증상의 심각성, 원인, 위협성과 증상이 그들의 삶에 미치는 영향을 판단하는 것이다. 증상에 대한 반응은 생리적, 심리적, 사회문화적, 행위적 요소를 포함한다. 증상을 효과적으로 관리하기 위해서는 증상 경험에 관한 위의 요소들 간의 상호작용을 이해하는 것이 중요하다.

둘째, 증상관리 전략은 증상 경험을 피하거나 지역하거나 최소화하기 위한 노력이다. 증상관리의 목표는 생의학적, 전문적인, 자가간호 전략을 통해 부정적인 결과를 예방하거나 지연시키는 것이다. 관리는 대상자 개인의 관점에서 증상 경험을 사정하는 것으로 시작하며, 중재 전략은 대상자의 증상 경험에 관한 하나 또는 그 이상의 요소에 초점을 맞추고 하나 또는 그 이상의 기대되는 결과를 달성하고자 할 수 있다. 증상관리는 역동적인 과정으로서 때로는 시간경과에 따라, 대상자의 수용 정도에 따라 전략의 변화가 필요할 수도 있다. 증상관리 모델은 무엇을(전략의 속성), 언제, 어디서, 왜, 얼마나(중재의 양), 누구에게, 어떻게 할 것인가에 관한 구체적인 열거를 포함한다.

마지막 개념인 증상 상태의 변화는 증상의 경험 뿐 아니라 증상관리 전략으로부터 도출된 것으로 결과를 나타내는 가장 직접적인 지표이다. 이 밖에도 기능수준, 정서적 상태, 사망률, 유병률, 건강서비스 비용, 자가간호 능력, 삶의 질 등의 요소에 초점을 맞춘다 (Fig 5-4).

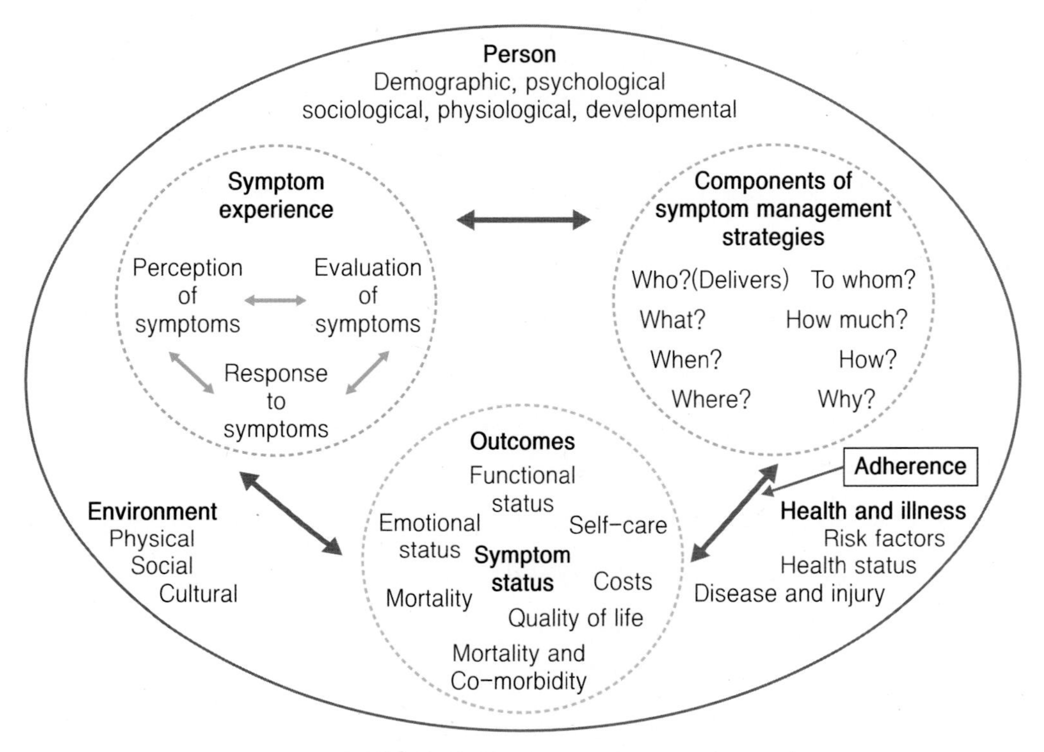

Fig 5-4 증상관리 이론(Symptom Management Theory)
[출처: Dodd, M., Janson, S., Facione, N., Faucett, J., Froelicher, E. S., Humphreys, J., ... &Taylor, D. (2001). Advancing the science of symptom management. Journal of advanced nursing,33(5), 668-676.]

증상관리 이론을 메타패러다임 측면에서 살펴보면 간호학의 영역인 인간, 건강/질병, 그리고 환경은 증상관리 이론의 세 가지 차원인 증상 경험, 증상관리 전략, 결과에 영향을 미치는 상황적인 변수로 다루어지고 있다.

인간은 인구학적, 심리적, 사회적, 생리적, 발달론적인 측면에서의 개인적 변수는 증상 경험에 대한 개인의 관점과, 반응에 대한 고유의 방법이다. 예를 들어 갱년기 여성에서의 수면의 질 저하, 미숙아에 있어서 생리적인 단서보다는 미숙아의 행동적인 단서에 의존하여 치료함으로써 조절되지 않는 통증, 심장수술 후 여성에서 더 높은 장애율이나 사망률, 진통제에 대한 생리적 반응에서 성별의 차이 등은 인간 영역에 속한 변수들에 의해 증상 경험이나 관리 그리고 결과가 달라질 수 있음을 보여준다.

건강과 질병은 개인의 건강 또는 질병에 관한 고유한 변수들로 구성되며 위험요소, 손상, 장애 등을 포함한다. 폐질환을 가진 사람들은 양적으로나 질적으로 다른 호흡 곤란을 경험할 것이며, 당뇨병 유형에 따라 유사한 증상의 종류와 발현이 다를 것이다. 비록 유사한 증상관리 전략을 사용할지라도 질병의 결과가 다르게 나타날 수 있다.

환경은 증상이 발생하는 조건이나 상황의 집합을 의미하며 물리적, 사회적, 문화적 변수를 포함한다. 이 중 물리적 환경은 가정, 직장, 병원을 포함하며, 사회적 환경은 대상자의 사회적 지지와 지지망, 상호관계를 포함한다. 환경에서의 문화적인 측면은 대상자의 민족, 인종, 종교에 따라 고유하게 나타나는 신념, 가치, 실천이다.

2) 가정

증상관리 이론의 여섯 가지 기본 가정은 다음과 같다.

① 환자의 증상 연구를 위한 가장 기본적인 원칙은 증상에 대한 환자 개인의 경험적 인지와 그들의 자가 보고에 기초를 두어야 한다.

② 간호 대상자 개인은 상황적 변수에 의해 영향을 받기 때문에 증상 발현의 위험에 놓일 수 있으므로 간호중재 전략은 개인이 증상을 경험하기 전에 시작될 필요가 있다.

③ 언어 사용이 불가능한 환자들(영아, 뇌졸중으로 인한 실어증 환자)도 증상을 경험할 수 있으며 이러한 경우에는 부모나 주돌봄 제공자에 의한 해석이 정확하다고 가정한다.

④ 문제로 판단되는 모든 증상들은 관리되어야 한다.

⑤ 증상관리를 위한 전략은 개인, 그룹, 가족, 작업환경 등을 대상으로 하여 수립될 수 있다.

⑥ 증상관리는 역동적인 과정으로, 개인의 결과와 인간, 건강/질병, 또는 환경의 간호 영역의 영향에 따라 수정되며 결과와 인간, 건강/질병, 또는 환경의 간호 영역의 영향에 따라 수정된다.

3) 가정간호 실무에서의 활용

증상관리이론을 가정간호 실무에 활용 구체적인 사례는 다음과 같다.

(1) 사례

안 씨는 62세 남자로 1년 6개월 전 식욕부진, 소화불량과 변비 등을 주호소로 내원하여 대장경(sigmoidoscope) 등 검사를 한 후 대장암(Sigmoid colon cancer, 간 전이) 진단을 받았다. 수술(stent insertion) 및 항암요법을 받고 퇴원한 후 추후관리를 받다가 3개월 전부터 변비와 복부 불편감, 통증을 호소하면서 응급실을 3회 방문하였고, 주치의는 통증관리 및 영양조절을 목적으로 가정간호사업소에 환자를 의뢰하였다.

〈주관적 자료〉
- "음식을 먹으면 통증이 올 것 같아서 잘 못 먹겠어요"
- "아프기 시작하면 어떻게 할 수 없을 정도로 심하고 신경이 날카로워지고 안절부절하면서 땀이 나요"
- "통증이 언제 다시 시작될지 몰라서 일을 다시 하기도 두려워요"
- "대변을 며칠 못 보면 배가 너무 아프고 진통제 효과가 나타날 때까지 몇 분에서 몇 시간까지 계속 되어요"

〈객관적 자료〉
- 통증은 VAS 척도로 7~9점
- 직장암 진단을 받고 1년 6개월 동안 체중 약 30 kg 감소, 최근 2개월 동안 2.5 kg 감소
- 하루 섭취량은 canned nutrition 1~2캔, 물 반~한 컵
- 장음 청진: 매우 약하며 거의 들리지 않는 경우도 있음
- 주부인 부인(60세), 아들 둘(35세, 32세), 딸(30세)과 함께 살고 있음

(2) 증상 경험

증상 경험은 대상자로부터 의미 있는 자료를 수집하고 분석하는 틀로서 활용할 수 있다. 대상자의 주호소인 통증에 대한 안 씨의 인식, 증상의 의미에 대한 평가, 증상에 대한 반응을 사정하며 통증의 정도와 이에 대한 반응은 생리적, 심리적, 사회문화적, 행위적 요소와 이들 간의 상호작용이 어떠한지를 확인한다.

(3) 간호계획 및 중재

증상 경험을 구체적으로 사정한 후 안 씨의 통증관리를 위한 간호는 통증관리의 내용 및 근거, 시기, 장소, 중재의 양, 방법 등을 구체적으로 수립한다.

(4) 간호 중재의 효과 평가

안 씨에 대한 통증관리의 결과는 통증 정도, 안 씨의 일상생활 기능수준의 변화, 정서적 상태의 변화, 자가간호 능력, 삶의 질 등의 측면에서 평가할 수 있다. 또한 가정간호사업소에서 증상관리 모델을 적용하여 암 환자의 통증 등의 증상을 관리하였다면 해당 사업 년도의 암 환자 사망률과 의료서비스 비용 등을 확인하여 이전의 동일한 척도와 비교함으로써 모델 적용의 효과를 좀 더 큰 차원에서 평가할 수 있다.

참고문헌

1. 김지미, 고정은, 김혜영, 오승은, 이고운, 이혜자, & 한주랑 (2017). 간호학 개론. 계축문화사.
2. 김정이, & 소향숙 (2019). 말기 암 환자의 희망체험: Parse 의 인간되어감 연구방법론 적용. Asian Oncology Nursing, 19(2), 55-70.
3. 남미순 (2015). 왓슨과 인간 돌봄이론. 범한철학, 78, 405-429.
4. 서은영 (2011). 상황특이적 이론 합성을 통한 한국적 간호이론 개념 개발. Perspectives in Nursing Science (간호학의 지평), 8(1), 10-19.
5. 우선혜 (2004). 가정간호 실무에 적용가능한 이론적틀. 가정간호학회지, 11(1), 5-13.
6. 이소우, 김주현, 이병숙, 이은희, & 정면숙 (2015). 간호이론의 이해, 수문사.
7. 황문숙, 박학영, & 장수정 (2020). 가정전문간호사가 실무에서 경험한 어려움과 대처. Journal of Korean Academy of Community Health Nursing, 31(2), 143-155.
8. Alligood, M. R. (2017). Nursing theorists and their work-e-book. Elsevier Health Sciences.
9. Covington, H. (2001). Therapeutic music for patients with psychiatric disorders. Holistic Nursing Practice, 15(2), 59-69.
10. Dodd, M., Janson, S., Facione, N., Faucett, J., Froelicher, E. S., Humphreys, J., ... & Taylor, D. (2001). Advancing the science of symptom management. Journal of Advanced Nursing, 33(5): 668-676.
11. Fawcett, J. (1996). On the requirements for a metaparadigm: An invitation to dialogue: Commentary. Nursing Science Quarterly, 9(3), 94-97.
12. Fawcett, J., & Desanto-Madeya, S. (2012). Contemporary nursing knowledge: Analysis and evaluation of nursing models and theories. Fa Davis.
13. Nightingale, F. (1992). Notes on nursing: What it is, and what it is not. D. Appleton and Company.
14. Orem, D. E., Taylor, S. G., & Renpenning, K. M. (1995). Nursing concepts of practice. Mosby.
15. Parse, R. R. (1992). Human becoming: Parse's theory of nursing. Nursing Science Quarterly, 5(1), 35-42.
16. Rogers, M. E. (1994). The science of unitary human beings: Current perspectives. Nursing Science Quarterly, 7(1), 33-35.
17. Watson, J., & Woodward, T. K. (2010). Jean Watson's theory of human caring. Nursing theories and nursing practice, 3, 351-369.
18. Wilber, K. (1998a). The essential Ken Wilber: An introductory reader. Shambhala. Wilber, K.(1998b). The Marriage of Sense and Soul: Integrating Science and Religion. Random House.

제 6 장

가정간호사업 운영

(Operating Home Health Care Business)

학 / 습 / 목 / 표

① 가정간호사업의 특성(등록 기준, 서비스 범위, 의뢰처와 의뢰정보, 종결 기준과 처리)를 설명할 수 있다.
② 가정간호사업의 흐름도를 알 수 있다.
③ 가정간호사업소 운영에 대해 설명할 수 있다.
④ 가정간호 의무기록의 중요성, 최신 동향과 전산기록, 기록의 보관을 설명할 수 있다.
⑤ 가정간호 수가와 지불보상체계에 대해 이해하고 설명할 수 있다.
⑥ 가정간호 문제 분류체계를 설명할 수 있다.

I 가정간호사업의 특성

Home Health Care

1 사업목표

의료기관 가정간호사업의 사업목표는 다음과 같다.

① 가정간호서비스를 통해 환자에 대한 치료 및 간호의 연속성 유지

② 환자와 가족의 삶을 향상시키고 질병으로 인한 부담을 경감

③ 환자와 그 가족에 대한 상담과 교육, 훈련을 통하여 건강관리능력 향상

④ 환자의 건강 회복을 저해하는 요인의 발견 및 중재로 효율적 건강관리 도모

⑤ 환자 의료비 부담의 경감 및 국민의료비 절감

2 사업 실시기관

가정간호서비스는 입원대체서비스이므로 가정간호사업은 「의료법」 제33조 및 동법 시행규칙 제24조에 의거하여 가정전문간호사를 2인 이상 확보한 의료기관에서 실시한다.

가정간호사업 실시기관 신청 방법은 다음과 같다.

①「국민건강보험법 시행규칙」 제 12조 4항 관련 별지 제 11호 서식 〈요양기관 변경사항 통보서〉를 활용한다.

② 가정간호 사업실시기관은 "요양기관 현황신고서"의 업무분야별 운영현황에서 5. 가정간호 실시기관 여부를 표기하며, 가정전문간호사의 인력내용을 포함하여 건강보험심사평가원에 신고한다.

③ 요양기관에서 운영현황 및 가정전문간호사의 변경 신고 시 "요양기관 현황 변경신고서"를 활용하여 변동내용을 건강보험심사평가원에 신고한다.

④ 제출서류는 다음과 같다.
- 가정간호 전담부서 운영 관련 사본 1부
- 간호사 면허증 사본 각 1부
- 가정전문간호사 자격증 사본 각 1부

⑤ 건강보험심사평가원 처리 방법은 요양기관 파일에 변경 내용을 전산 등재하여 관리한다.

3 사업담당 부서 및 인력

가정간호사업 실시기관에서는 가정간호사업을 전담하는 가정간호 담당 부서를 설치 또는 지정하고 담당 인력은「의료법 시행규칙」제24조 규정에 의거하여 가정전문간호사 자격을 취득한 자이어야 하며, 최소 인력기준인 가정전문간호사 2명은 상근직원으로 고용하여야 한다. 서비스의 질 보장을 위하여 가정전문간호사 이외 인력의 가정간호서비스에 대한 건강보험요양급여는 불가하다.

4 자원 및 자문기구

가정간호사업에 대한 지원 및 자문을 위하여 보건복지부에「가정간호 중앙운영위원회」를 구성·운영하고, 사업 실시기관에서는 가정간호 운영위원회를 구성·운영한다.

1) 가정간호 중앙운영위원회

가정간호사업의 질 관리 및 평가 등에 대한 지원·자문을 위하여 정부·학계·사업실시기관 대표로 구성된「가정간호중앙운영위원회」를 운영한다.

(1) 구성: 총 10인
(2) 위원장: 보건복지부 보건의료정책관
(3) 위원: 보건복지부 보건의료정책과장, 보험급여과장, 요양보험운영 (또는 제도)과장, 대한의사협회, 대한병원협회, 대한간호협회, 한국가정간호학회, 가정간호사회, 가정간호실무자 대표 각 1인으로 구성한다.

2) 의료기관 가정간호 운영위원회

① 역할: 사업 실시 및 운영전반에 관련되는 사항의 심의 및 지원한다.

② 구성: 위원장, 간사 및 위원으로 구성하며 구성 인원 및 자격은 실시기관에서 자체적으로 결정한다.

5 사업대상자

1) 대상자의 등록 기준

대상자를 관리하는 운영체계는 대부분 등록, 수행 및 종결의 과정을 거친다.

모든 환자가 가정간호에 적합한 것이 아니다. 그래서 등록 전에 대상자의 적합성을 사정해야 한다. 가정간호사업 대상자는 의료기관에서 입원진료 후 퇴원한 환자와 외래 및 응급실 환자 중 다음에 해당되는 자로서 의사 또는 한의사(이하 '의사')가 가정에서 계속적인 치료와 관리가 필요하다고 인정한 경우에 해당하며 수술 후 조기 퇴원환자, 만성질환자(고혈압, 당뇨, 암 등), 만성호흡기질환자, 말기환자, 산모 및 신생아, 심뇌혈관질환자, 기타 의사가 필요하다고 인정하는 환자이다.

2) 대상자의 종결 기준

지속적인 가정간호서비스를 제공하여 가정간호 계획에 수립하였던 목표를 달성한 경우나 질병이 위중한 경우가 해당되는데 이는 다음과 같다.

- 환자가 사망한 경우
- 환자 스스로 외래진료를 받을 수 있는 경우
- 지역사회 자원연계로 가정간호가 필요하지 않은 경우
- 의료인의 치료 및 간호 지시에 특별한 사유 없이 따르지 않는 경우
- 환자의 질병상태가 심각하여 가정간호대상자로 부적합하다고 인정되는 경우
- 타 지역으로 이사하여 더 이상 가정간호 제공이 물리적으로 불가능한 경우
- 기타 서비스 이용료의 장기미납, 가정전문간호사의 신변상 위협 등의 이유로 가정간호서비스 제공이 불가능한 경우 등

6 주요 서비스 범위

가정간호서비스는 의료법 시행규칙 제 24조에 의거하여 기본간호 및 교육, 훈련 및 상담 등을 제외한 일부 검사, 투약, 주사 및 치료적 의료 행위를 실시하는 경우에는 의사의 진단과 처방에 의하여야 한다.

1) 기본 간호

기본간호업무는 간호사정 및 간호진단 외에 온·냉요법, 체위변경 등 마사지, 구강간호 등으로 의사의 처방 없이도 가정전문간호사의 독자적인 판단 하에 시행한다.

2) 치료적 간호

치료적 간호업무는 진료업무 영역에 속하는 비위관 교환, 정체도뇨관 교환, 기관지관 교환 및 관리, 산소요법, 욕창치료, 단순 상처치료, 염증성 처치, 봉합사 제거, 방광 및 요도세척 등 주로 건강보험진료수가 항목에 포함되는 서비스 내용이 주를 이루며 의사의 처방이 필요하다.

3) 검사 관련 업무

가정간호서비스를 제공하는 동안 환자의 상태변화를 파악하는데 필요하다고 의사가 처방한 검사 중 가정에서 실시할 수 있는 요당검사, 반정량혈당검사(간이혈당 측정기에 의한 검사), 산소포화도 검사, 그 외 현장에서 가능한 검사를 실시하고 기타 검사물을 채취하여 의료기관에 의뢰한다.

4) 투약 및 주사

(1) 투약행위: 가정간호서비스를 제공하는 동안의 투약 행위는 의사의 처방에 의하여 실시한다.

(2) 주사행위: 주사행위는 의사의 처방에 의하여 시행하며, 수액요법은 수액 감시와 속도 조절 등에 대한 관리가 가능한 경우에 실시한다.

(3) 마약관리: 가정간호는 입원 대체 서비스이므로 가정간호가 제공되는 기관의 마약관리 규정에 준하여 실시한다.

5) 교육·훈련

가정에서 환자 및 가족을 대상으로 건강관리에 필요한 식이요법, 운동요법, 처치법, 기구 및 장비 사용법 등에 대한 교육과 훈련을 한다.

6) 상담

상담은 주보호자와 가족문제, 환경관리 등에 관한 상담, 질병의 진행과정 및 예후, 말기환자의 완화간호 이용 상담, 환자의 상태변화 시에 대처 방법 등을 제공한다.

7) 의뢰

가정간호서비스가 종결된 후에도 계속적인 건강관리가 요구된다고 판단되는 환자는 희망에 따라 공공보건기관 등으로 의뢰한다.

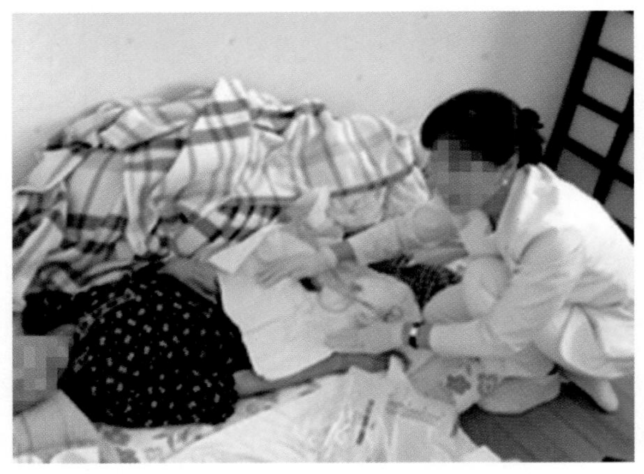

Fig 6-1 가정전문간호사 환자간호
[출처: Nursecape]

8) 의사 처방 및 치료 계획

가정간호 등록 시 의사의 기본처방에 의거하여 초기 가정간호 계획을 수립하며 의사 처방은 90일까지 유효하고 환자 상태 변화에 따라서 수시로 처방이 가능하다. 가정간호 사업 대상자로 등록되면 의사와 협의하여 치료 및 가정간호 계획은 세우거나 변경한다. 세부 가정간호서비스 내용은 Table 6-1과 같다.

Table 6-1 세부 가정간호서비스 내용

영역	서비스 내용	영역	서비스 내용
기본 간호	• 건강 상태 파악 및 관찰 • 문제 확인과 간호진단 • 활력증후 측정 • 섭취와 배설량 확인 • 체위 변경 • 온·냉요법 • 눈 간호 • 구강 간호 • 유방 간호(Breast care/Breast binding) • 복부 마사지 • 등 마사지 • 배뇨/배설 관리 • 회음부간호	치료적 간호	• 관장 • 관절 운동 • 위관 영양 • 욕창 관리 • 방광 세척 • 신생아 간호 • 봉합사 제거 • 배뇨·배변훈련 • 중심정맥관 관리 • 산소 흡입 간호 • 인공호흡기 관리 • 비구강, 기도흡인 • 기관지절개관 교환 및 관리 • 장루/요루/누공 관리 • 절개 및 배농(2.5 cm 미만) • 위루관 교환 및 유지 관리 • 비위관 삽입, 교환 및 관리 • 도뇨관 삽입, 교환 및 관리(단순도뇨, 유치도뇨관 등) • 상처 관리(단순처치, 염증성처치) • 치료용 삽관 관리 - PTBD, PCN 등
검사	• 검사물 수집 - 혈액(Blood) - 소변(Urine) - 대변(Stool) - 객담(Sputum) - 상처 분비물(Wound discharge - 피부 반응 검사(Skin test) - 경피적산소분압검사(pulse oxymetry) • 뇨당 검사(Urine glucose) • 반정량혈당검사 • 기타 의사가 처방한 검사	투약 및 주사	• 내복약 투약 관리 • 근육주사 • 혈관주사(일반 수액제재, 항생제, 항암제, TPN, 마약진통제 등) • 피하주사 • 수액감시 및 관찰 • 기타 외용약 및 안약투여
교육 및 훈련	• 흡인법 • 관장법 • 식이요법 • 보행훈련 • 투약방법 • 운동요법 • 온/냉 요법 • 기구소독법	상담	• 환자 상태 상담(직접 및 전화상담) • 재입원 상담 • 주돌봄제공자 및 가족문제

영역	서비스 내용	영역	서비스 내용
교육 및 훈련	• 연하훈련법 • 호흡훈련법 • 위관영양법 • 체위변경법 • 상처소독법 • 단순도뇨법 • 방광훈련법 • 배설훈련법 • 응급상황 대처법 • 감염 증상 판별법 • 반정량혈당 검사법 • 개인 위생관리 방법 • 수액 감시 및 관리법 • 치료적 가정환경 관리 • 피하주사의 자가주사법 • 중환자 구강 및 회음부 간호 • 특수처치 기구 및 장비 사용법 • 기타 가정에서 자가관리를 위하여 필요한 사항	의뢰 및 연계	• 보건소 • 주간보호시설 • 이동목욕센터 • 정신보건센터 • 종합사회복지관 • 노인장기요양기관 • 타 가정간호실시기관 • 호스피스·완화의료기관 • 기타 의료기관이나 지역사회 자원

[출처: 보건복지부(2023). 의료기관 가정간호사업 업무편람. 보건복지부]

9) 의뢰 및 연계

(1) 의뢰(refer out) 및 연계 서비스

가정전문간호사는 대상자를 다른 기관에 의뢰하기도 한다. 가정간호서비스가 종결되는 시점에도 계속적인 의료 관리가 요구되는 만성질환자는 말기로 갈수록 상태가 악화되어 가정간호로 더 이상 생명을 유지할 수 없게 되므로 의료기관에 의뢰하여 좀 더 적극적인 치료를 받게 해야 한다. 적극적인 치료를 거부하는 대상자는 호스피스 기관으로 연결하기도 한다. 또한 대상자가 가족과 좀 더 가까운 거리에 있게 하기 위해 그 가족이 거주하는 지역의 가정(방문)간호사업소로 의뢰하기도 한다. 대상자를 다른 기관으로 의뢰하는 것은 대상자의 필요성에 따라서 이루어져야 하며, 의사의 진료 소견 또는 진료의뢰서를 대상자가 원하는 의료기관과 협조하여야 한다.

(2) 의뢰(refer out) 및 연계 시 고려사항

대상자가 다른 기관으로의 의뢰에 동의하면, 가정전문간호사는 대상자를 기록과 함께 기관으로 보내야 한다. 그러므로 지금까지의 모든 간호기록을 검토해서 소견서를 작성해 주어야 하며, 필요 시 대상자가 의뢰될 기관의 책임자에게 직접 의사소통해서 부탁과 함께 관련 정보를 주는 것이 좋다. 이렇게 함으로써 간호사는 대상자의 개별적인 건강상태와 문제를 설명할 기회를 가지게 되며, 그러한 의사소통은 이송으로 발생될 수 있는 간호의 갭을 최소화시킬 수 있다. 일반적으로 대상자는 의료기관, 보건소, 재활센터, 호스피스기관 또는 요양원 등으로 이송될 수 있다. 또한 대상자에게 의뢰(refer out)를 결정할 때 간호사는 대상자에 대한 의견을 객관적으로 이야기하고, 각각의 경우에 대한 장점과 단점을 대상자와 함께 검토하면서 대상자를 적극 참여시켜야 한다. 대상자는 자신의 가정으로부터 다른 곳으로 옮겨가야 하는 것에 대해 거부감을 가질 수도 있다. 그러므로 간호사는 대상자에게 결정할 것을 강요하지 말고 여러 가지 상황에 대해 생각할 시간을 주어야 한다.

(3) 의뢰처와 의뢰정보

가정간호사업소는 환자를 의뢰받을 때 어떤 유형의 서비스가 필요한지를 알기 위해 가능한 한 많은 정보를 수집해야 하며, 이런 관점에서 일반적으로 의뢰 대상자를 의뢰받을 때는 인구학적 정보와 건강관련 정보를 포함하여 의뢰받는다. 그러나 관련된 정보의 양과 질은 의뢰처에 따라 차이가 있으므로, 사업소는 기록지의 양식을 통해서 제공되는 정보의 내용을 조절할 수 있다. 가정간호사업소의 의뢰처는 매우 다양하며, 거의 모든 의료관련 기관으로부터 의뢰를 받을 수 있다. 의뢰처의 형태는 사업소의 구조(의료기관형, 독립사업형, 공공형, 비영리형, 영리형 등), 크기, 위치, 제공되는 서비스의 내용, 경쟁 환경과 같은 요소에 따라 다르다. 예를 들면 의료기관 가정간호사업은 대부분 모병원으로부터 의뢰를 받을 것이며, 노인장기요양보험 방문간호는 의료기관, 요양원, 지역사회 등 다양한 소스로부터 의뢰를 받을 수 있다. 다만 노인장기요양보험 방문간호는 의뢰하는 이유와 요구되는 케어에 대한 기대가 서로 다를 수 있으므로 세밀한 점검이 필요하다.

(4) 대표적 연계자원

보건소, 재활센터, 호스피스, 요양원이나 요양병원 등이다.

II 가정간호사업의 흐름도

가정간호사업에서 대상자를 관리하는 운영체계는 대부분 등록, 수행 및 종결의 과정을 거친다. 다만 등록 과정에서 운영주체에 따라 대상자의 등록 기준과 절차가 다르다. 구체적으로 살펴보면 의료기관 가정간호는 건강보험 체제 하에서 가정간호 등록 기준에 적합한 대상자를 대상자의 요구에 따라 기관의 의사가 판단하여 가정간호의뢰서를 발행하여 가정간호사업소로 의뢰하는 절차를 따르고, 노인요양 방문간호는 노인 장기요양보험의 체제하에서 방문간호의 등록 기준에 적합한 대상자를 의료기관의 의사로부터 방문간호지침서를 발행받아 방문간호사업소에 의뢰하는 절차를 따른다. 병원 가정간호사업 운영체계에 근거한 대상자의 등록에서부터 종결까지의 서비스 전달 과정을 기본 서식의 종류와 함께 요약하여 제시하면 Fig 6-3과 같다.

등록번호	
성 별	
환자 성명	
생년월일	

가정간호의뢰지

진 단 명		퇴원 예정일	년 월 일
환자 상태			
재원기간 단축기여일	□ 없음	□ 약 ____ 일	□ 장기

처치·처방				
영양관리	□ 일반식		□ 특별식	
	□ 경관영양: 양 ______ cc/일		□ 열량: ______ ㎈/일	
	□ 비위관 교환		□ 위루관 교환, 관리	
배뇨관리	□ 정체도뇨: _____ Fr.		□ 단순도뇨: ____ 회/일	
	□ 방광루 교환: 주기			
	□ 방광세척			
배변관리	□ 관장		□ 완화제	
	□ 장루 관리			
호흡기능 관리	□ 산소: ____ ℓ /min	□ 인공호흡기 관리	□ 기관지절개관 교환	□ 기타
상처관리	□ 드레싱: ____ 회/일		□ 봉합사 제거: _____ 월 _____ 일	

약/주사 처방(용량, 속도, 횟수 명기)	
□ 일반수액: ______________________________	
□ T P N: ______________________________	
□ 통증조절: ______________________________	
□ 항 생 제: ______________________________	
□ 기 타: ______________________________	
검사 처방	
기 타	

년 월 일 의사 서명 ____________ (연락처 ____________)

Fig 6-2 **가정간호의뢰지**

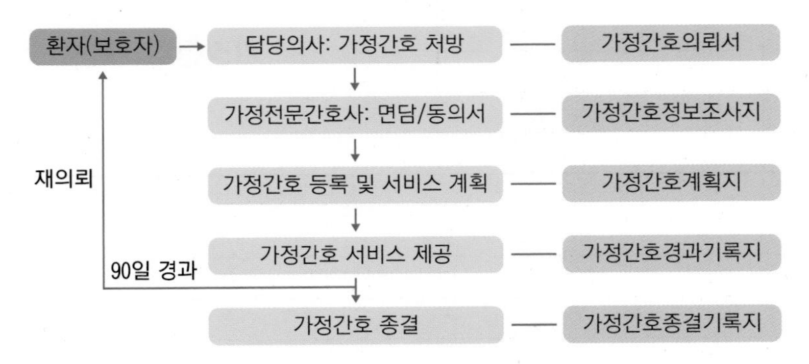

Fig 6-3 **가정간호사업의 흐름도**

1 대상자 등록 기준 및 등록 거부

1) 대상자 등록(Intake) 기준

가정간호사업 대상자는 의료기관에서 입원진료 후 퇴원한 환자와 외래 및 응급실 환자 중 다음에 해당되는 자로서 의사 또는 한의사가 가정에서 계속적인 치료와 관리가 필요하다고 인정한 경우가 등록 기준이 된다. 모든 환자가 가정간호에 적합한 것은 아니기 때문에 가정전문간호사의 세심한 사정과 의사와의 협력이 필요하다.

등록 적합성을 확인하기 위해 대상자의 신체적 상태와 제한 요소, 가정의 안전상태, 지역적 위치, 가족이나 친구의 지지 정도, 심리사회적 요소를 충분히 사정해야 한다. 또한 사업소는 사업소 자체가 대상자의 의학적, 간호학적 그리고 사회적 요구에 부응할 수 있을 때 대상자를 등록해야 한다. 운영주체에 따라 보험급여 혜택을 받기 위한 구체적인 등록 기준은 1장 가정간호에서 '5. 가정간호사업대상'을 참조한다.

가정간호사업소는 환자에게 안전하고 적절한 서비스를 제공할 수 있도록 하기 위한 등록 기준을 사업소 정책으로 가지고 있어야 한다. 사업소의 등록 기준은 의학기술의 발달로 첨단기술치료를 가정에서 제공하도록 요구하고 있다. 그러므로 사업소는 사업소별로 서비스 수용 범위을 포함하는 등록 기준에 대한 정책들을 주기적으로 검토하여 수정·보완해야 한다.

2) 대상자의 등록 거부(미등록)

가정간호사업소는 사정 결과가 의뢰 거부[예를 들면 의뢰해준 서비스를 해당사업소가 수행할 수 있는 능력이 없는 경우, 환자 상태가 재가케어로서 안정된 상태가 아닌 경우, 환자가 자택이나 자택으로 볼 수 있는 지역시설이나 요양시설에 살고 있지 않은 경우, 환자가 사업소가 담당하는 지역에 거주하지 않는 경우, 그리고 환자가 혼자 살면서 전화를 사용할 수 없는 경우는 가정간호의 대상자로 적합하지 않을 수 있다]로 결정될 때는 의뢰처에 그 이유를 정확히 알려주어야 한다. 그리고 그 사유들을 의뢰 양식이나 별도의 보존 양식에 잘 기재하여 보관함으로써, 이후에 서비스가 왜 제공되지 않았는지에 대한 의문이나 문제가 있을 때 참고하도록 한다.

가정제한(home bound) 상태에 대한 기준은 구체적인 등록 기준은 1장 가정간호에서 '5. 가정간호사업대상'을 참조한다.

2 서비스에 대한 범위

가정간호사의 주요 업무는 기본 간호, 치료적 검사 관련업무(가정간호 요당검사 또는 경피적혈액산소분압검사, 의사 처방), 투약 및 주사(의사 처방), 교육 및 훈련, 상담과 의뢰 등이다.

가정사업소에서 대상자에 제공되는 간호서비스는 2. 가정간호사업의 특성에서 주요 범위를 기술하였으므로 참고한다.

3 가정간호 수행

대상자가 선정되고 가정간호사업소에 등록되면 방문을 위한 사전 준비에 들어간다. 가정에서 환자케어 제공은 과학적인 접근을 요구한다. 간호 수행을 위한 간호과정은 환자간호를 조직화하고 단계적인 접근을 가능하도록 한다. 간호과정은 가정에서 전문적인 간호실무의 통합성과 방향을 제공한다. 우선 대상자 방문 시 방문을 위한 사전준비가 있는데 사전 준비에 따른 유의사항을 잘 기억하여야 한다.

1) 방문을 위한 사전 준비

(1) 기본적인 유의사항

① 대상자의 정서와 기대감은 병원 입원 시와는 다르다는 것을 인식한다.

② 가정간호와 관련된 모든 행위는 사전에 설명하여 대상자의 동의 하에 실시한다.

③ 효과적인 간호를 제공하기 위하여 가정간호 대상자의 가정환경을 면밀히 분석한다.

④ 치료로 인해 대상자의 방이 더럽혀지지 않도록 주의하고, 대상자의 기구나 물품을 사용할 때는 사전에 양해를 구한 후 사용해야 한다.

⑤ 대상자와 가정전문간호사 사이에서 교환되는 기본정보는 사업소에서 만들어진 양식에 기록하고, 특히 의뢰 시 제공된 정보를 확인해야 하는 경우는 사유를 사전에 설명한다.

(2) 특별한 주의사항

① 개나 고양이 등의 애완동물로 인한 위험을 느낄 때 묶어두거나 다른 방으로 보낼 것을 요청하고, 가정간호기록지에 대상자의 가정에 동물이 있다는 표시를 한다.

② 일반적으로 대상자 혹은 가족이 음식을 권할 경우 근무 중에는 원칙적으로 불가하나 대상자의 치료를 위한 경우에는 제외한다.

③ 집안에 누군가 몹시 술에 취해 있거나 어떤 공포나 위험을 준다고 느끼면, 대상자에게 꼭 필요한 간호만 제공하고 신속히 철수하고 응급상황에 대비하여 처음 방문 시 모든 출구를 사전에 확인한다.

2) 사전 상태 파악 및 간호계획

첫 방문 전에, 가정전문간호사는 방문 목적을 결정하기 위해 의뢰 정보(간호 정보)를 검토해야 한다. 그리고 의사 처방과 함께 환자의 주소 및 전화번호가 의뢰지에 기록되어 있는지를 확인한다. 가정방문은 간호사가 대상자의 가정에 들어가서 해당 서비스를 제공하는 것이므로, 철저한 사전 계획 하에 가정방문이 이루어져야 하며, 이렇게 함으로써 다음과 같은 결과를 가져올 수 있다.

① 주어진 시간을 최상으로 사용할 수 있다.
② 이용 가능한 적절한 서류 양식으로 기록과 서류 절차를 빠르게 진행할 수 있다.
③ 간호계획에 참여하는 모든 전문가들에 의해 대상자의 간호를 지속적으로 증진시킬 수 있다.
④ 불필요하거나 부정확한 치료, 환자교육과 서비스의 중복, 불필요한 중재를 피할 수 있다.

(1) 대상자 파악 및 간호계획 수립

대상자의 과거력을 확인하고 관련된 기록지 등을 검토한다. 의뢰된 경우에는 의뢰기관으로부터 정보를 수집하고 분석하여 대상자와 가족을 파악한다.

(2) 초기 방문 목적 수립

초기 가정방문 목적은 주치의의 기본 처방에 의거하여 가정전문간호사가 결정한다.

(3) 간호중재 계획 수립

① 처음 방문 시에는 방문에 제공되어야 하는 구체적인 간호중재 계획을 수립
② 특히 대상자와 가족과의 관계를 평가하는 데 중점을 두고, 다음 방문 시에 시행할 기술적 지원이나 교육 등을 주요 활동 계획으로 포함한다.

(4) 간호중재의 우선순위 결정

대상자가 복합적인 문제를 가지고 있는 경우에는 처음 방문이든 추후관리(follow-up) 방문이든 가정전문간호사가 대상자의 간호 문제에 대해 우선순위를 결정한다.

3) 방문 전 준비사항

(1) 대상자와 가족에게 전화 통보

방문 전 전화는 가정전문간호사가 환자에게 방문 시간과 대상자의 집 위치를 확실히 파악하는 데 도움이 되며, 필요하다면 애완동물의 통제를 요청하고, 기타 의료용품에 대한 요구를 확인하는 기회를 제공한다. 중요한 것은 가정전문간호사가 간호계획을 세우는

데 있어서 환자와 보호자의 요구를 사정할 수 있게 하고 환자 상태를 확인하여 예상되는 물품을 준비할 수 있게 한다. 또한 전화로 대상자와 가족에게 가정방문에 대한 준비를 시켜서, 간호사가 대상자의 가정에 도착하는 즉시 가정간호를 제공할 수 있게 한다. 전화를 할 때는 간호사의 이름, 사업소명, 전화목적 등에 대하여 소개한다. 특히 첫 방문 시는 전화방문이 더욱 중요하므로 다음과 같은 내용을 포함하여 통화를 하도록 한다.

- 가정간호사업소가 대상자를 어떻게 의뢰를 받았는지와 첫 번째 방문의 소요시간 안내
- 대상자의 주소 확인과 첫 번째 방문에 대한 승낙

(2) 가정방문을 위한 물품 및 가방 준비

전화를 통해 대상자의 상태를 확인한 후, 대상자에게 적합한 가정간호 계획을 수립하고 이에 필요한 의료용품이나 서식 등을 담은 방문 가방(Fig 6-4)을 준비한다.

가정방문 가방에 구비되는 물품으로는 다음과 같은 일반적인 기구와 소모품이 준비되며, 해당기관에 따라 품목이 조정된다.

- 손 소독용 물품: 물휴지나 손 소독용 소독제
- 기구 및 물품: 체온계, 청진기, 혈압계, 혈당 측정기, 토니켓, 주사기 및 주삿바늘, 자, 일회용 소독 장갑, 알코올 솜, 식염수, 거즈, 설압자, 가위, 반창고, 처치 종류별 세트, 윤활제

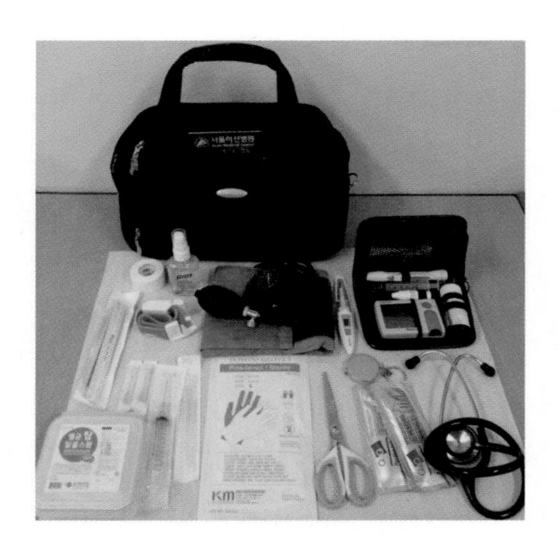

Fig 6-4 **방문 가방**

4) 간호과정

효과적인 가정간호를 수행하기 위하여 간호과정을 사용해야 한다. 간호과정은 간호사정, 간호진단, 간호계획, 전문중재의 실행 및 간호평가로 이루어지며, 이러한 다이나믹하고 지속적인 과정을 통해, 간호사는 대상자의 요구와 변화에 맞추어 간호가 적절하게 유지되는 것을 보장한다. 또한 가정전문간호사는 대상자의 건강 요구뿐 아니라, 간호에 영향을 주는 가족과 사회·문화적, 경제적 및 환경적 요소에도 초점을 두어야 하며 항상 사전에 담당간호사의 방문을 대상자에게 알리고 대상자와 가족의 비밀, 신념, 생활양식 및 그들의 요청을 존중해야 한다.

(1) 사정(Assessment)

사정에서 수집된 자료는 가정간호에서 의사의 처방에 따라 대상자의 간호계획을 수립하는 데 기초자료로 사용된다. 또한 과학적으로 사정하기 위해서는 신체 사정, 입원기록지 검토, 대상자 및 가족과의 면담, 가정환경조사 등이 면밀히 이루어져야 하며, 이를 위해 다음과 같은 면담 기법, 관찰 기법 및 사정 도구를 이용할 수 있고, 이것은 육하원칙에 의거하여 정확히 기록되어야 한다.

① 면담(interview)

- 질문은 신중하게 관련되는 것만 하고, 마음을 연 상태에서 하며, 대화를 할 때에는 우선 경청한다.
- 대상자와 가족이 주로 이야기를 하도록 하게하며, 가정전문간호사는 면담이 진행되는 동안 노트를 하거나 양식에 기록한다.
- 필요하다면 정확성을 기하기 위하여 작성된 기록 내용을 대상자 혹은 가족이 확인해 보도록 요청한다.

② 관찰(observation)

- 가족관계, 가정 분위기, 가정전문간호사 방문에 대한 대상자와 가족의 반응 등을 객관적이고 구체적으로 기술되도록 잘 관찰한다.

③ 사정 도구 이용(using the assessment tool)

- 정밀한 신체 사정을 위하여 청진기와 체온계 등과 같은 도구를 사용한다.
- 그 외에도 가정전문간호사의 모든 감각을 사용하여 과학적이고 포괄적인 사정을 실시한다.

대상자의 간호계획을 수립할 때는 포괄적인 접근이 권장되며, 이를 위해 사정단계에서 검토되어야 할 요소로는 최초 전화방문, 사정면담, 환경관련 사정자료, 간호건강력 사정, 투약 사정, 신체 사정(영적, 정서, 기능 상태 포함) 등이 있을 수 있고 구체적 내용은 다음과 같다.

• 최초 전화방문

매일의 가정방문에서 환자사정의 첫 단계는 전화로 시작된다. 방문 전 전화를 통해 가정전문간호사는 대상자의 최근의 건강 상태를 파악할 수 있으며, 이를 통해 대상자에게 필요한 처방이나 물품들을 사전에 파악하여 준비할 수 있다. 계획된 방문일 때 전화는 더욱 중요하며, 간호사가 대상자의 가정에 도착할 때 예기치 않은 사건을 예방하게 한다.

• 사정면담

다음은 사정면담으로, 면담의 목적은 자료와 정보를 수집하는 것이다. 정보는 인쇄된 서식이나 체크리스트에 의해 수집된다 하더라도, 간호사는 환자, 가족 혹은 간병인에 의해 나오는 정보를 다 수용해야 한다. 사정면담은 일차적으로 질문사항에 대한 환자의 반응인 주관적 자료부터 수집되며, 비언어적 실마리도 주목해야 한다. 사정면담은 간호사-대상자-보호자 간의 치료적 관계를 확립하는 중요한 단계이다.

• 재가환경사정

이 부분에서 중요한 요소는 사회환경을 사정하는 것으로, 가정에서의 대상자의 위상을 파악하게 한다. 또한 대상자의 경제적 상태와 생활 상태를 확인함으로써, 가정전문간호사는 대상자, 보호자 및 중재 간호에 필요한 환경자원을 협조라는 요소로 이용 가능한지에 초점을 두어야 한다.

재가환경사정에서 가족 사정은 대상자의 케어를 지원하는 이용 가능한 모든 지지체계를 확인하는데 도움이 된다. 대상자와 그 가족의 경청 태도, 의사소통과 대처 양식이 모두 확인되어야 한다. 이를 통해 가정에서 가족구성원의 역할들이 케어계획을 짤 때 고려되어야 하며, 이것은 대상자가 아동일 때 더욱 중요하다.

- **건강력 수집**

건강력은 대상자의 건강 상태에 대한 지각과 반응을 파악하기 위한 것이다. 이것은 건강관리에 대한 요구와 케어에 대한 기대에 관한 대상자의 감정에 초점을 두며, 현재의 건강 문제를 다루는 대상자의 능력을 확인하는 실마리를 찾게 한다. 건강력은 또한 과거의 건강 양상과 질병 양상을 확인하는 데 도움을 주며, 위험요인의 유무와 개인의 이용 가능한 자원을 확인하는 데도 도움이 된다.

건강력에 대한 파악이 충분치 않으면 추가 정보를 찾아야 한다. 추가 정보는 환자의 현재의 건강 상태, 질병력, 수술이력, 가족력, 계통조사(Review of System, RDS)를 포함한 신체 사정을 통해 수집된다.

- **신체 사정**

신체 사정은 또 다른 정보원이다. 이것은 시진, 청진, 촉진, 타진 등 특별히 훈련된 감각 또는 기구를 이용하여 대상자의 건강 상태를 평가하는 것이다. 대상자는 머리에서 발끝까지 시스템별로 혹은 신체 부위에 따라 검진된다. 간호사들은 그들 자신만의 접근법을 개발해야 하며, 특수한 대상자에 대한 사정 기술도 준비도 되어 있어야 한다. 신체 사정에서는 대상자가 이동하거나 일상생활 동작을 수행할 때 가동되는 기능 상태(기능적 제한)도 확인해야 한다.

첫 방문 시, 가정전문간호사는 신체 사정을 원칙대로 완벽하게 수행해야 한다. 다음 방문 시는 특수한 문제 영역만 사정하여 변화된 부분을 확인하고, 항상 최신 자료로 수정되어 유지되어야 한다. 대상자에게 문제가 있을 것으로 의심이 되거나 담당의사가 대상자의 상태에 대하여 알고자 할 때 보고를 하는 것이 좋다. 이를 위해서는 의사로부터 수기 처방을 받도록 하며, 이런 지침은 의무 기록에 남겨져야 한다. 가정전문간호사는 신체 사정 결과와 대상자의 상태를 의사에게 보고해야 한다고 판단되거나 대상자를 응급실로 이송시켜야 하겠다고 판단될 때는 주저해서는 안 된다.

• **영적 사정**

정신건강 사정은 신체 사정의 연장선상에서 수행된다. 가정간호정보조사지에는 영적 사정을 위한 내용이 포함될 수 있다. 이것은 특히 호스피스케어에서 더욱 중요하다.

• **투약 사정**

약물 사정은 처방된 약물뿐 아니라 비처방 약물도 모두 수집되어야 한다. 완벽한 사정은 약물 각각의 이름, 용량, 빈도까지 확인해야 하며, 약물 사용의 기대 목적, 부작용, 알러지 여부 등에 대한 대상자의 학습요구를 파악하는 것도 중요하다. 투약은 용량, 빈도 및 형태에서의 변화를 확인하기 위해 매번 방문 시마다 확인되어야 하며, 결과적으로 투약의 변화는 새로운 교육을 시행하는 근거가 된다.

(2) **진단** (Diagnosing phase)

일단 사정이 완료되면 간호사는 자료를 해석하여 간호진단을 내린다. 간호진단은 건강 상태를 명료하고 정확하게 진술하는 것으로, 이것은 대상자의 건강과 불건강한 반응 및 지지요소를 포함한다. 가정간호에서 주로 사용되는 간호진단에는 지식 결핍, 활동내구성 부족, 자가간호 부족 등이 포함된다. 대상자 간호에 대한 분류체계가 대상자의 다차원적 요구를 수용해야 하므로 많은 가정간호사업소는 다차원적 케어를 유도하는 간호진단을 사용하고 있다.

현재 사용되는 간호진단은 〈가정간호 문제분류체계〉를 참조한다.

- 간호진단은 실제적/잠재적 간호 문제에 대하여 긍정적인 간호중재가 제공될 수 있도록 하게 한다.
- 간호진단은 간호 문제에 영향을 주는 요인이 무엇인지를 명료하게 하므로 가장 우선적으로 해결되어야 할 건강 문제가 무엇인지를 결정하게 한다.
- 간호진단의 틀은 '간호진단 related to 관련 요인'이며, 현재 개발된 간호진단의 수는 280여 종이다(The NANDA International Nursing Diagnosis 2021~2023).
- 최근은 간호진단으로 표현할 수 없는 간호 문제는 간호 문제 그대로 기술하여 목표와 계획을 수립하는 것이 최근 경향이다.

- 우선순위는 끊임없이 변화되며, 대상자의 의학적 상태가 변화됨에 따라 간호진단의 순위 또한 변화될 수 있다.

(3) 계획(Plan)

대상자의 사정과 간호 문제를 주 근거로 내린 간호진단이 세워지면 문제에 근거한 우선순위에 따른 계획을 세운다. 간호계획은 의학적 치료계획, 간호중재, 장기목표와 단기목표를 반영하며 대상자에 대한 특수목표를 가질 수도 있다. 또한 서비스의 전달을 평가하기 위해서 그리고 서비스에 대한 보험지불보상의 근거로 활용하기 위해서 반드시 기록되어야 한다.

① 목표와 기대결과지표 설정

가정전문간호사는 가정방문에서 수집된 대상자와 가족에 대한 일반적 정보, 환경에 대한 평가, 의뢰된 대상자의 건강 상태에 대한 정보 및 간호사의 전문적인 판단에 기초하여 단기 및 장기목표를 다음과 같이 설정한다.

- 목표는 항상 성취 가능하며 달성 여부에 대한 확인이 가능하게 수립되어야 한다.
- 목표에 도달되기 위하여 대상자 및 그 가족과 마음을 터놓고 협의하여야 하며, 대상자와 가족이 성취하려는 욕구를 반영한다.
- 목표는 결과 지향적이어야 하며 우선순위에 따라 나열되어야 하되, 건강요구나 상황에 따라서 재조정한다.
- 대상자의 목표 달성 정도를 측정하는 데 사용할 기대결과지표를 확인한다. 기대결과지표는 간호과정의 계획단계에서 작성된 것으로 평가의 지표가 된다.
- 평가를 위해 어떤 자료를 수집해야 할지 알게 되고, 어떤 자료를 평가할 것인지 기준을 제시한다.
- 통상 한 목표 당 3~4개의 기대결과지표로 세팅하는 것이 바람직하다.

(4) 중재(Implementation, intervention)

장기 목표와 단기 목표가 확인되면, 가정전문간호사는 대상자와 그 가족 및 다학제 팀과 파트너십을 형성하여 간호 기대결과와 목표를 달성하는 데 도움을 주는 특수 중재를 포함한 간호활동을 수행하게 된다. 간호계획을 실행하기 위해 간호사는 대상자 및 보호자와 함께 정보를 교환하고, 의뢰자와 간호를 조정하며, 대상자의 옹호자로서 다학제 팀과의 집담회를 개최하고, 지역사회 내의 자원을 구한다. 간호활동은 의사 처방이나 가정전문간호사의 판단에 의해 시작되었다 하더라도 대상자의 가정환경에서 상황에 따라 즉흥적으로 시행되기도 한다.

다음은 대상자의 간호계획을 중재하는 데 있어서의 관리 원칙이다.

- 서비스 제공에 대한 수행기준은 가정간호사업소의 서비스 범위 및 정책과 절차에 의해 결정된다.
- 중재는 대상자와 보호자 및 다학제 팀을 포함해야 한다. 왜냐하면 모든 사람들은 간호계획의 실행에 영향을 주기 때문이다.
- 가정전문간호사, 의사, 다학제 팀, 환자 및 보호자 간의 관계는 간호계획의 실행을 상호 유도하므로 협동해야 한다.
- 중재의 적시성, 기동성, 개별성 및 간호 기대결과는 가정전문간호사에 의해 작업될 때 전문성 있는, 살아 있는 중재가 된다.
- 보험규정은 기록과 제공되는 서비스에 강력한 영향을 주며, 가정간호사업소의 지불보상에 대한 근거가 된다.
- 가정간호의 특별중재로는 드레싱 교환, 투약관리, 주사치료, 카테터 교환 등과 같은 치료기술들이 포함되며, 사례관리자로서의 역할도 수행한다. 구체적인 서비스 내용은 **Table 6-1**을 참조한다.

① 첫 방문

첫 방문은 간호사와 대상자에게 있어서 매우 중요한 만남이다. 첫 방문에서 받은 인상은 간호사와 대상자 간의 서비스의 질에 영향을 미치게 된다. 대상자들은 가끔 첫 방문 때 매우 높은 수준의 불안을 경험한다고 한다. 첫 방문 때 대상자들은 대부분 질병이 완치되지 않고 의학적으로 안정되지 않은 상태이며, 가정간호에 대해 기대가 확실하지 않아서 가정간호를 거부할 수 있다. 대상자와 그 가족들은 가정간호의 질이나 가정간호사업소의 수준에 의문을 가질 수 있다.

② 첫 방문 시 유의사항

가정전문간호사의 대상자와 신뢰관계 형성은 치료적 관계의 시작에 매우 중요한 영향을 주므로, 이를 촉진하기 위해 다음과 같은 내용을 유념해야 한다.

• 대상자와 가족에게 전화 통보

방문 전 전화는 가정전문간호사가 환자에게 방문 시간과 대상자의 집 위치를 확실히 파악하는데 도움이 되며, 필요하다면 애완동물의 통제를 요청하고, 기타 의료용품에 대한 요구를 확인하는 기회를 제공한다. 중요한 것은 가정전문간호사가 케어계획을 세우는데 있어서 환자와 보호자의 요구를 사정할 수 있게 하고 환자 상태를 확인하여 예상되는 물품을 준비할 수 있게 한다.

- 가정간호사업 목적과 서비스 제공 가능 기간 및 보험급여 가능 기간에 대해 설명한다.
- 초기 방문 가정간호 계획에 수립 된 주요 서비스 내용들을 다시 점검한다.
- 대상자에게 담당 가정전문간호사의 이름, 근무처, 전화번호 등을 재확인한다.
- 가정간호 대상자나 가족에게 응급 시에 구급차를 부르는 방법과 기초적인 응급처치에 관하여 교육·훈련한다.
- 다음 방문 날짜와 시간 등을 되도록 기록으로 통보한다.

③ 방문 횟수의 결정

방문 횟수는 의사의 처방과 가정전문간호사의 판단에 의해 결정한다.

- 첫 방문 후 다음 날 재차 방문하여야 하는 경우
- 가정전문간호사가 세부 간호계획을 수립하기 위하여 보다 구체적이고 정확한 정보가 필요한 환자
- 복합적인 중증환자로서 전문적인 지식과 기술이 계속 제공되어야 하는 환자
- 환자 상태가 불안정하여 변화를 확인하여야 할 환자
- 수술 후 조기퇴원 환자로서 계속적인 처치 및 관찰이 요구되는 환자
- 인슐린 주사법, 체온측정 등 기초적인 자가간호법을 훈련해야 하는 경우 등이다.

④ 사고·사건 보고 및 기록

가정간호 시행도중 합병증이나 사고 발생 시에는 의사와 책임자에게 즉시 보고하고 사건 및 사고 기록지에 적어도 24시간 이내에 기록한다.

- 상해가 발생한 경우: 골절, 화상, 기구 사용 시 발생한 열상 등
- 치료가 지연되거나 추가되었을 경우: 정맥 주입액이 새어 괴사가 생긴 경우 등
- 예기치 못한 나쁜 결과가 발생한 경우: 심장마비가 온 경우 등
- 건강에 해를 초래하게 된 경우: 환자에게 투약 교육을 잘못한 경우 등
- 의사가 처방한대로 간호를 실시하지 못하는 경우 등

⑤ 전문간호기록(Documentation)

간호사는 대상자가 전문간호를 필요로 한다는 근거를 기록으로 남겨야 한다. 초기 사정은 각 사업소의 사정 양식에 따라 세부사항을 기록하게 한다. 초기 사정에 대한 문서기록은 특히 더 중요한데, 그 이유는 대상자가 가정제한 상태에서 전문서비스가 필요하다는 근거를 제시하기 때문이다.

- 초기의 간호기록지(간호정보조사지)에는 신체 사정을 통한 대상자의 상태, 약물 등 치료에 대한 이행 상태 및 반응, 질병 경과, 현재 제공되는 치료의 목적, 관련 징후와 증상에 대한 지식 상태, 가정간호 보조원의 활동에 대한 필요성, 대상자의 현실적인 목표, 예상 방문 기간과 빈도 및 가정제한 상태를 포함해야 한다. 또한 대상자가 환자권리장전에 대해 설명을 받았고 이를 이해했는지에 대해서도 기록한다.

- 결과에 대한 의무기록지는 대상자와 접촉한 간호 제공자가 기록하며, 일자별로 편철된다. 의무기록지에 기록된 내용은 대상자의 증상과 증후에 대한 기술, 제공된 약물이나 치료, 치료에 대한 대상자의 반응, 약물치료의 효과, 신체적 및 정서적 변화를 포함한다.

- 대상자에게 실시한 교육도 의무기록지에 기록되어야 한다. 교육은 특정한 약물요법, 식이요법, 치료요법 및 운동요법으로 분류된다. 교육은 도구사용을 적극 추천

하며, 대상자/가족이 독립적으로 치료요법을 수행하고, 그 내용(예 약물치료의 부작용)을 이해하고 말이나 행동으로 표현할 수 있을 때까지 계속해야 하며, 대상자가 독립적으로 기능하면 교육은 반복하지 않는다.

- 대상자의 상태를 기술할 때 간호사는 부정적인 내용으로 기록해서는 안 된다. 예를 들면 상처의 크기, 깊이, 넓이, 삼출물의 색과 냄새, 타액의 색깔, 폐의 울혈, 복부 둘레, 투약에 대한 반응, 통증 정도와 같은 것들을 구체적인 용어로 기술하도록 한다.

- 또한 숙련된 상태 관찰과 평가를 위한 방문도 대상자의 간호를 위해 매우 중요하다. 그러므로 관찰 및 평가를 위한 방문에 대해 수가 요청을 확실히 하기 위해서 대상자의 상태 변화와 의사 처방의 변경을 모두 기록해야 한다.

- 전문적 직접간호(예 카테터 교환, 치료 또는 주사)에 대한 기록은 간호사들이 익숙하기 때문에 비교적 잘 기록한다. 그렇지만 사례관리에 대한 부분은 전문적 직접간호를 비전문 간호제공자(예 가족이나 요양보호사)가 시행해도 되는지에 대해 지속적으로 검토해야 하기 때문에, 제공되는 치료의 복잡성을 구체적으로 잘 기록해야 한다.

- 재활 등과 같은 특수한 전문치료에 대해서도 시행한 서비스에 대해 자세히 기록되어야 한다. 물리치료의 경우 대상자의 임상적 상태, 방문 중 수행된 특수한 치료방법, 대상자의 운동치료에 대한 반응, 치료자의 목표, 방문을 통해 발견한 새로운 문제 등에 대한 기록이 있어야 하며, 이런 기록은 운동성의 상실 정도와 회복 정도로 기술해야 한다. 구체적으로 대상자가 이동한 거리는 미터로 표기하고, 이동에 사용된 보조기구나 독립성의 정도를 명확하게 기록하여야 한다. 언어치료사는 퍼센트, 정도, 반복 횟수와 같은 표현을 이용해서 치료에 대한 대상자의 반응을 기록해야 한다.

⑦ 중재와 관련된 기타 사항

• 의사 처방과 의사연계

가정간호사업소에 대상자를 의뢰한 의사나 한의사는 의료기관 가정간호의뢰서나 요양시설 방문 촉탁의의 가정간호의뢰서를 발급함으로써 간호사를 통한 환자 관리에 대한 지도와 감독을 하고 기술지원을 해야 한다. 의사는 첫째 가정간호 대상자의 주치의로서 둘째, 가정간호사업소에 대한 의학적 지시나 자문자로서 각각의 역할을 구체적으로 살펴보면 다음과 같다.

• 주치의로서의 책임

의뢰기관 가정간호나 노인장기요양보험의 방문간호는 해당 형태의 보험급여에 적합하기 위해서는 대상자를 의뢰하는 주치의가 있어야 한다. 주치의는 가정간호팀 구성원에게 케어플랜의 근거가 되는 가정간호의뢰서나 방문간호지시서를 발행한다. 의뢰서는 대상자가 가정간호를 의뢰하게 된 이유를 알려 주는 것으로 국제질병분류(ICD-9)에 따른 명확한 진단이 기록되어야 하며, 진단이 많은 경우는 중요도 순으로 나열한다. 처방에서 처치는 치료 내용에 대한 빈도와 지속기간이 제시되어야 하고, 투약은 용량, 빈도, 투약 방법이 정확히 명시되어야 하며, 검사는 검사 종류와 필요 시 조건 등이 명시되도록 권장한다. 의사의 서명은 가능한 자필로 한다.

가정간호의뢰서는 적어도 90일마다, 그리고 방문간호지침서는 6개월마다 각각 해당 의뢰서가 재발행되어야 하며, 이와 연동하여 케어플랜도 재검토되어야 한다. 의사는 서비스가 제공되기 전에 해당 서비스에 대해 처방을 해야 하며, 보험급여로 비용이 청구되기 전에 서비스에 대하여 서명을 해야 한다. 이런 서명은 대상자가 각각 보험급여의 기준에 부합하다는 것을 인정하는 것이 된다.

의사는 의료기관 가정간호의뢰서나 노인장기요양보험의 방문간호지침서를 처방함으로써 다음과 같은 책임을 지게 된다.

- 의학적 문제 관리
- 대상자의 가정간호 요구에 대한 인식
- 치료계획의 설정 및 승인

- 초기 치료계획에 대한 변화 시 승인
- 대상자의 장기와 단기목표 확인
- 담당간호사로부터 온 정보에 의한 신규, 급성 혹은 응급의학적 문제 평가
- 대상자나 팀 구성원과 의사소통
- 필요 시 사례집담회 참여
- 치료계획의 갱신
- 케어의 질 상태 평가
- 적절한 의무 기록 작성
- 온콜(on call)에 대한 부응

• 사업소에 대한 의학적 자문

의사는 가정간호사업소를 위해 의학적 자문가로서 사업소의 서비스에 광범위하게 참여한다. 구체적인 내용은 다음과 같다.

- 지역사회와 사업소 사이에서 가정간호의 연계자로서의 역할 수행
- 가정간호의 이용을 위한 의사 교육(이용 가능한 서비스, 보험커버 및 기타 실무)의 실시
- 사업소의 결과 자료에 대한 정기적 검토
- 사업소의 자문위원회에 적극 참여
- 가정간호사업소의 평가에 참여
- 신규 프로그램 개발, 질 개선 측정 및 보수 교육에 협조
- 전달된 서비스와 관련된 이용 감사나 이용 관리 업무 수행
- 기타 의사와 사업소 간 갈등 해결 촉진

의료기관 가정간호에서 가정전문간호사는 가정간호 등록 시 주치의의 가정간호의뢰서에 의거하여 초기 간호계획을 수립해야 한다. 의사와 한의사의 처방은 90일까지 유효하며 대상자 상태의 변화에 따라서 수시 처방이 가능하다. 그리고 가정간호사업 대상자를 등록받은 후 종결에 이르기까지 적어도 월 1회 이상의 보고체계를 갖추도록 하고, 치료계획의 변화가 필요한 경우는 주치의와 합의하여 치료 및 가정간호 계획을 변경하도록 한다.

(5) 평가(Evaluation)

평가는 간호 과정 중에서 5번째 단계로서, 가정간호 활동뿐 아니라 다학제 팀의 효과를 측정하는 것을 말한다. 이것은 간호에 대한 기대결과에 부합하고 장기목표를 달성하는 과정에서 대상자의 진행 상태를 확인하는 활동이다. 또한 자원이 용의 적절성과 그 효과를 측정하는 것도 이에 해당한다. 첫 방문 시 가정간호서비스의 결과로 무엇을 평가할 것인지를 결정해야 한다.

이것은 기대결과지표와 관련 있으며, 이것이 바로 평가기준이 된다. 간호사는 가정방문 후에 자신이 수행한 업무에 대하여 다음과 같이 자문하고 검토해 본다.

① 방문의 평가

대상자의 방문 후 다음 사항에 대해 자세히 평가하고 다음 단계를 계획한다.

- 가정간호 계획에 대하여 환자 및 가족이 잘 이해하고 있는가?
- 오늘의 방문 결과로 환자/가족의 건강관리 능력이 높아졌는가?
- 이번 방문활동이 가정간호 기록부에 간결하고 명백하게 작성되고 있는가?
- 내가 맡은 환자의 건강 회복을 돕기 위하여 다른 분야의 서비스를 연계할 필요가 있는지?
- 가정간호 계획이 계속성을 유지하고 있으며 환자를 위한 추후 장기계획이 있는가?

② 간호 과정에 대한 평가

- 평가는 신체적인 측면뿐 아니라 사회 심리적 측면과 환경적 측면도 포함한다.
- 평가는 가능하다면 많은 자료를 근거로 지속적으로 이루어져야 한다. 즉, 초기에 설정된 우선순위가 지속적으로 유효한지를 검토한다.
- 대상자의 신체 상태, 지지체계, 환경적 요인, 사회 심리적 상태는 계속 변화하므로 제공되는 간호서비스의 유형도 변화가 가능하다. 따라서 초기의 간호 계획에 대한 재검토와 수정이 필요하다.

일단 간호의 목표와 결과가 달성되거나 대상자가 더 이상 가정간호가 요구되지 않는다고 결정되면, 대상자는 가정간호사업소로부터 종결이 된다.

5) 가정간호의 종결 및 연계(refer out)

(1) 가정간호 종결

① 종결 계획 및 종결 시 주의사항

- 가정간호전문간호사는 대상자의 종결을 서서히 준비해야 한다. 종결 계획은 첫 방문부터 시작되며, 간호사는 더 이상의 간호가 필요로 하지 않을 때까지 대상자의 안녕과 안전을 위한 최상의 간호서비스를 제공해야 한다.
- 가정간호에서 종결은 병원간호의 퇴원과는 다르며, 가정전문간호사가 종결에 대한 주체가 되므로, 가정전문간호사는 대상자와 함께 간호목표를 수립하고 수시로 대상자에게 간호목표의 달성 정도를 알려 줌으로써 점차 독립적인 생활을 준비할 수 있게 한다.
- 가정간호 대상자에 대한 가정간호의 종결 시 주치의와 가정간호의 종결에 대하여 협의하고 종결에 대한 결정은 유선상보다는 가능한 한 직접 방문하여 대상자의 상태를 정확하게 확인한 후 결정하도록 한다.
- 종결은 가능한 한 계획된 서비스의 종료 1주일 전에 대상자 및 가족과 협의한다.
- 가정간호서비스의 종료 후에도 계속적인 추후관리가 요구되는 대상자는 향후의 자가간호방법에 대하여 대상자 및 가족에게 교육과 훈련을 실시한다.
- 가정간호기록지, 특히 종결요약지에는 그 동안의 각종 간호에 대하여 육하원칙에 의거하여 구체적으로 기록하며, 종결 사유와 대상자 상태 및 앞으로의 계획 등도 포함한다.

② 대상자 종결 기준

지속적인 가정간호서비스를 제공하여 가정간호 계획에 수립하였던 목표를 달성한 경우나 질병이 위중해진 경우에 종결한다.

다음은 대상자의 종결 기준이다.

- 환자 스스로 외래진료를 받을 수 있는 경우
- 월 1회 미만으로 가정간호서비스가 제공되는 경우
- 환자의 질병 상태가 심각하여 가정간호 대상자로 부적합하다고 인정되는 경우

- 환자가 사망한 경우
- 의료인의 치료 및 간호 지시에 특별한 사유 없이 따르지 않는 경우
- 기타 서비스 이용료의 장기 미납, 가정전문간호사의 신변상 위협 등의 이유로 가정간호서비스 제공이 불가능한 경우 등이다.

(2) 종결처리

가정전문간호사는 가정간호가 종결된 이후에도 대상자가 안전하게 자가관리를 할 수 있도록 준비를 시켜야 한다. 이를 위해 간호사는 대상자가 자신의 건강과 관련하여 발생할 수 있는 상황에 대하여 대처하는 방법을 교육시켜야 한다. 그리고 대상자가 주기적으로 외래를 방문하도록 안내하고, 그 지역사회 내에서 이용할 수 있는 다양한 자원, 즉 주간보호센터, 노인요양센터 등에 대한 정보를 제공해야 한다. 필요하면 가정간호서비스를 종결하면서 대상자를 지역사회 자원으로 의뢰한다. 그리고 마지막으로 선납금과 발생비용을 정산하여 부족하면 입금 안내를, 남으면 환불하는 절차를 진행하고 공단부담액은 월 단위로 보험 심사부서에 청구를 의뢰한다.

사업소 운영

III

1 기획 및 재정관리

1) 기획의 개념

기획이란, 한 마디로 말할 수는 없으나 일반적인 통설은 어떤 일을 계획하는 것을 기획이라고 정의하고 있다. 그러므로 기획은 절차와 과정을 의미한다. 기획(企劃)의 사전적 의미를 살펴보면 '일을 꾀하여 계획함'이라고 되어 있으며 한자로 기획은 '도모할 기'와 계획할 획'이 합쳐진 단어이다. 영어로는 planning이라고 자주 표현되는데, 단어 자체에 plan (계획)이란 단어가 포함되어 있으므로 기획의 큰 범주 안에 계획이 들어가는 상관관계가 있다. 즉, 기획은 계획을 세워가는 활동과 과정을 가리키며, 계획은 구체적인 사업에 대한 연속적인 의사결정의 결과라고 할 수 있다. 기획의 주요 특징은 미래지향적 과정, 계속적 과정, 동태적 과정, 과정지향적 의사결정과 관련된 행정활동, 목표 달성을 위한 수단적 과정, 미래 활동에 대한 통제라는 특징이 있다. 기획은 학자에 따라 다양하게 다음과 같이 정의된다.

(1) 귤릭(Gulick)

기획이란 사업을 위해 설정된 목표를 달성하기 위해 수행되어야 할 일과 이것을 수행하기 위한 방법들을 개괄적으로 창출해내는 것이다.

(2) 밀레트(Millet)

기획이란 인간이 가지고 있는 최선의 가능한 지식을 공공분야에서 공신력을 띠고 있는 사업의 추진을 위하여 체계적이며 지속적이며 선전적으로 적용하는 것이다.

(3) 워터스톤(Waterston)

기획을 특정한 목표를 달성하기 위하여 이용 가능한 미래의 방법, 절차를 의식적으로 개발하는 과정이다.

이상의 여러 학자들의 기획 개념을 종합하여 볼 때, '기획이란 어떤 개인이나 또는 조직이 희망하는 목적을 성취하기 위하여 필요·적절한 목표를 세우고, 여러 가지 정보를 종합하여 목표의 달성을 위한 여러 가지 대안을 모색하고, 그 중에서 가장 합리적이고 효율적인 최적의 대안을 선택하며, 그 세부절차와 순위를 결정하는 미래지향적이고 지속적이며 능동적인 과정'이라고 할 수 있다. 이 장에서는 기획 과정과 보건 분야에서 사용되는 기획 과정을 살펴보고 바람직한 가정간호사업 기획 과정을 살펴보고자 한다.

2) 기획의 유형

기획의 여러 가지 형태·기획을 분류하는 기준은 너무나 많고, 또 학자마다 제각기 다르게 분류하고 있다. 여기서는 일반적으로 많이 이용되는 유형으로 나누어 보기로 한다.

(1) 기간별 유형

기획은 사업목표 달성의 기간별로 분류하면 단기 기획, 중기 기획, 장기 기획으로 나눌 수 있다.

① 단기 기획(short-range planning)

1년 내의 기간을 가지는 기획으로서 기본 운영계획(基本運營計劃)이 이에 해당된다.

② 중기 기획(middle-range planning)

보통 5년 내외의 기간을 가지는 기획이다. 우리나라에서도 몇 차례에 걸쳐 경제개발 5개년 계획을 실시해 왔다.

③ 장기 기획(long-range planning)

보통 10년 이상에 걸쳐 목표를 달성하도록 계획안을 마련하는 기획이다. 장기 기획은 미래 예측이 불확실한 데도 시도하는 이유는 정부가 국민들에게 희망과 의욕을 고취시키려는 정치적 효과로서 주로 이용하기 때문이다.

(2) 대상별 유형

기획을 사업 대상별로 분류하면 경제 기획, 사회 기획, 물적 기획으로 나눌 수 있다.

① 경제 기획(economic planning)

발전도상국에서 흔히 볼 수 있는 경제개발 5개년 계획이 이에 해당된다.

② 사회 기획(social planning)

주택·보건·인력·교육·범죄 예방 및 사회보장 등을 대상으로 하는 기획이다.

③ 물적 기획(physical planning)

도로·항만·공원 등의 조성과 같이 국토와 지역 또는 도시개발을 내용으로 하는 기획으로, 한편 자연 기획이라고도 한다.

(3) 계층별 유형

기획은 조직의 계층(→ 계층제)에 따라서 정책 기획과 운영 기획으로 나누어 볼 수 있다. 이는 밀렛(John ④ Millett)에 의한 분류이다.

① 정책 기획(policy planning)

행정조직의 상위계층(上位階層), 즉 중앙정부의 고위층에서 광범위한 목표 설정을 내용으로 하여 이루어지는 기획이다. 여기에는 기본적인 정치·경제·사회적 목표를 설정하는 가치판단(價値判斷)의 문제가 내포된다.

② 운영 기획(operative planning)

정책기획이 설정한 목표를 실천에 옮기기 위한 기획으로 조직의 중간 계층 이하에서 이루어지게 된다.

(4) 강제성의 정도에 따른 유형

계획의 목표를 강제적으로 달성하려는 것이냐 그렇지 않는 것이냐에 따라 강제 기획과 유도 기획으로 분류할 수 있다.

① 강제 기획(imperative planning)

국가가 일정한 계획 목표를 설정하고, 통제(統制)에 의하여 강제적으로 달성하려는 기획 방식이다. 이러한 유형은 흔히 공산주의 국가에서 볼 수 있다.

② 유도 기획(indicative planning)

국가가 일정한 계획 목표를 설정하고, 이를 강제적인 통제 대신, 민간부문(民間部門)에 보조금(→ 국고보조금)의 지급, 금융지원 또는 조세감면 등의 조치를 통해 목표 달성을 유도하는 기획 방식이다.

(5) 고정성 여부에 따른 유형

계획을 실천하는 데 고정된 기한이 있느냐 계속적으로 유지되느냐에 따라 고정 계획과 연동 계획으로 분류될 수 있다.

① 고정 계획(fixed plan)

목표를 달성하는 데 기한(期限)이 정해져 있어 당초의 기간이 지나면 종결되는 계획안이 고정 계획이다. 우리나라의 제3차 5개년 계획(1972~1976) 등이 대표적인 예이다.

② 연동 계획(rolling plan)

목표 달성의 기한이 정해져 있지 않고 계속적으로 유지하는 계획 방식이다. 즉, 중·장기 기획에서 설정된 계획 목표를 집행하는 과정에서 매년 계획 내용을 수정·보완하되 계획 기간을 계속해서 1년씩 늦추어 가면서(예컨대 1987~1991년을 1988~1992년으로) 동일한 연한(年限)을 유지해 나가는 방식이다.

3) 기획과 정책

기획은 어떤 사업을 위하여 설정된 목적을 달성하기 위하여 장래를 내다보고 선택을 하며, 설정된 목적과 목표를 달성하기 위한 수단을 강구하고, 설정된 목적과 목표에 의해 얻어진 결과에 일정한 한계를 설정하는 것이다. 정책은 정부기관에 의해 만들어지는 미래지향적인 행동지침으로서 공공이익을 달성하는 것을 목적으로 하는 것을 말한다.

기획과 정책은 모두가 바람직한 상태를 위한 선택 과정이라는 점과 문제 해결에 대한 체계적인 분석을 내용으로 한다는 점에서 공통점을 가진다. 그러나 기획과 정책은 다음과 같이 몇 가지 차이점이 발견된다. 첫째, 기획은 정책보다 장기적인 시계(longtime span)를 가진다. 둘째, 기획과 정책은 다 같이 이상적인 목표를 가지고 있으나, 기획은 창조적 목표를 지닌 반면, 정책은 대부분 현실 교정적 목표를 갖는다. 셋째, 기획은 장기적이고 포괄적인 것으로 청사진적인 성격이 강하며 실현 가능성이 낮다.

즉, 기획과 정책 두 용어 중 어느 것이 상위개념이며 하위개념이냐에 대한 논쟁은 불필요하다고 본다. 기획과 정책은 다 같이 목표 설정과 그 목표 설정을 위한 수단이나 목표와 수단과의 인과관계에 초점을 두고 있다는 점을 들 수 있다. 이와 같이 기획과 정책은 상호 교환적으로 사용되는 용어이며, 목표와 수단과의 인과관계에 있는 용어로서 동일한 개념으로 이해될 수 있다. 단지 기획과 정책은 존재 형식과 용도에 따라 차이점을 가진다.

2 인력 및 환경안전관리

1) 인력관리

가정간호에 있어서 인적자원은 매우 중요하다. 관리자는 직원으로부터 투입을 받은 후에 고용정책과 프로그램을 통해 인력관리를 한다. 또한 광범위한 관리자와 직원간의 기대사항들을 다루어야 한다.

(1) 신규채용과 선발

신규채용과 선발은 지역사회로 뻗어나가서 기관의 다양한 기능을 위한 적격자를 알맞게 충족시켜 확보하는 것과 관련된다. 공석 수 및 결원상태의 지속시간은 그 기관의 서비스 전달능력에 영향을 미친다. 선발과정은 모든 자격 있는 지원자들에게 동등한 고용기회가 부여되어야 하고, 상호간 성공적이고 만족스러운 고용관계로 발전시킬 수 있는 가장 좋은 가능성을 보여주는 지원자가 선발되도록 해야 한다.

(2) 임금관리

모든 직원들에 대해 그들이 수행하는 업무의 요건에 기초한 공평하고 공정한 임금정책을 보장해야 한다. 그러므로 업무에 합당한 차이를 반영하는 기준이 있어야 한다. 또한, 임금지급에 있어 직원들의 경험과 근무기간이 누적되고 요구된 수준을 수행함에 따라 임금을 인상하는 장치를 가지고 있어야 한다.

(3) 복지혜택

복지혜택 관리도 주기적인 시장조사와 비교를 통해 그 기관의 신규채용 및 인력보유능력을 향상시킬 수 있도록 해야 한다. 직원들이 어떤 혜택에 가장 가치를 두는지 그리고 현재의 선택사항들이 직원들의 우선순위에 부합하는지를 알아보기 위한 조사가 정기적으로 실시되어야 한다.

(4) 교육과 직원개발

계속교육은 간호실무에서 오래 전부터 중요하게 여기고 있는 개념으로, 지역사회 보건기관에서도 중요한 부분이다. 그리고 직원개발은 어떤 지역사회나 가정간호사업소에서 절대적으로 필요하다. 관리자는 모든 직원들이 그들의 업무활동을 수행하는데 알맞은 교육을 받을 수 있도록 해야 하는 책임이 있다. 또한 모든 직원들에게 새로운 기술을 발전시키고 그것들을 최신 상태로 유지시키기 위한 기회를 제공하는 것이 적절하다. 그 시작에는 전통적인 교육환경에서 직원에 대한 지속적인 교육을 증진시키고, 관련 주제에 대한 세미나와 심포지엄에 참여하는데 필요한 재정을 마련하는 등의 정책과 프로그램이 포함될 것이다. 내부적으로 제공되는 훈련프로그램의 가치 또한 강조되어야 한다. 왜냐하면 흔히 각 가정간호사업소들도 내부의 직원들 중에 특화된 전문가들이 풍부하기 때문이다. 특히 내부강사는 프로그램을 기관 고유의 특성에 적절하게 조정할 수 있다.

간호의 전문성 개발은 가정간호사업소에서 필수적이며, 신규채용과 인력보유에 있어서 중요한 역할을 한다. 간호사의 지식과 기술 및 태도에 영향을 미치는 계속교육과 학습경험은 건강관리의 질을 높인다. 보수교육은 직원들의 교육적 요구도를 만족시키고 업무수행의 질을 높일 수 있으므로 효과적으로 이용하여야 한다.

2) 환경안전관리

환자 안전이란 의료서비스의 전달 과정 중에 발생한 환자의 부상이나 사고로부터의 예방을 뜻하며(Agency for Healthcare Research and Quality, AHRQ), 이를 실천하기 위해 의료기관에서는 환자안전 체계를 구축하기 위한 환자중심의 기관 문화가 형성되어야 함을 미국국립의학연구소에서 발표하였다(Institute of Medicine, IOM). 따라서 의료기관평가에서는 환자안전 및 의료서비스의 질과 관련된 평가기준을 강화하기 시작했으며 환자안전계획을 수립하여 수행하는 의료기관도 늘어나고 있다.

의료기관은 환자에게 안전하고 질 높은 의료서비스를 제공하여야 할 책임과 의무가 있다. 이에 의료기관들이 추구해 나가야 할 가장 중요한 목표는 환자 안전을 바탕으로 한 지속적인 의료서비스의 향상이며, 간호를 포함한 진료 제공 시 가장 우선시해야 할 것은 환자에게 아무런 해를 가하지 않아야 한다. 그러나 환경의 복잡한 변화와 더불어 의료 환경도 수시로 변하고 있으며 다양한 문제들의 발생빈도가 매우 증가되어 있는 실정이다. 실제로 이런 다양한 문제들은 환자들의 권리의식과 맞물리면서 의료분쟁의 발생빈도를 증가시키는 원인이 되고 있다. 환자안전은 질적인 환자 간호의 기본적이고 필요불가결한 중요한 요소이며 의료인들이 의료서비스를 제공함에 있어 공통적으로 가져야 할 제1의 원칙이다.

즉, 의료기관이나 가정에서 안전관리를 하는 목적은 의료서비스 제공 중에 발생하는 위험상황이나 진료와 관련하여 환자에게 나타날 수 있는 손상의 가능성을 조기에 발견하며 안전을 위협하는 요인을 제거하여 의료사고의 발생을 감소시키고 그 결과로 빚어지는 경제적 손실로부터 의료기관을 보호하기 위함이다.

현재 병원중심 가정간호 대상자는 병원에서 조기 퇴원한 환자를 대상으로 시행함으로 안전관리나 감염관리를 소홀히 할 수 없다. 왜냐하면 대부분의 가정간호대상자들이 만성질환이나 전염성 질환을 가지고 있고 많은 침습적 기구를 적용하고 있기 때문에 면역이 악화된 노인이나 장기침상안정 대상자들은 가정간호사가 감염의 매개체 또는 위험

원인이 될 수 있기도 하고 또한 반대 입장이 될 수도 있으므로 안전에 대한 관리는 대상자나 간호사자신을 위해서 매우 중요한 일이 아닐 수 없다.

(1) **감염 및 안전관리**(Infection and safety management)

가정전문간호사는 환자 및 가족들이 가정환경 내에서 병원균 및 위험요인에 우발적으로 노출되지 않도록 예방하고 보호해야 한다.

① 환자와 가족을 위한 감염·안전관리

가정전문간호사는 감염이나 사고 가능성이 있는 위험요인을 파악하여 간호계획에 포함하고 환자접촉 전후의 손씻기, 모든 처치 전후의 손씻기, 분비물이나 배출물 또는 오염구역의 접촉 후에 손 씻기를 수행한다.

a. 가정전문간호사의 방문가방은 정기적으로 세척하고 소독한다.

b. 환자에게 사용한 모든 소독물품은 반드시 소독기에 소독한 후 재사용한다.

c. 가정전문간호사는 청결 및 소독에 관한 다음사항을 환자와 가족에게 교육한다.

d. 정확한 손 씻는 방법 및 시기

- 고형비누를 사용할 경우에는 비누갑에 고인 물을 수시로 제거하여 사용하고 되도록 물이 빠질 수 있는 비누갑 사용 권고한다.
- 화장품류, 면도기, 식기류, 수건 등은 1인용으로 사용한다.
- 환자의 침구류 및 의류는 자주 세탁하여 햇빛에 소독하여 사용한다.

e. 가정전문간호사는 환자와 가족에게 감염 및 위험요인 관리와 관련된 환경유지 원칙을 교육한다.

- 환자의 생활 환경 청결유지 방법
- 적절한 쓰레기 처리 방법
- 약과 공급품의 적절한 보관 방법
- 안전한 환경 관리 방법

② 가정전문간호사를 위한 감염·안전관리

a. 무균법의 기본 원칙을 지키고 처치 전·후등에 손씻기를 철저히 실시한다.

b. 손씻기 위한 비누류와 종이타올을 방문가방에 지참하고, 물이 없는 경우를 대비하여 물수건 지참한다.
c. 가정전문간호사가 상처를 입은 경우, 환자와 직접 접촉을 할 때는 소독장갑을 끼거나 소독 붕대로 개방상처를 덮은 후 서비스를 제공한다.
d. 보호할 수 없는 개방상처를 가졌거나 면역억제제를 복용하는 가정전문간호사는 상처가 감염되었거나 분비물이 나오는 환자는 방문 불가하다.
e. 전염성이 강한 질환 환자에게 심폐소생술을 수행할 때에는 이중마스크를 착용한다.
f. 후천성 면역결핍증 환자나 HIV양성인 환자의 심폐소생술을 수행할 때에는 직접 구강 대 구강 호흡법을 하지 말고 흡입관 이용하여 실시한다.
g. 가정전문간호사는 감당하기 어려운 신변상의 위험을 초래할 수 있다고 판단되는 경우에는 가정방문 거부 가능하다.

(2) **위험관리**(Risk management)

가정전문간호사는 병원에 소속되어 있지만 환자의 가정이라는 특수한 환경에서 간호를 제공하고 동료 의료진이 없는 상황에서 혼자 치료적 행위와 문제해결을 해야 하므로 다양한 능력이 요구된다. 즉, 가정전문간호사는 가정을 방문해서 예상하고 준비했던 것과 다른 응급상황이 발생하면 자신만의 임상적 판단과 술기로 대처해야 하는 경우가 종종 발생한다.

가정이라는 환경은 응급상황에 대처할 수 있는 안전장치가 없기 때문에 가정전문간호사가 감당하기 어려운 상황에 처할 수도 있으며, 문제 발생 시 가정전문간호사 개인의 자질에 전적으로 의존하게 되어 책임에 대한 갈등을 겪거나 사고에 대한 부담을 갖는다. 이러한 점 때문에 가정전문간호사들의 직무스트레스 수준이 상당히 높은 것으로 알려져 왔다. 특히 '응급상황을 최소화하기'는 가정에서 독자적으로 판단하고, 혼자 간호를 수행하면서 경험하는 책임에 대한 부담감과 불확실한 법적 보호망에 대한 개인적 대처라고 볼 수 있다. 그러나 개인마다 가진 경험과 능력이 다르고 환자마다 다양한 상황이 존재하는 만큼, 불명확한 업무경계 속에서 개인적 역량에 의존하는 대처방식보다는 제도적 차원에서 명확한 업무수행을 위해 의료기관과 협의된 표준화된 업무지침을 구축하고 적용하는 것이 필요하다. 또한, 직접 경험이 증가하면 대처능력이 증진될 수 있는데, 현실적으로 이를 보완하기 위해 대리경험 교육이 도움이 될 수 있다. 즉, 간접경험을 통해 시행착오를 줄이고 실무수행능력을 향상시킬 수 있도록 가정간호사회와 같은 조직적 차원에서의 경력과 임상배경을 고려한 보수교육과 실제 사례 중심의 다양한 교육 프로그램이 제공될 필요가 있다. 또한 어려웠던 사항이나 응급위험 상황에 대한 경험들을 동료들과 비판적 성찰을 통해 토의하고 합의된 결론을 통해서 위험 상황에 대비하는 전략이나 바람직한 방법 등을 공유하여 체계적인 매뉴얼을 만들어 나가는 작업이 필요하다.

(3) 대상자관리

가정간호 대상자는 수술 후 조기 퇴원환자, 만성질환자(고혈압, 당뇨, 암 등), 만성호흡기환자, 산모 및 신생아, 뇌혈관질환자, 기타 의사가 필요하다고 인정하는 환자가 그 대상이 될 수 있다. 가정간호에서 대상자는 보통 다른 환경에서보다 좀 더 적극적인 역할을 해야 한다. 왜냐하면 가정간호는 수요자 측면에서는 가정간호로 치료의 지속성을 유지하고, 심리적 안정감을 도모해야 하며, 다음과 같은 특성이 있기 때문이다.

- 환자는 복합적이고 광범위하게 요구한다는 사실을 인정해야 하고.
- 가정에서 치료를 하는 것은 대상자의 허락이 필요하며.
- 환자의 의사결정을 격려하고 대상자의 간호에서 환자와 가족의 참여가 매우 중요하다.

그러므로 담당 간호사는 가정간호대상자의 특성을 잘 이해하고 효과적인 간호로 대상자들의 삶의 질을 높이는 간호를 시행해야 한다. 가정간호는 병원이라는 특수환경에서 간호서비스를 제공하는 것과는 다르게 대상자의 가정을 방문하여 대상자를 중심으로 대상자를 위한 간호를 제공해야 하는데, 즉 대상자의 건강문제를 체계적으로 파악하고 과학적 근거를 기반으로 간호를 수행하여 효과적인 간호결과를 얻도록 노력하여야 한다. 이러한 목적을 달성하기 위해서 가정간호사는 보다 더 전문적이어야 하는데, 그러기 위해서는 대상자의 포괄적이며 과학적인 사정자료에 근거한 정확한 간호진단이 먼저 내려져야 한다. 그 뒤 효과적 간호중재로 대상자가 건강을 회복하도록 유도하고 도와야 하므로 과학적 간호과정을 적용하여야 한다. 그러므로 과학적 환자분류체계를 이용하는 것이 바람직한데 지역사회간호분류체계는 북미간호진단협의회(NANDA : North American Nursing Diagnosis Association)분류체계, 오마하(Omaha system)문제분류체계, 가정간호 분류체계(HHCCS: Home Health Care Classification), 국제간호실무분류체계(ICNP: International Classification for Nursing Practice) 가 있다.

북미간호진단협의회(NANDA : North American Nursing Diagnosis Association)분류체계, NANDA의 목표는 간호진단 용어 분류체계를 정의하고, 다듬고, 전문직 간호사들이 널리 사용하도록 증진시키는 것으로 간호진단을 "실재적이고 잠재적인 건강문제 · 삶의 과정에 대한 개인, 가족, 또는 지역사회의 반응에 대한 임상적 판단"이라고 정의하고 있다.

1973년 미국은 범국가적인 간호진단협의회(National Conference Group for the Classification of Nursing Diagnosis)를 구성하여 처음에는 34개의 진단목록을 개발하였고, 이는 본격적이고 공식적으로 간호진단의 개발과 분류체계를 발전시키는 중요한 계기가 되었다. 그 후 간호진단은 매 2년마다 전국적인 모임을 개최하여 귀납적인 방법으로 간호진단을 개발하고 발표해왔다. 1982년 북미간호진단협의회(NANDA: North American Nursing Diagnosis Association)를 공식적으로 발족시키며 새로이 분류되는 간호진단의 수적인 증가뿐 아니라 간호진단의 개념자체가 갖고 있는 복잡성을 체계적으로 정리하는 분류작업과 목록 개발을 시작하였다. 진단의 구성은

첫째, 각 명칭은 알파벳 순서로 나열하고

둘째, 진단의 기간을 간헐적, 만성, 급성, 잠재적 등 4단계로 나누고

셋째, 진단의 원인은 해부학적, 심리학적, 환경적 원인으로 분류하고

넷째, 양상, 범주 1,2,3,4까지 5가지 수준의 진단범주로 구성된다.

1984년 진단검토위원회(Diagnosis Review Committee)를 구성하였고, 1988년 진단분류위원회(Taxonomy Committee)는 미국간호협회와 협력하여 NANDA의 수정분류표(Taxonomy I-Revised)를 제시하였다. 1990년 실제적 진단(actual diagnosis) 외에 고위험진단(high risk diagnosis)과 건강진단(wellness diagnosis)을 포함하기로 하였으며, 1992년 잠재성(potential for)을 고위험(high risk for)으로 대치하기로 결정하였다.

NANDA의 간호진단 분류의 초기 이론 틀은 1976년에 로이(Roy)에 의하여 주도된 간호진단의 분류체계를 위한 간호이론가 집단에 의해 만들어 졌다. 1978년에는 인간반응의 9가지 양상으로 구성된 틀을 이용하여 NANDA 간호진단분류표(Nursing Diagnosis

Taxonomy I)를 발표하였는데, 통합된 인간(unitary man)과 건강(health)이라는 2가지 개념을 9가지의 인간반응양상으로 구분한 틀을 이용하였다(Fig 6-5).

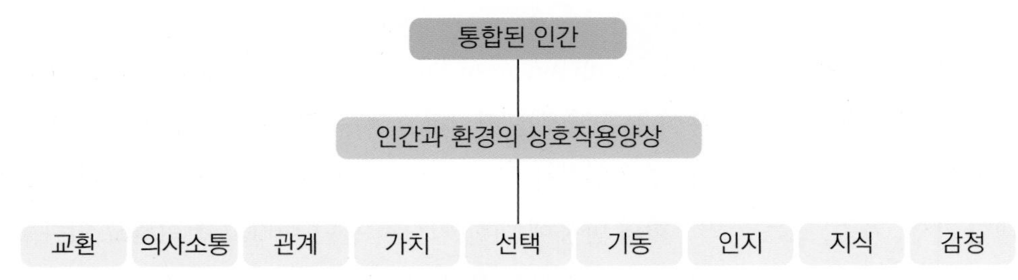

Fig 6-5 **NANDA의 간호진단 분류의 초기 틀**

통합된 인간이란, 로저스의 이론에서 도출된 개념으로, 인간은 개방체계로서 환경과의 상호관계 속에서 존재한다는 점과 인간은 양상(pattern) 과 조직(organization)을 특성으로 하는 4차원의 에너지 장을 가진다는 가정을 채택한 것이다. 각 차원의 양상과 조직의 독특성은 인간환경 상호작용의 9가지 양상(교환/의사소통/관계/가치/선택/기동/인지/지식/감정)으로 나타난다는 것이다

• NANDA 진단 분류 목록

NANDA 진단분류 목록은 1996년 12차 회의까지 총 128개의 간호진단 목록이 채택되었다. NANDA의 진단분류 목록은 추상성의 정도에 따라 5단계로 나누며 다음과 같다.

- 1단계

  가장 추상적인 단계인 '인간반응의 양상(Human Response Pattern)'으로 분류체계의 전체적인 틀을 제공한다. 여기에는 교환, 의사소통, 관계, 가치, 선택, 기동, 인지, 지식, 감정의 9가지 양상이 있다.

- 2단계

  총 35계의 범주가 있으며, 3단계는 56개의 범주, 4단계는 57개의 범주, 5단계는 27개의 범주로 구성된다.

  간호진단은 각 양상의 특성에 따라 명명되는데 각 양상의 증가와 감소, 적합과 부적합, 과인과 결핍 등으로 진단이 명명되며, 위험정도는 기능부전, 비효육성, 장애 등으로 명명한다.

2000년대는 Taxonomy II의 구조를 발표하였다. 여기에서는 이전에 9가지 양상을 삭제하고 새로운 수식어가 사용되었는데, 'altered' 가 현상의 변화를 충분히 알려주지 않아서, 'altered'를 없애고 다른 서술용어를 사용하였다. 그리고 수식어 선택이 새로운 축 구조에 맞도록 수식어 선정규칙을 조정하였다. 이는 NLM의 보건의료용어 코드에 관련된 권장사항에 부합되는 크드 구조를 갖는다. 즉, NANDA의 본래코드는 한 패턴 아래 간호진단의 위치에 따라 코드가 정해졌는데, Taxonomy II 코드 구조는 5자리 코드를 가지며 위치에 대한 정보를 갖고 있지 않도록 개편되어 진단코드의 변화 없이도 분류체계의 수정이 가능하도록 바뀌었다. 따라서 13개의 도메인과 46개의 클래스에 155개 진단의 위치를 재조정하였다.

• **Taxonomy II의 구조**

① 축1 : 진단개념

진단개념은 '진단진술에서 주요요소, 기본적이고 핵심적인 요소, 근간' 이라고 정의한다. 하나 이상의 명사가 이용될 때 각 명사는 두 개가 하나의 명사인 것처럼 고유한 의미를 갖는다. 형용사와 명사가 함께 사용되는 경우도 있다.

② 축2 : 시간

시간은 기간이나 간격으로 정의되며 여기에는 급성, 만성, 간헐적 또는 지속적으로 표현된다.

③ 축3 : 간호단위

간호단위는 간호진단이 결정되는 별개의 인구집단으로 정의되며, 개인, 가족, 집단 그리고 지역사회가 해당된다. 간호단위가 명시적으로 진술되어 있지 않을 때에는 자동적으로 개인이 된다.

④ 축4 : 나이

나이는 개인이 존재하는 시간의 길이나 기간이며 여기에는 태아, 신생아. 영아, 유아, 학령전기 아동, 학령기 아동, 청소년, 청년, 중년 그리고 젊은 노인 등이 있다.

⑤ 축5 : 건강상태

건강상태는 건강 연속선상의 위치나 순위로 정의되며, 건강 또는 위험, 실제가 여기에 속한다.

⑥ 축6 : 수식어

수식어 또는 조정어는 간호진단의 의미를 제한하거나 명확히 판단으로 정의된다.

⑦ 축7 : 위치

위치는 신체 즉 모든 조직,장기의 해부학적 부위나 구조는 심체부위/지역으로 구성된다. 청각, 대장, 심폐, 뇌, 위장관, 미각, 피하, 구강점막 등이 여기에 속한다.

• 간호진단의 구성 요소

NANDA에서 공인된 진단명은 정의(definition), 특성(characteristics), 관련/기여요인(related or contribution factor)의 3부분으로 구성된다.

정의는 진단에 대한 자세한 설명이며, 특성은 그 진단에서 흠이 나타나는 증상과 증후군의 집합을 의미한다. 관여/기여 요인은 문제발생이나 원인이나 기여요인이 될 수 있는 상황적, 병태 생리적, 발단단계적 요인을 확인한 것이며, 진단의 성격이 잠재적인 문제를 다루는 경우에는 관련요인 대신에 위험요인이 포함된다. 간호진단 분류표를 대한간호협회에서 우리말로 정리한 간호진단 한글명을 이용한 간호진단의 기술방법은 선택된 진단병과 함께 이와 관련 요인과 특성 정의를 기술하도록 되어 있다. 진단명의 선택은 실제 혹은 잠재적으로 존재하는 건강상의 문제에 대한 반응과 형태에 따라 증상을 분류함으로 이루어진다. 사정과정에서 수집된 모든 증상을 열거하고 증상을 분류함으로 이루어진다. 그리고 관련요인을 사용하여 간호진단의 원인을 규명하는데 간호진단의 두 번째 부분에서는 병태생리학적, 심리 사회학적 변화 등이 원인이 될 수 있다. 특성은 간호진단의 세 번째 부분으로서 관련 요인과 연결된다.

· 오마하(Omaha)분류체계

오마하분류체계는 1975~1993년까지 Omaha 방문간호사협회와 미국보건성 간호과와의 4회 걸친 연구 계약기간동안 Clark와 Lang에 의해 개발된 분류체계이다. 이는 대상자의 다양한 건강관련 문제들을 규명하기 위해 고안된 포괄적이고 상호배타적인 분류법으로 자동화된 정보체계에서 다른 필수적인 인력과 자료를 임상자료에 통합하기 위한 틀로 이용 가능하고, 지역사회 보건간호 실무영역에서의 간호과정에 기초를 둔 대상자 중심의 틀이 될 수 있다. 그리고 환경, 심리사회적 또는 대상자에게 관심 있는 건강관련행위의 4개 영역으로 나눈다.

① 오마하분류체계의 특성

- 체계적이고 융통성 있고 간단한 구성으로 지역사회간호 실무의 초보자라도 업무의 입문을 쉽게 할 수 있도록 도와준다.
- 지역사회 간호사들에게 간호진단의 도구역할을 하고
- 간호 실무에 미치는 영향을 측정하고 평가하는 방법으로
- OMAHA 체계는 4개의 서로 다른 수준으로 이루어진다.

② 건강관련행위의 영역

a. 첫 번째 수준(4개영역)

- 지역사회 대상자들의 문제를 조직적으로 그룹화한 것
- 지역사회 실무의 범위를 나타 냄
- 환경적·사회 심리적·생리적·건강관련 행위로 구분됨
  - 환경 : 개인, 가족, 이웃, 지역사회를 둘러싼 물질적 자원과 상황을 포함
  - 사회심리 : 행동, 의사소통, 관계형성 등의 양상을 나타냄
  - 생리적 영역 : 생명을 유지시키는 기능적 상태나 과정
  - 건강관련 행위 : 안녕 유지, 향상시키는 행위 & 회복, 재활 최대화 하는 행위

b. 두 번째 수준(총 44개의 개인문제)

- 현재 또는 미래에 개인과 가족의 건강 상태에 영향을 미칠 수 있는 어려움

c. 세 번째 수준(문제별 2개의 수정인자)

- 하나는 가족이나 개인, 다른 하나는 잠재적인 문제, 실재적인 문제, 건강증진
  - 두 가지 수정인자를 사용하여 질병-건강 연속선상을 넘어드는 적용이 가능
  - 구체성과 정확성에 대한 중요한 정도를 더해줌
  - 어떤 경우에는 개인과 가족의 수정인자를 집단과 지역사회로 확장

d. 네 번째 수준

- 각각의 문제별로 독특한 증상과 징후를 말함

• 오마하진단의 진단요소

4영역, 즉 환경·정신사회·생리·건강관련 행위로 구분하여 각 영역별로 문제와 그에 따른 진단 및 나타나는 증상과 징후를 기술

Table 6-2 오마하진단의 문제 분류표

영역 (Domain)	문제 (Problem)	진단명(Diagnosis)	증상 & 징후(Sign & symptom)
환경	수입	부적절한 금전관리	낮은 수입/수입 없음
	위생	부적절한 식수공급	더러운 생활지역 더러운 냄새
	주거	부적절한 안전장치 부적절한 출입구	가파른 층계 어질러진 생활공간
	이웃/직장의 안전	불안전한 놀이 지역	높은 오염수준
사회 심리	지역사회 자원 의사소통	부적절한 자원	서비스를 얻는 선택된 과정을 잘 모름
	사회적 접촉	제한된 사회적 접촉	외부자극 극소화/여가 활동
	역할 변화		새로운 역할 추측
	대인관계	관계 형성/유지 어려움	최소한의 공동 활동
	영적 고통		붕괴된 영적 의식
	슬픔	슬픔반응 대응 어려움	단계의 갈등
	정서적 안정감	슬픔/무기력/무가치	불안정/쑥덕거림
	성욕		성행위의 결과 인식 어려움

생리	돌봄/양육		책임에 불만족/어려움, 태만
	무시된 아이/어른	신체적 돌봄 부족	부적당하게 혼자 남겨짐
	학대 받은 아이/어른		채찍자국, 타박상, 화상
	성장과 발달		발달검사의 비정상적인 결과
건강	영양	불균형적인 식이	평균보다 체중 10% 초과
행위	수면과 휴식양상	분한 수면/휴식	밤에 자주 일어남, 몽유병
	신체적 활동	부적절한 운동	좌식 생활양식
	개인위생	부적절한 의복	체취
	약물사용	이완장애 & 행위변화	술 남용, 흡연, 정상
	가족계획	불충분한 지식	현재의 가족계획 방법에 불만
	건강관리 감시	부적절한 의학적 처치	정규적 건강관리 실패
	처방된 약물		투약의 부적절한 체계
	기술적 절차		과정이 간호적 기술을 요구

③ 가정간호분류체계 (HHCCS: Home Health Care Classification System)

가정간호분류체계는 가정간호호서비스를 범주화하기 위한 새로운 틀과 구조를 제공하려는 목적으로 1991년 미국 Gorgrtown 대학의 Virginia Saba에 의해 개발되었다. 가정간호분류체계는 직원 수, 소유형태, 지리적 위치에 의해 무작위로 층화추출된 전국 646 개의 가정간호 기관을 대상으로, 이들 기관에 등록된 총 8,961명의 Medicare 환자들에 대한 입원에서 퇴원까지의 가정간호 서비스를 분석하여 가정간호 자원요구의 예측인자를 발견하는데 그 목적이 있었다. 미국 전역에서 무작위로 추출된 646개의 가정간호기관으로부터 8,961명의 가정간호대상자에 대한 자료가 분석에 활용되었다. 즉, 가정간호 자원요구의 예측인자가 될 수 있는 모든 관련변수(인구학적, 환자간호서비스, 방문자료, 퇴원자료 등)와 보건의료 서비스 향상에 필요한 자원의 결정 및 서비스의 결과에 대한 판단이 반영되었다.

HHCC는 미국간호협회(ANA)에 의해 정식으로 간호실무에 중요한 간호용어로 인정(recognized)되었으며 컴퓨터에 기초한 대상자 기록체계(computer-based patient record system: CPRSs)에 사용되도록 권고되었고, 사용된 용어들은 CINAHL (Cumulative Index for Nursing and Allied Health Literature)에서 검색할 수 있다. 또한 HHCC는 대상자를 위한 사정(assessing), 비용예측(costing), 평가(evaluating) 측면에서 다양한 기록과 근거자료로서 분석적 모델을 제시하고, 간호과정을 문서화, 체계화시키고 자원의 요구(resource requirements), 의사결정(decision making)에 활용되고 있다. 가정간호 진단분류체계에서는 NANDA의 정의와 함께 NANDA의 간호진단목록을 이용하여 총 8,961명의 Medicare 환자들을 대상으로 도출한 총 40,361개의 간호진단 또는 환자문제를 50개의 주요 간호진단 상위범주(major nursing diagnostic categories)와 95개의 하위범주(subcategories) 구조를 가진 145개의 가정간호진단으로 분류된다.

HHCC의 4개의 영역별 구성요소는 행위영역 3개(투약, 안전, 건강행위), 정신영역 4개(인지, 대응, 자아개념, 역할관계), 생리영역 8개(심장, 호흡, 대사, 배변, 배뇨, 신체조절, 피부통합, 조직관류), 기능영역 5개(활동, 체액, 자가간호, 영양, 감각)로 이루어졌다. 이 중 행위영역은 20개의 상·하위 간호진단으로, 정신영역 47개, 생리영역 41개, 기능영역 39개로 행위영역 진단이 가장 적고 정신영역 진단이 가장 많음을 알 수 있다.

또한 가정간호진단은 4개의 행위, 정신, 생리, 기능 등 가정간호영역을 중심으로 다시 4단계로 나누어진다.

1단계는 투약, 안전, 건강행위, 인지, 대응, 자아개념, 역할관계, 심장, 호흡, 대사, 배변, 배뇨, 신체조절, 피부통합, 조직관류, 활동, 체액, 자가간호, 영양, 감각 등 20개의 요소(care components),

2단계는 50개의 대분류(major category),

3단계는 95개의 하부분류(subcategory),

4단계는 3개 수준의 수정인자(modifier)인 호전(improved; 환자상태가 변화되고 향상되었다), 안정(stabilized: 환자상태가 변화되지도 않았고 더 이상의 간호를 필요로 하지 않는다), 장애 또는 악화 (impairment: 환자의 상태가 변화되어 악화되었다) 등의 결과 단계로 구성되어 있다.

Table 6-3 가정간호 분류체계의 20개 간호구성요소

가정간호영역(4)	구성요소	간호진단(상위) (50)	간호진단(하위)(95)
신체(8)	대사	면역장애	방어능력저하
	배변	배변장애	변실금, 변비, 설사, 매복변, 상상변비,기타변비
		소화기장애	
	배뇨	배뇨장애	기능성, 신경인성, 복압성, 긴박성, 전요실금, 요정체
		신장장애	
	신체조절	신체조절장애	반사장애, 고체온, 저체온, 비정상적 체온변화, 감염위험성, 기타감염
	피부통합	피부손상	구강점막손상, 피부손상, 피부손상 위험성, 피부열창
		말초순환장애	
	조직관류	조직관류변화	
기능(5)	활동	활동장애	활동지속성장애, 활동지속성장애 위험성, 여가활동부족, 피로, 운동장애, 수면장애
		근골격장애	
	체액	체액량 변화	체액부족, 체액부족 위험성, 체액과다, 체액과다 위험성
	자가간호	목욕/위생 결핍	
		옷입기/몸치장 결핍	
		식사 결핍	모유수유 결핍, 연하장애
		자가간호 결핍	일상생활 장애, 수단적 일상생활 장애
		용변결핍	
	영양	영양장애	영양부족, 영양부족 위험성, 영양과다, 영양과다 위험성
	감각	감각지각 변화	청각, 미각, 운동감각, 후각, 촉각, 시각장애, 편측경시
		안위 변화	급성통증, 만성통증, 기타통증
행위(3)	투약	투약 위험성	여러 약 복용
	안전	신체손상 위험성	기도흡인 위험성, 비사용증후군, 중독 위험성, 질식 위험성, 외상 위험성
		폭력위험성	
	건강행위	성장발달 장애	
		건강유지능력 변화	
		건강추구행위 장애	
		가정유지능력 변화	
		불이행	진단적 검사 불이행, 식이처방 불이행, 체액량 불이행, 투약처방 불이행, 안전 불이행, 치료처방 불이행

정신(4)	인지	대뇌장애	
		지식부족	진단적 검사, 식이, 질병과정, 체액량, 투약처방, 안전, 치료처방에 대한 지식부족
		사고과정장애	
	대응	임종과정	
		가족의 비효율적 대응	가족대응손상, 가족대응의 무능력
		비효율적 대응	대응장애, 의사결정 갈등, 방어적 대응, 부정
		외상 후 반응	강간상해증후군
		영적 상태 변화	영적 고뇌
	자아개념	불안	
		두려움	
		의미부여장애	절망감, 무력감
		자아개념장애	신체상장애, 자아정체성장애, 만성적 자긍심 저하, 상황적 자긍심 저하
	역할관계	역할수행장애	부모역할 갈등, 부모역할장애, 성기능장애
		자아개념장애	언어소통장애
		가족기능장애	
		슬픔	슬픔의 기대반응, 슬픔반응장애
		성문제 호소	
		사회화장애	사회적응장애, 사회적 고립

오마하 간호중재체계(Omaha Nursing Intervention Scheme)는 방문간호사의 실무와 기록업무 및 자료 관리를 위한 도구로서 간호활동이나 행위를 조직적으로 분류한 것이다. 가정간호중재분류체계(HHCC Nursing Intervention Scheme, saba, 1994)는 가정간호를 위한 간호진단과 간호중재 요소의 목록을 알파벳 순서로 20가지를 제시한 것이다. 또한 160개의 간호중재(60개의 주요범주, 100개의 하위범주)로 구성되었으며 5단계로 구성되었다. 가장 상위구조는 가정간호 구성요소로 첫째자리 알파벳 코드(A-Z)이다. 다음은 간호중재의 주요범주 (60개)로 둘째/셋째 자리숫자(01~50)이다. 다음은 하위범주(100개)로 넷째자리인데 소수점 아래 숫자(0~9)가 된다. 다섯째자리는 수식어(1~3)이며 간호활동의 유형과 결과를 나타낸다. 가정간호 진단·중재 분류체계의 예를 표시하면 다음과 같다.

가정간호 진단·중재 분류의 사례

A. 활동요소 가정간호 구성요소
- 1. 활동간호 -- 주요범주
  - 1) 심장재활 ---------------------------------- 하위범주
  - 2) 에너지보존
- 2. 골절간호 -- 주요범주
  - 1) 회붕대 간호 ------------------------------ 하위범주
  - 2) 부동간호
- 3. 기동치료

Fig 6-6 **가정간호 진단. 중재 분류의 사례**

④ 국제간호실무분류체계

국제간호실무분류체계(International Classification for Nursing Practice : ICNP)는 국제간호협의회(ICN)에서 제시한 간호분류체계이다. INCP는 간호실무를 기술하는데 국제적으로 통용될 수 있는 공통 언어와 분류체계 개발을 목적으로 1989년 서울 국제간호대표자 회의에서 국제적으로 통용될 수 있는 간호실무 기록의 틀을 개발할 필요성을 절감하여 개발되었다. 특히 ICNP 개발의 목적은 첫째, 간호사 상호간만이 아니라 타 분야와의 의사소통 증진을 위한 간호실무 공통용어 합의, 둘째, 다양한 상황에서 개인과 가족의 간호관리기술조정, 셋째, 임상집단, 환경 지역적 영역 및 시간경과에 따른 간호자료의 비교분

석, 넷째, 간호진단에 기초한 간호요구에 따라 환자에 대한 간호치료, 관리 및 자원분배의 준비에 대한 경향의 기술과 계획, 다섯째, 간호정보체계와 타 건강관리정보체계에 기록된 자료를 이해하고 간호연구를 촉진하며, 그리고 여섯째로 건강정책결정에 영향을 미칠 수 있는 간호실무에 대한 자료제공 등으로 들 수 있다.

INCP의 특징은 다음과 같다.

▶ ICNP는 전자의무기록을 위한 분류체계

▶ 환자상태를 서술하는 간호현상(nursing phenomena), 간호행위(nursing action), 간호결과(nursing outcomes)의 3가지 틀로 구성되었다. 간호현상은 인간과 환경의 두 개념이 포함되며, 인간은 기능과 인성, 환경은 인간환경과 자연환경으로 분류되고, 다음 단계에서 기능은 생리와 심리, 인성은 이성과 행위, 인간환경은 가족, 지역, 사회, 자연환경은 물리, 생태, 인공 등의 10개 세부 영역으로 구분된다.

▶ 2,800개 이상의 개념이 포함

▶ INCP는 다축 다계층 분류체계로 7개의 축 안에 포함된 개념을 조합하여 간호진단, 중재, 결과의 개념을 생성

▶ 7개의 축은 초점, 판단, 수단, 활동, 시간, 장소, 대상자로 나눈다.

간호행위는 실무에서 간호사의 행동으로 간호진단에 대한 반응으로 간호사가 수행한 행위를 말한다. 간호결과는 간호중재 후 일정시점에서 다시 체크된 간호진단의 상태를 의미한다.

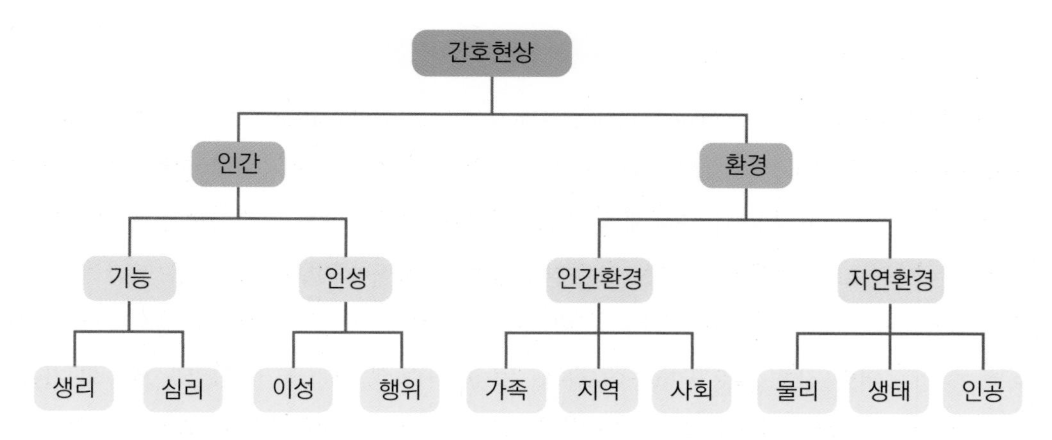

Fig 6-7 ICNP의 간호현상 분류 틀

3 기록

1) 의무기록

보건의료환경의 변화는 비용 효율적이고, 결과 기반의 신속하고 정확한 기록을 요구하고 있다. 이를 위해 의무기록지침(의무 기록의 구성요소, 의무 기록의 체계 및 기록 방법, 서면의사 처방과 구두처방에 대한 사항, 의무 기록 보관 방법, 기록심사 등)을 필요로 하며 또한 가정간호 시행 도중 합병증이나 사고 발생 시에는 의사와 책임자에게 즉시 보고하고 사건 및 사고 기록지에 적어도 24시간 이내에 기록해야 한다.

의무기록지침은 기관에 따라 다르지만 일단 정해진 원칙은 엄격하게 고수되어야 하고, 구성원 모두는 의무 기록의 중요성을 인지하고 의무 기록 과정에서 그들의 책무를 알고 있어야 한다.

즉시 보고하고 사건 및 사고 기록지에 적어도 24시간 이내 기록해야 하는 사항은 다음과 같다.

- 상해가 발생한 경우: 골절, 화상, 기구 사용 시 발생한 열상
- 치료가 지연되거나 추가되었을 경우: 정맥 주입액이 새어 괴사가 생긴 경우
- 예기치 못한 나쁜 결과가 발생한 경우: 심장마비가 온 경우
- 건강에 해를 초래하게 된 경우: 환자에게 투약교육을 잘못한 경우
- 의사가 처방한 대로 간호를 실시하지 못하는 경우 등이 있다.

(1) 기록 목적

기록은 대상자, 간호사, 가정간호사업소 모두에게 중요하며, 특히 가정간호사업소의 성공적인 운영을 위해 매우 중요하다. 이유는 다음과 같다.

① 기록과 지불 보상

첫째는 지불 보상이다. 의무 기록은 대상자의 건강 상태와 전문가들에 의해 제공된 서비스가 기록되어 있다. 간호사가 작성한 기록은 대상자에게 제공한 서비스에 대하여 보험공단으로부터 지불받는 의료비의 상환에 직접적인 영향을 미친다. 간호사에 의해서

작성된 좋은 기록은 대상자가 보험 혜택을 최대한 받을 수 있도록 하며, 간호사로 하여금 대상자에게 필요한 서비스를 지속적으로 제공할 수 있게 한다.

② 기록과 질 관리

좋은 기록은 좋은 간호를 반영하고 증명한다. 요구되는 자료가 의무 기록에 기록되어 있지 않으면, 대상자에게 제공된 간호는 제공하지 않은 것으로 간주될 수 있음을 명심해야 한다. 미국의 경우 가정간호사업소들은 JCAHO 등 인증평가기관에서 가정간호서비스를 평가받고 있으며, 우리나라도 가정간호서비스의 질 관리를 위해 의료기관평가를 시행하고 있다. 이러한 평가 내용에는 사업소의 정책이나 각종 간호 기술, 질 관리 프로그램, 기관의 조직, 업무 과정, 대상자의 결과 사정 등이 포함된다. 기록검토는 가정간호서비스를 평가함에 있어서 중요한 부분을 차지하며, 만일 대상자의 사정 결과나 서비스에 대한 기록이 정확하지 않으면 가정간호사업소는 재정적 규제나 사업소 폐쇄 등과 같은 불필요한 규제를 받을 수 있다.

③ 간호의 조정과 연속성을 위한 의사소통

기록의 또 다른 목적은 간호의 조정과 연속성을 위해서 간호사가 다른 의료인과 효과적인 의사소통을 하는 것이 중요한데, 이에 대한 근거로 기록이 필요하다. 가정간호사업에서는 독립된 가정이라는 공간에서 간호를 시행하므로 대상자에 대한 의견을 주치의와 직접 교환할 수 없기 때문에, 많은 부분을 기록에 의존하게 된다. 부적절한 혹은 잘못된 기록은 대상자에게 처방되는 서비스에 영향을 미칠 수 있다. 법적인 문제가 발생할 때도 기록은 법률적인 판단을 내리는 데 가장 우선적으로 고려되는 정보이다. 또한 기록은 여러 팀들의 서비스가 중복되지 않고 지속적으로 제공되도록 하는 의사소통 도구로 이용되므로 서비스의 협진이 경과기록에 모두 기록되어야 한다.

④ 기록의 법적 측면

간호사의 간호기록은 의료소송에서 과실 여부를 판단할 때 가장 중요한 자료로 사용되며 간호사가 필요한 주의의무를 다하였다는 사실을 입증하는 결정적인 자료가 되므로 정확하고 자세한 기록이 필수적이다. 뜻하지 않은 법적 또는 간호업무관련 분쟁으로부터 자신을 보호하기 위하여 간호사들은 아무리 바쁘고 피곤하더라도 간호기록은 분명하고 정확하며 완전하게 수행해야 한다. 실제 의료소송에 직·간접적으로 연루되어 고통을 겪는 간호사가 있지만, 법적인 측면에서 간호기록을 어떻게 작성해야 하는지에 대해 구체적인 방법을 알지 못하고 교육을 받을 기회도 많지 않은 것이 현실이다. 이런 위험 부담으로부터 간호사를 보호하기 위해서는 법적인 측면에서 간호기록 원칙, 중요성 및 기록 방법에 대한 간호사 교육이 필요하다.

2) 기록 방법

(1) 기록 지침

의무 기록은 필요 시 보건행정기관 조사자, 보험자, 변호사 그리고 사법기관원 등의 요청에 의해 검토될 수 있다. 가정간호사의 기록은 기록 그 자체로서의 가치가 있으며, 의료소송을 방지하는 증거로 사용되어 소송사건에서 가정간호사를 보호할 수 있으므로 다음과 같은 지침에 따라 잘 기록하도록 한다.

① 가정간호에서 간호기록 유지

완전하고 정확하게 그리고 신뢰감이 가는 기록은 모든 의료소송의 문제 제기에 방어가 된다.

다음은 사정, 치료내용을 기록하고 가정간호에서 취해야 할 기타 행동 등에 대한 중요한 지침이다.

- 모든 사정 내용은 객관적으로 기록해야 하는데, 객관적 기록은 사실, 관찰, 환자의 진술 그리고 기타 측정 가능한 준거에 근거해서 간호사가 사정한 결과를 서술한다. 주관적 기록은 사실에 근거가 없는 간호사의 결론임으로 피해야 한다.
- 기록은 실시간(꼭 매 방문 날짜의 시간)으로 기록되어야 한다.
- 모든 기록지마다 이름을 서명하여야 한다.
- 방문 기록지는 특히 가정간호사의 이름이 서명되어야 한다.
- 환자의 이름은 모든 의무 기록 각 장마다 기록해야 한다.
- 환자/보호자 교육사항은 모두 정확히 기록한다.
- 기록은 전문가적인 입장으로 기록하여야 한다.

- 환자와 가족에 관한 기록은 기록에 내포된 정보에 대한 권한을 가지고 있음을 기억한다.
- 가정간호사업소의 공인된 약어를 사용한다.
- 방문기록지와 기타 관련 기록지에서 기록 변경(기록 정정, 정보 추가, 추후 기록 등), 기록 정정, 추가 기록, 추후 기록 등이 필요할 때는 반드시 정해진 수정 방법에 따라 수정한다.

② 법적인 문제가 될 소지가 있는 기록

- **내용상의 문제**
  - 전문직 표준이나 사업소 표준에 일치하지 않는 경우
  - 대상자의 요구에 반응하지 않은 경우
  - 특별한 상황에 대한 기록을 하지 않은 경우
  - 완전하지 않거나 일관되지 않은 기록
  - 서비스의 근거가 되는 처방전을 제시하지 못하는 경우
  - 잠재적, 실재적인 위험 상황이 내포된 경우
  - 심한 편견이 내포된 경우

- **기록 형식상의 문제**
  - 기록과 기록 사이에 새로운 행을 삽입한 경우-기존 내용의 변경
  - 기존 인쇄 내용 중의 일부를 지우거나 손으로 다시 쓴 경우
  - 인쇄 상태가 판독이 불가능한 경우
  - 종이가 너덜너덜한 경우
  - 날짜나 시간이 빠졌거나 일관성이 없는 경우
  - 서명인을 분명히 파악할 수 없는 경우

③ 기록 보관

대부분의 사업소는 의무 기록을 한 곳에 모아서 보관한다. 사업소의 차트보관 정책에 따라 보관방법은 다양하다. 그러나 통상 진행 차트는 쉽게 접근할 수 있는 곳에 보관하

며, 전년도 종결차트는 사업소 내외의 별도의 장소에 5년 동안 보관한 후 소각, 폐기한다.

(2) 전자의무기록

전자의무기록(Electrical Medical Record)이란 효율적이고 통일적으로 관리·활용될 수 있도록 기록의 작성·관리 및 보존에 필요한 전산정보 시스템을 말한다. 선행연구들을 기반으로 2000년대 들어 실제 임상에서 기록된 환자 데이터나 임상 전문가의 경험, 환자들의 선호도 등을 토대로 지식을 생성하는 방법이 제안되기 시작하였다. 대표적인 예로 임상에서 기록되는 전자의무기록 데이터를 활용하여 근거를 생성한 것을 들 수 있다. 전자의무기록 데이터는 의료진이 환자를 진료, 간호하는 과정에서 수집되어 전산에 기록되는 데이터로서 환자의 기본 인적사항, 병력, 건강 상태, 투약, 검사 결과, 간호 실무 등 다양한 정보를 포함하고 있다. 이러한 데이터는 환자 진료에 사용될 뿐만 아니라 의료진의 의사결정을 지원하여 환자 안전을 개선하는 데 활용될 수 있다.

전자의무기록은 대상자의 관점에서는 표준화된 전자의무기록을 기반으로 의료진과의 의사소통이 향상되고 환자 진료기록의 변경 이력 관리가 강화되며 의료정보의 정보보안과 수준을 높여 개인정보 유출 및 보안 사고를 대비할 수 있다. 의료기관 관점에서 본다면 전자기록은 안전하고 체계적인 정보관리를 통한 환자 진료의 연속성을 확보할 수 있고 투약 경고 등 임상의사 결정지원 강화, 의료정보의 이력 관리 등으로 안전하고 질 높은 의료서비스가 가능하다.

3) 사건 보고

가정간호사가 가정방문 중에 환자가 만약 침상에서 낙상을 하였다면 상해에 대한 환자의 사정과 치료 후 사건보고서 서식을 작성해야 한다. 사건보고서를 요구하는 정책은 사업소마다 다양하나, 일반적으로 사건보고서는 문제를 확인해서 재발을 방지하기 위한 목적으로 사용된다.

사건보고서는 전적으로 가정간호사업소를 위한 것이나, 이는 또한 법적인 문제가 되었을 때 중요할 수 있고 또한 고소인 변호사가 사건보고서를 요구할 수 있으므로 사실적인 정보를 보고하는 것이 중요하다. 누구를 책망하는 것, 견해를 표현하는 것, 혹은 결론을 말하는 것 등의 진술은 피하는 것이 좋다.

사건보고서는 육하원칙에 의거하여 다음과 같은 사실이 포함되어야 한다.

- 날짜, 시간, 사건 장소
- 연락받은 가족 구성원의 이름, 시간, 전화번호
- 연락한 의사의 이름과 시간
- 발생 사건(예 투약의 경우 환자에게 처방되지 않은 약을 환자가 먹은 경우)
- 환자를 사정하고, 객관적으로 기록
- 조치한 행동

4) 가정간호관련 기록지

(1) 환자의뢰 시 가정간호의뢰서

주치의는 가정간호 대상자를 의뢰할 때 의료기관 가정간호인 경우 가정간호의뢰지(Fig 6-3)를, 노인요양 방문간호인 경우는 방문간호지침서를 작성하며 가정간호의뢰서나 방문간호지침서에 필요한 처방을 발행한다.

(2) 가정간호 등록 시 가정간호정보조사지, 가정간호 대상자 선정 기준 및 가정간호동의서

가정(방문)간호 정보조사지(Fig 6-8)와 가정간호 대상자 선정 기준(Fig 6-9)을 작성하며, 대상자나 보호자로부터 가정간호동의서(Fig 6-10)를 받는다.

(3) 가정(방문)간호 제공 시 경과기록지와 상태 변화 기록지

가정전문간호사는 대상자를 방문하여 가정간호서비스를 제공한 후 이와 관련 내용을 가정간호 경과기록지(Fig 6-11)와 상태 변화 기록지를 작성하며, 첫 방문 시에는 가정(방문)간호계획지(Fig 6-12)를 작성한다.

(4) 경과보고와 추가 의사 처방을 위한 경과 요약지

간호사는 정기적으로 대상자의 상태와 제공된 간호 내용을 주치의에게 보고할 때 경과 요약지(Fig 6-13)를 이용한다. 이때 대상자에게 새롭게 발생한 문제에 대한 향후 치료계획을 문의하여 'pm 처방'을 받을 수 있다. 응급 추가 처방의 경우는 주치의에게 전화로 대상자 상태를 보고하고 전화로 구두처방을 받은 경우는 추후 서면화된 처방을 받는다.

(5) 가정간호 종결 시 가정간호종결요약지

가정간호를 종결할 때는 필요한 조치를 시행한 후 이와 관련 내용을 가정간호종결요약지(Fig 6-14)를 기록한다.

등록번호	
성 별	
환자 성명	
생년월일	

가정간호 정보조사지

가정간호 등록번호		작성일		작성자	
진단명				주치의	

일반 정보

직업: ____________ 종교: ____________

결혼상태: ____________

의료보장 형태 ☐ 의료보험 ☐ 의료보호 ☐ 일반

주요 간호 제공자: ____________

주거형태 ☐ 아파트 ☐ 연립 ☐ 단독주택 ☐ 기타

위생상태 ☐ 양호 ☐ 불량 ( )

안전상태 ☐ 양호 ☐ 불량 ( )

가계도

의뢰 시 상태:	방문일	HOD#	POD#	Diet	V/S	BT	PR	RR

현병력(발병 시기, 기간, 정도, 입원 전 치료 과정, 입원 후 치료 과정 등)

과거력(과거질병력, 입원경험, 수술경험, 알레르기 등)

검사 소견	필요로 되는 가정간호서비스
퇴원 투약	

Fig 6-8 **가정(방문)간호 정보조사지**

등록번호	
성　　별	
환자 성명	
생년월일	

가정간호 대상자 선정/분류 기준지

* 선정 기준

수준 / 문제 영역	LEVEL I	LEVEL II	LEVEL III
활력 증상	계속적 안정	·현재 이상은 없으나 계속관찰을 요함 ·불안정하나 원인이 규명되고 투약으로 조절 가능	변화가 심함
의식수준	명료하고 지남력 있음	의식장애가 일정 상태로 계속 유지	의식 수준의 악화
영양	·구강섭취 가능 ·영양장애 없음	·비위관이나 위장루 영양 상태로 합병증 없음 ·특별식, 치료식 또는 삼키는 훈련 단계 ·정맥수액 필요	·지속적인 오심, 구토 ·영양 및 체액 불균형
배뇨 및 배변	자발적 또는 자기조절 가능	·간헐 또는 정체도뇨관, 치골상방광, 장루설치술 상태이나 합병증 없음 ·배설훈련, 교육, 투약, 관장 필요	·비뇨기계 감염이상 증상 및 감염 ·전해질 불균형
호흡기능	·정상호흡 ·정상수준의 산소포화도	·기관지절개관 삽입 상태이나 합병증 없음 ·간헐적인 인공 흡인 ·간헐적 산소공급으로 호흡곤란 해소 ·비효율적 호흡양상, 객담 배출, 기침이 있으나 호흡곤란, 청색증 없음	·동맥혈 가스분압, 산염기의 심한 불균형 ·객혈, 청색증, 호흡 시 동통 호소 ·심한 호흡기계 감염, 이물 흡인, 폐쇄
피부	피부 문제없음	·급만성 상처 및 피부 관리 필요 ·침습적 카테터나 튜브 필요 ·수술상처 관리 필요 ·봉합사 제거 필요	감염 등의 피부상태 악화 및 집중적인 처치 필요
일상생활수행	제한 없고 독립적	부분 또는 완전의존적	악화
정서 상태 및 적응	정서적 안정과 적응	치매, 우울, 섬망, 불안 등으로 계속 관찰 요함	악화

기타		·간헐적인 임상병리검사결과 감시 필요 ·일정기간 항생제 투여 필요 ·근육, 혈관, 피하주사가 필요 ·중심정맥관 관리 필요 ·배액관 관리 필요 ·자가관리를 위한 전문적인 교육, 훈련 및 상담, 의뢰 필요 ·말기질환자 ·기타 의사의 판단에 의해 질환 및 상태 관리가 필요	

* 환자분류지침

분류 / 항목	분류 I	분류 II	분류 III
문제수준	경한 수준 또는 회복이 된 상태	중등증수준의 전문 인력의 간헐적인 도움이 필요로 되는 상태	중증수준으로 24시간 전문 인력의 집중적인 도움과 관찰이 필요로 되는 상태
문제 사정	문제영역에서 모두 Level I 로 사정된 경우	문제 영역에서 level III가 없으며 1개 이상 level II가 사정된 경우	문제 영역에서 level III가 1개 이상 사정된 경우
대상	퇴원대상자	가정간호 대상자	입원대상자

제안하는 환자 분류: ☐ 퇴원 대상자 ☐ 가정간호 대상자 ☐ 입원 대상자

작성일자: 년 월 일 가정전문간호사 서명: ____________

Fig 6-9 **가정간호 대상자 선정 기준**

환자동의서

등록번호:	성별/연령	/	성명:
	보험 유형	□ 건강보험 □ 의료급여 □ 자보 □ 산재	
주치의	의뢰 진료과:		진단명:
주소			
전화번호			

1. 본인은 의사와 가정전문간호사로부터 본인에게 제공될 가정간호 및 환자 권리에 대하여 충분한 설명을 들어 이해하고 이에 필요한 처치와 간호 받기를 동의합니다.
2. 본인은 제공된 처치 및 간호에 대해 청구된 비용을 지불할 것을 인정하고 동의합니다.

주요정보 및 설명

설명 간호사 (인)

년 월 일

환자 성명 (인)

보호자 (법정대리인) 성명 (인)

환자와의 관계

위임 사유: □ 환자가 의사결정 능력 결여로 약정 내용에 대하여 이해하지 못함

□ 설명하는 것이 환자의 심신에 중대한 나쁜 영향을 미칠 것이 명백함

□ 환자 본인의 승낙에 관한 권한을 특정인에게 위임함

Fig 6-10 가정간호동의서

등록번호	
성　　별	
환자 성명	
생년월일	

가정간호 경과기록지

년월일	간호 문제, 증상 및 증후, 간호처치 및 결과, 심리적 간호

Fig 6-11　**가정간호 경과기록지**

등록번호	
성　　별	
환자 성명	
생년월일	

가정간호계획지

번호	개시일	간호 진단	간호목표	간호중재	종료일	서명

Fig 6-12　**가정(방문)간호계획지**

등록번호	
성 별	
환자 성명	
생년월일	

가정간호경과요약지

날짜/횟수: ____________ / ____________

가정방문 기간: ____________ ~ ____________ 방문빈도: ____________

활력 징후: 혈압 ___ / ___ mmHg 맥박 ___ 회/min 호흡 ___ 회/min 체온 ___ ℃

경과 요약 :

가정전문간호사 서명: ____________

주치의 회신:

주치의 서명: ____________

Fig 6-13 **경과요약지**

등록번호	
성　　별	
환자 성명	
생년월일	

가정간호종결요약지

<table>
<tr><td colspan="6"></td></tr>
<tr><td>진 단 명</td><td colspan="2"></td><td>주 치 의</td><td colspan="2"></td></tr>
<tr><td>등 록 일</td><td></td><td>종 결 일</td><td></td><td>총 방문 횟수</td><td></td></tr>
<tr><td>종결 사유</td><td colspan="5">☐ 상태 호전: ☐ 외래 의뢰 ☐ 종결
☐ 재 입 원: ☐ 예정 입원 ☐ 상태 악화 입원 ☐ 기타
☐ 타기관 의뢰: ☐ 보건기관 ☐ 병원 ☐ 요양시설 ☐ 복지관 ☐ 기타
☐ 사 망:
☐ 가정간호 거부:
☐ 기 타:</td></tr>
<tr><td colspan="6">등록 시 환자 상태(중점 문제 중심으로 진술)</td></tr>
<tr><td colspan="6">가정간호 내용 및 현재 환자 상태</td></tr>
</table>

Fig 6-14 **종결요약지**

참고문헌

1. 김난희, 박연임, 이영성, 양영란. (2019). 법적 측면에서의 간호기록 작성방법 교육이 지방 종합병원 간호사의 간호기록작성 지식, 수행자신감에 미치는 효과 및 교육만족도. 예술인문사회 융합 멀티미디어 논문지, 19(12). 509-522. http://dx.doi.org/10.35873/ajmahs. 2019.9.12.046
2. 김성재, 이명선, 은영, 고문희, 김주현, 김동옥, 손행미, 최경숙. (2006). 가정전문간호사의 정체선-포커스 스룹 연구방법의 적용: 한국간호과학학회지, 36(1), 103-113.
3. 김세영.(2010). 자택 간호 간호사의 임상의사 경정 참여에 관한 연구: 한국간호과학학회지,40(6), 892-902. https://doi.org/10.4040/jkan.2010.40.6.892
4. 박미미, 한숙정.(2013). 가정전문간호사의 감정노동, 직무스트레스, 개인적자원의 직무만족도와의 관련성: 지역사회간호학회지, 24(1), 51-61. https://doi.org/10.12799/jkachn.2013.24.1.51
5. 백희정, 임지영, 조영이, 김인아, 전은영, 노준희, 민자경, 김희정, 송종례, 오승은 (2020). 우리나라 가정간호 현황분석: 2020년 가정간호 근로실태 조사를 기반으로: 가정간호학회지, 27(3), 356-371. https://doi.org/10.22705/jkashcn.2020.27.3.356
6. 이은희, 박성애.(2011). 일개 지역사회중심 가정간호사업소의 운영실태 및 운영방안: 간호행정학회지, 17(2), 180-188.
7. 오의금, 이현주, 김유경,성지현, 박영수,유재용,우수희 (2015). 재가간호서비스 제공자의 업무 수행 현황과 장애요인: 대한간호학회지, 45(5), 742-751. http://doi:10.4040/jkan.2015.45.5.742
8. 의료기관 가정간호사업 업무편람. 2023년 보건복지부
9. 장기요양보험법 시행규칙 [시행 2021. 6. 30.] [보건복지부령 제806호, 2021. 6. 30. 일부개정] i.org/10.22705/jkashcn.2020.27.2.137
10. 조숙, 정은자.(2011). 병원 획득 욕창 예방을 위한 전자 환자 기록을 사용한 예측 베이지안 네트워크 모델: 한국간호과학학회지 41(3), 423-431. https://doi.org/10.4040/jkan.2011.41.3.423
11. 조한아 신, . (2014). . 호성 환자안전에 관한 체계적 문헌고찰 대한치과의료관리학회지, 2(1), 61-82.
12. 홍정숙, 이가언. (2004). 재택간호사 직무스트레스 척도 개발: 한국간호과학학회지, 6, 1097-1107. https://doi.org/10.4040/ jkan.2004.34.6.1097
13. Baek HC. Home health nurses and the adequacy of their supplies. Journal of Korean Academic Society of Home Care Nursing. 2020:27(2):137-145. https://do노인 18...Ministry of Health and Welfare. A guide for hospital basedhome health care [Internet]. Sejong: Ministry of Health andWelfare. 2010 [cited 2017 July 25]. Available from: http://www.mohw.go.kr/react/al/sal0101vw.jsp?PAR_MENU_

ID=04&MENU_ID=040101&CONT_SEQ=237214&page=1

14. Harris, M. D.(2005). Handbook of home health care administration.(AEd). Jones & Bartlett Publishers, 135-146.
15. Home Health Nursing History Compilation Committee. 20-year history and perspectives on home health care. Seoul: HN Science; 2014. p. 129-136.
16. Huston, C. J. (2013). Professional issues in nursing: Challengesand opportunities. Philadelphia, United States: Lippincott Williams & Wilkins
17. Korean Homehealthcare Nurses Association. The current state of home health nursing service agencies and home health nursing specialists [Internet]. Yongin: Korean homehealthcare nurses association; 2019 [cited 2019 September 26]. Available from: http://hcna.or.kr/sub2/2_8.php.
18. Korean Statistical Information Service. Health insurancestatistics Q2 2020 [Internet]. Daejeon: Korean Statistical Information Service; 2020 [cited 2020 October 26]. Available from: https://kosis.kr/statHtml/statHtml.do?orgId=354&tblId=DT_HIRA4A&vw_cd=MT_OTITLE&list_id=354_MT_DTITLE&scrId=&seqNo=&lang_mode=ko&obj_var_id=&itm_id=&conn_path=K2&path=%252Fcommon%252Fmeta_onedepth.jsp
19. Ministry of Health and Welfare. Current status and sum of produced advanced practice nurses [Internet]. Sejong: Ministry of Health and Welfare; 2019 [cited 2019 December20]. Available from: https://www.mohw.go.kr/react/gm/sgm 0704vw.jsp?PAR_MENU_ID=13&MENU_ID=1304080301&page=1&CONT_SEQ=357052&PAR_CONT_SEQ=355672
20. M. Frank-Stromborg, A. Christensen and D. E. Do, Nurse documentation: Not done or worse, done the wrong way-part II. Oncology Nurse Forum. (2001), Vol.28, No.5, pp. 841-846.
21. Spath, P. (1993). A tool for clinical process management Journal of the American Hospital Information Management Association, 64, 56.
22. Swisher, A. K. (2010). Practice-based evidence. Cardiopulm. Phys Ther J, 21(2), 4.
23. Yoon YM. Strategies for integrative linkage home visiting health care service in health center and visiting nursing services in long-term care insurance: hospital-based home health nursing's view; Presented at: Policy forum by Korean Academic Society of Home Care Nursing; 2017 September 2; Seoul, Korea. Chung-Ang University, Red Cross College of Nursing;
24. Virginia K. Saba.(2005). Home Health Care Classification(HHCC) System An Overview. 247-259. Virginia K. Saba, Sabacare(www.savacare.com, 2000)

참고사이트

1. 네이버 지식백과, 이해하기 쉽게 쓴 행정학용어사전, 기획의 유형(企劃~類型, pattern of planning, https://terms.naver.com/entry.naver?docId=659528&cid=42152&categoryId=42152, 하동석, 유종해, 검색 일자: 2010. 3. 25.
2. 보건복지부 국립재활원 중앙장애인보건의료센터, http://nrc.go.kr/chmcpd/html/content.do?depth=pi&menu_cd=02_04_01, 검색 일자: 2021.9.20.
3. 보건복지부 보건복지상담센터, https://www.129.go.kr/faq/faq05_view.jsp?n=1363, 검색 일자: 2021.9.20.
4. 보건의료 빅데이터 개방시스템 의료통계정보, http://opendata.hira.or.kr/op/opc/olapHumanResourceStatInfo.do, 검색 일자: 2021.9.20.
5. https://play.google.com/books/reader?id=iIcbEAAAQBAJ&pg=GBS.PT14.w.6.1.11_92&hl=en_US

제 7 장

가족간호

학/습/목/표

① 가족의 전통적 정의와 현대적 정의를 설명할 수 있다.
② 가족의 다양한 유형을 설명할 수 있다.
③ 가족간호의 개념을 설명할 수 있다.
④ 가족간호 대상을 설명할 수 있다.
⑤ 가족간호 접근의 네 가지 관점을 설명할 수 있다.
⑥ 가족 체계 내 역동성을 설명할 수 있다.
⑦ 가족 사정 도구를 활용하여 가족의 지지체계를 평가할 수 있다.
⑧ 가족간호 접근 시 지지·연계전략을 설명할 수 있다.
⑨ 가족면담 지침을 활용할 수 있다.
⑩ 가족간호에서 의뢰업무를 설명할 수 있다.
⑪ 고위험 가족을 이해하고 간호 전략을 수립할 수 있다.
⑫ 가족간호 간호과정(사정, 진단, 수행, 평가)을 적용할 수 있다.

I 가족간호의 이해

Home Health Care

1 가족의 정의와 유형

가족은 인류 역사상 가장 오래된 사회제도로서, 시대 변화에 따라 다양하게 영향을 받으며 지속되어 왔다. 일반적으로 가족은 관념적, 생물학적, 법적, 사회문화적 관점에 따라 정의할 수 있다. 전통적 정의에서의 가족은 하나의 제도로서, '결혼, 혈연 또는 입양으로 연결되어 모여 사는 사람들의 집단', '한 가구를 이루고 함께 기거하는 집단' 또는 '혈연을 중심으로 하는 동거 동재의 공동체' 등으로 표현된다(이영주 외, 2018; 김광숙 외, 2019). 다양한 삶이 존중되는 현대사회에서는 가족을 한마디로 정의하기는 쉽지 않다. 어떤 사람은 가족을 부모와 자녀로 이루어진 생물학적 혈연 집단만을 가족의 범주로 인식하며, 어떤 사람은 '가족이란, 결혼을 통한 혈연 집단이 아닌 같은 공간에서 함께 추억을 공유하는 공동체'라고 인식한다. 최근에는 가족을 '특정한 사회적 역할을 담당하여 서로 상호관계하는 사람들의 집단', '고유한 공동 윤리를 나누어 가지는 집단' 등의 일반적이고 포괄적으로 정의하기도 한다(김광숙 외, 2019). 간호학자의 정의를 살펴보면 '가족이란 친족 또는 친족과 같은 연계성을 가지고 모여서 서로 같은 생리적·심리학적·사회문화적 그리고 물리학적 환경을 나누어 가지는 사람들로 조직된 기능적 체계로서, 질병 발생·증상에의 반응, 그리고 의료자원의 활용에 고유한 양상을 보이는 건강 행위의 기본단위'로 정의한다(김의숙, 1994).

현재 우리나라 「민법」 제779조 제1항에서 가족의 범위를 살펴보면 (1) 배우자, 직계혈족 및 형제자매, 그리고 생계를 같이 하는 경우에 한하여, (2) 직계혈족의 배우자, 배우자의 직계혈족 및 배우자의 형제자매를 가족으로 한다(민법, 2021). 「건강가정기본법」 제3조(정의)에서 명시된 '가족'이라 함은 혼인·혈연·입양으로 이루어진 사회의 기본단위를 말하며, '가정'이라 함은 가족 구성원이 생계 또는 주거를 함께하는 생활공동체로서 구성원의 일상적인 부양·양육·보호·교육 등이 이루어지는 생활 단위를 말한다(건강가정기본법, 2020).

사회가 고도화되고, 저출산·고령화의 가속화, 산업화 및 도시화, 결혼 또는 가족 부양의 가치관의 변화, 다문화 인구 유입 등으로 다양한 유형의 가족들이 생겨나게 되었다. 국내 가정간호에서 주목해야 할 인구학적 변화로 노인가구의 증가와 그 중 1인 가구의 비중이 높아지는 것이다. 통계청 장래 가구 특별 추계(2017~2047)에 따르면, 65세 이상 가구의 비중이 2017년 20.4%에서 2047년 49.6%으로 증가할 것으로 전망한다. 노인 1인 가구는 2047년에 405만 1천 가구로 2017년에 비해 세 배가 증가하고, 노인 부부 가구는 330만 2천 가구로 2017년에 비해 2.5배가 증가할 것으로 예상한다(Fig 7-1). 이는 가정간호에 의뢰된 노인 대상자의 동거 가족이 노인이거나 없는 경우가 될 것이며, 동거하지 않는 다른 가족원 또는 지역사회의 지지체계 및 다른 방문간호 서비스와의 연계 방안 등 인구학적 변화에 따른 대응책이 필요함을 시사한다.

이 외에 한부모 가족, 조손 가족, 무자녀 가족, 미혼모 가족, 노인 가족, 재혼 가족, 입양 가족, 다문화 가족, 맞벌이 가족, 주말부부 가족, 기러기 가족 등 다양한 형태의 가족이 존재한다. 법률이 규정한 가족의 범주는 사회문화적 관점에서의 가족의 범주를 모두 포괄하지는 않지만, 사회적 합의와 법률적 검토를 통하여 지속적인 개정이 이루어지고 있다. 예를 들어 과거에는 혼인외 출생자의 경우 미혼모는 아이를 출생신고할 수 있었지만, 미혼부는 출생신고를 하지 못하였다. 그러나 2015년 11월부터 「가족관계등록법」이 개정되면서 미혼부도 출생신고를 할 수 있게 되었다. 고전적인 형태의 가족 중심의 기존 제도의 테두리에서 보호받지 못하는 다양한 형태의 가족들은 건강 문제 해결과 건강증진에 있어 취약할 수 있으므로, 가정간호 내에서도 취약 가족을 발견하고, 필요 시 간호 중재 전략에 가족간호를 포함하는 것이 필요하다.

가정간호를 수행함에 있어, 전문간호사 개인의 견해를 가지고 가족을 정의하고 접근하기에는 윤리적인 한계가 있다. 예를 들어, 임종 과정에서 연명 의료결정에 대한 가족의 동의를 구할 때, 가족의 범주는 법적 정의를 고려해야 하지만, 대상자와 가족의 행동 변화가 필요한 간호 중재 전략을 수립할 때는 대상자의 견해나 생각을 존중하여 대상자 중심의 가족을 정의하는 것이 효과적일 수 있다. 따라서 다양한 관점에서의 가족을 이해하고 상황에 맞는 가족의 정의를 적용하는 것이 필요하다.

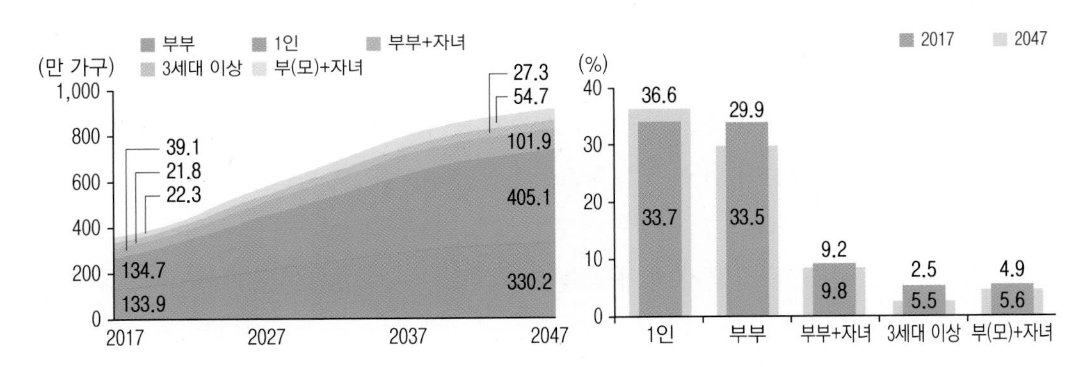

Fig 7-1 65세 이상 가구유형별 가구 규모와 유형별 구성비 변화, 2017~2047
[출처: 통계청. (2019). 장래가구특별추계(2017-2047). p. 13]

2 가족간호의 정의

가족간호에 대한 정의를 살펴보면, Wright와 Leahey(1994)는 "가족간호는 현재 또는 잠재적 건강문제를 가진 가족에 대한 반응으로서 건강한 사람과 아픈 사람에 대한 간호이다"라고 정의하였고, Loveland-Cherry (2000)는 사회적·발달적 측면을 강조하고 있다. 또한 가족간호는 간호 실무영역 내에서 가족의 건강요구를 제공하기 위한 과정으로 보았다(Hanson, 2001). 가족간호는 가족의 역량과 힘을 찾는 것이라고 설명하며, 효과적인 가족간호의 접근은 대상 가족과의 파트너십을 형성하는 것뿐만 아니라 가족의 역량이나 자원을 찾기 위한 기술을 요구한다고 하였다(Edwards, 2003). 즉, 가족간호는 가족의 건강에 초점을 맞춘 것으로 가족들로 하여금 그들의 건강 문제를 스스로 해결해 나갈 수 있는 능력을 향상시킴으로써 건강한 가족을 형성하는 데 있다.

개인은 가족을 구성하는 구성원으로서 가족의 하부체계에 속하며 가족은 상부체계인 사회와 지역사회에 대해 하부체계로서 중요한 사회적 단위이다. 만성질환 혹은 장기질환이 증가하면서 가족이 개인의 건강에 끼치는 영향을 크게 인식하게 되었고, 가족간호의 대상이 가족 내의 개인들이 아니라 전체로서의 가족이라는 하나의 체계 개념으로 받아들이게 되었다. 이러한 전제를 바탕으로 지역사회 보건소 중심 방문건강관리는 취약

가족의 자가간호 증진과, 지역사회의 건강 증진에 목적으로 두고 개인 및 가족 전체에 초점을 맞추어 간호를 제공하고 있다. 반면, 국내 의료기관 중심 가정간호에 의뢰된 대상자는 입원 치료의 연속성을 유지하기 위해 만성(chronic) 또는 아급성(subacute) 상태의 조기퇴원 환자, 수술 후 조기퇴원 환자, 뇌혈관질환 등 만성질환자, 산모 및 신생아, 기타 주치의가 의뢰한 환자 등으로 개인 환자 중심에 초점을 맞추어 시행되고 있다(유호신 2007; Park et al. 2019). 지역사회 보건소의 방문건강관리와는 달리 가정간호는 개인의 건강 문제에 좀 더 초점을 두고 간호를 제공하고 있지만, 가정간호 대상자의 가족 구성원이 급성 또는 만성질환, 정신질환, 상해, 사망, 빈곤, 또는 가족관계의 위험을 초래하는 경우, 가족생활주기에 따른 출생, 군 입대, 결혼 등의 변화, 그리고 영유아기 또는 청소년기 가족의 경우, 가정간호 대상자는 가족의 영향을 받게 되고 이는 개인의 건강에 다시 영향을 미친다. 따라서, 가정간호에 의뢰된 개인의 건강 문제 해결을 위해서는 가족 간 상호작용하는 가족의 역동성을 이해하고, 가족을 간호 제공 단위로 포함하여 간호중재 전략 수립이 필요하다.

3 가족간호 접근의 관점

역사적으로 간호에 가족을 체계로 이해하는 가족간호의 개념을 가지게 된 것은 1960년대 일반체계 이론이 간호에 소개되면서부터이다. 이후, Wright와 Leahey(1993)는 가족간호의 접근방식을 개인에 초점을 두는 가족간호, 가족에 초점을 두는 가족간호, 가족 체계에 초점을 두는 가족간호로 분류하였다. 그러나 가정간호전문간호사가 이용하는 가족간호의 접근방법은 간호 현장, 가족 상황, 간호사의 지원에 따라서 결정되며 접근방법에 따라 가족간호의 목적도 달라진다. 가족간호의 접근 대상 가족은 정상적으로 발달·적응하는 건강한 가족뿐만 아니라 신체적 건강 문제를 지닌 가족, 사회적 위기를 경험하는 취약가족 모두가 대상이 된다. 간호 분야에서 일반적으로 가족을 접근하는 4가지 관점은 다음과 같다(Hanson, 2001)(Fig 7-2).

1) 배경으로서의 가족

배경으로서의 가족(family as context) 접근법은 가족간호에서 간호 목표는 개인에게 초점이 맞추어져 있으며 가족은 배경이 되는 접근법이다. 이 접근법은 가족을 환자의 가장 근원적이며 필수적인 사회 환경으로 보는 접근법으로서 가족을 스트레스원이나 문제 해결의 기본자원으로 보는 접근이다. 간호사는 환자 개인에게 "위암 진단이 당신의 가족에게 어떤 영향이 있습니까?" 또는 "당신이 밤에 투약하는 것이 가족에게 문제가 됩니까?"라고 질문한다. 즉, 간호사의 관심 또는 접근의 시작은 질병을 가지고 있는 대상자 개인이며, 개인 대상자를 정확히 사정하기 위해 또는 효과적인 중재를 위해 가족을 포함시킨다. 가족은 대개 개인 대상자의 지지체계로 대상자 간호계획에 동참하게 된다.

2) 대상자로서의 가족

대상자로서의 가족(family as client) 접근법은 가족 전체를 주 대상자로 보고 개인이 배경이 되는 접근법이다. 이 접근법은 가족 자체를 대상자로 보는 접근법으로서 가족 자체가 주요한 관심이며, 오히려 건강 문제를 가진 가족 구성원이 가족 이해를 돕기 위한 배경이 된다. 즉, 가족 내 상호관계나 가족 역동 또는 가족 기능이 중심이 되고, 이를 파악하기 위하여 가구원 개인이나 다른 사회조직과의 관계를 분석하게 된다. 따라서 간호 중재 시 가구원 개인의 문제나 질병 치료가 우선순위가 되지 않는 경우가 많다. 간호사는 가족 구성원에게 "가족 구성원들은 폐암 진단을 받은 당신 아버지의 진단에 대해 어떻게 반응할 것 같은지 그리고 당신 건강에 대해 어떻게 할 것인지를 말씀해 주십시오"라고 질문한다.

3) 체계로서의 가족

체계로서의 가족(family as system) 접근법은 상호작용하는 가족에 초점을 둔 접근법이다. 이 접근법은 부분의 합보다 큰 전체 체계 안에서 상호작용하는 체계로서의 가족과 대상자로서의 가족에 초점을 둔다. 즉, 개인 구성원에게 초점을 두는 동시에 전체로서의 가족에게 초점을 둔다. 가족 구성원들 간의 상호작용은 간호 중재의 목표가 된다. 체계로서의 가족 접근은 한 명의 가족 구성원에게 어떤 일이 발생하면 다른 가족 구성원이 항상 영향을 받는 것을 의미한다. 간호사는 "당신 가족 중 누군가가 두부 손상을 입은 이후로 가족 구성원 사이에 변한 것은 무엇입니까?", "당신 가족이 오랜 기간 재활치료를 받는 것으로 인해 가족 구성원들이 다른 가족 구성원들에게 서로 영향을 줄 텐데 이런 사실에 대해 어떻게 느끼십니까?"하고 질문한다. 이 접근법은 가족 구성원 개개인 모두를 중점으로 하여 가족 전체를 포함하는 간호를 제공하려고 시도하는 방법이다. 간호사는 가족 전체를 하나의 통합체로서 보려고 노력은 하나 역시 초점은 아프거나 문제가 있는 가구원 개개인이며, 간호 제공 시 가족 단위로 문제점들을 포괄하여 함께 중재하려고 노력한다.

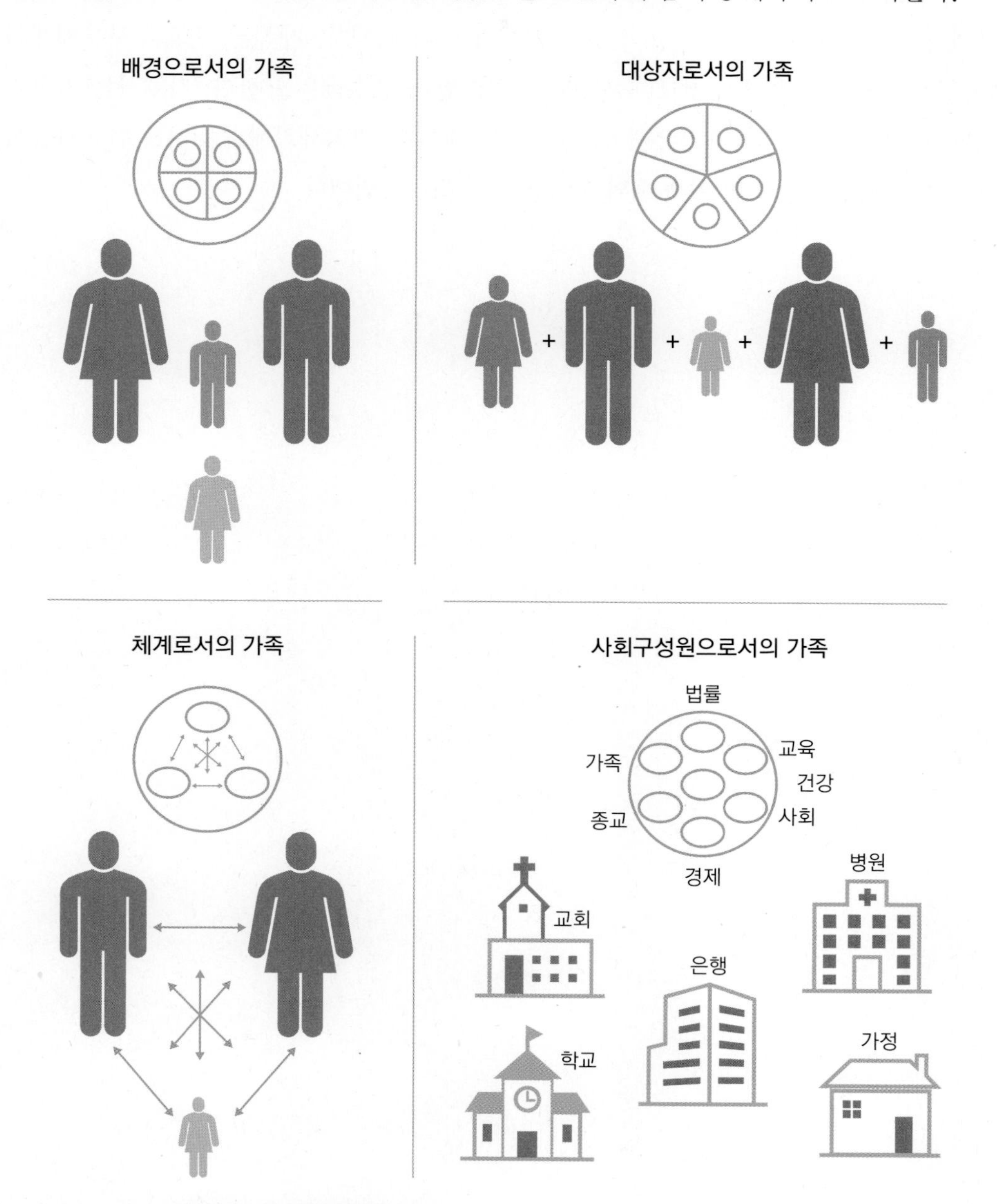

Fig 7-2 가족간호 접근의 4가지 관점

[출처: Hanson (2001). Family Health Care Nursing: Theory, Practice, and Research.]

4) 사회구성요소로서의 가족

사회구성원으로서의 가족(family as component of society) 접근법은 가족을 건강, 교육, 종교, 경제가 관련된 사회의 여러 조직 중 하나로 본다. 가족은 큰 사회체계의 하부체계로서 부분이 되며, 사회의 기본적 또는 일차적 단위가 된다. 가족은 사회의 하부체계인 다른 조직들과 함께 서로 정보나 영향력을 주고받는 상호작용을 한다. 간호사는 가족과 지역사회 기관들과의 상호작용에 초점을 둔다. 대부분, 지역사회에서 일하는 간호사들이 가족과 지역사회 간 자원 연계를 위해 사용하는 접근 방법이다.

가족역동 II

1 가족역동의 구성요소

가족은 특정한 배경을 가진 사람들로 구성되어 있으며, 오랜 시간 동안 다양한 행동 체계를 통해 유형을 형성한다. 가족을 유형화시키는 가족 체계의 행동 특성을 가족 체계 내 역동성(intrasystem dynamics)이라고 정의하였다(Deaco & Firebaugh, 1988). 가족치료 분야에서 많이 사용되고 있는 이론적 개념 모델은 크게 두 가지가 있는데, 하나는 가족의 변화와 안정의 균형을 강조하는 Olson의 순환 모델(Circumplex Model)이며, 다른 하나는 가족의 성장에 초점을 두는 Bearvers의 체계 모델(Systems Model)이다(장진경, 1995). 본 장에서는 국내 가족의 활용성에 대한 타당성이 검증된 Olson의 순환 모델을 위주로 설명하고자 한다.

체계 내 가족의 상호작용을 역동적으로 설명하는 Olson의 순환 모델은 응집성(cohesion), 적응성(flexibility), 의사소통(communication)의 주요 개념을 바탕으로 가족 체계를 진단하고 평가한다(Olson, Spernkle & Russell, 1979 & 1989).

1) 응집성

가족 응집성(Marital and Family Cohesion: Togetherness)은 '가족 구성원 간의 정서적 유대'로 정의한다(Olson, 2000). 응집성의 유형은 4가지로 구분되는데, 정도에 따라 가장 낮은 수준에서부터 이탈(disengaged), 분리(separated), 연결(connected), 속박(enmeshed)의 순서로 구분된다(Fig 7-3). 가족 응집성이 중앙에 위치한 유형(분리와 연결)인 경우는 가족 체계가 균형적이라고 보며, 최적의 가족 기능을 가진다. 반면 응집성이 양쪽 극단에 위치한 유형(이탈과 속박)인 경우는 가족 체계가 불균형적이라고 보며, 가족의 기능에 문제가 있는 것으로 본다(Olson, 2000). 응집성의 유형을 진단하기 위해서는 다음의 8가지 하위 영역이 사용된다. 가족 구성원 간의 정서적 유대, 가족 외부 환경과 하위 체계들 간의 경계, 가족 내에서 연합이 이루어지는 대상과 정도, 가족이 함께하는 시간과 사적 시간의 허용 정도, 가족의 공동 공간과 사적 공간의 허용 정도, 가족의 공동 친구와 사적 친구의 인정, 의사결정의 유형, 가족 전체 활동과 사적 활동의 보장 정도이다.

2) 적응성

가족 적응성(Marital and Family Flexibility)은 '상황적 또는 발달적 스트레스에 대응하여 자체의 리더십, 역할 관계 그리고 관계 규칙들을 변화시킬 수 있는 정도'로 정의한다. 적응성의 유형은 4가지로 구분되는데, 정도에 따라 가장 낮은 수준에서부터 경직(rigid), 구조(structured), 융통(flexible), 혼돈(chaotic)의 4가지로 구분된다(Fig 7-3). 응집성과 마찬가지로 적응성이 중앙에 위치한 유형(구조, 융통)인 경우는 가족 체계가 균형적이라고 보며, 최적의 가족 기능을 가진다. 반면 적응성이 양쪽 극단에 위치한 유형(경직, 혼돈)인 경우는 가족 체계가 불균형적이라고 보며, 가족 기능에 문제가 있는 것으로 본다(Olson, 2000). 적응성의 유형을 진단하기 위해서는 다음의 6가지 하위영역이 사용된다. 가족 구성원들이 자신의 의견을 주장하는 형태, 리더십 유형, 부모의 자녀훈육 방법, 가족 구성원들 간의 타협 능력, 역할 확립과 분담, 가족 규칙의 명확성과 융통성이다.

3) 의사소통

가족 의사소통(Marital and Family Communication)은 순환 모델에 도식화되지는 않지만, 응집성과 유연성의 수준을 바꾸도록 촉진한다(Olson, 2000). 의사소통은 듣기 능력, 말하기 능력, 자기 노출(self-disclosure), 명확성, 대화 주제에 머무르기, 존중과 배려로 평가한다. 응집성과 적응성이 균형적인 가족 체계에서는 가족 구성원 간 원활한 의사소통을 하는 경향을 보인 반면, 불균형적인 가족 체계에서는 의사소통이 잘 되지 않는 경향이 있다.

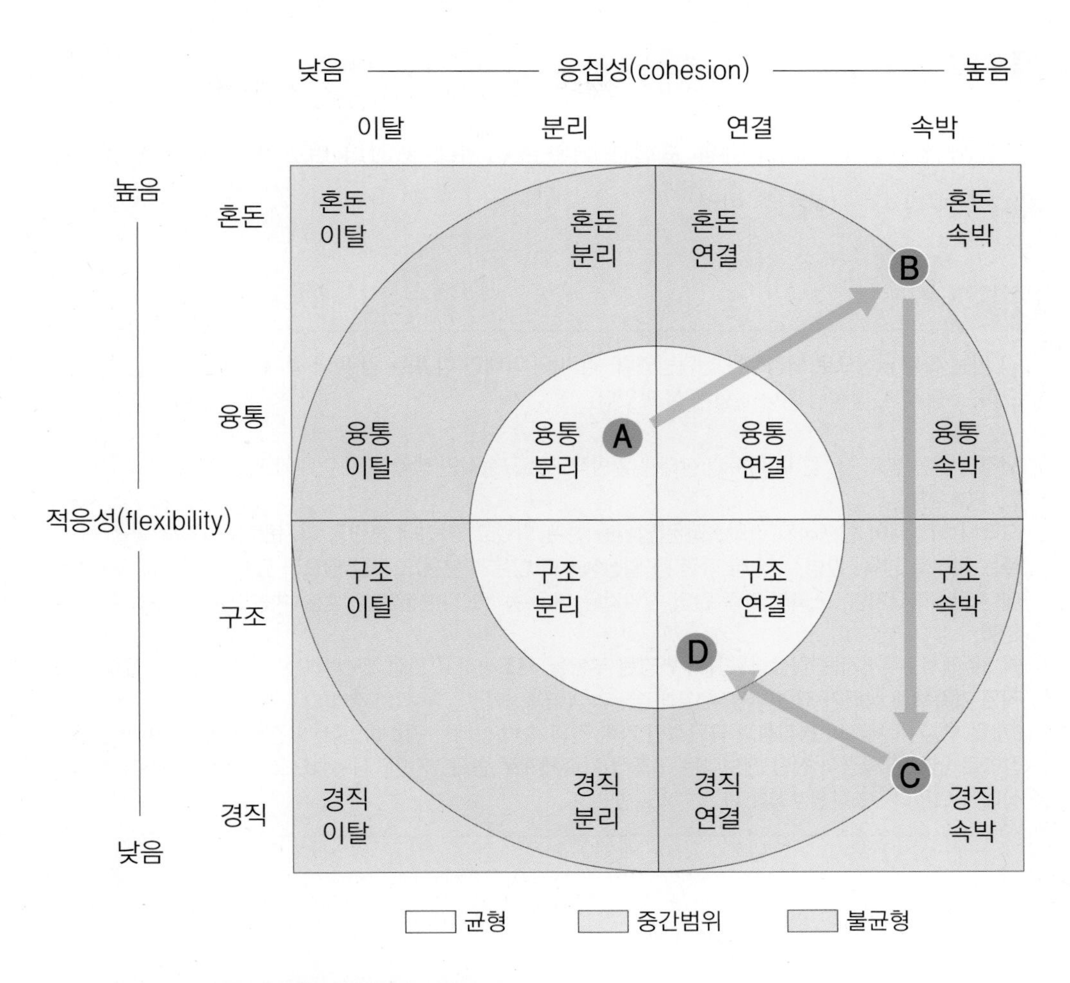

Fig 7-3 Olson의 순환 모델(Circumplex Model)

[출처: Olson, D. H. (2000). Circumplex model of marital and family systems. Journal of family therapy, 22(2), 144-167.]

2 가족역동의 예

앞서 설명한 Olson의 순환 모델을 기반으로 가족 체계의 변화가 어떻게 이루어지는지 다음과 같이 설명할 수 있다.

사례

김 씨는 49세 남성으로 뇌경색을 진단받았다. 김 씨의 아내인 이 씨는 김 씨와 함께 맞벌이 생활을 하고 있으며, 초등학생, 중학생 자녀와 함께 살고 있다.

뇌경색 진단 받기 전, 김 씨 가족의 상태는 일반적으로 균형적인 생활 주기 단계에 있었다(융통분리 상태, **Fig 7-3**의 A 영역).
그러나 뇌경색이 발생하자 갑작스러운 입원을 하게 되었고, 가정에 혼란을 가져왔다. 뇌경색 발생 첫 두 주는 아이들 양육, 간병, 수술비 마련 등 일상생활의 많은 부분을 조정할 필요가 있었기 때문에 적응하는데 혼란스러웠지만, 오히려 가족 간의 친밀감은 매우 높아졌다(혼돈연결과 혼돈속박의 경계 상태, **Fig 7-3**의 B 영역).
약 3주에서 6주까지는 일상생활에서 변경된 부분을 재조정하고 안정화시키려는 노력으로 이전보다는 경직된 가족체계 상태가 되었다(경직연결과 경직속박의 경계 상태, **Fig 7-3**의 C 영역).
6개월 후, 가족체계의 경직성과 극단적인 가족 간의 속박 상태는 감소하였다. 뇌경색 이후 김 씨의 신체적 장애로 인하여 뇌경색 진단 전보다는 구조적 가족체계로 변하였지만, 정서적으로 가족 구성원 간 가까운 상태가 되었다(구조적 연결 상태, **Fig 7-3**의 D 영역).

가족의 지지체계 III

1 가족 사정 도구

가족의 지지체계를 포함하여 가족을 사정하기 위해서 활용할 수 있는 다양한 방법이 있다. 가족 구조를 파악하기 위해서는 가족구조도를 활용할 수 있다. 가족 내 정서적·영적 지지 정도를 사정하기 위해서는 가족밀착도를 사용할 수 있으며, 지지 자원을 사정하기 위해서는 외부체계도, 사회지지도 등을 활용할 수 있다.

1) 가족구조도

가족구조도(genogram)는 가족 전체의 구성과 구조를 한눈에 볼 수 있도록 고안된 그림으로 3세대 이상에 걸친 가족 구성원에 관한 정보와 그들 간의 관계를 나타낸다. 가족구조도는 가족의 연령, 성별 및 질병 상태 등 흩어져 있는 정보를 집약하여 한 눈에 볼 수 있도록 체계화하는 기능을 하므로 가족 간의 관계나 가족력 등 필요한 정보를 파악함과 동시에 추후로 필요한 정보가 무엇인지를 확인할 수 있다. 가족구조도 양식과 상징 기호는 Fig 7-4와 Fig 7-5에 제시하였다.

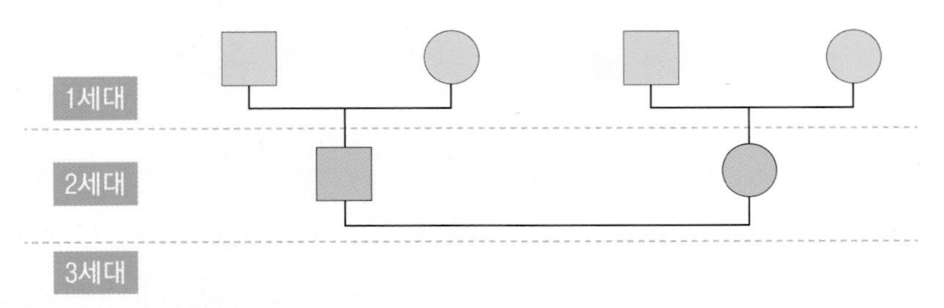

Fig 7-4 가족구조도 상징 기호

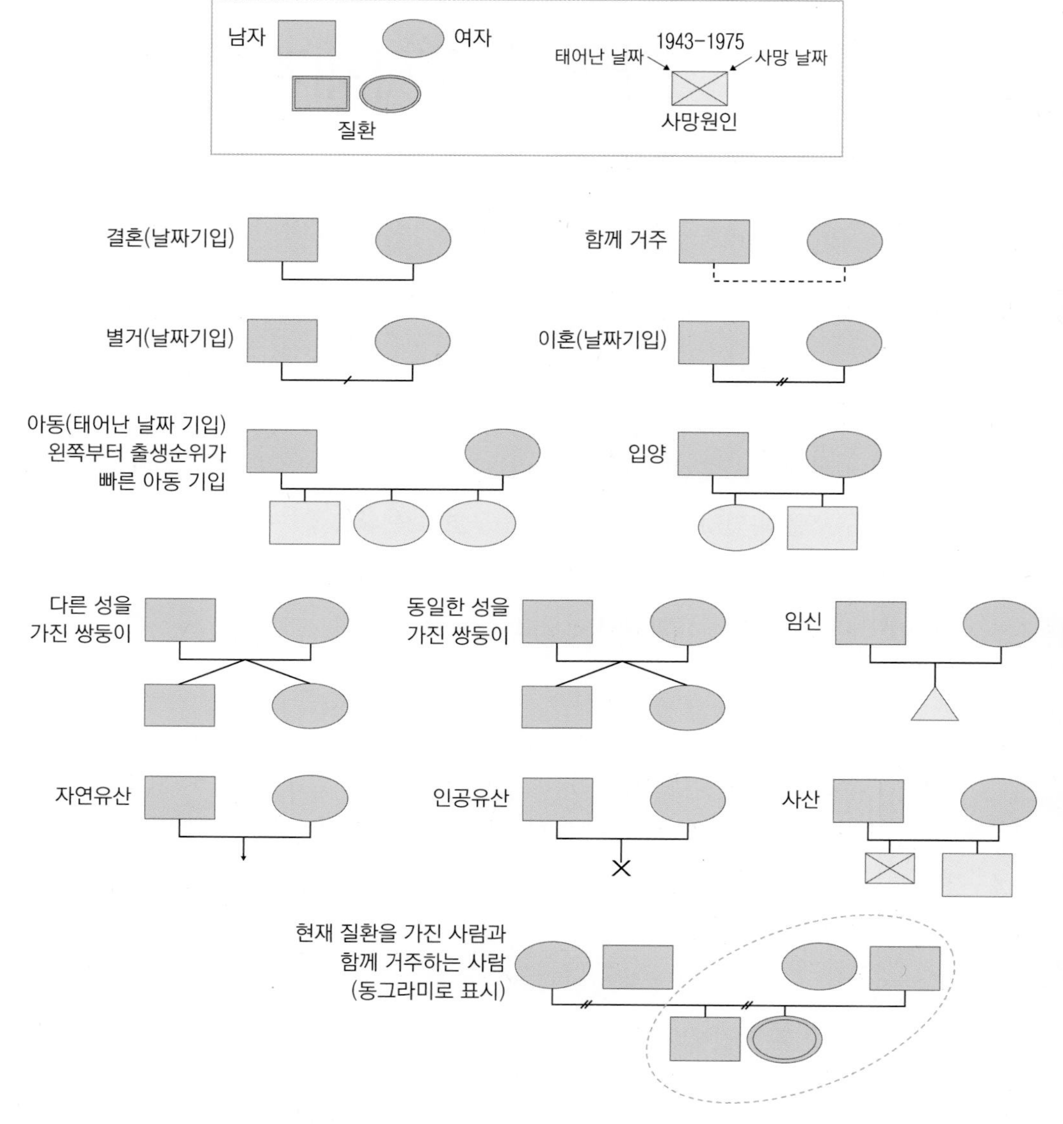

Fig 7-5 가족구조도 상징 기호

2) 가족밀착도

가족밀착도(attachmentgram)는 현재 동거하고 있는 가족 구성원들 간의 밀착 관계와 상호관계를 이해하는 데 도움이 되는 방법이다. 전체 구성원들의 상호 작용의 구조가 한 눈에 들어와 어디가 문제인지를 바로 확인할 수 있게 하고, 그 이유와 중재를 위하여 더 필요한 자료를 깊이 있게 사정할 수 있게 만든다. 가족밀착도 작성 예는 Fig 7-6에 제시하였다.

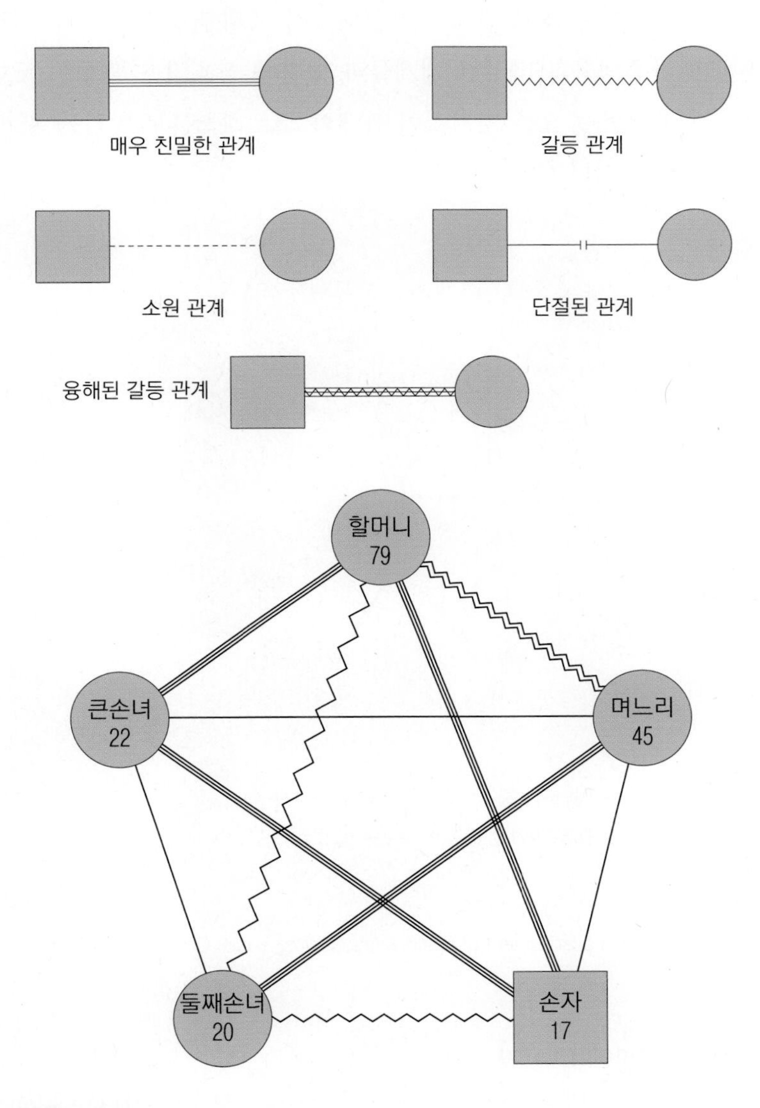

Fig 7-6 **가족밀착도**

3) 외부체계도

외부체계도(eco-map)는 가족을 둘러싸고 있는 다양한 외부체계와 가족 구성원과의 관계를 그림으로 나타낸 것이다. 외부체계도는 생태학적 체계를 묘사하는데, 이것의 경계는 개인과 가족이며 가족생활과 다양한 체계들과의 가족 상호작용 특성이 포함된다. 또한 가족과 외부환경 사이의 중요한 지지적인 관계와 스트레스를 유발하는 관계, 자원과 자원의 부족을 표현할 수 있다(Fig 7-7).

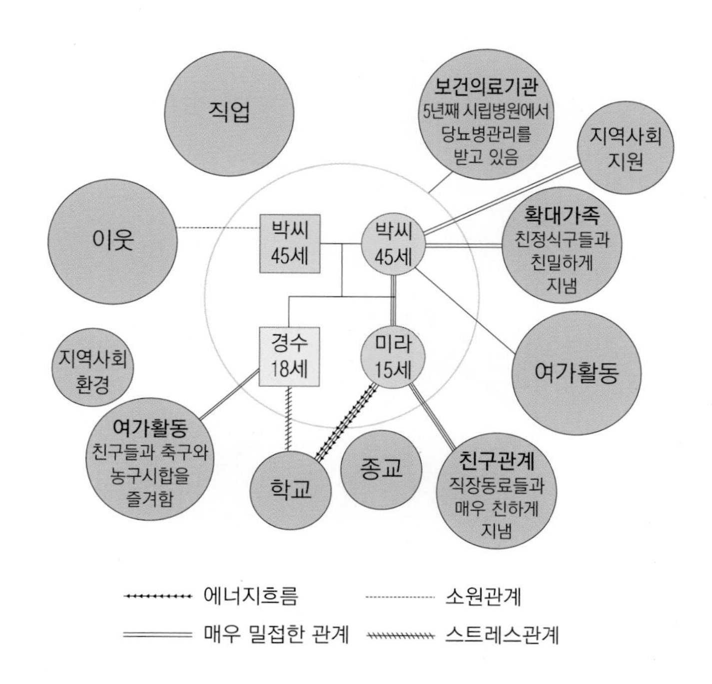

Fig 7-7 외부체계도
[출처: Hartman, A.(1978). Diagrammatic assessment of family relationships, Social Caseword.]

4) 사회지지도(sociosupportgram)

가족 구조나 외부체계도가 가족 전체의 양상을 보여 주도록 접근한다면 사회지지도는 가족 내 가장 취약점을 가지고 있는 가구원을 중심으로 가족 내뿐 아니라 외부와의 상호작용을 보여 준다(Fig 7-8). 즉, 이 도구는 가족 자체의 지지체계의 양상을 전반적으로 이해할 수 있도록 도와줄 뿐 아니라 가족의 문제를 해결할 때 누구를 중심으로 시작할 것인지, 또 어떻게 지지체계를 활용할 수 있을 것인지를 알려준다. 그리는 방법을 살펴보면, 5개의 원을 중심으로 하여 첫 번째 원은 선택한 가구원, 두 번째 원은 동거 가족, 세 번째 원은 친척, 네 번째 원은 이웃, 친구 또는 직장동료들, 다섯 번째 원은 사회기관, 보건기관 등을 그려 넣는다. 직선은 지지 정도를 표시한다.

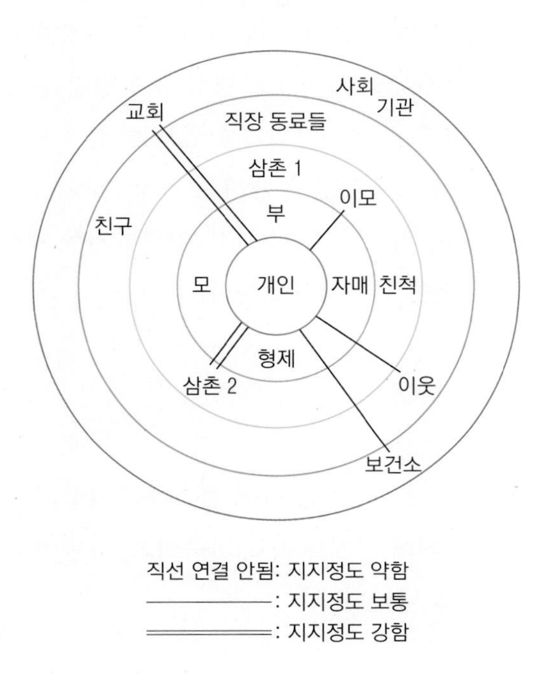

Fig 7-8 **사회지지도**

5) 가족연대기(family－life chronology)

가족의 역사 중에서 가장 중요하다고 생각되는 사건들을 순서대로 열거하여 개인의 질환과 중요한 사건의 관련성을 검토할 때 사용한다. 언제 어떤 일이 생겼으며, 가족이 그립들의 상황을 어떻게 규정하고 대처했는지를 통하여 가족의 스트레스와 가족 생활상의 변화를 동시에 볼 수 있다. 가족연대기를 통해 가족의 긍정적 경험을 발견할 수 있으며, 포괄적이고 일관성이 있는 가족의 이야기로 구성될 수 있다. 가족연대기와 개인연대기를 연결하여 분석해 보면 가족 구성원과 가족과의 관계를 분석할 수 있고, 또한 가족이 필요한 건강 행위나 건강에 대한 집중적인 관심을 쏟지 못하는 가족관계의 문제를 다룰 때 도움이 된다.

2 지지·연계 전략

1) 가족 면담

가족 면담은 간호제공자와 가족 간에 가족 사정과 가족 중재를 위한 방법으로 활용할 수 있다. 면담을 하기 전에 면담의 목적을 분명히 하고 방법은 직·간접 질문을 이용한다. 면담 시에는 대상 가족에게 편안한 분위기를 만드는 것이 무엇보다 중요하며, 면담에 참여할 수 있는 사람은 가족 구성원을 포함하여 친척, 이웃 등이다. Wright와 Leahey (2000)는 가족 면담에서 중요한 치료적 질문, 강점, 칭찬하기를 제시했으며, 가족 면담에서 15분 이내에 수행할 수 있어야 한다고 주장한다.

가족 면담 지침은 다음과 같다.

- 가족 경계

  가정 내에서 부정적이든 긍정적이든 자주 접촉하는 사람의 이름을 질문한다. 접촉이 적은 가족 구성원은 폐쇄 경계를 가진 가족이고, 가족 수가 적더라도 접촉이 많은 가족은 개방 경계임을 나타낸다.

- 형제의 위치

  가족 구성원들의 출생일과 형제 위치를 확인한다. 현재의 관계에서 그들의 가족 관계에 맞는 위치를 사정한다.

- 자아 분화

  가족 구성원의 분화 수준을 사정한다. 높은 분화 수준의 가족은 사고력, 합리성, 명백한 원칙성을 갖고 있고, 낮은 분화 수준의 가족은 옳다고 느끼는 감정에 의해 의사결정을 하고 신체적, 정서적 질병을 갖고 있음을 알 수 있다.

- 역기능적 배우자

  신체적, 정서적 역기능이나 낮은 분화 수준의 특성을 나타내는 배우자가 어느 쪽인지를 확인한다.

- 과 기능과 저 기능

  습관적으로 다른 사람의 책임까지도 떠맡는 과 기능자가 누구인지 확인하고, 자신의 책임을 수행하는 데 실패하는 저 기능자의 문제를 사정한다.

- 결혼 갈등

  배우자들에게 갈등 단계를 사정하고 양보하지 못하는 횟수를 사정한다.
- 다세대 간 전달 과정

  정서적, 신체적인 역기능이 세대를 넘어 똑같이 반복되는 유형이 있는지를 확인한다.
- 차단

  정서적, 지역적으로 가족 체계로부터 떨어져 차단된 현상이 있는지를 확인한다.

2) 가족이 없는 경우의 지지

가정간호의 모든 상황에서 간호사는 가족이 없는 환자들과 직면하게 되는 경우가 발생한다. 주로 혼자 사는 노인일 경우가 많은데, 질병과 허약함 때문에 가족을 필요로 하는 욕구가 더욱 강해질 수 있다. 어떤 사람들은 가족들이 사망한 후 가족 없이 혼자 지내게 되는 경우도 있고, 또 어떤 사람들은 지역적으로나 정서적으로 접근하기 어려워서 가족들과 떨어져 혼자 지내는 사람들도 있다. 이렇게 혼자서 사는 사람들이 욕실, 침실 등이 떨어져 복잡한 주택에서 살게 되면 노화와 운동의 제한 문제 등이 더욱 악화되고 도움 없이 혼자서 관리하기가 어렵게 된다. 가족 없이 혼자 사는 환자일지라도 가족 구성원과 가족 체계를 전체적으로 돌아보는 계기를 마련해 주는 것이 필요하다. 가족 체계 내에서 환자가 가족들과 멀리 떨어져 있다면, 전화나 편지, 방문 등의 방법으로 가족지지를 받을 수 있다.

3) 의뢰

가족간호 관리 체계에서 다른 전문직을 신뢰, 존경하며 다른 전문직과 업무를 분담하고 연구자의 자세를 갖추어야 한다. 다른 서비스로 의뢰하는 경우는 다음과 같다.

(1) 물리치료사에게 의뢰하는 경우

- 보조기구의 요구를 사정하거나 기구 사용의 안내가 필요한 때
- 관절운동 또는 근력의 상실, 사지 기능의 상실이 있을 때
- 기능회복을 요하는 치료를 필요로 할 때
- 순환기 장애 및 순환기 회복을 필요로 할 때

- 폐 기능 장애, 체위 배액이 필요할 때
- 가정간호 보조자가 그 환자에게 특별히 요구되는 보조적인 기술을 갖추어야 할 때

(2) 작업치료사에게 의뢰하는 경우

- 관절운동과 근력 감소를 가져오는 상지운동에 기능 장애가 있을 때
- 미세 운동기술 장애가 있을 때
- 감각, 인지, 지각, 운동 능력의 장애가 있을 때
- 쓰기, 전화사용 등에서 의사전달 능력이 부족한 때
- 주택 환경에 보다 나은 적응을 위해 신체장애 극복을 위한 사정이 필요할 때(부엌 작업 등)

(3) 언어치료사에게 의뢰하는 경우

- 의사소통 변화로 야기되는 의사전달 기술의 장애나 상실이 있을 때
- 얼굴이나 목 부분의 근육 상실 또는 악화될 때
- 표현, 수용 능력 변화: 혼동, 부정, 무반응, 부적절한 반응, 대화에 한 두 마디로 반응
- 읽기, 쓰기, 시력의 장애
- 운동신경 장애로 말을 할 수 없을 때

(4) 장루치료사에게 의뢰하는 경우

- 장루 관리에 문제가 있을 때
- 실변이나 실금 시
- 욕창, 상처 관리와 같은 피부 통합에 문제가 있을 때

(5) 영양사에게 의뢰하는 경우

- 환자나 가족이 복합적인 식이요법을 명확하게 교육을 받고자 할 때
- 치료 식이가 생활양식, 인종, 문화적 식습관에 의해 적응이 요구될 때
- 기존 식이치료의 수용과 평가가 식이 처방의 변화로 이어질 때
- 환자가 간호 수행의 수용을 못하거나 저하된 영양상태에서 회복되지 못할 때

(6) 기타 다른 기관에 의뢰하는 경우

환자의 문제나 가족의 상황이 다른 기관에 의해 좀 더 적절하게 도움을 받을 수 있다고 생각될 때, 간호사는 의뢰기관에 대한 환자의 반응을 정기적으로 검토해야 한다. 의뢰할 필요가 있을 때에는 의뢰는 반드시 환자와 가족의 동의하에 행해져야 한다.

3 고위험 가족 접근

고위험 가족은 가족들이 평소의 문제 해결 전략으로는 해결하기 어려운 상황에 처함으로써 가족 기능에 장애가 초래되어 가족 구성원들에게 새로운 변화가 요구되는 상황에 처한 가족이다. 간호의 요구도가 높은 가족의 형태를 살펴보면, 기능적으로 취약한 가족(만성질환, 정신질환, 임종 환자, 저소득 가족), 구조적으로 취약한 가족(한부모 가족, 독거노인), 가족 내 상호작용이 취약한 가족(알코올 중독이나 폭력 가족) 등이 있다. 이러한 가족의 경우, 환자 자신보다 주 돌봄 제공자 또는 가구 구성원 중 강인성이 약한 가구원들이 가출 또는 비행을 나타내거나 가족 전체가 무기력 상태가 된다. 따라서 간호사는 환자에 대한 증상관리나 처치에 앞서 가족 전체가 나타내는 복합적인 기능 상태를 중심으로 접근하여야 한다. 즉, 가족이 이러한 위기 상황에 처하기 전에 가졌던 대처 능력과 방식, 가족이 가진 지지 자원, 활동에 대한 대안을 확인하고 가족의 강점에 초점(strength-based)을 맞추어 스스로 어려운 위기 상황을 극복할 수 있도록 가족을 도와주어야 한다. 다양한 유형의 취약 가족 중 몇 가지 유형을 다음과 같이 설명하였다.

1) 만성질환 가족과 돌봄 부담감

가족의 가구원 중에서 고혈압, 당뇨 등 만성질환자가 있을 때 가족 구성원들은 이에 효과적으로 대응하지 못하고 힘들어하게 된다. 그 예로 가정에서 마비환자를 돌보는 간호제공자의 업무량은 평균적으로 대략 6시간이며, 노인환자를 돌보는 경우 80%가 돌봄에 부담을 갖고 있다. 이들의 50% 정도는 신체적 정신적 건강에 위험을 느낄 정도의 스트레스를 경험했다고 하였다. 특히 마비환자를 간호하는 간호제공자의 부담감 인지 정도는 간호제공자의 연령이 많을수록, 건강 상태 인지 정도가 나쁠수록 그 정도가 높게 나타났다.

그러나 이러한 심각한 문제가 가족들의 대처 역량에 따라 가족 간의 관계를 돈독하게 하는 계기가 되는 등 오히려 긍정적인 결과를 가져오는 경우도 많다. 이는 가족들이 질병 상태에 대하여 의미 부여를 하는 방법이나 부담감을 가족들이 함께 나누고 성숙하는 과정으로 대처하는 전략을 통하여 오히려 가족 기능이 향상됨을 보여 주는 경우라고 할 수 있다.

따라서 가족간호사는 이들 가족이 이러한 위기를 오히려 가족의 성장 기회로 전환할 수 있도록 자원의 활용과 지지를 제공하여야 한다.

2) 저소득 가족

가족의 경제 상태는 고위험 상황의 노출에 크게 영향을 미치는데, 대부분 밀집된 주거환경, 낮은 교육 수준, 건강하지 못한 생활방식 등의 복합적인 요인과 무기력, 희망 없음, 낮은 자존감을 경험할 확률이 높다. 빈곤에 의한 높은 사망률과 상병률, 낮은 의료 요구 충족률이 나타나며, 비숙련 육체노동자의 경우 가장 높은 사망률을 나타내고 있다. 또한 만성병 유병률이 저소득층 가구에서 일반 가구에 비해 훨씬 높게 나타나는 것으로 보고되고 있다. 이와 같은 현상은 영양, 환경위생, 기타 정신적 요인에 의한 감염률 증가로 인한 요인 이외에도 질병 자체가 저소득 빈곤가정을 만들고 있다는 것을 나타내고 있다. 따라서 생활 수준이 낮아질수록 의료 요구율은 높아지게 되는데, 저소득층 주민이 필요로 하는 의료 내용으로 급성 질병 또는 호흡기계 질병이 가장 많았고, 그 외 소화기 위장관계 질환이 많은 것으로 보고되었다(강복수, 1991). 저소득층의 의료시설 이용은 병의원보다는 보건소나 약국의 이용이 많으며, 도시 저소득 주민들이 병원 이용을 포기하는 경우는 생계로 병원에 갈 시간이 없거나 거동이 힘들어서 병원에 가는 것을 포기하는 경우가 많다고 보고하였다(이현주, 1996). 최근 연구에서도 여전히 사회경제적 지위가 낮은 집단에서 질병 발생과 중증도가 더 높고 건강 결과는 더 나쁘며, 저소득 집단은 의료비 부담의 경제적 장애로 인해 의료 접근과 이용을 저하해 질병 부담을 증가시킨다고 하였다(조홍준, 2013; Chokshi, 2018; 강희정, 2019). 따라서 저소득 가족의 경우는 정확한 정보의 제공과 보건기관에 대한 접근성이 특히 중요하게 고려되어야 하며, 가정간호를 통한 접근으로 삶의 의욕과 건강증진을 위한 동기부여를 위해 지지 간호가 필수적이라고 할 수 있다.

3) 단독가구

가족해체로 발생하는 단독가구에는 사별, 이혼을 겪은 청·장년 1인 가구와 노인 부부로 있다가 배우자 사별을 겪은 노인 1인 가구가 있다. 청·장년 1인 가구는 일반 가구보다 경제, 정서, 건강 면에서 어려움을 겪고 있다. 우리나라의 경우 노인 1인 가구는 2047년에 405만 1천 가구로 2017년에 비해 세 배가 증가하고, 노인 부부가구는 330만 2천 가구로 2017년에 비해 2.5배가 증가할 것으로 예상되어 심각한 사회문제가 되고 있다. 우리나라의 경우 노인 1인 가구는 대부분이 극빈층이며, 노인가족의 문제는 경제적인 문제, 심리·정서적인 문제, 노인의 사회참여, 여가시간의 활용, 건강관리 그리고 질병 관리 문제가 현실적인 문제로 대두되고 있다.

4) 학대 가족

학대 가족은 가족 구성원 사이의 신체적, 정신적 폭력 또는 경제적 피해가 따르는 행위를 말한다. 아동의 경우 상해는 아이에 대한 극심한 심리적 체벌, 훈련, 폭행을 말하며, 성적 학대도 포함된다. 학대는 주로 아동기나 청소년기에 일어나지만, 영유아기에 가장 취약하다. 부부학대는 배우자의 심각하고 반복적인 신체 또는 정신적 학대를 받고 상해를 입게 되는 경우를 말한다. 노인의 경우 신체적으로 저항 능력이 떨어지고 사회적, 경제적으로 취약한 대상이라는 점에서 아동학대와 비슷하나, 심리적, 경제적, 방임, 방치 등 밝혀내기 어려운 유형의 학대가 많아 더욱 관심이 필요한 대상이라고 할 수 있다. 노인학대 신고자의 유형은 크게 신고 의무자와 비신고 의무자로 구분되며, 신고 의무자는 노인학대 신고 의무를 가진 자로 「노인복지법」 제39조의6에 의하여 의료인 및 의료기관의 장, 방문 요양과 돌봄이나 안전 확인 등의 서비스 종사자가 포함되어 있다(노인복지법, 2021). 2020년 노인학대 현황보고서에 따르면, 노인학대 사례 6,259건 중 신고 의무자에 의한 신고 건수는 939건(15.0%)이며, 비신고 의무자는 5,320건(85.0%)으로 보고되었다(보건복지부, 2021). 가정간호 전문간호사는 대상자의 가정에 방문하여 가족의 상호작용 및 환경을 사정하기에, 보고되지 않는 학대 사례를 묵인하지 않도록 신고 의무에 관심을 가져야 한다. 우리나라의 노인학대 관리 시스템은 다음과 같다(Fig 7-9).

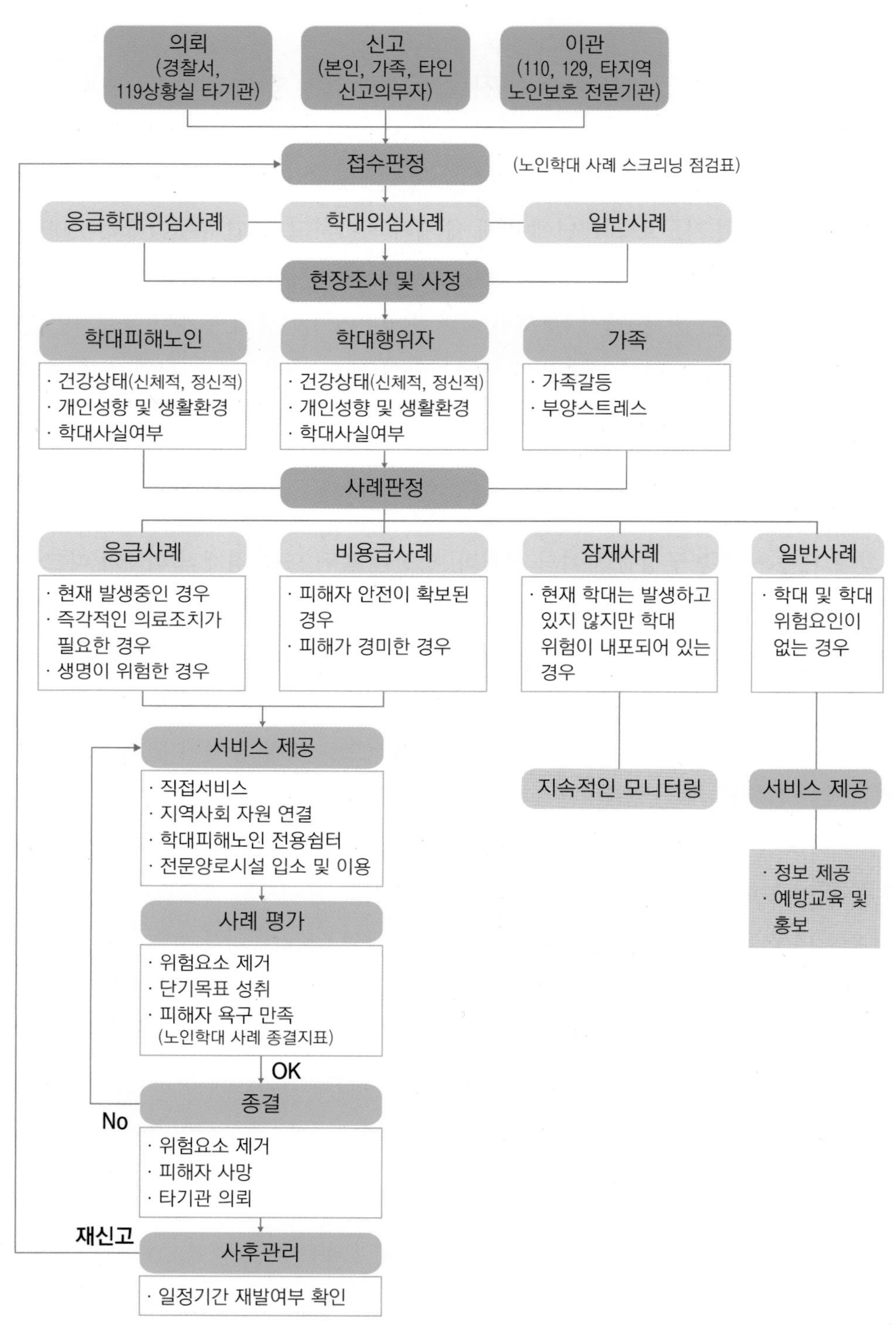

Fig 7-9 노인학대사례 업무진행도
[출처: 보건복지부(2021). 2020 노인학대 현황보고서, p. 215]

가족간호 과정 IV

가족간호 과정은 개인을 대상으로 하는 간호과정과 마찬가지로 가족건강 사정, 건강요소에 따른 문제 확인, 간호 진단, 간호계획, 수행, 평가의 단계로 되어 있다. 가족간호 과정은 개인을 대상으로 할 때보다 비교적 방대한 자료를 분석해야 하고 문제 해결을 위하여 보다 긴 시간을 소요하기 때문에 목표를 장기와 단기로 나누어 설정하는 점이 다르다.

1 가족간호 사정

가족의 건강 사정은 많은 가족 이론가들이 각각 다른 개념 틀을 가지고 가족 사정의 영역을 다양하게 접근하고 있다. Friedman(1981)은 가족 건강에 대하여 환경적 자료와 함께, 체계적 접근에서 가족의 발달단계와 가족력, 환경적 자료, 역할 구조, 가족의 가치, 의사소통 유형, 권력 구조와 같은 가족 구조 측면, 애정 기능, 사회화, 보건의료와 같은 가족 기능 측면과 가족 대처 양상을 사정하였고, Anderson 등(1992)은 가족 상호작용 과정, 발달과정, 대처 과정, 통합과정, 건강 과정으로 구분하여 사정하였다. 김의숙(1994)은 가족 간호 접근의 주요 영역을 다음과 같이 7가지로 분류하였다.

- 가족 구조 및 체제 유지(family structure and family system retension)
- 상호작용 및 교류(interaction/exchange)
- 지지(support)
- 대처와 적응(coping)
- 건강관리(health management)
- 주거환경(residential environment)
- 강점(strength)

1) 가족 사정 방법

가족을 사정하는 방법으로는 가정방문, 직접 관찰, 전화, 점검표 등을 이용하여 대상자들과 직접 만나서 면접하는 직접면접방법과 이웃, 친척, 친구 등 가구원과 가까운 사람이나 통·반장 등 지역의 인적자원을 면접하는 간접면접방법, 기존자료를 이용하는 방법이 있을 수 있다. 사정 단계에서는 일차적인 자료와 이차적인 자료를 수집한다.

가정방문 전에는 방문 목적에 따른 계획을 충분히 세워야 하며, 너무 많은 정보를 한 번의 가정방문에서 얻으려고 하는 것은 대상자에게 부담을 줄 뿐 아니라 정보도 정확하지 않을 수 있다. 1회 방문시간은 30분 내외로 하며 대상자가 충분히 자신의 느낌이나 생각을 표현할 수 있도록 여건을 조성하여야 한다.

2) 가족 사정 영역

가족을 대상으로 자료를 수집하기 위한 사정 영역을 가족 구조 및 체제 유지, 상호작용 및 교류, 지지, 대처와 적응, 건강관리, 주거환경, 강점의 7가지로 구분할 수 있으며, 각 영역에 따라 자료를 수집해야 할 내용은 다음과 같다.

(1) 가족 구조

- 가족 형태: 확대가족 또는 핵가족 여부, 동거 형태 및 가족 외 동거인, 가족구조도
- 발달 주기와 발달과업

(2) 가족 체제 유지

- 재정: 직업, 재정 자원, 수입의 분배, 경제적 협동
- 관습과 가치관: 일상생활과 관련된 습관, 종교, 여가활동
- 자존감(self-worth): 교육 정도, 관심과 목표, 삶의 질 또는 만족도
- 가족 규칙
- 사회화와 양육: 훈육 및 자녀교육, 가훈

(3) 상호작용 및 교류

- 의사소통: 방법, 빈도, 유형

- 역할: 역할 만족, 업무의 위임과 분배, 업무 수행의 융통성
- 의사결정과 권위: power 관계, 가족 구성원의 자율성 정도, 유형
- 사회참여와 교류

(4) 지지

- 정서적, 영적 지지: 가족밀착도
- 지지 자원: 가족 내·외, 친족이나 이웃, 전문조직, 사회지지도

(5) 대처와 적응

- 문제 해결: 문제 해결 과정, 참여자와 지도자
- 생활의 변화

(6) 건강관리

- 가족 건강력: 유전질환 등 가족 질병력, 심리적 문제에 대한 가족력, 질병 상태
- 생활양식: 위험 행위(영양, 운동, 수면, 흡연, 술, 스트레스, 약물 남용)
- 자가간호 능력(예방법, 응급처치 등 질병의 원인과 치료에 대한 지식)
- 건강관리 행위

(7) 주거환경

- 주거지역: 주거 상태 및 주위 환경, 환경적 소음이나 공해
- 안전
- 생활공간: 적합성, 효율성, 사생활 보장
- 위생: 화장실, 상하수도, 환기, 조명, 부엌, 쓰레기 시설, 방충망 등

3) 가족 사정 자료 분석

가족 사정 자료는 개인 사정 자료보다 방대하여 계속적인 분석과정이 필요하다. Table 7-1은 자료분석표의 예이다. 7가지 가족 영역별로 수집된 자료를 분류하고, 분류된 것을 다시 세분화하여 문제영역 별로 분류한다. 문제를 발견한 후 더 필요한 자료 또

는 강점을 확인한다(김광숙 외, 2019).

강점은 다음과 같다.

- 가족의 물리적, 정서적, 영적 요구를 충족시켜 주는 능력
- 가족 구성원의 요구를 감지하는 능력
- 효과적으로 의사소통하는 능력
- 지지, 보호 및 격려를 제공해 주는 능력
- 가족 내·외에서 생성되는 관계와 경험을 시작하고 유지하는 능력
- 이웃, 학교, 정부와 건설적이고 책임 있는 지역 관계를 유지하고 창조하는 능력
- 어린이와 함께 또 어린이를 통하여 성장하는 능력
- 가족역할을 융통성 있게 수행하는 능력
- 자기관리능력과 적절할 때 도움을 수용할 수 있는 능력
- 가족 구성원 개개인에 대한 상호존경
- 위기나 부정적 경험을 성장의 수단으로 사용하는 능력
- 가족 화합, 자신의 가족에 대한 긍지, 가족 상호협동에 대한 관심도

Table 7-1 가족 사정 자료분석표 예시

영역	문제 분류	의미 있는 자료	결론	더 필요한 자료/강점
1. 가족구조	가족 형태	큰 아들 내외와 동거 73세 최 씨(대상자)의 뇌졸중, 편마비, 욕창	만성질환자 가족	
2. 가족체계 유지	재정	경제적으로 가난(자식들로부터 용돈을 받으나 넉넉지 못함)	부족한 수입	
3. 상호작용 및 교류	의사소통	고부간의 갈등 환자와 간호 제공자 간의 의사소통 불가능	가족 간 의사소통 부재	다른 가족과의 의사소통 횟수
	역할	부인 김 씨의 역할 과중, 소진감, 불만감	김 씨의 역할 편중	가족원의 가정 내 활동 내용
	의사결정과 권위	의사결정을 하는 사람이 없음	가족 내 지도자 부재	
4. 지지	정서적·영적 지지	가족 간의 유대감 부족 최 씨(대상자)는 종교 없음	대상자의 영적지지 부재	
	지지자원	이웃과 교류 적음 김 씨는 교회 지인들과 교류	지지자원 활용 부족	김 씨의 교회 지인들 지지자원 활용 가능성

영역	문제 분류	의미 있는 자료	결론	더 필요한 자료/강점
5. 대처와 적응	문제 해결	환자의 불안을 부인 구타로 해결 잘못된 대응방법 사용(부인이 술 마시고 밖으로 나감)	최 씨의 분노감	
6. 건강관리	건강 상태	부인의 부적절한 욕창간호 처치에 대한 지식이 없음 체위 변경 못함 2층에 노인 기거	부적절한 질병 관리	
7. 주거환경	안전	계단 위험 거동에 불편한 구조	사고의 가능성	

2 가족간호 진단

간호사들에게 일반적으로 익숙한 개인 대상자 중심의 간호진단 분류체계인 NANDA에도 가족관련 진단이 있으나, 개인을 대상으로 한 간호진단을 가족간호 진단에 적용하기에는 어려움이 있다. 김의숙 등(1994)은 가족구조기능 이론 틀, 성장발달 이론 틀, 상호작용 이론 틀, 체계이론 틀을 종합하여 한국 가족에 적합한 7개의 가족간호 접근 영역을 제시하고, 세부적으로 문제영역을 분류하고 그 속에서 주로 관찰되는 가족 문제들을 정리하여 가족진단으로 개발하였다(Table 7-2).

Table 7-2 가족 사정 및 진단 영역

가족영역	문제영역	가족문제(진단)	
1. 가족구조 및 체제 유지	1) 가족 형태	• 불완전한 가족구조 • 친정식구와 동거 • 자녀가 없음	• 시댁식구와 동거 • 아들이 없음
	2) 발달주기와 발달과업	• 가족발달과업의 미완 • 고3/재수생의 존재	• 가족발달과업의 인식 부족
	3) 재정	• 부족한 수입 • 부적절한 재정관리 능력 • 경제적 협동의 부재	• 적합한 수입원의 발견 능력 부족 • 지출의 불균형(학비의 과도한 지출) • 경제활동의 비참여
	4) 관습과 가치관	• 가족 구성원 간 관습의 부조화 • 부조화된 가치관	• 비현실적인 관습

가족영역	문제영역	가족문제(진단)	
1. 가족구조 및 체제 유지	5) 자존감	• 가족성장을 위한 목표의 부재 • 낮은 삶의 만족감/삶의 질 • 가족에 대한 존중감의 부족	• 부적절한 목표 • 가족의 자존감 결핍
	6) 가족규칙	• 비일관적인 가족규칙 • 비실용적·비현실적 가족규칙	• 가족규칙의 부족 • 자율권의 부족
	7) 사회화와 양육	• 부적절한 자녀교육 • 일관성 없는 훈육 방법 • 학업성취에 대한 과도한 가치	• 아들, 딸의 차별 • 가정교육의 부재
2. 상호작용 및 교류	1) 의사소통	• 부적당한 의사소통기술 • 의사소통의 부재	• 부적합한 의사소통 방법의 사용
	2) 역할	• 지위, 역할에 따른 책임감의 부재 • 부적당한 역할분담, 역할편중 • 역할인식의 부족 • 역할갈등	• 연령/성별에 따른 고정화된 역할 기대 • 역할 변화에 따른 갈등/적응의 부족 • 역할수행 장애
	3) 의사결정과 권위	• 비적절한 권위의 사용 • 권위의 불균형 • 권력 구조 변화 • 비민주적 의사결정방법의 사용	• 가족 내 권위자의 부재 • 체면의 과도한 강조 • 과도한 자기방어의 사용 • 가족의사결정의 부재
	4) 사회참여와 교류	• 가족 내 과도한 집착 • 관계성립의 무능력 • 가족 경계선의 비유연성 • 친척과의 적은 접촉, 친척과의 갈등 • 부적당한/비적합한 사회참여	• 외부 자극의 부족 • 사회적 고립 • 시댁 가족과의 갈등 • 이웃과의 갈등
3. 지지	1) 정서적, 영적지지	• 정서적 지지/안정을 위한 능력 부족 • 애정/돌봄의 부족 • 애착의 불균형, 부부만족감 낮음 • 가족 결속력의 부족	• 영적 신념이나 종교의 갈등 • 가구원간의 친밀감의 부족 • 희생양의 존재, 부모자녀 갈등 • 고부간의 갈등, 친척간의 갈등
	2) 지지자원	• 지지자원 부족	• 지지자원의 활용 부족
4. 대처와 적응	1) 문제 해결	• 문제를 인식하는 능력의 부족 • 부적당한 대처 기전의 사용 • 적절한 시기에 대처하는 능력의 부족	• 문제 해결방법의 부적당한 사용 • 문제 우선순위의 능력 부족
	2) 생활의 변화	• 과도한 생활 변화 • 변화에 대한 불합리한 거부	• 생활사건에 대한 부적응
5. 건강관리	1) 가족건강력	• 위험질병력 있는 가족	• 가족질병력에 대한 인식 부족
	2) 생활방식	• 부적절한 일상 생활방식(식습관, 휴식, 수면, 영양, 운동, 흡연, 음주 등)	• 안전수칙의 불이행
	3) 자가간호능력	• 자가간호능력의 결핍	

가족영역	문제영역	가족문제(진단)	
5. 건강관리	4) 건강관리 행위	• 부적절한 질병관리, 비과학적 질병 관리 • 예방 행위 부족, 약물 남용 • 의료 추구행위의 지연	• 부적절한 추후관리, 불이행 • 부적당한 건강증진 행위 • 질병의 심각성에 대한 부적절한 인식
6. 주거환경	1) 주거지역	• 부적합한 주거환경 • 위험물질의 노출 (공해, 가스, 페인트, 가구)	• 높은 범죄율 • 사생활 보장의 부족 • 부적당한 해충관리
	2) 안전	• 사고의 위험성의 높음	• 주택의 불안전한 구조 (난방, 환기, 계단, 출입구)
	3) 생활공간	• 부적당한 가정관리/정리 • 부적당한 생활공간의 활용	• 생활공간의 부족
	4) 위생	• 부적당한 위생관리 • 부적당한 식수사용 • 부적당한 하수처리	• 부적당한 저장 • 부적당한 쓰레기처리

1) 가족간호 진단 도출

가족진단은 가족 구성원 개개인, 가족 구성원 간의 관계, 가족 기능, 물리적, 사회적·심리적 환경, 친족 및 지역사회와의 교류를 고려하여 내린다.

(1) 가족진단을 도출하는 단계는 다음과 같다(김광숙 외, 2019).

- 의미 있는 자료 선택: 사정 자료로부터 의미 있는 자료를 선택
- 분류: 의미 있는 자료를 가족 문제 분류별로 분류
- 자료의 통합: 분류된 자료를 통합하여 결론을 도출
- 문제의 도출: 결론으로부터 문제(진단명)를 도출
- 원인의 추출: 각 문제에 대한 원인 또는 영향요인을 추출
- 진단의 정리: 문제 간의 연계성과 종속성을 검토하여 진단명을 정리

(2) 진단을 정리할 때에는 다음과 같은 사항에 유의한다(김광숙 외, 2019).

- 문제의 범위를 너무 작게 잡으면 비슷한 문제가 여러 개 나오게 되므로 주요 문제를 선택
- 각 문제에 대한 원인을 나열하여 간호 중재를 통하여 문제의 원인을 해소시킬 수 있는가를 고려하여 요인을 설정
- 문제로 나열된 것이 다른 문제의 원인으로 기술되었으면 그 문제는 통합하여 설정
- 다른 문제나 원인이 같은 경우 통합하여 설정
- 같은 원인이 여러 문제에 나타난 경우 그 원인을 문제로 도출
- 문제 간의 관련성이 있는지 검토하여 더 큰 문제로 통합 가능성이 있는지 검토

(3) 가족진단의 형태는 다음과 같은 형태로 기술한다.

- 문제: 원인 또는 영향요인

즉, 사정 자료 분석을 통하여 종합된 문제를 먼저 기술하고 그 문제를 일으키는 데 주요 원인이나 영향요인이 된 것을 기술한다(Table 7-3). 가족진단은 대상을 가족으로 보고 진단을 하는데, 이는 곧 간호서비스를 제공할 때 가족을 기본단위, 즉 가족 전체를 하나로 본다는 뜻이다. 한 가족에 4명의 가구원이 있다고 할 때 가족을 단위로 본다는 것은 그 안에 가구원이 4명이 있건 6명이 있건 간에 가족 하나로서 접근되어야 한다는 것이다.

Table 7-3 간호진단의 예

구분	요인
둘째 딸의 역할 편중	둘째 딸의 과도한 희생정신
	부적합한 역할 분배
지지자원의 활용부족	환자간호에 대한 지식 부족
	가정 내 지도자의 부재
	지지자원에 대한 정보 부족
	지지기관에 대한 불신

2) 가족간호 진단의 우선순위 설정

도출된 가족간호 진단은 간호사와 가족 간에 형성된 신뢰를 바탕으로 간호계획을 세

우기 전에 간호 진단의 우선순위를 결정하여야 한다. 우선순위 설정의 기준은 문제의 특성, 문제의 해결 가능성, 예방 가능성, 문제 인식의 차등성에 따라 결정되며, 또한 가족 문제의 중요성과 가족의 자가관리 능력 등 여러 요인을 고려하여 결정한다(김광숙 외, 2019).

이 외에도 우선순위를 결정할 때 다음의 내용도 고려하여 결정한다.

- 가족들이 실제로 행동을 함으로써 변화된 결과를 보거나 경험할 수 있는 것
- 도미노 현상을 일으킬 수 있는 것(근본적 문제)
- 가족의 관심도가 높은 것
- 가족이 쉽게 수행 가능한 것
- 응급 또는 긴급을 요하는 것
- 가족 전체에 영향을 줄 수 있는 것

3 가족간호 목표 설정과 계획

가족간호 진단을 도출한 후에는 그 요인에 따라 일반적·구체적 목표를 설정하여 구체적 목표에 맞는 구체적인 간호 전략을 계획한다. 전략계획은 목표, 목표 달성을 위한 전략, 전략에 필요로 되는 자원(인력, 예산, 기구 등), 일시, 평가계획을 포함한다(Fig 7-10).

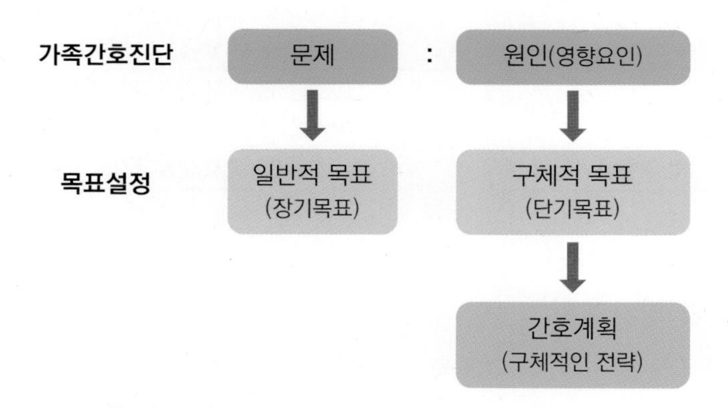

Fig 7-10 **가족간호 목표 설정과 계획**

1) 가족간호 목표 설정

명확한 목표 설정은 수행계획의 지침이 될 뿐만 아니라 평가 기준을 제시할 수 있으므로 중요하다(Table 7-4). 목표를 설정하는 기준으로는 첫째, 가족이 해결해야 할 문제와 관련이 있어야 하며, 둘째, 필요로 하는 자원을 활용할 수 있는 가능성과 문제 해결의 가능성이 있어야 한다. 셋째, 성취된 결과를 볼 수 있어야 하고, 넷째, 성취된 결과를 측정할 수 있어야 한다.

간호 목표는 관련된 가족 문제와 영향요인에 따라 일반적·구체적 목표로 나뉘며, 구체적 목표를 달성하기 위한 간호 전략을 계획한다. 일반적 목표는 궁극적으로 도달해야 할 목표이며, 구체적 목표는 일반적 목표에 도달하기 위한 중간 단계의 목표로 다수의 목표를 단계별로 설정할 수 있다. 일반적 목표는 가족의 간호 문제로부터 도출되고 구체적 목표는 가족간호문제의 원인이나 관련 요인으로부터 도출할 수 있다. 간호 목표는 가족을 중심으로 누가, 무엇을, 어디서, 언제까지, 어느 범위로 달성할지를 서술해야 한다.

Table 7-4 간호 목표 설정의 예

일반적 목표	구체적 목표
2022년 12월까지 가족 구성원의 역할이 재분배된다.	2022년 6월까지 가구원 중 한 사람이 지도자로서 기능한다.
2022년 12월까지 최 씨의 질병을 올바른 방법으로 관리한다.	2022년 3월까지 욕창 간호, ROM 방법에 관한 지식을 습득하여 가족 구성원이 직접 수행하며, 최 씨도 자가간호를 할 수 있다.
2022년 6월까지 최 씨의 분노감이 감소한다.	2022년 3월까지 가족 구성원이 함께 있는 시간을 일주일에 한 번 가져 의사소통을 한다.
2022년 6월까지 사고의 위험성이 감소한다.	2022년 3월까지 생활공간을 재배치한다.

2) 수행계획 및 평가계획

가족간호 목표를 달성할 수 있도록 수행에 필요한 인력의 업무 분담과 시간 계획, 예산 및 자원의 배치 등이 포함된다. 또한 수행된 활동에 대하여 언제, 어떻게, 어느 범위에서 평가할 것인가도 계획한다. 평가 방법은 설문지나 행동 변화의 관찰 등이 있다. 대상 가족의 특성, 가족 문제의 성격 등을 고려하여 적절한 평가 방법을 계획하도록 한다.

Table 7-5의 가족간호 계획의 예를 들어보면, 최 씨 가정에서 나타난 여러 간호 문제

중 도미노 현상의 순서를 확인한다. 즉, 하나의 문제가 해결되면 다른 하나의 문제가 연결되어 해결되는 순서를 재배열해 본다. 아래의 문제를 다시 최 씨의 분노감, 부적절한 질병 관리, 역할편중, 사고의 가능성에 대한 순서로 접근하여 가족간호 수행계획을 수립할 수 있다.

Table 7-5 가족간호 진단에 따른 계획의 예

간호진단	간호계획
최씨의 분노감: • 의사소통 불가능 • 고립감	• 의사소통을 할 수 있도록 언어카드를 만들어 사용한다. • 라디오를 혼자서 들 수 있도록 한다. • 자가간호 계획표에 의하여 시간별로 업무를 준다.
부적절한 질병관리: • 지식의 부족 • 자가간호 부족	• 가족 구성원의 능력에 따라 욕창간호, ROM에 대한 교육을 한다. • 자가간호할 수 있도록 환경과 동기를 만들어 준다. • 자가간호 계획표를 만들어 준다.
역할편중: • 가족 내 지도자 부재 • 지지체계 활용 부족 • 가족 간의 유대감 부족	• 큰 아들이 지도자로 역할할 수 있도록 격려하고 함께 협조한다. • 친척들의 목록을 만들고 이에 대한 활용법을 큰 아들과 토의한다. • 큰 아들과 가족들이 분담할 수 있는 방법을 토의한다.
사고의 가능성: • 부적절한 생활공간 배치	• 최 씨 부부가 아래층으로 갈 수 있는 방안을 큰 아들과 토의한다.

4 가족간호 수행

가족간호 수행은 수립된 간호수행 계획을 실제 간호 목표를 달성하기 위하여 필요한 행위를 실시하는 것이다. 일반적으로 개별 가족의 사정을 통하여 선정된 가족 진단들은 개별 가족의 요구에 따라 장·단기 계획에 따라 수행된다. 이를 위한 구체적 전략은 다음과 같다(김광숙 외, 2019).

- 문제 하나하나보다는 가족 전체의 취약점(vulnerability)에 초점
- 표면화된 구체적 문제 아래 내재되어 있는 더 큰 문제가 있음을 기억하고 문제들과의 연계, 자료들과의 상호관련성을 검토
- 가족의 문제들은 도미노 현상을 가지고 있다. 중재 계획 시 도미노의 첫 단계가 무엇이 될 수 있는지를 파악하여 중재를 시작

- 간호계획에는 가족들이 참여하며, 대상자들 스스로가 가능한 한 문제를 해결하도록 격려
- 가족의 강점 활용

가족간호 수행 단계에서는 가족이 스스로 자가간호 능력을 갖도록 간호사는 가족을 지지하고, 필요한 교육과 상담을 지시하며 지시된 간호활동을 수행하여 가족간호 목표인 건강 가족이 될 수 있도록 돕는다. 또한 이 단계에서는 가족 구성원이나 가족의 변화에 초점을 둔다. 간호 수행을 통해 가족이 가지고 있는 건강 개념, 관습, 가치, 문화 등의 변화가 요구되기도 한다. 성공적인 가족간호 수행을 위해 가족 개개인뿐만 아니라 가족 구성원 전체의 협력이 반드시 필요하다. 효율적인 가족간호 수행을 위해 타 건강관리팀과의 협력, 정보 교환, 필요 시 의뢰 등의 절차를 밟는다. 수행단계에서 제공되는 간호는 직접간호 제공, 보건교육, 상담, 의뢰, 관리 등으로 분류할 수 있다.

5 가족간호 평가

가족간호 평가는 간호를 실시한 후 평가계획에서 미리 세워 두었던 항목대로 실제 업무의 목표달성 정도를 살펴보는 단계이며, 가족간호 과정의 전 과정을 양적·질적으로 평가하여야 한다. 평가 방법은 서면 평가, 현지점검 평가, 질문지 평가 등으로 분류할 수 있다. 서면 평가는 간호계획서나 사업결과보고서에 의한 평가이며, 현지점검 평가는 간호계획의 수행 실태와 실적 보고를 확인하기 위한 과정에 사용된다. 질문지 평가는 간호 결과에 대한 가족의 만족도, 가족 기능의 변화, 가족 적응력의 변화 등을 측정할 때 사용된다. 평가 시기는 중간 평가(formative evaluation)와 최종 평가(summative evaluation)로 구분하는데, 계획 시 설정한 시기에 맞추어 평가를 실시한다. 평가 결과 가족의 자가간호 능력이 향상되어 가족 스스로 자신들의 문제를 해결할 수 있는 능력이 확인되면 가족간호를 종결하고 추후 관리를 통해 정기적으로 점검한다. 일반적으로 평가 시 다음과 같은 내용을 검토한다.

- 가족의 현재 간호 요구를 파악하는 데 기초자료는 충분한가?
- 목표 설정이 광범위하고 일반적이었는가?
- 목표 설정 시 가족이 참여, 결정하였는가?
- 목적에 따라 간호의 우선순위가 명확하였는가?
- 여러 가지 가족의 문제를 한꺼번에 다루었는가?
- 상황적인 위기로 인해 가족의 에너지가 고갈되었는가?
- 가족의 상황변화에 따라 간호 목표, 계획이 융통성 있게 변화되었는가?
- 목표를 달성하기 위한 간호는 적절하였는가?
- 가족이 변화 과정에서 생긴 불안이나 염려를 감소시키는 데 필요한 지지는 제공되었는가?
- 간호 수행 시 다른 보건 전문인과의 관계는 유기적이며 협력적이었는가?
- 다른 보건 인력들이 가족에게 제공한 사업은 일관성이 있는가?
- 목적과 목표에 관련하여 우선순위가 확실하였는가?
- 가족이 한번에 너무 많은 문제를 다루려고 하였는가?
- 가족의 에너지 상태는 어떠한가?
- 간호에서의 장애요인은 무엇이었는가?
- 가족의 변화에 따라 간호계획이 수정되었는가?
- 중재 방법은 적절하였는가?
- 변화과정에서 불안을 감소시키며 지지하였는가?
- 다른 보건의료인 간의 협력은 어떠하였는가?

참고문헌

1. 강복수, 이경수, 김창윤(1991). 도시 영세지역 주민의 상병양상과 의료이용 행태. 영남의대학술지, 8(1), 107-126.
2. 강희정. (2019). 의료 격차와 정책 과제. 보건복지포럼, 2019(4), 18-30.
3. 김광숙 외(2019). 지역사회간호학 이론과 실제. 4판. 현문사.
4. 김의숙(1994). 94년 가족 및 지역사회건강관리, 연세대학교 보건대학원.
5. 보건복지부(2021). 2020 노인학대 현황보고서. 보건복지부 노인정책과, 중앙노인보호전문기관.
6. 유영주 외(2018). 변화하는 사회의 가족학. 2판. 교문사.
7. 유호신(2007). 한국의 가정간호와 방문간호. 제1회 한일 지역사회간호학회 학술대회, 서울: 여성플라자.
8. 이현주(1996). 도시 저소득층 주민의 의료이용에 관한 사례 연구. 연세대학교 보건대학원.
9. 장진경(1995). 가족 적응력과 가족기능과의 관계: Olson의 순환모델의 곡선성과 Beavers의 체계모델의 선형성. 한국가정관리학회지, 13(4), 1-13.
10. 조홍준. (2013). 보건의료에서의 형평성: 우리나라의 현황. J Korean Med Assoc March, 56(3), 184-194.
11. 통계청(2019). 장래가구특별추계(2017~2047).
12. Chokshi, D. A. (2018). Income, Poverty, and Health Inequality. JAMA, 319(13), 1312-1313.
13. Deacon, R. E., & Firebaugh, F.M. (1988). Family Resource Management: Principles and Applications (2nd ed.). Boston : Allyn & Bacon.
14. Edwards, J. (2003). Family Nursing. In D. Bailliere Tindall. 147-156.
15. Hanson(2001). Family health care nursing. Philadelphia : F. A. Davis.
16. Park, E. (2019). Current State and the Future Tasks of Home Visit Nursing Care in South Korea. Journal of Agricultural Medicine and Community Health, 44(1), 28-38. https://doi.org/10.5393/JAMCH.2019.44.1.028
17. Loveland-Cherry,C. (2000). Family Health Promotion and Health Projection. Philadelphia: Saunders.
18. Olson, D. H., Sprenkle, D. H., & Russell, C. S. (1979). Circumplex model of marital and family systems: I. Cohesion and adaptability dimensions, family types, and clinical applications. Family process, 18(1), 3-28.
19. Olson, D.H., McCubbin, H.I., Barnes, H., Larsen, A., Muxen, M. & Wilson, M. (1989). (Second Edition). Families: what makes them work. Los Angeles: SAGE Publishing.
20. Olson, D. H. (2000). Circumplex model of marital and family systems. Journal of family therapy, 22(2), 144-167.

21. Smilkstein, G. (1978). The family APGAR: A proposal for a family function test and its use by physician, Journal of Family Practice, 6. 1231-1239.

22. Wright, L. M., & Leahey, M. (2000). Nurses and Families: A Guide to Family Assessment and Intervention. Philadelphia: F. A. Davis Company.

참고사이트

1. 건강가정기본법(2020), 국가법령정보센터 [시행 2020. 5. 19.] [법률 제17280호, 2020. 5. 19., 일부개정], https://www.law.go.kr/법령/건강가정기본법/제3조, 접속 일자: 2021.10.15.
2. 노인복지법(2021), 국가법령정보센터 [시행 2021. 6. 30.] [법률 제17776호, 2020. 12. 29., 일부개정], https://www.law.go.kr/법령/노인복지법, 접속 일자: 2021.10.15.
3. 민법(2021), 국가법령정보센터 [시행 2021. 1. 26.] [법률 제17905호, 2021. 1. 26., 일부개정], https://www.law.go.kr/법령/민법/제779조, 접속 일자: 2021.10.15.

제 8 장

가정간호 질 관리

학/습/목/표

① 보건의료의 질 관리 접근 방법을 설명할 수 있다
② 가정간호사업 기관의 질 관리 체계를 설명할 수 있다.
③ 가정간호서비스 질 평가 도구를 설명할 수 있다.
④ 가정간호 질 향상의 발전 방향을 설명할 수 있다.

가정간호는 의료서비스의 지속성을 유지하고 환자와 가족의 자기관리 능력을 향상시키며, 가정전문간호사가 독자적으로 가정에서 포괄적인 서비스를 제공하기 때문에 서비스의 질 관리와 표준화 작업이 중요하다. 가정간호 질 관리란 가정간호서비스를 제공받는 기간 내 가정전문간호사와 대상자 간의 상호작용을 포함한 서비스 이용의 모든 과정에서의 총체적 질 관리를 의미하고, 가정간호사업 실시기관에서 이루어지는 활동 및 그 개선활동까지 포함한 모든 활동을 말한다. 질 관리의 목적은 설정된 간호 표준에 근거하여 간호의 질과 적합성을 평가함으로써 간호의 질과 업무의 효율성을 향상시키기 위함이다.

보건의료는 기존 행위별 비용 지불에서 가치 중심의 비용 지불 방식으로, 다다익선에서 비용효과성 중심으로, 개인 중심에서 리더십·주인의식의 필요성을 인식하고, 개인을 비난하기보다 신뢰감을 조성하고, 의사, 즉 의료제공자 중심에서 환자, 이용자, 고객 중심으로, 우선순위에서 질은 차선이었으나 질 중심으로, 질의 측정이 미비하고 비공개 방식이었다면 질 지표를 공유하고 공식·비공식적으로 공유하는 형태로 점차 패러다임이 변화하고 있다. 의료의 질 관리에 대한 필요성은 국내외 의료기관과 의료인 사이에 공유되고 인식되어 왔다. 의료의 질을 향상시킬 수 있는 제도적인 장치로는 표준임상실무지침(Clinical Practice Guideline) 개발, 전문인력 자격제도, 의료기관 인증 제도, 국가 차원의 의료기관 평가, 의료기관 자체 질 향상 프로그램 등 다양하다. 가정간호서비스는 의료기관인증의 퇴원 항목에만 포함되어 있고, 사업소 관련한 부분은 그 특수성을 반영하지 못하고 있다. 이처럼 제도적인 질 관리의 사각지대에 놓여 있는 가정간호사업소는 자발적인 노력에만 의존하게 된다.

WHO (World Health Organization) 등 국제기구들은 보건의료 성과를 공식적으로 평가하고 이를 장려하는 정책을 실시하고 있다. 미국은 메디케어의 가정건강 서비스로 방문서비스가 일원화되어 있어 대상자가 쉽게 접근할 수 있고 표준화와 지표관리가 가능하다. 그러나 국내는 제도에 따라 제공 기관, 대상자, 지역, 서비스 내용이 분절되어 있어 서비스 간 연계가 원활하지 않아 표준화와 지표관리가 아직까지 미흡한 실정이다. 따라서 이번 장에서는 가정간호에서 어떤 이유로 질 관리가 필요한지, 어떤 종류의 질을 추구할 것인지, 가정간호사업소에서 질 향상 활동의 최우선 목표는 무엇인지를 탐색해 보고자 한다. 최근에는 질 관리라는 용어보다 질 향상으로 많이 사용하고 있지만, 가정간호사업소 전체적인 운영과 관련된 내용으로 총체적인 질 관리를 다루고 질 관리 현황을 파악하고 질 관리 활성화를 위한 노력들이 무엇인지 알아보기로 한다.

보건의료의 질 관리 관점

I

한국의 보건의료 환경은 소득이 증가하고 교육을 통해 삶의 질에 대한 욕구가 증가하고 인터넷 보급으로 정보의 비대칭성이 완화되면서 의료의 질과 환자 안전에 대한 국민의 관심이 증가하는 등 보건의료 환경이 변화함에 따라 의료기관 인증, 응급 의료기관 평가, 요양급여 적정성 평가, 한국생산성본부와 한국능률협회컨설팅은 각각 고객만족도 지수인 NCSI와 KCSI 조사, 브랜드 파워, 환자 중심성 평가 등의 평가 정보 및 점수, 순위 공개를 하게 되어 지속적 질 관리가 요구되고 있다. 질 관리는 결함을 줄이는 것과 소비자의 요구를 충족시키는 것을 동시에 목표로 하고 있다. 같은 가격이면 더 좋은 서비스의 질을 요구하게 되었다. 그러나 소비자, 제공자, 의료기관 경영자, 정부의 정책 결정자 등 질에 관심을 가지는 각자의 여건에 따라 질 개념에 차이가 발생할 수 있다. 따라서 보건의료서비스의 질에 대한 평가를 수행할 때에는 누구의 관심사를 중심으로 질을 정의할 것인지, 질 향상의 수혜자가 누구인지를 명시하는 것이 중요하다.

1 의료의 질

고대 함무라비법전에는 수술로 사람을 죽게 한 의사의 손을 절단하도록 하고, 히포크라테스는 전문직의 행동에 관한 규정을 문서화하였다. 나이팅게일은 1854년 크리미아 전쟁에서 병원 환경을 개선하여 환자 사망률을 100명당 42명에서 2.2명으로 감소시켰고 진단별 사망률(Diagnosis Specific Mortality)을 산출하고 병원 간 사망률의 차이를 비교하였다. 이처럼 의료의 질이란 위험을 피하고, 피해를 최소화하여, 치료적 이득을 최상으로 성취하는 것(Joint Commission,1990)이며, 보건의료의 질이란 개인이나 국민들을 위해 바람직한 보건의료의 결과에 대한 실현 가능성을 높이고, 현재의 전문지식과 일치하는 서비스의 수준이다(미국의학협회, 1994). 근대적 의미에서 의료의 질 관리 및 평가 방법에 대한 개념을 고안한 Donabedian은 양질의 의료란 의료가 다양한 수준으로 가질 수 있는 성질로서 사회적인 가치와 개인을 상대로 하는 제공자 사이에 갈등을 야기할 수 있다고 설명하였다.

① 전문가적 정의(professional definition, absolutist definition): 비용은 상관없이 현재의 의학 기술이 제공할 수 있는 최대한의 서비스를 제공하는 것
② 개별적 정의(individual definition): 환자의 바람, 기대, 가치 부여 등을 고려하며 도덕적으로 중립적이지 않고 소비자 개개인의 편익/위험 및 비용이 함께 고려된 입장
③ 사회적 정의(social definition): 자원의 사회적인 배분의 정당성이 감안된 정의

의료의 질 향상은 환자에게 필요한 최선의 의료서비스를 적시에 제공함으로써 치료 지연 또는 합병증 발생 등으로 인한 지출을 예방하고, 궁극적으로 인구집단의 건강 수준 향상에 기여하는 방식으로 비용 대비 가치 향상을 실현하는 핵심 접근이다. 사실 의료의 질을 명확하게 정의하기는 매우 어렵다. 질을 구성하는 요소와 현실적으로 처해 있는 이해관계에 따라 다양하게 이해될 수 있기 때문이다. 환자 만족도 조사만 해도 작은 병원에 기대하는 수준과 큰 병원에 기대하는 수준이 환자마다 다르고, 같은 큰 병원 내에서라도 만성질환자가 기대하는 치료와 중증환자가 기대하는 바가 다르다. 의료를 제공하는 과정이 끊임없이 변화하고 있고 수준이 높은 의료와 낮은 의료가 공존한다. 현재 처한 환경의 조건 하에서 적절한 지식과 기술을 적용하는 것, 즉 유연한 정의가 필요하다.

2020년 미국이라는 최상의 의료라고 자부하던 나라에서 코로나 팬데믹 초기에 보였던 혼란은 굉장한 충격이 아닐 수 없었다. 선진국이자 부유한 나라의 대표이면서 의료물자가 풍부하다고 여겨졌던 미국에서 확진자를 돌보는 직원에게 주당 마스크 한 개를 제공했던 모습은 이해하기 어렵다. 반면 이를 극복하기 위해 정부와 제약업체의 긴밀한 협조로 백신을 빠른 시일 내에 개발하고 공급하는 역할을 하기도 하였다. 이로써 보건의료체계에서 단순히 치료만이 아니라 예방에 대한 중요성도 강조되었고, 의료기관 내에서만이 아닌 지역사회 보건의료체계에 대한 관심도 증가하였다.

Donabedian은 의사와 같은 전문가의 입장에서는 건강에 대한 위험과 편익이 가장

적절하게 균형을 이루는 진료과정을 양질의 의료라고 정의하고, 주로 의사의 적절한 의학적 기술 제공 능력에 관심을 두는 전문가 중심의 정의가 있고, 환자의 요구나 기대, 가치 등에 부응하는 서비스로 의료이용자 중심의 정의가 있다고 했다. 환자가 느끼는 서비스에 대한 만족도나 이용의 가능성에 관심을 두는 것이다. 개인마다 위험과 이득에 대한 주관적 판단이 다르기 때문에 환자의 요구와 사회적으로 정의로운 자원배분의 기준 사이에서 도덕적으로 갈등해야 하는 경우가 많다. 예를 들면 임상증상과 신체검진만으로도 충분히 진단할 수 있는 골관절염의 진단에 MRI를 요구하는 환자, 이미 회생의 가능성이 없는 뇌사자임에도 최후까지 가능한 치료를 요구하는 가족 등이 그러한 예이다.

2 의료의 질 구성 요소

의료의 질 구성요소는 환자안전, 효과성, 환자중심성, 효율성, 연계성, 접근성이 있다.

Table 8-1 의료 질 구성요소 영역의 항목별 정의

연번	분류 항목	정의
1	환자안전	• 계획되지 않은 재입원 감소 • 예상하지 못한 의료사고나 의료과오 발생의 감소 • 병원 내 의료 관련 감염 발생 감소 • 적절하지 않은 의료서비스 제공의 감소를 통해 환자에 대한 위해 감소 • 응급상황에 대한 적절한 대비 및 대처 마련
2	효과성	• 치료 과정에서의 시기적절한 의료서비스 제공 • 최상의 근거에 기반을 둔 정확하고 효과적인 의료서비스 제공 • 의료서비스의 편인(치료 결과)이 최대가 될 수 있는 적절한 임상 관리 및 서비스 제공 • 주요 질환으로 인한 사망률 감소
3	환자 중심성	• 환자 중심의 의료서비스를 통한 진료 경험 개선 및 환자 만족도 향상 • 진료 정보 제공 및 환자 교육 등을 통한 환자의 자기 관리 능력 향상
4	효율성	• 투입된 자원 대비 최대 결과 및 목적 달성 • 불필요한 자원 낭비 감소
5	연계성	• 의료기관 및 의사 간 협진체계 구축 • 의료기관의 종별 기능 제고 및 의료전달체계 확립 • 환자의 지역사회 복귀를 유도하고 지역사회 적응 및 후속치료를 보장하여 치료의 연속성 확보
6	접근성	• 의료기관의 의료서비스 제공 범위 확대 • 경제적, 지리적 조건 및 사회적인 상황에 구애받지 않는 의료 이용 보장

3 의료의 질 평가제도(WHO의 global patient safety action plan 2021~2030)

OECD는 보건의료의 질 평가를 위해 Hospital Inpatient Quality Reporting (Hospital IQR) 프로그램에서 병원들로 하여금 Centers for Medicare & Medicaid Services (CMS)가 평가하는 질 영역에 대한 성과자료를 제출하도록 한다. 이는 정확한 의료의 질 정보 제공을 통해 소비자의 선택권을 보장하고자 한 것이며, 병원들이 정확하고 완전한 평가 자료를 제출할 수 있도록 유도하기 위해 재정적 인센티브를 함께 도입하였다.

국내에서는 의료 질 평가 지원금 제도란 국민에게 수준 높은 의료서비스를 제공할 목적으로 의료의 질을 높이는 데 기여한 의료기관을 지원하기 위한 것으로, 평가등급에 따라 의료기관은 의료 질 평가 지원금을 차등 수령하게 된다. 하지만 의료 질 평가 지원금 제도의 평가지표는 지표 유형 영역의 '구조' 항목으로 분류되는 지표가 대부분이다. 이로 인해 의료 질 평가 지원금 산정을 위해 대상 의료기관이 질 높은 의료서비스를 제공하기에 적절한 수준의 인력·시설·장비를 갖추고 있는가를 판단하는 지표에 초점을 두고 있는 것을 알 수 있다.

1) 지표(Indicator)란?

기관이 달성하고자 하는 목표에 비추어 현재 수행되고 있는 기능 및 과정의 수준을 정확하고 신뢰성 있게 정량적으로 나타낸 것이다.

(1) 일반 질 지표(Generic)

병원 전반의 질적 수준과 질 관리 인프라의 수준을 평가하는 질 지표

- **질환 특이성 질 지표(Disease-specific)**

  특정 질환이나 시술의 질적 수준을 평가

(2) 서비스 형태에 따라

예방지표, 급성지표, 만성지표

(3) 기능적 분류

스크린 지표, 진단지표, 치료지표, 추후 관리지표

병원에서는 '임상 질지표'를 사용하게 되는데, 계량적인 방법으로 환자 진료의 과정 및 결과를 측정하는 객관적인 도구로서 환자의 진료결과에 영향을 미치는 질을 양적으로 모니터하고 평가한다. 즉, 진료서비스, 진료지원 서비스, 조직적 기능의 질을 모니터, 평가, 향상시키는 데 사용한다. 측정할 수 없는 것은 관리할 수 없으며(E. Deming), 관리하기를 원한다면 반드시 측정해야 한다(P. Drucker).

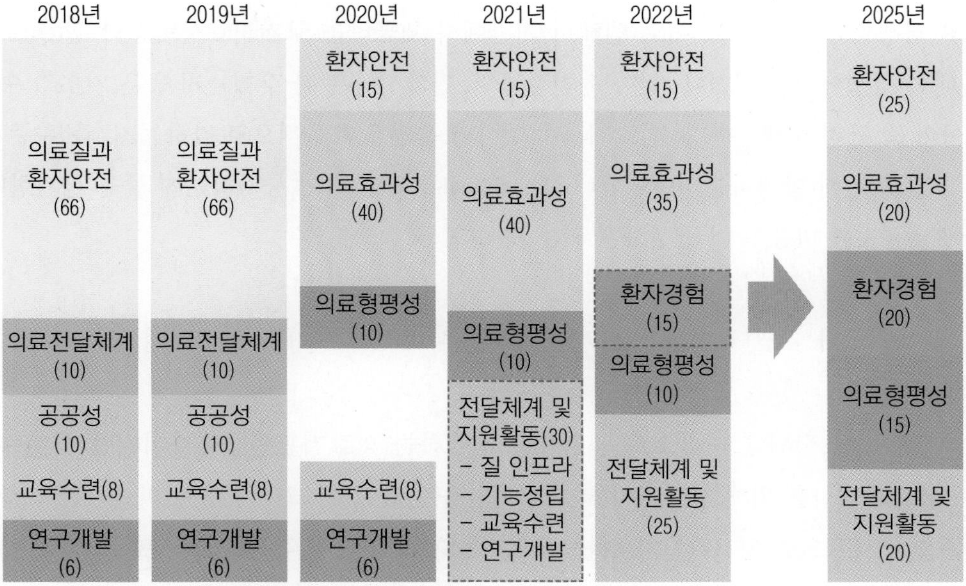

2018년
의료질과 환자안전 (66)
의료전달체계 (10)
공공성 (10)
교육수련(8)
연구개발 (6)

2019년
의료질과 환자안전 (66)
의료전달체계 (10)
공공성 (10)
교육수련(8)
연구개발 (6)

2020년
환자안전 (15)
의료효과성 (40)
의료형평성 (10)
교육수련(8)
연구개발 (6)

2021년
환자안전 (15)
의료효과성 (40)
의료형평성 (10)
전달체계 및 지원활동(30)
- 질 인프라
- 기능정립
- 교육수련
- 연구개발

2022년
환자안전 (15)
의료효과성 (35)
환자경험 (15)
의료형평성 (10)
전달체계 및 지원활동 (25)

2025년
환자안전 (25)
의료효과성 (20)
환자경험 (20)
의료형평성 (15)
전달체계 및 지원활동 (20)

Fig 8-1 의료질평가 제도 효과분석 및 평가모형 개발 연구
[출처] 강희정 등. 한국보건사회연구원.

1999년 미국 의학연구소(Institute of Medicine)에서 발행한 〈To Error is Human: Building a Safer Health System〉을 통해 인간은 실수하기 마련이며 의료 오류에 대한 인식을 높이는 계기가 되었고, 2001년 같은 기관에서 발행한 미국의 건강 관리의 질에 관한 보고서〈Crossing the Quality Chasm: A New Health System for the 21st Century〉를 통해 그 필요성이 강화되었다.

2) 의료의 질 문제의 중심

의료의 질은 과잉진료, 과소진료, 과오진료로 나눠서 분류해 볼 수 있다. 우리나라 행위별 수가제 하에서도 이 세 가지 문제가 골고루 발생하고 있다. 감기에서 항생제 처방률, 주사제 처방률, 제왕절개 분만률 등이 과잉진료의 대표적인 예이고, 과소진료와 과오진료 역시 다양하게 발생하고 있다.

의료의 질 관리(향상) 운동의 배경은 의료기관 간의 경쟁이 주요인이라고 볼 수 있다. 독점적으로 제품이나 서비스를 공급하다 보면 선택의 여지가 없기 때문에 경쟁도 필요 없게 된다. 의료인과 의료기관의 수가 급증하면서 민간 주도적 의료제도에서는 의료기관 간의 경쟁이 불가피하고, 이로 인해서 기관에서 제공하는 보건의료서비스의 질(Quality)에 대한 경쟁이 치열해졌다. 얼마나 친절한지, 편의시설은 잘 갖췄는지 등은 기초적 수준에서의 질 관리에 해당한다. 의료기관이 얼마나 운영을 효율적으로 잘하는지, 즉 '수준 이하의 질로 인해 발생하는 비용(Cost of Poor Quality, COPQ)'이 증가하는지 등을 평가한다. 질이 낮을수록 비용이 더 발생하게 되는 것이다.

외부기구나 기관에 의한 의료기관과 의료서비스의 평가는 구체적이며 체계적으로 시행된다.

현재는 전 직원을 대상으로 인터뷰를 진행하는 의료기관인증평가이지만 이전에는 병원표준화심사를 위해 경영진이 서류 심사만을 받았었다. 그러나 점차 의료기관의 질적 수준을 구체적으로 평가하고자 하는 시도가 생기게 되면서 각 병원별 사망률 등을 발표하기 시작했다.

3) 질 관리의 접근 방법

Donabedian은 양질의 의료란 진료의 모든 과정에서 예상되는 이익과 손해의 균형을 맞춘 상태에서 환자의 복지를 가장 높은 수준으로 높일 수 있는 것으로 예상된다고 하였으며 질 측정 요인을 구조, 과정, 결과 및 과정과 결과 4가지로 나누었으나 보편적인 간호의 질은 구조(structure), 과정(process), 결과(outcome)로 평가한다.

- **의료의 질 영역: 구조, 과정, 결과**

① 구조(structure)

질 평가에 있어 비교적 측정 및 계량화가 용이하고 양질의 의료서비스 제공을 위한 전제 조건이지만 구조적 측면이 갖추어져 있다고 해서 반드시 질적으로 우수한 서비스가 제공되는 것은 아니다. 질 평가 접근법 중에서 가장 '무딘 도구'이다.

- 자원(시설, 장비, 재정)
- 인적 자원(인력의 질, 양)
- 조직 구조(의료인 수, 동료심사 방법, 지불 방법)

② 과정(process)

의료인이 환자를 진료하는 과정에서 일어나는 행위로 기술적 측면은 적절한 진단, 수술, 약품의 사용이 있고, 인간관계 측면은 환자들과의 친밀한 관계 형성 등이 있다. 구조 평가에 비하여 의료의 질과 직접적인 관련이 되어 있고, 결과 평가에 비하여 즉시 측정 가능하고 구체적이기 때문에 비용과 시간이 상대적으로 적게 소요되며 평가 결과를 진료 행위 개선에 바로 적용이 가능하다. 과정 지표는 쉽게 개선 가능하다보니 변별력이 낮고 과정과 결과가 반드시 일치하지 않을 수도 있다는 제한점이 있다. 의료행위 중 많은 부분들은 아직 그 유용성이 입증되지 못한 상태이다.

- 제공받은 의료가 제대로 잘 이루어졌는지
- 의사결정, 권고, 치료, 기타 다른 환자와의 상호작용에 있어 제공자의 일련의 활동

③ 결과(outcome)

의료 행위로 인한 환자의 태도, 건강 상태, 만족도 등의 변화를 의미하며, 신체적 측면으로 관상동맥우회술 후 사망률, 심리적, 사회적인 측면으로 환자 만족도, 태도 변화, 경제적 측면으로 진료비, 입원 일수 등을 확인할 수 있다.

과정 평가에 비하여 덜 구체적이고, 덜 민감하며 측정하고자 하는 결과에 따라서는 측정에 많은 비용과 오랜 시간이 소요되고, 결과 측면의 접근법은 의료 행위의 궁극적인 목적과 직접 관련이 있고, 환자에게 시행된 모든 진료행위의 영향을 포괄적으로 반영하며 소비자들이 쉽게 의미를 이해할 수 있다. 그러나 의료 행위 외에도 다른 요소들(질병의

중증도, 환자의 심리적 특성, 개인의 행태, 사회경제적인 상태 등)이 결과에 영향을 미칠 수 있기 때문에 위험도 보정(Risk adjustment)이 반드시 필요하다.

- 환자의 건강상태에 미친 치료의 효과
- 환자의 만족도, 지식 향상도: Death, Disease, Discomfort, Disability, Dissatisfaction

4) 임상 질 지표

미국 보건부 산하 기관인 의료 연구 및 질 관리 기구인 AHRQ (Agency for Healthcare Research and Quality) QI는 의료의 질이 높고 안전하면서도 접근성과 형평성이 있도록 하기 위한 근거를 마련하여 보건의료 시스템의 안전과 질 향상을 주도해왔다. 주기적으로 평가 데이터를 제시하고 있다.

(1) Prevention Quality Indicators (PQI)

- 퇴원 후 적절한 f/u 등 외래환자의 접근성과 관련된 지표
- 퇴원자료로부터 외래 환자의 양질의 관리를 통해 피할 수도 있었던 입원을 확인
- 지역사회 보건의료시스템의 질 평가 지표

(2) Inpatient Quality Indicators (IQI)

- 잠재적으로 피할 수 있는 안전사고에 대한 정보를 제공
- 병원 내 잠재적인 합병증, 수술/시술/출생과 관련된 오류 관련 지표 포함
- 기관 차원에서 질 개선을 위한 기회 제공, 제공되는 Care의 질 평가, 모니터, 추적, 개선을 지원

(3) Patient Safety Indicators (PSI)

- 잠재적으로 피할 수 있는 안전사고에 대한 정보를 제공함
- 제공되는 care의 질을 개선할 수 있는 기회를 제공
- 환자의 수술/시술/출생과 관련된 잠재적인 합병증, 오류에 초점

(4) Pediatric Quality Indicators (PDI)

- 병원 내에서 치료를 받는 소아의 예방 가능한 합병증, 예방 가능한 입원 등에 초점
- 소아 입원환자의 잠재적인 질과 안전을 확인하는 데 사용

4 의료의 질 향상 활동의 의미

보건의료서비스의 인력, 시설, 시간 등 한정된 자원으로 질 향상을 위한 과학적이고 체계적인 접근이 필요하다.

1) 경쟁적 의료 환경에서 비교우위를 확보하기 위한 핵심 수단

- 평가결과 공개와 이를 활용한 소비자 선택
- 의료의 질 평가 및 결과 공개는 지속적으로 확대될 전망

2) 의학기술 발전과 성과를 체계적으로 수용하기 위한 방법론

병원의 지식경영을 지원

3) 병원 자원의 효율적 활용

보수 지불제도 개편 시, QI 활동의 성과가 병원의 성과를 좌우

4) 성과에 기초한 경제적 보상(가감 지급)

의료의 질과 경제적 보상을 연계하는 경향 확산 전망

5 의료의 질 향상을 위한 리더십 체계

의료의 질 향상이 조직 구성원의 일상적인 활동이 되도록 촉진하는 체계

- 질 향상을 위한 리더십의 네트워킹
- 의료의 질 향상을 위한 리더십이 확산되는 환경을 조성
- 조직 구성원 누구든 자신이 속한 부서에서 다양한 형태의 질 향상
- 활동의 리더가 될 수 있도록 장려하는 체계

- 이들의 활동을 공식적이고 정당한 것으로 보장하는 체계
- 이들의 활동이 자신이 속한 부서 외부로 확산되는 것을 지원하는 체계

6 질 향상을 위한 지도자의 역할

질 개선 활동에 있어 구체적인 효과를 발휘하기 위해서는 먼저 지도력이 확보되어야 한다. 지도력은 차별이 없는 일관성이 필요하고, 모든 직원이 기술적 부분과 통계적인 수치의 향상을 이해하기 위한 교육이 제공되어야 하며, 업무를 향상시키기 위한 방법을 고안하고 연구하는 사람들에게 적절한 환경이 제공되어야 한다. 또한 조직의 전 과정에 대한 이해와 시간, 사람, 정보체계 향상 등을 위한 모든 과정에 영향력을 미쳐야 한다.

훌륭한 지도자는 직원들이 건물 안팎에서 함께 일하고 있으며, 이러한 직원들이 개선을 제안할 수 있는 최고의 위치에 있음을 파악하여 이들에게 개선을 요구할 수 있어야 한다. 이를 위해서는 모든 직원이 개선 활동에 동참하도록 격려해야 한다. 또한 지도자는 모든 직원들이 업무개선을 위한 기초 지식을 지닐 때까지 지속적으로 교육해야 하며, 질 개선 활동이 업무 시간을 절약하고, 검열에 소요되는 시간을 감소하며 생산성을 증가시킬 수 있음을 인식하고 업무과정의 전 단계가 생산품이나 서비스 가치를 증가시키는가를 항상 관찰해야 한다. 이 밖에 잘 조직된 업무과정은 직원의 직무만족도를 증가시킬 수 있음을 인식해야 한다.

7 질 향상을 위한 접근법

1) TQM/Total Quality Management 총체적 질 관리

TQM이란 Deming에 의해서 개발된 개념으로 원래 제조산업 분야에서 전 조직원의 참여로 지속적인 질 향상을 계획하고 실행하는 체계적이고 구조화된 경영혁신 운동이다. 이 운동은 고객 중심, 질 우선주의, 전원 참여, 프로세스의 관리 등을 통한 지속적인 질 향상을 원칙으로 하고 있다. 의료계에서도 병원의 전 직원이 참여하여 환자 중심, 양질의 의료서비스 제공, 의료서비스를 제공하는 프로세스의 관리 등을 통하여 지속적인 의료의 질 향상을 도모하고자 하는 노력으로 시행되었다.

환자 중심 진료체제(patient-focused care)란 어떤 것인가? 여러 가지 검사나 치료를 받기 위하여 환자가 병원 내 여러 곳을 다니며 많은 의료공급자를 만나야 하는 전통적 환자 진료 방식과 달리 모든 활동의 중심은 환자라는 개념으로 거의 모든 처치들이 환자 방에서 소속 치료팀에 의하여 실시되는 새로운 환자 진료방식이다.

그 주요 요소들은 다음과 같다.

- 분산화된 서비스

임상병리, 약국, 방사선검사실, 호흡치료실 등이 각각의 병동에 분산되어 있어 환자들의 대기시간을 줄이고 좋은 서비스를 제공함

- 다기능 인력 활용

간호사와 검사요원들에게 검사, 처치 기술을 훈련시켜 다기능을 가진 인력으로 육성, 활용하여 환자가 너무 많은 의료요원을 만나야 하는 어려움을 감소시켜 줌

- 부서 간의 협력

환자 요구를 만족시킬 수 있도록 치료팀이 함께 협력하여 일하는 것을 교육 훈련시킴

- Critical pathway

치료의 일관성을 유지하고 적절한 의료이용이 가능하도록 진단별로 표준화된 주진료 과정을 많이 사용함

- 업무 단순화 및 업무 재조정

모든 절차를 능률적으로 개선하고, 능력 수준별로 업무를 재조절하여 인력활용의 효율성을 극대화함

- 환자 참여

치료의 순응도를 높이기 위하여 환자를 치료과정에 참여시키며 이를 위한 환자 교육이 필요함

2) FMEA (Failure Mode & Effects Analysis)

특정 과정에서 발생할 수 있는 잠재적인 고장모드(Failure Mode, 문제가 되는 지점)와 그 영향을 목록화하고 도표화 하여 개선의 우선순위를 결정하는 품질관리 도구

- RPN (Risk Priority Number): 위험우선순위
- RPN (Risk Priority Number) 점수 측정 = 심각도×발생가능성×발견가능성
- FMEA 절차
  - 고위험 프로세스 선정
  - 팀 구성
  - 프로세스 작성
  - 실패유형 분석
  - RPN 점수 측정
  - 고위험 영역 선정
- 개선 활동
- 재평가

3) PDCA method (Plan, Do, Check, Act)

- Plan: 확인된 문제점의 해결방안을 제기할 수 있도록 자료를 수집하고 분석함
  - 문제의 정의
  - 개선 계획
  - 평가 기준 준비
  - 계획을 위한 자료수집
- Do: 제시된 해결방안을 시행함
  - 계획의 실행
  - 평가를 위한 자료수집

- Check: 시행 결과의 효율성을 일정 기간 동안 체크함
  - 실행 자료의 평가
  - 계획과의 차이 확인

- Act: 위의 세 과정에서 확인된 효율성을 공식화함
  - 계속관찰, 표준화
  - 교육, 전면적 실시
  - 필요 시 원인 규명
  - 수정 후 재계획

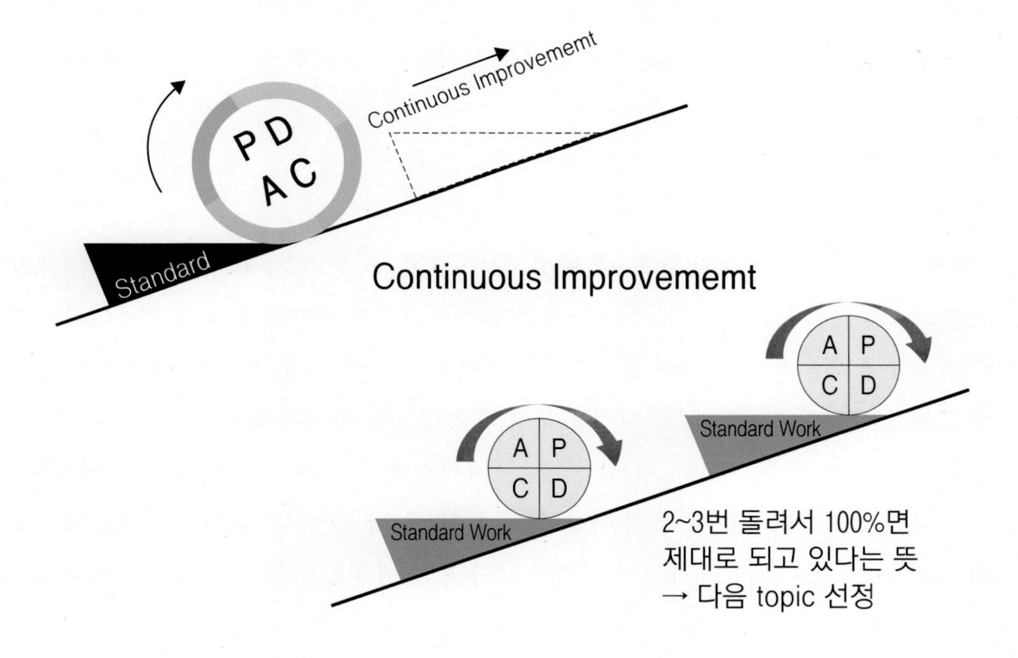

Fig 8-2 PDCA Cycle

(1) PDCA에 활용되는 질 관리 도구

질 향상을 위한 문제 해결을 위해 다양한 분석 도구를 이용하게 된다. 선정한 문제를 개선하기 위해 PDCA cycle이 반복되는 과정에서 목표에 도달하면 다른 주제를 선정하게 된다.

① 아이디어 짜내기(Brain storming)

어떤 주제나 문제에 관한 아이디어를 창출해 내는 것으로, 그룹으로 또는 개개인별로 시행할 수 있다. 비판을 삼가고 자유로운 분위기에서 격려하며 최대한의 아이디어와 창의력을 발휘하도록 진행한다. 팀의 역량을 결집하고 개인의 창의성을 살리는 방법으로 짧은 시간 안에 최대한의 아이디어를 얻고자 하는 방법이다. 브레인스토밍 방법을 잘 활용하면 반복적으로 'Why'를 이용하여 원인을 파악하고 개선의 포인트까지 확인이 가능해진다.

② Flow chart 흐름도

업무 수행 과정의 각각의 단계, 즉 행위, 의사 결정, 대기 기간, 문서화 등의 과정을 도식화함으로써 일이 진행되는 실제의 과정을 일목요연하게 파악하게 하여 병목현상이 발생하는 부분을 확인하고 개선의 방안을 알게 해 준다. 특정 업무 과정에 필요한 모든 단계를 도표로 표시한 것으로 업무 과정을 분석하고 개선할 때 유용하다.

타원형(출발과 멈춤을 의미), 직사각형은 프로세스의 절차나 조치를 의미, 다이아몬드형은 의사결정을 의미하고 두 가지 이상의 의사결정을 할 수 있다. 원형은 흐름도에서 거래에 의해 분리되는 두 부분 사이의 연결을 나타내고, 관련되는 것을 알리는 숫자나 글자를 써 넣는다.

③ 유사성 다이어그램(친화도)

아이디어를 유사그룹으로 묶기 위한 접근법으로 작은 범주별, 그리고 논리적으로 그룹화하는 집중한 사고의 한 형태이다. 질 향상을 위한 문제 해결을 위해 다양한 분석도구를 이용하는데 그 중 특히 문제의 근원을 찾는 데 유용한 분석도구이다.

④ 원인 · 효과도(Cause and effect diagram)

어떤 결과를 가져오게 한 요인들을 파악함으로써 문제 해결 방안을 찾을 수 있게 하는 것이다. 진료 결과에 영향을 줄 수 있는 모든 요인을 그림으로 나타낸 것으로서 Ishikawa의 '원인 · 효과도', 인과관계도 또는 어골도(Fish bone diagram)라고 한다. 머리 부분이 결과, 가시부분이 원인(Why)에 해당한다.

⑤ 체크 시트(Check sheet)

어떤 종류의 문제가 어떤 형태로 발생하는가를 확인하기 위하여 사용되며, 이 자료는 파레토 도표, 막대 그래프, 런 차트 등을 그리기 위한 자료가 되기도 한다.

⑥ 파레토 도표(Pareto chart)

어떤 문제 해결에 있어서 우선순위를 결정하게 하고 성과향상을 효과적으로 파악할 수 있게 하는 막대 그래프이다. 어떤 문제의 원인을 파악하고 여러 요인들 상호 간에 어떤 영향을 주는지를 파악하게 해준다. 예를 들어, 수술지연 사유별 비율을 파레토 도표로 나타낼 수 있다.

⑦ 히스토그램(Histogram)

변이와 그 유형에 관한 파악을 용이하게 하는 막대 그래프로서, 시간대별 수술실 이용률 등이 히스토그램을 그릴 수 있는 좋은 예이다.

⑧ 런 차트(Run chart)

질적 수준을 나타내는 특성을 장기간 관찰하여 간단히 표시해 주는 꺾은선 그래프로, 예를 들어 월별 평균 입원 대기시간을 런 차트로 그려봄으로써 장기간 동안 대기시간의 변화 추세를 한눈에 볼 수 있는 것이다.

⑨ 관리도(Control chart)

제품의 품질 분포가 허용범위 내에 있는지 감시하는 데 사용(상한 · 하한선의 관리한계선)한다.

⑩ 산포도(Scatter diagram)

두 변수 간의 관계 및 서로 어떻게 작용하는가를 보여주는 도표이다. 어떤 약물 투여 후 시간대별 혈액검사 결과가 이 도표의 좋은 예이다.

4) PFCC Redesign (Patient & Family Centered Care Redesign)

환자 도착 시점부터 이동 경로를 따라 환자의 관점에서 각각의 접점을 분석하고 중복, 누락, 지연, 불필요한 과정을 개선하여 Care quality, Pt. Experience 향상과 Cost를 감소시키기 위해 사용된다.

(1) PFCC Redesign 단계

① 관련 프로세스 영역 정하기(과제 대상자 유형 및 범위 선정)

② 자료 수집 및 분석

③ 계획서 작성

④ Process step 작성

⑤ 프로세스 맵 그리기(AS IS)

⑥ 환자 중심의 비부가 가치 요소(이슈) 찾기

⑦ 이슈 개선 우선순위화 및 개선과제 도출

⑧ 프로세스 맵 그리기(TO BE)

⑨ 개선계획 수립 및 실행

(2) 현장 관찰 방법

① 관찰: 업무의 종류, 흐름, 이해관계자의 행위 등을 직접 관찰

② 인터뷰: 환자 및 보호자 등이 경험한 의료서비스와 그들의 생각, 감성을 인터뷰

③ 쉐도잉: 진료 시퀀스를 따라 고객과 동행하며 고객이 경험하는 서비스 캐치

④ 문화기술지: 진료실 전체를 조망하는 카메라를 설치하여 면밀히 이슈를 포착

(3) 질 관리 활동의 기본 원칙

질 관리는 초기 질 보장으로 우리가 수행하는 업무, 업무가 이루어지는 환경, 업무 결

과 등을 체계적으로 살펴보는 일련의 과정으로 기존에 설정된 기준에 부응하는 것을 목표로 한다. 양질의 의료 제공을 위해 효율성과 질을 평가하고 문제점을 개선하여 질을 향상시키는 관리기법이다. 질 향상은 QA보다 다양하고 광범위한 방법으로 의료사업과 고객서비스를 개선하는 것으로 변화를 통하여 기존에 설정된 기준보다 상위를 향하여 지속적인 질 향상을 추구하는 기법이다.

(4) 지표정의서 예시

그 누가 지표를 산출해도 동일한 결과 값이 나오도록 구체적으로 작성되어야 하며 명확한 용어 정의가 전제되어야 한다. 세부 과정별 지표인 탈락률, 제외율, 완료율에 대한 정의서가 필요하다.

Table 8-2 지표 정의서 예시

지표명	낙상 발생률
지표 정의	재원 환자 1,000명당 낙상 발생 비율
분자 정의	낙상 발생 건
분모 정의	재원 환자 수
산출 방법	분자/분모*1,000
포함 집단	전체 입원 병동과 중환자실
제외 집단	01C, 02C, 09C, 19W, CSM3
자료 도출 근거	낙상 발생 건: 환자 안전 보고서 재원 환자 수: 원무과에서 제공한 재원 환자 수
산출주기	매월, 분기별, 매년

① 추후 효과 평가 시 증감을 확인할 수 있도록 현 수준이 파악되어야 한다.

② 원인 분석 및 필요한 도구 사용

- 무엇이 얼마만큼 문제가 되고 있는가?
- 그 문제가 어떠한 영향을 주고 있나?

③ 인적, 물적 측면, 환경, 시스템 등 모든 측면에 대한 원인 분석이 이루어져야 한다.

④ 지표: 특정 의료서비스의 process 또는 outcome을 평가하는 계량적 측정 방법(구조 지표, 과정지표, 결과 지표)

- 퇴원간호업무에 대한 간호사의 부담감이 너무 높다. (X)
- 퇴원간호업무에 대한 간호사의 부담감이 5점 척도로 측정 시 2점이다. (O)

(5) Donabedian's Quality Framework

① 구조(structure) 지표

a. 양질의 의료서비스를 제공하기 위한 기본 인프라를 갖추고 있는가?

- 환자의 요구를 충족시킬 수 있는 의료시스템의 특성(양, 형태), 의료가 행해지는 환경, 시설, 장비, 재원의 물질적 자원, 인적 자원의 규모와 자격, 조직 구조, 동료 감사의 방법, 진료비 청구 방법 등이 해당된다.

b. 의료를 제공하는 상황의 특성

② 과정(process) 지표

a. 올바른 의료서비스가 올바른 방법, 절차대로 제공되었는가?

b. 환자의 치료 과정이 잘 이루어졌는가를 나타내는 지표

③ 결과(outcome) 지표

a. 의료서비스 제공의 결과로 질병의 회복과 삶의 질이 향상되었는가?

- 환자의 건강 상태에 대한 지표, 치료과정의 효과를 의미하며 재입원율, 재수술률, 낙상발생률, 투약오류 발생률 등이다.

b. 환자의 건강에 영향을 미치는 요인이 다양하고 개별 의료기관의 환자구성, 중증도 등

- 표준화되어 있지 않으면 결과적으로 생성되는 정보는 활용될 수 없기 때문에 위험보정이 반드시 이루어져야 한다. 이를 위한 대안으로는 환자의 분모를 제한하고 자체 환자군에서 환자 상태에 따른 층화 분석을 실시한다.

가정간호서비스 질 관리 체계 영역

II

Home Health Care

가정간호에서는 업무의 질 개선을 위한 방법을 다양하게 모색하여 왔다. 사전 지불제, 인두세, 간호 관리를 포함한 의료비용 억제제도 등은 간호가 의료기관에서 가정으로 이동되도록 유도하였다. 이러한 결과로 가정간호가 급속히 성장함에 따라 각 기관들의 업무 관리적 측면에서의 질 향상이 요구되었고, 비용 효과적 측면에서도 대상자 간호를 향상시키는 부분뿐 아니라 결과를 통제하는 영역까지 관심을 기울이게 되었다.

각 나라 의료의 질 지표 분류 체계의 장점을 살펴보면 미국의 경우 체계적으로 구분하여 용이한 관리가 가능하고 정보를 효율적으로 제공하고 있으며, 영국은 지표의 성격을 명확하게 파악하는 것이 가능하다. 호주는 진료과별로 세부 분류를 하고 구체적으로 지표를 분류하고 있으며, 캐나다는 지표 분류 및 관리와 동시에 국가의료서비스 제공체계의 개선을 도모한다. 체계적으로 구분하여 관리가 용이하고 정보를 효율적으로 제공하고 있으며 진료과별로 세부 분류되어 있고 구체적으로 지표를 분류하고 있다. 이는 가정간호기관의 업무체계나 역할 이행의 수준이 간호의 결과에 영향을 미칠 수 있기 때문이다(미국 의료기관신임합동위원회, Joint Commission on Accreditation of Healthcare Organizations, 이하 JCAHO, 1995). 가정간호 업무는 그 기능과 과정에 있어 연속성을 가져야 하며, 모든 과정은 직접적인 목표 달성을 위한 일련의 활동이라 할 수 있다(JCAHO, 1995). 예를 들어, 대상자 사정은 기능인 반면 대상자의 약물사용에 대한 정보 수집은 과정에 포함된다.

간호사정을 위한 틀로 현재 간호영역에서 가장 많이 활용되고 있는 것은 북미간호진단협회(North America Nursing Diagnosis Association, NANDA)의 틀로 이용되는 고든(Gordon)의 11가지 기능적 건강양상으로 간호사정 뿐만 아니라 간호의 질 평가 지표로도 사용되었다. 인간의 개별적 특성과 주어진 시점에서의 여러 환경적 요인에 영향을 받으며 이들의 상호작용으로 나타나는 현상, 즉 11가지 기능적 양상을 지닌다고 하여 기능적 건강양상

모델을 제시했는데, 고든(Gordon)에 의해 정립된 건강기능 양상에는 건강지각/건강관리 양상, 영양/대사 양상, 배설양상, 활동/운동 양상, 수면/휴식 양상, 인지/지각 양상, 자기 지각/자기개념 양상, 역할/관계 양상, 성/생식기능 양상, 스트레스/대처 양상, 가치/신념 양상이 있다. 건강기능 양상별 사정 때에는 대상자의 수행과 전반적인 건강 상태에 초점을 둔다. 인간은 인간의 개별적 특성과 주어진 시점에서의 여러 환경적 요인에 영향을 받는다. 가정간호에서는 이 11가지 기능적 건강 양상 모델을 기초로 하여 가정간호 상황에서 사정해야 할 가족 및 주 돌봄 제공자의 기능, 거주환경 및 지역사회 자원 등을 사정할 수 있는 영역을 포함시켜 13개 영역으로 수정 보완된 초기 사정 도구를 사용하기도 한다.

가정간호서비스 질 관리란 가정간호서비스를 제공 받는 기간 내 가정전문간호사와 대상자 간의 상호작용을 포함한 서비스 이용의 모든 과정에서의 총체적 질 관리를 의미하고, 또한 가정간호사업 실시기관 내에서 이루어지는 모든 활동을 포함하며 이러한 활동의 개선을 통해 양질의 의료서비스를 제공하려고 노력한다.

1) 간호의 질 개념

간호의 질에 대한 개념이 알려진 것은 나이팅게일이 1854년 크리미아 전쟁에서 병원 위생환경을 개선하여 환자 사망률을 100명당 42명에서 2.2명으로 감소시켰고 진단별 사망률을 산출하고 병원 간 사망률의 차이를 비교하였던 것으로 알려졌다. 간호의 질은 특정 서비스나 절차, 진단 혹은 임상적 문제에서 일반적으로 인정된 좋은 실무에 대한 현행 표준과 예상되는 결과의 달성에 부합되는 정도를 말하며 간호의 질 관리는 양질의 간호를 제공하는 책임이라고 할 수 있고, 이 책임을 완수하기 위해서는 간호의 질 평가가 요구된다. 즉, 어떤 행위가 어느 정도까지 성취되었는가 측정하기 위한 것으로써 최고 수준의 업무를 수행하도록 하기 위해 시행되는 것이다. 먼저 기준을 세운 뒤 그 기준에 도달할 수 있는 행동을 하도록 하는 데에 질 평가라는 개념을 사용하고 있다.

가정간호의 질 관리는 퇴원계획을 수립하고 실시할 때부터 시작이 된다고 볼 수 있겠다.

퇴원이라 함은 환자가 자신의 집으로 가거나 계속 진료 받을 수 있는 타 의료기관으로 가는 등 한 의료기관에서 입원을 종결짓는 상황을 말한다. 상급종합병원에서 중요한 진료를 마치고 종합병원으로 전원하거나 환자의 거주지 의료기관으로 전원하는 것, 재활

병원 등 특수기관으로 전원하는 것, 집으로 퇴원하여 가정간호 제도를 이용하는 것, 그리고 환자의 집으로 퇴원하여 통원치료를 받는 것 등 여러 가지 방법 중 그 환자에게 가장 적합한 방법을 택하여 퇴원할 수 있도록 하고, 선택한 방법에 필요한 사항들을 미리 알려주어 준비되게 하며, 이 모든 과정들이 적시에 이루어져 지연되는 일 없이 환자가 적시에 퇴원할 수 있게 도와준다. 이것은 환자에게 만족을 줄 뿐 아니라 병원의 병상을 효율적으로 활용할 수 있게 해주어 재정적 이익을 가져올 수 있는 것이다.

2) 질 향상과 안전에 대한 역량

질 향상과 안전에 대한 6가지 역량을 구체적으로 살펴보면

첫째, 환자중심 간호는 환자나 그 가족의 선호도, 가치, 요구를 존중하고, 이에 근거하여 환자에게 의사결정에 필요한 자료들을 제공하며, 완전한 협력자로서 온정적이고 조화로운 간호를 인지하는 것을 말한다. 학생은 환자의 가치관과 신념을 바탕으로 오류를 줄이고, 치료 목적에 대한 이해를 높이며, 치료과정에 환자 참여를 활성화할 수 있어야 한다.

둘째, 팀워크와 협력은 보건의료 전문가로 구성된 팀 안에서 효과적으로 기능하고 열린 의사소통을 하며 상호 존중, 그리고 환자 간호의 질 향상을 위해 의사결정을 공유하는 것을 말한다.

셋째, 근거기반 실무는 가장 최근의 연구에 기반을 두고 임상 근거를 통합하여 환자와 가족의 선호도와 가치가 최적의 건강을 위해 전달되도록 하는 것을 말한다. 학생들은 근거기반 실무에 대한 지식을 가져야 하며, 신뢰할 만한 출처에서 임상적 실무 주제 및 가이드라인과 관련된 근거 보고서를 찾을 수 있어야 한다. 또한 학생들은 임상 실습에서 간호 중재를 계획할 때 이론적 근거를 제시해야 하고, 근거기반 실무를 결정하기 전에 임상현장 지도자들과 신중한 논의를 할 수 있어야 한다.

넷째, 질 향상은 간호과정의 성과를 관리 감독할 수 있는 각종 자료를 사용하며, 보건의료체계의 질과 안전을 지속적으로 향상시키기 위하여 개선방안을 기획하고 검증하는 것이다. 학생들은 근본 원인 분석 팀의 일원으로 참여할 수 있어야 하고, 임상현장에서 변화를 줄 수 있는 소규모의 질 향상 프로젝트를 계획하고 수행하며 평가할 수 있어야 한다.

다섯째, 안전은 효과적인 시스템과 개인적인 수행을 통해 환자와 의료인에게 발생할

수 있는 해를 최소화하는 것을 말한다. 즉, 안전이란 환자안전 뿐만 아니라 의료인의 안전을 모두 포괄하고 있는 개념이다. 학생들은 인간의 기억에 대한 의존성을 줄일 수 있는 적절한 전략을 사용하고 의료오류를 감소하기 위하여 스스로의 역할을 평가할 수 있어야 한다.

여섯째, 보는 의사소통이 가능한 정보와 기술을 사용하고, 지식을 관리하며, 예상되는 실수를 경감시켜 의사결정 과정을 지지하는 것이다. 학생들은 조직적이고 안전하며 효과적인 전달을 지원하는 정보기술과 전자의무기록을 숙련되게 활용할 수 있어야 한다.

QSEN의 6가지 역량은 유기적으로 연결되어 있으며, 시스템적 사고를 통해 통합적으로 적용할 수 있는 능력이 중요하다. 즉, 위해사건이나 성과에 변이를 일으킨 근본원인을 찾기 위해 개인의 성과보다는 인적자원, 정보관리, 환경 관리 등과 관련된 시스템 및 프로세스를 분석하여 개선방안을 도출하게 된다.

아울러, 환자와 가족에게 사건의 전말에 대한 정보를 제공하고 체계적인 문제규명에 참여시킬 수 있어야 한다. 과학적인 방법, Plan-Do-Check-Action (PDCA) 순환 과정, 표준진료지침(critical pathway) 등을 이용하여 개선 계획을 실행에 옮기고 평가할 수 있어야 한다. 다학제 간 팀과 협동적인 간호를 이루어야 하며, 근거기반 실무와 최적의 정보학을 사용함으로써 질 높고 안전한 건강관리를 이끌 수 있어야 한다.

우리는 가정간호서비스의 질 관리와 가정간호사업의 질 관리 그리고 이를 근거로 발생되는 결과를 구조적, 과정적, 결과적 측면에서 평가 방법을 결정하고 계획하며 이와 관련된 도구를 개발해야 한다. 그리고 결정된 개선방향에 따라 실무에 적용하고 재평가하는 작업이 수반되어야 한다.

구조	과정	결과
• 조직의 설치/운영 • 공간 및 시설 확보 • 기록체계(기록서식) • 접근도 • 결과 모니터링 체계 • 보고 체계 • 지역사회 자원연계 체계 • 이송 체계 • 역할/책임 범위 • 보상 체계 및 적절성 • 홍보	• 케어의 수행 • 중재의 기록 • 비용의 관리 • 간호계획의 수립 (목표, 계획, 수행 등) • 소요시간 • 서비스 범위 및 내용 • 환자 및 가족의 관리 • 교육 • 케어의 적절성 • 비용 납부 절차의 효율성 • 검사물 운송 및 접수 절차의 효율성	만족도(환자, 가족, 간호사) 간호결과 측정 (감염률, 재입원율, 욕창발생률, 상태변화, 사망, 도중 케어 거부, 퇴록률 및 이유 등) • 기록 및 자료 관리 • 정보 관리 • 질 향상 활동 수행 • 환경안전관리, 감염관리 • 의료진과의 연계 • 자원 연계

Fig 8-3 의료기관 중심 가정간호서비스 질 관리 체계 및 평가도구의 개발

3) 구조적 측면에서의 질 관리

구조적 측면에서의 질 관리는 조직/인력/사업 운영 관리, 의료기관 내 가정간호운영위원회를 개최하여 과정 전반에 걸쳐 보고한다. 물품관리 QI, 환경관리 QI, 가정간호사의 전문직업적 수준(가정간호사 업무수준 요약, 지식 및 기술수준 관리), 의무와 책임 수준, 시설 및 물품(비품, 소모품), 가정간호 부서의 미션, 비전, 이념, 정책, 간호지침, 환자 대 간호사의 비율, 직위에 따른 간호사의 자격 등이 해당된다.

가정간호사업소의 서비스 질적 수준 현황을 구조적 측면에서 파악하는 데 가정간호운영위원회의 구성 및 회칙 규정이 있는지, 연간 실시 횟수, 회의록 보관, 운영위원회의 결과를 환자간호 업무와 가정간호 조직 운영에 활용하는가에 대한 부분도 포함할 수 있다. 가정간호사업 실시기관에서는 의료기관 내에 가정간호 업무를 위한 별도의 사무실을 확보하여 원활한 가정간호 수행을 할 수 있어야 한다. 가정간호 사무실 안내 표지판의 유무, 주차 및 물품 공급이 편리한 위치인지, 엘리베이터·경사로·승강기가 사무실 가까이에 있는지, 상담 공간이 있는지, 회의·교육 공간이 있는지, 전담인력 배치, 직무지침 및 홍보프로그램, 공간, 장비 및 물품체계, 사업관리체계, 인력관리체계, 의료비용 지불 체계, 정보관리체계, 환자관리체계, 질 관리체계, 환자 보호자 교육체계, 의무기록 관리 체계, 감염·안전 관리체계 영역의 수행 여부를 평가한다.

4) 과정적 측면에서의 질 관리

과정적 측면에서의 질 관리는 가정간호서비스 기록 관리(간호 대상자, 환자사정 과정과 진료의 절차, 가정간호 활동, 간호결과 기록 수준 관리), 시설 및 비품 유지 관리(시설, 비품, 방문 가방) 등이 해당된다. 가정간호 직무표준지침서를 개발하고 가정간호 직무표준에 의거하여 가정전문간호사의 수행 능력을 평가하며, 환자와 가족의 교육자료 및 평가도구를 개발한다. 또한 환자 및 가족의 자기관리 능력 평가는 환자 및 가족의 자가관리 평가도구에 의거하여 실시한다. 가정간호 기록 QI, 만성질환자의 가정간호서비스 QI, 주제별 가정간호서비스에 대한 QI 등이 대표적이라 할 수 있다. 사례관리 집담회 시 가정간호사업 실시기관에서는 가정간호서비스에 대한 정보를 효과적으로 의사소통하는 마케팅의 기본적인 활동들이 이루어져야 한다. 이는 가정간호 직무지침서를 구비하고, 가정간호 홍보프로그램이 있으며, 가정간호서비스 포스터를 제작하고 부착하거나 리플렛을 제작하고 배포하는지, 가정방문용 차량에 병원 로고가 부착되어 있는지를 확인할 수 있다. 과정 평가는 결과에 비해 적시에 측정이 가능하며, 구체적이어서 개선 활동에 직접적인 정보를 제공한다.

5) 결과적 측면에서의 질 관리

결과적 측면에서의 질 관리는 간호서비스에 대한 대상자와 의사 만족도 조사, 종결 시 합병증으로 인한 병원 입원, 기대목표의 성취도, 종결 시 환자 상태, 치사율, 이환율, 불구, 취업 상태에 대한 통계, 가정간호사의 방문을 계속 원하는 환자의 수 등이 해당된다. 가정전문간호사에 의해 제공된 간호 결과의 평가는 환자의 건강상태 변화뿐만 아니라 가정간호가 어떻게 전달되는지에 대한 간호기술적 측면의 질, 간호의 접근성과 이용 가능성, 간호의 연속성, 환자 편이성 등을 평가할 수 있어야 하지만, 결과에 영향을 주는 많은 변수가 있고 간호 결과가 장기간에 걸쳐 나타나는 측정상의 어려움이 있어 주로 가정간호서비스 만족도 도구가 있는지, 정기적으로 만족도 조사를 하는지에 대해 평가한다. 종결 시 환자 상태와 기대 목표 성취에 대한 QI, 종결 시 합병증으로 인한 응급실 내원 및 재입원률 조사, 만성질환 시 가정간호서비스 지속 환자 수 조사 등도 해당이 된다. 일정 시간이 경과한 뒤에 측정됨으로 인해 덜 민감하고 덜 구체적이다. 해석이 용이하고 통합적으로 모든 간호행위를 반영한다는 장점이 있다. 따라서 과정과 결과를 함께 평가하는 것이 효율적이며 오류의 위험을 줄여준다. 질 관리에 있어서 구조, 과정, 결과의 데이터는 상호 결합되어야 한다. 이로 인해 다면적인 질 평가를 이끌어낼 수 있고, 구조와 과정상의 개선에 적절한 대책을 제시해 주며 질에 관한 추론의 타당성을 확보할 수 있다.

서비스가 제공되는 공간은 기본적으로 환자 거주지인 자택이어야 하며 별장, 이동주택, 돌봄 시설은 외출이 가능한 환자로 판단돼 대상에서 제외된다. 다만 의료적 진단 및 치료 서비스, 처치, 상처나 장애 치료, 상태 유지나 퇴행 방지를 위한 재활 및 전문치료 서비스, 전문간호서비스 등을 제공하지 않는 돌봄 시설, 그룹 홈, 간병시설에서 서비스 제공은 가능하다. 의료기관이나 클리닉이 아닌 가정건강센터(Home Health Agency)에서 서비스를 제공하며, 연방정부·주정부의 공공, 비영리법인·종교법인의 비영리, 또는 사기업·영리법인·영리병원의 영리 형태로 설립이 가능하다. 가정간호사업소가 대상자에게 더욱 효과적인 서비스를 제공할 수 있도록 다양한 시도를 할 때 더욱 업무의 효율성을 보이며 보다 많은 간호서비스가 고안되고 재평가될 것이다. 또한 질에 대한 평가는 여러 간호 기관을 구별하기 위한 방법으로도 사용될 수 있다. 만일 동일한 가격이라면 각 기관들은 서비스의 질과 수준에 의해 차별화될 수 있을 것이다.

III 가정간호서비스 질 평가 도구

다른 보건의료 영역에서와 마찬가지로 가정간호 영역에서도 결과 측정의 많은 부분에서 관심과 중요도가 증가하고 있다. 케어의 제공 중에 건강 상태의 변화는 케어의 결과일 수도 있고 질병의 자연적인 진행과정일 수도 있다. 결과분석에서 이러한 변화는 통계적인 위험도 보정을 통해 보정이 되어야 한다. 체계적인 가정간호의 효과 측정은 아직 발달의 초기 단계라고 볼 수 있다. 간호의 질을 측정하려는 노력은 계속되어 왔다. 1990년대 이후 Babakus와 Mangold (1991)는 서비스산업 분야에서 서비스의 질을 평가하는 SERVice QUALity (SERVQUAL) 모델을 의료 환경에 접목하였고, 2000년대 이후에는 국내에서도 SERVQUAL 수정 도구를 사용하여 다양한 현장에서 간호서비스의 질을 측정해 왔다. 그러나 간호의 질을 평가함에 있어 대상자의 만족도, 혹은 기대된 서비스와 지각된 서비스의 차이만을 평가하는 것은 환자-가족 중심 간호의 측면에서 간호의 질을 정확히 측정했다고 보기엔 부족함이 있다. 환자-중심 간호(Patient-Centered Care)란 간호수행 계획에 환자를 포함시키고, 환자를 존중하며, 공감을 보여주는 것으로서 간호의 목적과 본질을 나타내는 중요한 개념이다. 간호의 질 향상과 안전을 위한 교육(Quality and Safety Education in Nursing, QSEN) 프로젝트에서는 환자-중심 간호를 가장 중요한 간호역량으로 설정하였다. 임상 질 지표의 특성은 합의된 정의에 근거하고 측정에 필요한 요소를 기술해야 하며 높은 민감도와 특이도를 지니고 타당도와 신뢰도가 확보되어야 한다. 변별력이 높고, 사용자와 명확한 관련성을 지니며 비교 가능하고 근거에 기반해야 한다.

임상 질 지표를 통해 환자는 의료기관 선택 시 활용하고, 의료인은 치료의 효과성을 평가하고, 최선의 치료방법을 선택할 수 있다. 의료기관은 양질의 의료서비스가 효과적으로 제공되는지, 병원 내 다양한 기능들이 어떻게 수행되고 있는지 확인이 가능하다. 또한 정부는 임상 실무와 조직의 과정, 결과 분야의 개선 정도를 비교·평가할 수 있는 계량적 자료로 활용할 수 있다.

- 지표 모니터링 중 개선 활동이 필요한 경우 중요한 단일 사건
- 기대치에서 통계적으로 유의하게 벗어난 양상/경향이 있는 경우
- 성과가 기관이 설정한 절대적 수준(threshold)에 미달한 경우
- 성과가 다른 기관의 성과에 못 미치거나 또는 표준에 미달한 경우
- 과거에 수용하였던 성과 수준을 개선하기를 원하는 경우

목표 설정을 용이하게 하는 방법으로 SMART를 기억해둔다.

목표는 다음의 조건을 갖추어 설정해야 한다.

- Specific: 구체적인
- Measurable: 측정 가능한
- Achievable: 달성 가능한
- Result Oriented: 결과 중심의
- Timely: 주어진 시간 내에

가정간호 질 지표 현황

Home Health Care

1 미국

미국의 메디케어 home health care는 다수의 환자와 보호자가 병원이나 시설보다 자택을 선호하기에, 저렴한 비용으로 의료기관과 유사한 의료서비스를 제공 받아 단기적으로 질병이나 부상의 치료를 받고 장기적으로 최상의 건강상태를 유지하는 데 제도의 목적을 두고 있다. 서비스 기관의 선택을 위한 공개시스템을 두어 환자·보호자 등은 메디케어 웹사이트를 통해 지역 가정건강센터의 기관 정보(이름, 주소, 전화번호, 서비스 개시일, 설립 형태, 제공서비스 종류 등), 질 평가와 환자 경험 결과를 조회할 수 있으며, 질 평가 기반의 평가등급(별 1~5개)을 제공해 소비자가 쉽게 선택할 수 있도록 구성되어 있다.

질 평가는 일상생활 관리, 통증관리, 환자안전 관리, 계획되지 않은 의료기관 내원 예방, 지불 효율성으로 구성되어 있다.

Table 8-3 미국 가정건강센터의 질 평가 내용

구분	세부 내용
일상생활 관리	보행 이동, 침상 출입, 화장실 이동의 빈도
통증 관리	이동 시 통증 경감 정도, 호흡 향상 정도, 수술 후 상처 치유 정도, 욕창 치유 정도 등
환자 안전 관리	시기적절한 치료 수행, 약물교육 수행, 경구투약 교육수행, 낙상 관리, 우울증 관리, 독감 폐렴 예방주사 시행 관리, 당뇨환자의 의사 처방 및 발 관리 수행, 약물 투여 관리
계획되지 않은 의료기관 내원 예방	의료기관 내원 횟수, 응급실 내원 횟수, 재입원율 등
지불의 효율성	치료 에피소드 기간 내 지불 금액 등

[출처: Medicare. Home Health Compare A., 검색 일자: 2019.05.07]

Table 8-4 Home Care Indicators: International Quality Indicator Project

지표	정의	범주
계획에 없던 병원 입원	가정간호를 받던 중 어떤 건강상의 이유로 계획에 없던 입원을 하게 된 대상자의 수	심장계 문제, 카테터 사용 환자의 비뇨기 감염 문제, 내분비 문제, 소화 장기 문제, 손상, 투약 문제, 정신건강 문제, 신경기계 문제, 호흡기계 문제, 피부 감염, 기타 다른 이유
응급치료 서비스를 받은 경우	가정간호를 받던 중 응급치료 요원이 방문했거나 응급실을 방문한 대상자의 수	병원 응급실 방문이나 계획에 없는 주치의의 내방
가정간호의 중단	가정간호를 받는 도중 어떤 이유로 중간에 그만둔 대상자의 수	(이유 구분) 전문치료를 위해, 시설에 들어가기 위해, 가정이 안전하지 않아서, 기타 다른 이유
감염 발생	가정간호 도중 감염 건수	유치도뇨관을 가지고 있으면서 비뇨기 감염의 증상을 보이는 대상자 비율(연령 구분; 75세 미만, 75세 이상), 창상감염, 정맥관 삽입 부위의 감염, 종합 영양주사(TPN) 환자의 전신감염

Table 8-5 **바람직하지 않은 결과 질 지표**

지표	기준치(%)
1. 가정 내에서 낙상이나 사고로 부상을 당하여 응급진료를 받은 경우	1.7
2. 창상감염이나 창상상태의 악화로 응급진료를 받은 경우	1.9
3. 부적절한 약물의 복용, 약물 부작용으로 응급진료를 받은 경우	0.7
4. 과소/과다 혈당으로 응급진료를 받은 경우	0.6
5. 비뇨기관의 감염	1.1
6. 압력성 궤양의 개수 증가	0.4
7. 일상활동 능력(ADL)에서 3가지 이상의 실제적인 감소가 있는 경우	0.5
8. 내복약의 관리에 실제적인 문제가 있는 경우	0.5
9. 기대하지 않은 요양원 입소	3.9
10. 창상치료나 약물보조가 필요하여 지역사회 가정간호에서 퇴록	0.5
11. 화장실 이용 보조를 위해 지역사회 가정간호에서 퇴록(시설 입소 등)	0.2
12. 행동장애로 지역사회 가정간호에서 퇴록	0.8
13. 기대하지 않은 사망	1.1

가정건강관리가 행해지는 특정 시점에 따라 자료를 수집하게 되는 OASIS 항목이다.

- 환자 추적 시트(Patient Tracking Sheet): 환자 추적 시트 정보는 치료 시작 시 수집되고 후속 시점에서 필요에 따라 업데이트된다. 참고로 환자 추적 시트 항목은 각 시점에 대한 데이터 제출 기록에 포함되어야 하지만 치료 시작 시 수집되고 후속 시점에서 필요한 경우에만 업데이트된다.

- 자료를 수집하는 시점
  - Start of Care (SOC): 가정간호를 시작할 때
  - Resumption of Care (ROC): 서비스를 마칠 때
  - Follow-Up (FU): Follow-up
  - Transfer to an Inpatient Facility (TRN)
  - 가정간호에서 종결 여부에 관계없이 입원 환자 시설로 이송할 때
  - Discharge from Agency (DC)
  - 집에서 사망하거나 입원 환자 시설로 이송하는 경우를 제외하고 가정간호를 종결할 때

연방 보건부 산하 메디케어와 메디케이드를 관장하는 Centers for Medicare & Medicaid Services, CMS는 미국 메디케어와 메디케이드 프로그램에서 지급되는 비용이 합리적으로 이루어질 수 있도록 최선의 의료서비스 급여보장과 의료 질 향상의 책임을 지고 있는 국가 보건부 산하 기구이다. CMS 질 관리는 메디케어, 메디케이드 부문에서 보건의료 각 부문 이해관계자들과 파트너십을 전제로, 모든 질 향상 활동에서 연방 및 주정부, 연구자, 전문가, 이해당사자, 소비자단체, 의료 제공자 등과의 협력적 관계를 매우 중요하게 보고 있다. 이러한 연계를 통해 병원, 요양원, 가정간호 기관, 투석시설 등에 대한 질 측정지표를 개발하고 측정함으로써, 협력적 질 향상을 기하고 이러한 정보를 소비자에게 공개하고 있는 것이다.

1) 메디케어의 질 관리 프로그램

전국적으로 2002년 11월 요양원(Nursing Home)에서부터 시작되었으며, 2003년 가정간호기관(Home Health Agency) 및 병원으로 확대되어 왔다. 여기에서 QIOs(Quality Improvement Organizations)는 메디케어 가입자와 서비스 제공자의 의료서비스에 관련된 의사결정을 돕기 위해 질 평가 자료를 생성하고 제공하는 책임을 지고 있다. 이러한 질 관리 활동들은 지속적인 질 표준관리 및 적용을 위해 주정부의 조사 당국과 CMS의 지원을 받게 되어있다.

2) 가정간호기관 질 관리 프로그램

환자가 기능 상태를 회복·유지하도록 가정간호사업소가 얼마나 잘 보조하는지 보여주기 위해서 질 평가지표 결과(Home Health Compare)를 공개해 오고 있다.

(1) 의료적 영역

간호와 재활에 국한하지 않고 의료기기와 보장구까지 지원하고 있으며, 대상자가 쉽게 제공기관의 기본 정보, 서비스 질, 환자 경험 등을 검색 및 비교할 수 있도록 한 것이다. 성공적으로 평가받고 있는 미국의 가정간호 제도는 2000년도 이후 서비스 질 관리를 시작하면서 2009년 기준으로 병원 1일 입원료가 약 6,200불이라고 하면 스킬드 너싱은 622불, 가정간호는 135불에 불과할 정도로 비용 대비 효과적인 체제가 됐다. 미국의 질 관리는 가정간호 대상 환자를 평가하고 일정 액수가 책정된 건강 유지 계획을 세운 뒤 이 금액 안에서 환자의 건강을 유지하도록 하고, 평균보다 우수한 성과를 거두면 인증을 해주는 등 지원을 늘리되, 성과가 떨어지면 지불 보상을 미루는 등 손해를 감수하게 하는 식으로 이뤄진다. 미국의 경우 전문간호사는 급·만성 질환의 진단, 치료, 평가는 물론, 한정적이지만 간단한 수술(피부 생검, 봉합, 석고붕대 등), 처방도 가능하다.

Table 8-6 의미있는 지표영역의 내용

영역	주요 내용
진료전달체계에서 위해를 줄여 진료를 더욱 안전한 진료 제공 (Making Care Safer by Reducing Harm Caused in the Delivery of Care)	• 의료 관련 감염(Healthxare-Associated Infection) • 예방 가능한 의료 위해(Preventable Healthcare Harm)
진료 과정에서 협력자로서 환자와 가족의 참여를 강화 (Strenghen Person and Family Engagement as Partners in their Care)	• 맞춤형 진료를 통하여 각 환자의 목표 설정 (Care is Personalized and Aligned with Patient's Goals) • 선호에 따른 생애 말기 치료 결정 (End of Life Care According to Preferences) • 진료 과정 내 환자 경험 중심(Patient's Experience of Care) • 환자가 보고하는 기능적 결과 중심 (Patient-Reported Functional Outcomes)
진료 협력 체계와 효과적인 의사소통의 증진 (Promote Effective Communication and Coordination of Care)	• 복약 관리(Medication Management) • 입원과 재입원(Admissions and Readmissions to Hospitals) • 의료 정보의 전달과 상호 연계성 (Transfer of Health Information and Interoperability)
효과적인 예방과 만성 질환 치료 증진 (Promote Effective Prevention and Treatment of Chronic Disease)	• 예방적 진료(Preventive Care) • 만성질환 관리(Management of Chronic Conditions) • 정신 건강의 예방, 치료, 관리 (Prevention, Treatment and Management of Mental Health) • 마약류와 향정신성 의약품 오남용 예방과 치료 (Prevention and Treatment of Opioid and Substance Use Disorders) • 위험도 보정 사망률(Risk-Adjusted Mortality)
건강한 삶 영위하기 위한 최선의 진료 제공 증진을 위해 지역사회와 협력 (Work with Communities to Promote Best Practices of Healthy Living)	• 진료의 형평성(Equity of Care) • 지역사회 참여(Community Engagement)
비용적으로 감당할 수 있는 진료 (Make Care Affordable)	• 의료체계의 적절한 사용(Appropriate Use of Healthcare) • 환자 단위 건당 진료(Patient-Focused Episode of Care) • 중증도 보정 총 진료비(Risk-Adjusted Total Cost of Care)

[출처: CMS (Internet). Meaningful Measures Hub. 2019 (citied 2019 August 28)]

(2) 가정전문간호사 교육, 자격, 연한

Home care에 참여하는 간호사에게 학사학위는 최소한의 자격으로 home health에서 간호사의 역할은 care management, care coordination, 교육, 옹호, 행정, 감독, 질 향상 활동 등을 수행한다. 학사학위 간호사는 generalist로서의 기능을 하며 skilled nursing 제공과 care coordination을 할 수 있다. 석사학위를 가진 간호사는 임상 전문가, 전문간호사,

연구자, 행정가, 교육자의 역할을 수행하고, 전문간호사(nurse practitioners)는 허약 노인과 가정에 있는 환자를 대상으로 1차진료를 제공할 수 있다.

Table 8-7 미국 일반가정간호사와 가정전문간호사 역할과 수행 범위

구분	일반가정간호사(Generalist)	가정전문간호사(Specialist)
정의	일반가정간호사는 대상자의 집, 거처, 적절한 지역사회 장소에서 일반가정간호사 수준에서 실무를 한다. 간호사 실무의 초점은 대상자, 가족, 간호제공자를 포함한다. 간호 과정과 옹호의 기술은 가정간호 실무에서 필수적이다. 일반가정간호사는 학사수준이 될 수 있다.	가정전문간호사는 일반가정간호사가 모든 기능을 수행하는 데 자문을 줄 수 있다. 덧붙여, 가정전문간호사는 개인, 가족, 그룹에 대한 확실한 임상적인 경험; 사례관리와 의뢰에서의 전문가; 복잡한 조건을 가진 대상자의 건강관리를 위한 프로그램, 자원, 서비스, 연구를 계획, 수행, 평가하는 데 탁월성을 가진다. 가정전문간호사는 CNS 또는 NP로서의 석사 수준으로 준비된다.
활동 내용	• 대상자와 간호제공자 요구 사정 • 대상자와 간호제공자 교육 제공 • 간호계획 수행 • 간호계획을 확실히 하기 위해 필요한 자원 관리 • 직접적·간접적인 간호 제공 • 다른 학문 분야, 실무자들, 그리고 지불자들과 협조 • 보조자와 비공식적인 간호제공자를 감독하기 • 가정간호사로서 하는 모든 전문적 간호실무는 다음과 같은 책임을 수행하기 위한 기본적인 지식과 기술을 가진다. • 간호계획을 발전시키고 지지하기 위해서 대상자와 가족/간호제공자의 자원을 총체적으로 주기적인 사정 수행 • 최상의 대상자 결과를 지지하기 위해 필요한 지역사회 자원과 보험 자원을 규명하고 조화시킨다. • 수행 향상 활동에 참여한다.	• 고위험 가정간호 대상자의 간호전달에 참여하고 있는 일반가정간호사에게 자문을 제공한다. • 질 향상 과정과 임상프로그램의 위험관리 요인을 구상하고, 모니터하고, 평가한다. • 질 향상 과정과 임상관찰로부터 나온 자료에 근거한 연구 프로젝트를 규명하고 구성한다. • 가정간호 실무에의 적용을 위한 연구 결과를 규명하고 평가하는 데에 있어서 일반가정간호사에게 자원으로써 가능하다. • 가정간호 대상자의 간호를 위해 나타나는 기술적, 환경적, 인지적, 임상적 발전에 대해 일반가정간호사와 다른 건강팀 구성원들을 교육한다. • 가정전문간호사의 전문성을 필요로 하는 선택된 대상자와 간호제공자에게 직접적인 간호를 수행하고 간호를 기록한다.

(3) 가정간호서비스 질 평가

환자진료경험조사(Home Health Consumer Assessment of Healthcare Providers and Systems, HHCAHPS)는 환자에게 가정건강기관에 대한 경험을 묻는 전국 조사이다.

설문 조사는 5가지 주제를 다룬다. 가정건강관리팀은 환자와 얼마나 잘 의사소통했습니까? 가정건강관리팀은 얼마나 자주 전문적인 치료를 했습니까? 가정건강관리팀이 환자와 의약품, 통증 및 가정 안전에 대해 논의했습니까? 환자는 가정건강관리팀의 전반적인 치료를 어떻게 평가합니까? 환자가 가정건강관리팀을 친구와 가족에게 추천하겠습니까?

(4) OASIS (Outcome and Assessment Information Set) 도구

OMAHA 방문간호사협회에서 개발하여 지역사회 보건 간호실무 영역과 대상자의 문제를 나타내며 가정간호의 과정과 결과지표 측정 도구를 사용하여 환자가 기능 상태를 회복·유지하도록 가정간호사업소가 얼마나 잘 보조하는지 보여주기 위해서 질 평가지표 결과(Home Health Compare)를 공개해 오고 있다. CMS는 가정건강기관(Home Health Agencies, HHAs) 제공자가 COVID-19 공중보건 비상사태(Public Health Emergency, PHE)에 대응할 수 있도록 최대한의 유연성을 제공하기 위해 건강 이전 정보(Transfer of Health, TOH)의 질 측정 및 신규 또는 개정된 표준화 환자 평가 데이터 요소(Standardized Patient Assessment Data Elements, SPADEs)를 지원하는 데 필요한 OASIS의 업데이트된 버전의 출시를 연기하고 있다. 업데이트된 버전의 OASIS 출시는 COVID-19 사태가 종료된 후 최소 1년이 되는 연도의 1월 1일로 연기된다. 2019년부터 적용된 OASIS-D는 버전에는 Improving Medicare Post-Acute Care Transformation (IMPACT) 법에서 요구하는 측정 영역을 지원하는 여러 개의 새로운 표준화 항목이 포함되어 있다. IRF-PAI (Inpatient Rehabilitation Facility-Patient Assessment Instrument), 장기 요양 병원 평가 세트 및 최소 데이터 세트(MDS) 표준화를 위해 새로운 항목도 추가되었다. OASIS 항목 M1311은 현재의 표준화된 욕창 측정을 대체하기 위해 새로운 표준화된 욕창 측정을 지원하도록 수정되었다. 제공자와 환자의 부담을 줄이기 위해 다른 시점에서 데이터 요소를 선택하는 것을 포함하여 여러 항목이 제거되었다. Home Health PPS (Prospective Payment System) 및 OASIS 사용에 대한 최신 정보는 아래 '관련 링크' 섹션의 링크를 통해 Home Health PPS 웹 페이지에서 찾을 수 있다.

** 관련 링크*

Home Health Agency (HHA) Center

Home Health PPS Software

Home Health Providers

FFS Expedited Determination Notices

Home Health Quality Reporting Program

Home Health Prospective Payment System (HH PPS) PC Pricer

Jimmo Settlement

Transmittals

Home Infusion Therapy Services

방문간호를 제공하는 기관은 서비스 질 향상에 있어 몇 가지 선택권이 있다. Joint Commission 또는 Community Health Accreditation Program (National League for Nursing) 중 선택하여 인증 받는다. 만약 위의 인증에 참여하지 않으면 Medicare 감독관이 정기적으로 서비스를 검토하기도 한다. 2007년에는 Public Health Accreditation Board (공공보건 인증 위원회)가 설립되어 국가공공보건사업에 대한 인증을 실시하고 있다. 몇몇 방문간호 프로그램은 공공보건부서와 통합되어 운영되고 있기 때문에 이 경우 Public Health Accreditation을 받아야 한다. 2020년 1월 21일 미국 공적 보험인 메디케어, 메디케이드에서 만성 요통치료에 90일 이내 최대 12회까지 침 치료를 보장하기로 결정했다.

환자·보호자 등은 메디케어 웹사이트를 통해 지역의 가정건강센터를 선택할 수 있는 기관정보(이름, 주소, 전화번호, 서비스 개시일, 설립 형태, 제공서비스 종류 등), 질 평가와 환자 결과를 조회할 수 있으며, 질 평가 기반의 평가 등급(별 1~5개)을 제공해 소비자가 쉽게 선택할 수 있도록 구성되어 있다.

방문간호기관에서 인증 신청을 하면 자가보고서 작성 후 실사를 위한 현장방문 점검 실시한다.

현장방문 시에는 간호사와 전문가가 함께 동반하여 가정방문을 나가서 실제 이루어지는 방문간호 절차를 관찰하고 평가한다. 평가영역은 조직 구조, Medicare 조건충족, 방문간호서비스, 방문간호 기록, 대상자 건강수준 결과 등으로 아직 인증평가가 필수는 아니지만 향후 방문간호 기관의 인증을 유지하는 데 필수요건이 될 전망이다.

Overall score after averaging across QMs and rounding to the nearest half star	Quality of Patient Care Star Rating
4.5 and 5.0	5.0 ☆☆☆☆☆
4.0	4.5 ☆☆☆☆½
3.5	4.0 ☆☆☆☆
3.0	3.5 ☆☆☆½
2.5	3.0 ☆☆☆
2.0	2.5 ☆☆½
1.5	2.0 ☆☆
1.0	1.5 ☆½
0.5	1.0 ☆

Cut Points for Star Ratings

Star Rating	Care of Patients	Communications Between Providers and Patients	Specific Care Issues	Overall Rating of Care
1 Star	< 89	< 86	< 77	< 88
2 Star	≥89 to 92	≥86 to 89	≥77 to 80	≥88 to 91
3 Star	≥93 to 94	≥90 to 91	≥81 to 84	≥92 to 94
4 Star	≥95 to 96	≥92 to 94	≥85 to 88	≥95 to 96
5 Star	≥97	≥95	≥89	≥97

Fig 8-4 Home Health Quality of Patient Care Star Ratings

Table 8-8 질 측정도구

Quality 측정 범위에 따른 분류	측정 도구	질 측정의 목적
Patient-level process or outcome 측정	OASIS/OBQI	Agency의 질 향상과 모니터링
	MDS-HC	
소비자(환자)의 서비스 이용 경험을 측정	Home care Satisfaction Measure	소비자의 서비스 만족도 조사
	Participant Experience Survey	소비자의 서비스 이용 경험을 측정
	CAHP Health Plan Survey	
예방적인 영역의 질 평가	Prevention Quality Indicators	병원이나 지역사회, 정책 결정자에게 정보를 주기 위함
	Home-Based Primary Care Quality indicator	

[출처: MDS-HC: Minimum Data Set-Home Care]

MDS-HC (Minimum Data Set-Home Care) 특히 가정간호에서 노인들의 요구, 강도, 선호를 평가하는 총체적이고 표준화된 도구 중 하나이다. 인구학적 특성, 기능적, 인지적 상태, 케어 플랜과 관련된 간호 요구와 같은 정보 포함하고 있으며 버전을 계속 업데이트 하면서 발전시켜 나가고 있다.

2 영국

영국은 의료서비스가 1차의료 중심이며 의료서비스, 공공보건, 사회복지서비스를 제공하는 사람들을 위한 지표가 마련되어 있고 국가 및 지역기관에서 보건의료서비스의 질을 평가하고 개선하는 데 활용하고 있다. NHS(National Health Services)의 핵심 사업은 현재와 미래 세대 모두에게 양질의 의료서비스를 제공하는 것이다. NHS는 Health and Social Act에 의료의 질을 임상적 효과성, 환자 경험, 환자 안전의 3가지 차원으로 명문화하고 있으며, 3가지 차원의 질은 각기 분리된 형태가 아니라 동시에 평등하게 제공되는 것에 초점을 두고 있다. 그리고 NHS는 의료의 질과 관련하여 (1) 질에 대한 명확한 정의(bring clarity to quality), (2) 질 측정(measuring quality), (3) 질 공개(publish quality), (4) 질 향상에 대한 보상(reward quality), (5) 질 관리를 위한 리더십(leadership for quality), (6) 질 관리로 인한 서비스의 혁신(innovate for quality), (7) 의료의 질 보장(safeguard quality)이라는 7가지 형태로 관리하고 있다.

영국의 국립보건임상연구소(NICE)는 서비스 이용자에게 최선의 결과 제공에 초점을 두고, 보건 및 사회복지 시스템에 대한 정보의 비전을 구체적으로 지원하고 있다(Health and Social Care Act, 2012). 그리고 NHS가 서비스를 의뢰하고 있는 모든 기관들의 추가적인 지표 개발 과정을 관리하고 질 표준 및 지침을 제공함으로써, 서비스의 질과 비용효과성 판단은 물론, 의료기관의 성과 파악에도 도움을 주고 있다. 가정건강관리 업체에 대해서는 CQC (Care Quality Commission)가 Homecare agnecy의 범죄 기록 확인, 주요 관리자와의 인터뷰, 서비스 제공 방법에 대한 자세한 검토를 하여 등급에 대해 공개한다.

가정관리 서비스를 5개 영역(안전, 효과적, 배려, 대응 및 잘 주도된 서비스)에 대하여 평가한다. 그 결과는 등급으로 녹색별(뛰어남), 녹색원(양호), 황색원(미진), 빨간색원(부적절함), 회색원(등급 없음, 이의 제기 중, 등급 정지)로 나타낸다.

- Green star : Outstanding-서비스가 매우 잘 수행되고 있음
- Green circle : Good-서비스가 잘 수행되고 기대 수준을 충족함

- Amber circle : Requires improvement improvement-서비스가 제대로 수행되지 않고 있으며 개선점을 알렸음
- Red circle : Inadequate-서비스가 제대로 수행되지 않고 있으며 서비스 제공자에 대해 조치를 시행함
- Grey circle : No rating/under appeal/rating suspended-평가할 수 없는 일부 서비스가 있지만 일부 서비스는 제공자가 이의 제기 중일 수 있음. 정지된 등급은 검토 중이며 곧 게시될 예정임

3 호주

전문가, 소비자, 정부 및 이해관계자와 협력, 지표 개발 및 검토, 적합한 여러 인증프로그램을 보유 및 제공, 국가보고서를 2년마다 발간하여 인증실적에 대한 정보제공를 제공, 의료기관인증, CIP (Clinical Indicator Program), 임상 질 지표 개발 및 평가, 그 외 의료서비스의 질 향상을 위한 비교보고서, 정보, 교육, 자문을 제공하고 있다. 평가지표의 구성 항목은 근거, 보고기간, 포함 기준, 제외 기준, 자료 정제 기준, 지표 용어 정의, 지표(분자, 분모, 비교값, 지표유형), 배경, 참고문헌이 있다.

Table 8-9 Australian Council on Healthcare Standards (ACHS)

평가지표 항목	내용
근거(Rationale)	
보고 기간(Reporting Period)	
포함 기준(Inclusions)	
제외 기준(Exclusions)	
자료 정제 기준(Data Cleaning Rules)	
지표 용어 정의(Definition of Terms)	
지표(Indicator)	• 분자(Numerator) • 분모(Denominator) • 비교값(Desirable Rate) • 지표 유형(Indicator Type)
배경(Background)	
참고문헌(Reference)	

4 한국

아직 우리나라 가정간호사업 실시기관의 질 관리 활동 수준은 아직까지 미흡한 실정으로, 다양한 외국의 도구를 사용하여 적절한 질 지표 항목을 구성하려는 시도가 지속되고 있다. 그러나 기관마다 질 관리의 통일된 체계적인 기준과 표준이 부족하거나 마련되지 않은 것으로 나타났으며, 의료기관 서비스 평가에 가정간호 질 평가는 포함되지 않았을 뿐 아니라, 전문직 단체에서도 가정간호서비스의 질을 규제하는 질 관리 체계가 없으며 단지 사업관리 및 운영 등에 관해서 2022년 보건복지부가 개정 편찬한『의료기관 가정간호 업무편람』지침에 의해 시행되고 있는 실정이다. 또한 세부 지표를 구성하는 내용이 확립되지 않은 상태이다. 따라서 가정간호사업 실시기관의 자체적인 질 관리 활동 수준은 가정간호 대상자 만족도 조사를 실시하는 정도로 나타났으며 병원급 및 의원급에서는 질 관리 활동을 전혀 하지 못하고 있는 것으로 조사되었다.

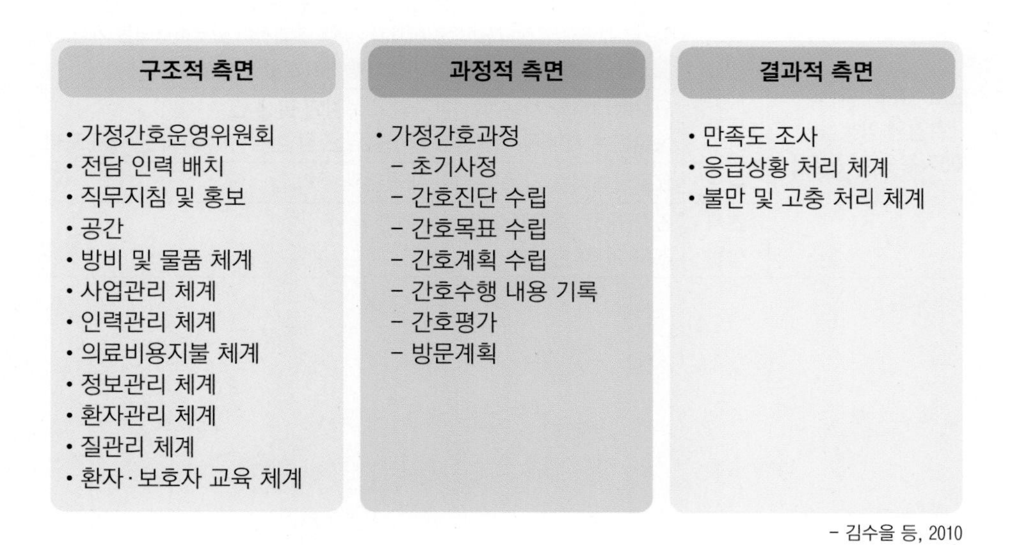

Fig 8-5 **가정간호서비스의 질 관리 체계 영역 설정을 위한 조사연구**

임상에서 사용하고 있는 간호의 질 지표로서 가정간호에서도 적용하는데 의미가 있는 것으로 중심정맥관 관련 혈류감염 발생률과 요로카테터 관련 요로감염 발생률이 있을 수 있겠다.

Table 8-10 질 지표 예시

지표명	설명	
중심정맥관 관련 혈류감염 발생률 [1,000기구-명-일당]	정의	1,000기구-명-일당 중심정맥관 삽입 후 혈류감염의 발생 건수 * 혈류감염이 발생한 환자의 lawkd osqnsk 심장 부근 또는 큰 혈관 중의 하나에 2일을 초과하여 중심정맥관을 가지고 있었고 감염일 또는 그 전 날 중심정맥관을 가지고 있었던 경우(삽입일을 1일로 계산함)
	분자	중심정맥관을 사용하는 환자의 혈류감염 발생 건수 동일한 환자에게서 발생한 혈류감염은 감염 시마다 각각 분자에 포함
	분모	중심정맥관을 사용한 일일 재원환자 수의 합
	조사 방법	조사 대상: 중환자실에 재원한 환자 조사 기간: 분기별
요로카테터 관련 요로감염 방생률 [1,000기구-명-일당]	정의	1,000기구-명-일당 요로카테터 삽입 후 요로감염의 발생 건수 * 요로 감염으로 진단을 받은 환자가 2일을 초과하여 요로카테터를 가지고 있었고 감염일 또는 그 전날 요로카테터를 가지고 있었던 경우
	분자	요로카테터를 사용하는 환자의 요로감염 발생 건수 동일한 환자에게서 발생한 요로감염은 감염 시마다 각각 분자에 포함
	분모	요로카테터를 사용한 일일 재원환자 수의 합
	조사 방법	조사 대상: 중환자실에 재원한 환자 조사 기간: 분기별

가정간호 질 향상 발전 전략

V

Home Health Care

1 Transitional care 전환 간호

환자가 동일한 위치 내에서 다른 위치, 또는 다른 수준의 치료 간에 이동할 때 의료서비스의 조정 및 연속성을 보장하기 위해 설계된 일련의 조치로서 대표적인 위치에는 병원, 아급성 및 급성 후 요양시설, 환자의 자택, 1차의료 전문진료실, 장기요양 시설이 포함되지만 이에 국한되지 않는다. 의료 전환은 의료시스템 전반에 걸친 환자의 여정에 없으면 안 될 부분이다. 1차의료에서 병원 진료로, 병원에서 일차진료로의 전환을 효과적으로 관리하는 것이 필수적이다.

가정간호는 이러한 급성 중증 환자가 만성질환으로 전환하는 과정에서 그 역할이 요구되고 있으며 필요시 지역사회 방문간호로의 연계가 의미가 있다고 할 수 있다. 따라서 일관된 표준으로 접근하여 제외 상황이 무수히 고려되는 것보다 환자맞춤형으로 가정간호 제공 시 요구되는 자원을 결정하기 위해 대상자를 사정 분류하는 방법, 가정간호 요구에 대해 가장 적절한 예측인자를 발견해 내고 주요 범주의 분류 기준과 몇 단계로 분류 기준을 설정할지는 개별 병원에서, 간호 단위에서 결정하는 것도 고려해야 한다.

전환 과정에서의 문제로 확인된 것은 다음과 같다.

- 사망률 증가
- 이환율의 증가(일시적 또는 영구적 부상 또는 장애)
- 부작용 증가
- 적절한 치료 및 지역사회 지원을 받는 데 지연
- 추가 1차의료 또는 응급실 방문

- 추가 또는 중복 검사 또는 후속 조치에 실패한 검사
- 예방 가능한 병원 재입원
- 서비스 사용자, 간병인 및 가족의 정서적, 육체적 고통 및 통증
- 치료 조정에 대한 환자 및 제공자 불만족

2 환자 참여

환자도, 보호자도 방문을 담당하는 가정전문간호사도 안전하게 가정간호가 이루어지도록 해야 한다. 가정간호 대상자의 합병증 예방, 건강관리 능력 향상, 최상의 건강 상태 유지, 일상생활 활동 증가, 편안하고 존엄한 임종 등 가정간호에서의 장기 목표와 간호진단 하에 우선순위에 따른 단기 목표를 달성하려면 환자 및 보호자의 참여가 필수적이다.

『Global Patient Safety Action Plan 2021 - 2030』에서 위해를 제거하기 위해 지켜야 할 지침의 원칙을 다음과 같이 제시하였다(Geneva,2021).

① 환자와 가족을 환자안전의 파트너로 참여
- 환자와 가족을 치료 과정에 참여시키고 권한 부여
- 공유 의사 결정 촉진, 안전한 의료 과정 경험 지원

② 협력을 통해 성과 달성
- 의료기관, 보건의료 이해당사자, 국가정책 당국에 이르기까지 환자안전 향상을 위한
- 협력적 생태 시스템 구축

③ 학습을 위해 데이터를 분석하고 공유
- 환자안전 보고 학습시스템의 활성화
- 데이터의 품질과 신뢰도를 높이는 노력
- 데이터로 도출된 정보가 변화와 개선으로 연계

④ 근거를 실행 가능하고 측정 가능하게 변화시키고 이행

- knowing-doing의 격차 줄이고 근거에 기반한 우수 실무(best practice) 확산

⑤ 치료 환경의 특성에 따른 기본 정책과 조치 이행

- 자원이 풍부한 상황과 부족한 상황 등 지역적 상황에 맞게 환자안전 정책과 솔루션을 조정하여 적용

⑥ 과학적 전문성과 환자 경험을 모두 활용하여 안전 증진

- 환자안전 전문가의 과학과 기술에 대한 전문성과 환자와 가족의 경험이 융합되어 개선을 이끌게 될 때 최상의 성과 도출 가능

⑦ 보건의료 설계와 제공에 있어서 안전 문화 고취

- 안전 문화 필수 요소인 리더십, 투명성, 개방적 의사소통, 오류로부터의 학습 등 증진

또한 건강관리에서 피할 수 있는 위해를 제거하는 방향으로 다음과 같은 실천 방법을 제시하였다(Geneva, 2021).

(1) 기억에 대한 의존 줄이기

- 체크리스트와 프로토콜의 사용: 여러 단계가 연결되어 있거나 단계를 정확하게 이행하는 것이 매우 중요한 경우 유용
- 표준화
- 투약, 기기, 물품, 규정 등의 변화를 최소화하여 수행의 일관성을 증대시키기
- 색깔로 짝 맞추기: 잘못된 아이템을 혼돈하여 사용하는 것을 방지(예 정맥주입관과 경장영양관을 함께 사용 시)
- 사전 포장(pre-packing)
- 중요한 모든 항목 미리 준비
- 추가 항목으로 인해 작업이 방해 받는 것 감소

- 자동신호 암시(automated reminders)
- 결정적 순간에 중요한 정보 제공

(2) 각성에 대한 의존 줄이기

- 바코딩: 환자확인 절차 간소화
- 실수의 기회 차단: 병동에서 칼륨 용액의 제거
- 디자인에 일반적인 직관의 논리 적용(예 강도를 증가시키기 위해서는 손잡이를 오른쪽으로 돌림, 위험신호로 빨간색 사용 등)

다음은 질 향상 활동의 전략적 운영에 도움이 되는 10가지 요소이다(Ernst & Young Quality Consulting Group 제시).

① 최고 경영진은 비전을 개발하여 조직 전체에 알리고, 비전이 달성될 때까지 조직 차원의 헌신을 유도하는 책임이 있다.
② 비전은 연간 계획의 수립과 실행을 통하여 전개되도록 한다.
③ 모든 직원들은 비전을 달성하기 위한 전략과 행동 계획에 활발하게 참여한다.
④ 각각의 단계에서, 점진적으로 연간 계획을 달성하기 위한 상세하고 구체적인 방안을 수립한다. 즉, 현장 실무자에서 최고경영층에 이르기까지 활동들이 공통의 목표와 명확히 연결되어 있어야 하고, 계획은 최고 경영진에서부터 아래로 순차적으로 이어지도록 한다.
⑤ 우선순위를 설정하고, 질 향상을 우선적으로 추진해야 하는 영역을 정하고, 비전과 가장 밀접하게 연관되어 있는 활동에 자원을 집중하도록 한다.
⑥ 업무 추진, 실행 경과표, 업무의 진전도 등의 척도를 정한다.
⑦ 정기적인 감사를 통해 평가와 수정이 가능하도록 하고 수시로 환류가 가능하게 한다.
⑧ 단지 증상의 처방보다는 문제/상황의 근원적인 원인 분석에 기반을 둔 계획과 조치를 수립한다.
⑨ 계획은 업무 실행 시 예상되는 문제를 포함한 상세한 사항이 포함되도록 한다.
⑩ 단순한 결과 지향이 아닌 과정의 개선에 중점을 둔다.

끝으로 가정간호사업소의 질 향상 목표 달성을 위해 표준화된 평가 제도를 도입하기 위해 현장에서는 꾸준한 연구를 통해 그 타당성을 확립하고, 소규모 사업소의 경우 경영 부담으로 질 향상 축소 가능성이 있으므로 규모에 상관없이 질 관리 활동에 대한 별도 수가 신설 등 제도적인 지원이 필요하겠다. 또한 외국의 질 지표를 그대로 우리나라에서 적용하는 데 문제가 있을 수 있고, 몇 가지 질 지표만으로는 제대로 평가하기 어렵다. 가정간호사업소마다 제공되는 서비스 초점이 다르기 때문에 좋은 서비스가 반드시 좋은 결과를 보장하지 않는 데 있다. 같은 의료 중증질환자라도 질병에 따라서 관련 평가지표가 달라질 수 있다. 즉 뇌졸중 환자와 말기암환자에서 동일한 기능 상태 관련 지표를 요구한다는 것은 무리이다. 말기암환자에게는 통증 지표가 더 유용할 수도 있기 때문이다.

참고문헌

1. 황수희 : 주요 국가들의 보건의료체계 성과보고서 발간 현황 및 주요 내용, [건강보험심사평가원] HIRA_정책동향, 10: 78-86, 2016.
2. 김문숙, 김은경, 김정희, 김현아, 김효선, 박선경 외 : QI 실무자에게 배우는 질 향상 활동지침서. 한국QI 간호사회. 서울. 이노맥스, 2010.
3. 김수올, 신혜선, 김광숙 : 가정간호서비스 질 평가기준 설정을 위한 조사연구. 가정간호학회지 17: 85-94, 2010.
4. 김용순 외(2008). 가정간호총론. 군자출판사. P 247-282.
5. 보건복지부; 대한간호협회 : 간호수발서비스 질 평가 도구 개발: 노인장기요양보험제도 방문간호서비스 질 평가 도구 개발. 경기도: 보건복지부, 2007.
6. 이요셉 : 미국과 싱가포르의 방문의료·돌봄서비스 동향, [건강보험심사평가원] HIRA_정책동향, 13(3); 83-97, 2019.
7. 이은정, 박종혁. 이광수, 신재용, 김재현. 곽진미 외 : 의료 질 관련 평가지표 분류체계 개선방안 최종보고서. 건강보험심사평가원, 2019.
8. 장현숙, 김은경, 유선주, 박성희, 김혜영, 조혜숙 외 : 의료기관 중심 가정간호서비스의 질 관리체계 및 평가도구의 개발, 보건복지부 한국보건산업진흥원, 한국보건산업진흥원, 2002.
9. 조원정 외 : 지역사회중심 가정간호사업 개발 및 평가. 지역사회간호학회지 15: 209-217, 2004.
10. Donabedian, A. An introduction to quality assurance in health care, Rashid Bashur, ed. New York: Oxford University Press, 2003.
11. Hopkins EJ, Sayger SA, & Westman JS. Quality Improvement in Patient Distribution at a Major University Student Health Center. Journal of American College Health Institute 50: 303-308, 2002.
12. Joint Commission on Accreditation of Healthcare Organizations. Comprehensive accreditation manual for home care, standards manuals for home care-(2003). Oakbrook Terrace, IL: JCAHO, 2004-2005.
13. Lee, S. I. Healthcare accreditation in Korea: the current status and challenges ahead. Health Policy and Management 28: 251-256, 2018.
14. Mainz J. Defining and classifying clinical indicators for quality improvement.IJQHC 15: 523-530, 2003. 523- 530
15. Ransom ER, Joshi MS, Nash DB, Ransom SB. The Healthcare Quality Book(2nd ed). Chicago, Health Admission Press, 2008

16. Moen R & Norman C. Evolution of PDCA Cycle. Asian Network for Quality Congress, September 15-19, 2009.
17. Seo JH. Patient safety in small or medium hospitals and clinics: current status and policy issues. Health and Welfare Policy Forum, 242: 84-94, 2016.
18. The Ernst & Young Quality Improvement Consulting Group: Total Quality: A Manager's Guide for the 1990's. Lincoln, United Kingdom, 1992.

참고사이트

1. Agency for Healthcare Research and Quality. Quality Measures: Nursing Homes, Home Health Agencies, Hospice | Agency for Healthcare Research and Quality. Available from https://search.ahrq.gov/search?q=home+health. accessed Nov 21, 2021
2. Agency for Healthcare Research and Quality. Measuring the Quality of Home Health Care. Available fromhttps://www.ahrq.gov/talkingquality/measures/setting/long-term-care/home-health/measurement.html. accessed Nov 21, 2021
3. Agency for Healthcare Research and Quality. Technical Notes for HHCAHPS Star Ratings. Available from https://homehealthcahps.org/Portals/0/HHCAHPS_Stars_Tech_Notes.pdf. accessed Nov 21, 2021
4. Australian Council on Healthcare Standards (ACHS). Health and Social Care Act, 2012. Available from https://www.achsi.org/performance-outcomes/clinical-indicator-program/. accessed Nov 21, 2021
5. Centers for Medicare and Medicaid Services. Data Compendium, 2021. Data Compendium. Available from https://www.cms.gov/Research-Statistics-Data-and-Systems/Statistics-Trends-and-Reports/DataCompendium. accessed Nov 21, 2021
6. Centers for Medicare and Medicaid Services. OUTCOME ASSESSMENT INFORMATION SET VERSION E (OASIS-E). Available from https://www.cms.gov/Medicare/Quality-Initiatives-Patient-Assessment-Instruments/HomeHealthQualityInits/OASIS-Data-Sets. accessed Nov 21, 2021
7. Centers for Medicare and Medicaid Services. Home Health Care CAHPS®Survey Protocols and Guidelines Manual, 2020. Available from https://www.cms.gov/files/document/pandgmanual2020.pdf. accessed Nov 21, 2021
8. Organisation for Economic Co-operation and Development. Caring for quality in health: lessons learnt from 15 reviews of health care quality, 2017. Paris, France. Available from https://www.oecd.org/els/health-systems/Caring-for-Quality-in-Health-Final-report.pdf. accessed 12 July 2021.
9. World Health Organization. The conceptual framework for the international classification for patient safety. Geneva: World Health Organization; (2009). Available from https://www.who.int/publications/i/item/he-conceptual -framework-forthe-international-classification-for-patient-safety-(icps). accessed 12 July 2021.
10. World Health Organization. Global Patient Safety Action Plan 2021–2030, Towards Zero Patient Harm in Health Care, 2020. Available from https://www.who.int/teams/integrated-health-services/ patient-

safety/policy/global-patient-safety-action-plan. accessed Nov 21, 2021

11. World Health Organization. Transitions of care. World Health Organization. Available from https://apps.who.int/iris/handle/10665/252272. accessed Nov 21, 2021

제 9 장

가정간호 대상자 교육 및 상담

학 / 습 / 목 / 표

① 교육요구의 사정 내용을 설명할 수 있다.
② 교육요구의 우선순위를 결정할 수 있다.
③ 교육목표 설정의 목적을 설명할 수 있다.
④ 학습목표 설정 시 고려해야 할 사항을 적용하여 설정할 수 있다.
⑤ 학습목표를 달성할 수 있는 학습내용을 설정할 수 있다.
⑥ 교육방법의 장·단점을 설명할 수 있다.
⑦ 교육매체의 장·단점을 설명할 수 있다.
⑧ 교육평가의 유형을 설명할 수 있다.
⑨ 상담 전개과정을 설명할 수 있다.

가정간호 대상자 교육

Home Health Care

환자와 돌봄 제공자를 포함한 가정간호 대상자를 위한 교육 프로그램을 계획할 때에는 ① 학습목적, ② 목표, ③ 방법 및 활동, ④ 자원과 장애요소, ⑤ 수행계획, ⑥ 평가계획의 여섯 가지 핵심요소를 포함해야 한다. 교육 프로그램 개발은 하나의 과정이므로 상호작용하면서 순환적으로 기획한다. 기획은 기획집단 구성 → 요구도 사정과 사정결과를 기반으로 한 목적 설정 → 구체적인 프로그램의 목표 수립 → 자원과 장애요소 파악 → 교육방법과 매체 선정 → 수행계획 → 평가계획의 순으로 진행한다.

1 교육요구 사정

가정간호 대상자 교육의 첫 단계는 교육에 대한 요구를 사정하는 것이며, 요구 사정을 바탕으로 교육의 우선순위를 결정한다.

1) 교육요구

요구도는 프로그램의 목적과 목표를 설정하는 근거이며, 프로그램 종료 시 변화를 측정, 평가할 수 있는 기초이므로 요구도 사정은 교육 프로그램 개발에서 가장 중요한 부분이다. 요구란 현재 상태와 기대되는 미래 상태 혹은 바람직한 상태의 차이이며, 이 차이는 문제나 관심사 또는 차이를 메우기 위해 필요로 하는 해결책을 의미하기도 한다. 브래드쇼(Bredshow)는 교육요구를 규범적 요구, 내면적 요구, 외향적 요구와 상대적 요구의 네 가지 유형으로 구분하였다.

규범적 요구(normative needs)는 건강관리전문가의 전문적인 판단에 의해 규정되는 요구이며, 내면적 요구(perceived needs)는 학습자의 개인적인 생각이나 느낌에 의하여 인식되는 요구이다. 외향적 요구(expressed needs)는 학습자가 언행으로 표현하는 요구이며 행위로 전환된 것이다. 마지막으로 상대적 요구(comparative needs)는 다른 집단이나 타인과 달리 특정 집단 또는 특정 개인만이 가지는 고유한 문제로 각기 다른 집단(개인)의 특성에서 비롯되는 요구이다.

교육요구를 사정할 때에는 학습자의 관심과 흥미를 유발할 수 있는 주제, 학습자의 특성과 준비상태, 학습자의 건강문제 등을 포함해야 한다. 특별히 학습자의 학습능력과 준비는 신체적, 정서적인 준비 상태뿐 아니라 경험과 지식 정도에 대해서도 얼마나 준비되었는지 검토해야 한다. 신체적인 준비 정도는 학습자가 건강행위를 수행하는 데 있어 영향을 미칠 수 있는 신체적인 측면의 내용으로 학습자의 성별, 기능 정도, 건강상태, 신체상태, 신체에 직접 영향을 주는 환경 등이 포함된다. 정서적 준비란 건강행위에 필요한 노력을 최대한 투입하려는 학습자의 동기에 해당하는 것으로 불안수준, 지지체계, 동기화 정도, 마음상태, 발달단계 등이 포함된다. 경험적 준비란 새로운 학습과 관련된 교육 이전의 경험이나 훈련으로써, 학습자가 가지고 있는 배경, 성공 경험, 과거의 대처기전, 내적·외적 통제위, 지향점 등을 사정한다. 지식에 대한 준비는 학습자의 지식기반, 학습능력 정도, 선호하는 학습 유형을 의미하는 것으로, 지식 정도, 인지적 능력, 학습장애, 학습 유형 등을 포함한다.

2) 교육요구 사정 단계

요구도 조사 단계는 자료수집 단계, 자료분석 단계와 분석자료를 종합하는 단계가 포함된다. 첫 번째 자료수집 단계에서는 1차 자료와 2차 자료를 이용하여 자료를 수집하는 단계이다. 1차 자료를 수집하는 방법에는 설문조사, 면담조사, 전화면담조사, 전자우편조사, 집단면담조사, 초점집단면담, 명목집단기법, 델파이기법, 지역사회 공청회, 관찰, 자가진단 등이 있다. 2차 자료는 정부기관이나 대학 연구소 등 다양한 자료원을 통해 수집할 수 있다.

두 번째 단계는 자료분석 단계로 건강문제와 관련된 유전적, 환경적, 행위적 요인을 파악하고 건강행동에 영향을 미치는 요인을 확인한다. 마지막 단계인 조사분석자료를 종합 단계에서는 건강문제와 관련된 위험요인을 확인하고 요구도의 우선순위를 정한다.

3) 요구의 우선순위 결정

가정전문간호사가 대상자의 교육 요구를 달성시키기 위해서는 요구의 우선순위를 결정하는 것이 선행되어야 한다. 급·만성질환이 있는 가정간호 대상자의 요구는 대부분 신체적 요구 또는 생존적 요구에 국한되어 있다. 이들 학습요구의 우선순위는 다음과 같은 질문을 통해 결정할 수 있다. 급·만성질환이 있는 가정간호 대상자에게 가장 시급한 요구는 무엇인가? 가정간호 대상자가 이미 알고 있는 건강지식과 건강행동은 무엇인가? 어떤 학습요구가 해결되지 않았는가? 생명에 위협을 주는 것은 없는가?

가정간호 대상자에게 필요한 환자교육 내용은 질병진단과 관련하여 해부, 생리, 원인, 전염성 여부, 악성인지 유전성인지를 다루어야 하고, 질병으로 인해 발생 가능한 합병증과 합병증의 원인, 예방, 초기증상 등을 다루어야 한다. 질병관리방법으로는 수술, 방사선요법, 식이, 운동, 이완요법, 투약, 행위수정과 조정, 환경조절, 보조기구사용법, 압박스타킹 착용법, 온습포 사용법 등을 다루어야 한다. 또한 질병을 악화시킬 수 있는 식품이나 술, 담배, 약물, 작업, 대인관계, 환경과 함께 질병치료 관리에 사용 가능한 사회심리적, 경제적 자원, 교육자료 등이다.

2 학습목표 설정

학습목표란 학습과정의 결과로서 기대되는 행동을 말한다. 학습목표를 설정하는 것은 바람직한 학습경험을 계획하고, 수행하고, 평가하도록 안내하는 지침으로 사용하기 위함이다. 따라서 학습목표는 대상자와 교육자가 함께 계획하며, 구체적이고 달성 가능하도록 설정하여야 한다.

학습목표는 일반적 학습목표와 구체적 학습목표로 나누어 기술한다. 일반적 목표는 학습과정을 통하여 대상자가 전반적으로 갖추어야 할 기능과 역할에 대한 기술로, 추상적이며 학습의 전반적인 방향을 제시한다. 구체적 목표는 학습과정을 마친 후 수행할 수 있는 과제나 임무에 해당하며, 그 결과는 관찰 가능하고 측정할 수 있는 행동지침으로 제공한다. 다음은 학습목표의 한 예이다.

사례

가정전문간호사는 활동은 미약하지만 실습이나 피부손상이 없는 환자의 부인에게 남편을 간호하도록 교육하고자 한다. 부인의 말에 의하면 환자는 똑같은 자세로 4시간 정도 누워 있다고 한다.

■ 일반적 목표
욕창 발생을 예방한다.

■ 구체적 목표
- 색, 감각, 마사지에 대한 감각의 기준을 적용하며 조직 손상의 흔적 여부를 인식한다(인지-이해, 정신운동-지각 수준).
- 최소한 2시간 단위로 체위를 변경한다(인지-이해 수준, 정신운동-기계화).
- 모든 침구는 주름이 없게 한다(인지-이해 수준, 정신운동-기계화).
- 체중부하가 되는 신체부위는 체위 변경 시마다 마사지한다(정신운동-기계화 수준).
- 가정전문간호사에게 피부손상이나 실금을 관찰하면 4시간 이내에 보고한다(인지-지식 수준).

학습목표를 기술할 때는 '상위체계와의 관련성', '논리성', '실현가능성', '관찰가능성', '측정가능성' 등이 고려되어야 한다. 또한 목표를 기술하는 구체적인 방법은 "무엇을, 누가, 어디서, 언제, 어느 만큼 성취한다."와 같이 목표의 구성요소 다섯 가지 내용이 한 문장 내에 포함될 수 있다. 목표 설정 시 SMART 전략을 가장 많이 사용한다.

구체적(Specific)이어야 한다. 이는 목표가 성취하고자 하는 것을 가능한 한 명확하고 구체적으로 표현해야 한다는 것으로, 목표의 범위가 좁을수록 목표를 달성하기 위해 필요한 단계를 더 잘 이해할 수 있게 된다.

측정가능(Measurable)해야 한다. 이는 어떠한 근거를 가지고 목표를 설정하는가에 대한 증거를 댈 수 있어야 하는 것을 의미하며, 이정표를 정한다면 이정표에 따라 재평가하거나 과정을 수정할 수 있어야 한다. 이정표대로 성취했을 시 작지만 의미 있는 방법의 보상이 따른다.

성취가능(Achievable)해야 한다. 일정 기간 내에 합리적으로 달성할 수 있는 목표를 설정하는 것은 집중력과 동기를 부여하는 데 도움이 될 수 있다. 따라서 목표는 지금 성취할 수 있는 것인지 혹은 나중을 위해 더 준비가 필요한지 먼저 결정하고 목표를 설정해야 한다.

관련성(Relevant)이 있어야 한다는 것은 설정한 목표가 장기 목표 혹은 일반적인 목표와 일치하여야 한다는 것이고, 때론 학습자의 가치관과도 일치해야 하는 경우도 있다. 목표 달성이 학습자에게 어떤 도움이 될 것인지, 장기 목표에는 어떻게 기여할 것인지 확인해야 한다.

시간 제한(Time-bound)을 정해야 한다. 목표 기간을 어떻게 정할 것인가를 먼저 고려해야 동기도 부여되고 우선순위를 정하는 데 도움이 되며, 또한 평가의 지침이 되기도 한다.

학습목표 기술 시 추가적으로 고려해야 할 사항은 다음과 같다.

- 교육자의 학습목표로 진술하지 않으며, 학습자의 행동변화를 학습목표로 설정한다.
- 학습과정을 목표로 서술하지 않으며, 학습결과로 변하게 될 행동을 목표로 진술한다.
- 하나의 목표 속에 두 가지 학습결과를 포함시키지 않는다.
- 세부 학습목표를 지나치게 세분화하지 않는다(1시간 교육: 1~3개의 학습목표가 적절).

1) 목표의 구성요소

목표는 변화내용, 행동, 조건, 기준의 네 부분으로 구성하여야 한다. 내용은 무엇을 가르칠 것인가를 말하고, 행위는 대상자가 해야 할 활동으로써 '쓰다, 순서대로 놓다' 등과 같이 눈으로 볼 수 있는 것(명시적)과 '더하다, 확인하다, 해결하다' 등의 볼 수 없는 것(암시적)도 있다. 조건은 대상자가 해야 할 활동이 특정한 조건에서 행해질 때 기술해야 하며, '~도구가 주어진다면', '~까지' 등이 이에 해당된다. 기준은 대상자가 어느 정도 수행해야 학습이 성공적이라고 할 것인가를 명시하는 것이다. 내용과 행위동사는 반드시 포함해야 하며, 특히 행동은 행위동사로 표현하며 명시적인 것으로 기술하도록 한다.

목표의 예시

- 환자는 보호자가 없을 때(조건) 무균적으로(기준) 인슐린(내용)을 자가주사할 수 있다(행동).
- 환자는 정해진 시간에(기준) 약을(내용) 먹을 수 있다(행동).
- (투약교육 후) 환자는 나타날 수 있는 약물의 부작용을(내용) 열거할 수 있다(행동).
- 보호자는 환자의 식이 변화를(내용) 가정전문 간호사에게 보고할 수 있다(행동).
- 환자의 보호자는 2시간마다(기준) 체위를(내용) 변경해 준다/변경할 수 있다(행동).

2) 학습목표의 분류

(1) 인지적 영역

① 지식(knowledge) 수준: 정보를 회상해 내거나 기억하는 것을 말한다.
② 이해(comprehension) 수준: 가장 낮은 수준의 이해이며, 개인은 무엇이 의사소통되고 있는가를 알며, 의사소통되고 있는 물질이나 아이디어를 다른 것과 관련시키지 않고 사용할 수 있다.
③ 적용(application) 수준: 구체적이고 특수한 상황에 일반적인 아이디어나 규칙, 이론, 기술적인 원리 혹은 일반화된 방법의 추상성을 사용한다.
④ 분석(analysis) 수준: 표현된 아이디어의 위계와 관계가 분명해지도록 의사소통을 부분으로 나누는 것을 의미한다. 이는 의사소통을 분명히, 조직적으로 그리고 효과적으로 하기 위함이다.
⑤ 합성(synthesis) 수준: 부분이나 요소들을 합하여 그 전에는 분명하게 보이지 않았던 양상이나 구조로 구성하는 것이다.
⑥ 평가(evaluation) 수준: 주어진 목표에 대하여 자료나 방법의 가치에 관해 판단하는 것으로, 자료와 방법이 범주를 충족시키는 정도에 관해 질적 및 양적으로 판단한다.

(2) 정의적 영역

① 감수(receiving 혹은 attending): 대상자는 단순히 어떤 것에 의식적이거나 선호하는 자극에 주의를 기울인다.
② 반응(responding): 대상자는 반응을 보인다.
③ 가치화(valuing): 대상자가 자의적으로 헌신몰입하며 가치를 갖고 있음을 타인이 확인할 수 있다.
④ 조직화(organization): 복합적인 가치들을 적절히 분류하고 순서를 매겨 체계화하며, 이들 가치들의 관계가 조화로우며 내적으로 일관성이 있다.
⑤ 성격화(characterization by a value system): 일반화된 태세로 일관성 있게 그리고 효과적으로 행동하도록 한다.

(3) 정신운동 영역

① 지각(perception): 감각기관을 통해 대상, 질 혹은 관계를 알게 되는 과정이다.
② 태세(set): 특정한 종류의 활동이나 경험을 위한 준비를 말한다.
③ 지시에 따른 반응(guided response): 교육자의 안내 하에 대상자가 외형적인 행위를 하는 것으로, 활동에 앞서 반응을 할 준비성과 적절한 반응의 선택이 필요하다.
④ 기계화(mechanism): 학습된 반응이 습관화되어 대상자는 행동수행에 자신감이 있으며, 상황에 따라 습관적으로 행동을 한다.
⑤ 복잡한 외적 반응(complex overt response): 복합적이라고 여겨지는 운동활동의 수행을 뜻하며, 고도의 기술이 습득되고 최소한의 시간과 에너지로 활동을 수행할 수 있다.
⑥ 적응(adaptation): 신체적 반응이 새로운 문제 상황에 대처하기 위해 운동활동을 변경하는 것을 말한다.
⑦ 창조(origination): 정신운동 영역에서 발달한 이해, 능력, 기술로 새로운 운동활동이나 자료를 다루는 방법을 창안해 낸다.

3 학습내용 구성

학습내용은 학습목표를 행동으로 이루어지게 하기 위한 것으로 학습목표 설정에 방향을 제시해 준다. 학습내용은 이미 알고 있는 것에서 모르는 것으로, 직접적인 것에서 거리가 먼 것으로, 구체적인 것에서 추상적인 것으로, 쉬운 것에서 어려운 것으로 이행되도록 체계적으로 배열할 필요가 있다. 이렇게 함으로써 앞 단계에서 분리되어 보이던 각각의 아이디어를 하나의 묶음으로 결합하고 계열로 조직화하며, 이러한 계열은 학습을 용이하게 한다. 학습내용을 평가하는 준거로는 타당성, 영속성, 깊이와 넓이의 균형, 교육목표와의 관련성, 참신성, 유용성, 사회적 현실의 적절성 등이 있다.

학습내용 구성 시 다음과 같은 사항을 고려해야 한다.

- 학습목표를 달성하기 위한 내용이어야 한다.
- 건강향상에 필요하고 중요한 내용으로 다양한 상황에 활용될 수 있어야 한다.
- 너무 광범위하거나 피상적이어서는 안 되고, 내용의 범위, 깊이, 균형이 적절해야 한다.
- 진부한 것을 되풀이하지 않는 새롭고 참신한 내용이어야 한다.
- 관련되는 많은 참고문헌을 고찰하여 최신의 이론, 지식, 기술을 활용해야 한다. 지속적으로 최신 지식을 비판적으로 받아들여야 한다.
- 건강관리를 위해 현재와 미래에 기여하여야 한다.
- 대상자의 가정과 지역사회의 여건에서 필요한 것이어야 하고 허용될 만한 것이어야 한다.

4 교육(교수-학습)방법 및 매체

1) 교육방법

학습목표를 효과적으로 달성하기 위해서는 적절한 교육방법을 선택해야 한다. 교육은 개별교육과 집단교육으로 구분할 수 있으며, 상담, 강의, 토의, 시범, 역할극, 프로젝트 등 다양한 방법이 있다. 각 교육방법은 장·단점이 있으므로 교육 제공자는 대상자가 달성해야 할 학습목표, 대상자의 성숙 정도, 대상집단의 크기, 교육이 이루어질 학습환경 등을 고려해서 선택해야 한다.

가정간호 대상자 교육은 대부분 가정에서 이루어지므로 대부분 개별교육을 하게 된다. 그러나 기관에서 환자 또는 돌봄 제공자를 모아 집단으로 교육을 하는 경우도 있고, 가정전문 간호사가 간호사 교육 또는 학생 교육에 참여할 수 있으므로 활용가능한 각 교육방법별로 장·단점을 소개하고자 한다(Table 9-1).

Table 9-1 보건교육 방법의 종류와 장·단점

분류/종류	장점	단점
개별교육		
면접	• 시간과 장소에 구애받지 않고 자연스럽게 유도할 수 있음 • 피면접자에 대해 심리적 부담이나 준비에 따르는 번거로움을 줌	• 많은 인원과 시간이 소요되므로 비경제적 • 집단 상호작용 및 지지를 제공할 수 없음
상담	• 현장 어디에서나 적용 가능 • 개인의 비밀에 속하는 건강문제 해결에 효과적 • 한 사람만을 상대로 정확한 문제의식을 가지고 상담하므로 집단교육에 비해 교육효과가 높음 • 각자에 알맞은 실천 가능한 변화 유도가 용이 • 대상자 스스로 문제 해결 방안을 모색하게 됨	• 많은 인원과 시간이 소요되므로 경제성이 없음 • 집단 상호작용 및 지지를 제공할 수 없음 • 상담을 위한 특별한 공간이 필요함
프로그램 학습법과 컴퓨터 보조학습	• 학습자의 능력에 따라 학습이 가능하고 반복학습이 가능함 • 학습자의 수준과 속도에 따라 학습자료의 양을 조절할 수 있음	• 학습자가 컴퓨터를 다루는 기술이 있어야 함 • 컴퓨터를 통해 이용 가능한 교육내용이 제한적일 수 있음
e-러닝	최신의 정보를 갖춘 맞춤형 교육을 학습자별로 실시할 수 있음	• 교육자와 학습자 모두 관련 기기를 조작할 수 있어야 함 • 프로그램 개발 등의 준비로 비용이 많이 듦 • 교육자가 운영 및 관리에 대해 많은 준비 필요함
집단교육		
강의	• 많은 정보를 조직하고 전달하기 쉬움 • 많은 집단에 빨리 효율적으로 전달할 수 있음 • 학습자가 기본지식이 없을 때 이용하기 적합함 • 교육자가 자신이 준비한 자료를 조절할 수 있음	• 학습자가 수동적 • 학습자가로부터의 회환이 부족함 • 정보량이 많아지는 경향 • 흥미를 지속시키기가 어려움

분류/종류	장점	단점
a. 배심토의	• 연사나 청중이 서로 마음을 털어놓고 친밀히 토의함으로서 문제의 해결책을 제시할 수 있음 • 참가자는 비교적 높은 수준의 토론을 경험하고 타인의 의견을 듣고 비판하는 능력이 배양됨	• 일정한 시간 안에 많은 수의 전문가를 초빙하므로 경제적 부담이 있음 • 주제에 맞는 전문가의 위촉이 힘들며, 각기 다른 분야의 토의를 진행하더라도 중복되는 이야기나 통상적인 발표가 되기 쉬움
b. 심포지엄	• 의사전달능력 영향에 따라서 다채롭고 창조적이며 변화 있게 진행할 수 있음 • 청중은 알고자 하는 문제의 전체적인 파악은 물론 각 부분까지 이해할 수 있게 됨 • 특별한 주제에 대하여 밀도 있는 접근이 가능해짐	연사의 발표 내용이 중복되지 쉽고 청중의 질문 시간이 3~4분으로 제한되어 극히 한정된 수의 청중만이 참가할 수 있음
c. 분단토의	• 참석 인원이 많아도 진행이 잘 되며, 의견을 모두 교환할 수 있음 • 어떤 문제에 관하여 협동해서 해결하려는 것으로 문제를 다각적으로 해결할 수 있음 • 참가자들이 집단사고, 협동작업 등에 의해 문제를 발견하고 해결할 수 있음 • 다른 집단과 비교가 가능하므로 반성적 사고능력과 사회성이 함양	• 학습자들이 준비가 없을 때는 전혀 무익함 • 토론이 조절되지 않을 경우 관계없는 문제가 다루어질 수 있음
d. 집단토론	• 학습목표 도달에 능동적으로 참여할 수 있는 기회가 제공되며, 이로 인해 사회성과 학습의 용이 향상 • 타인의 의견을 경청하게 되고 의사전달 능력이 배양 • 민주적 회의 능력과 반성적 사고능력이 배양	• 교육자 및 좌장의 토론 유도기술이 부족하면 초점을 벗어나는 경우가 많음 • 지배적인 참여자와 소극적인 참여자가 있을 수 있음 • 시간이 많이 소요 • 많은 대상자가 참석할 수 없어 경제적이지 못함
e. 브레인스토밍	재미있고 어떤 문제든지 토론의 주제로 삼을 수 있음	시간낭비로 끝날 수 있기 때문에 토론을 성공적으로 이끌기 위해서는 고도의 기술이 필요
f. 포럼	청중이 직접 토의에 참가하여 공식적으로 연설자에게 질의를 하거나 받을 수 있음	청중의 질문이 없는 경우 원활한 토론 진행이 어려움
g. 세미나	• 토의주제에 대해 심층적, 전문적 연구의 기회를 제공하며 전문적인 정보교류가 가능 • 높은 전문성과 다양한 발표와 토의를 통해 흥미유발과 전문성을 높이는 효과가 있음 • 능동적 참여가 가능 • 비판적 사고력이 증진	• 사전에 철저한 토론 준비가 이루어져야 함 • 참가자가 해당 주제에 대한 충분한 지식과 정보를 가져야 함 • 토의 주제와 관련하여 전문적인 식견과 정보가 없을 경우에는 효과가 없을 수 있음

분류/종류	장점	단점
시범	• 눈앞에 이루어지는 상황을 직접 볼 수 있으므로 동기유발이 용이 • 집단의 요구나 문제에 따라 다양하게 적용시킬 수 있음	• 소수에게만 적용이 가능하므로 경제성이 없음 • 교육자의 준비정도에 의해 교육효과가 좌우되며 준비에 많은 시간을 소모
역할극	• 서로의 비슷한 갈등에 공감하고 친근감이 생김 • 문제에 대한 객관적인 관점이 넓어지고 해결방안 선택이 명료	다른 교육방법에 비해 많은 준비시간이 요구
프로젝트	• 실제상황에서 학습함으로써 즉시 활용 가능한 능력을 획득할 수 있음 • 개인의 노력, 창의성, 탐구 능력 등에 따라 그 결과가 빨리 포괄적으로 도달될 수도 있으며, 학습동기와 인내심이 함양되어 결과를 얻었을 경우 성취감을 갖게 됨	• 능력이 부족한 대상자는 시간과 노력만 낭비하는 경향이 있음 • 자료수집이 불가능할 경우 결과가 미비하게 됨
문제 해결방법	• 자율성과 적극성이 증진 • 협동학습을 통해 민주적인 생활태도를 기를 수 있음 • 실제적인 문제 해결의 기회 제공	• 시간이 많이 들고 노력에 비해 능률이 낮음 • 체계적인 기초학력을 기르기 어려움 • 일관성 있는 수업 진행이 어려울 수 있음
사례연구	• 대상자 중심의 활동으로 문제 해결에 필요한 분석적 사고력이 향상 • 특정 문제에 대해 다양한 해결방법을 터득할 수 있음	교수의 지도 경험이 부족한 경우 예기치 않은 결과를 초래할 수 있음
견학	• 직접 관찰함으로써 사물을 관찰하는 능력이 배양 • 풍부한 경험을 갖게 되면서 태도변화가 용이하고 배운 내용을 실제에 적용할 수 있는 능력을 갖게 됨	• 시간과 경비가 많이 요구되고, 경비의 투입에 비해 목적한 전체 상황을 볼 수 없는 경우가 많음 • 사전에 잘 계획하고 견학장소와의 협조가 잘 이루어지지 않는 한 노력에 비해 효과가 적음
모의 실험극	• 실제의 현장과 거의 같은 여건 하에서 안전하고 빠르게 현실을 경험할 수 있음 • 학습자의 참여를 조장하고 즉각적인 회환을 줌으로써 수업을 활기 있게 만듦	학습 진행에 시간과 비용이 많아 소요됨
캠페인	• 새로운 지식과 정보를 가장 빠른 시일 내에 많은 사람들에게 전달 • 전달하는 정보의 내용은 지식의 축적작용에 의해 그 효과(snow ball effect)를 나타냄	일방식 전달 방법으로 대상자들은 자기에게 유리한 쪽으로 해석하려는 경향이 있기 때문에 본인 의도와는 전혀 다른 각도에서 오해 또는 그릇되게 인식할 수 있음

2) 교육매체

교육매체는 교수활동을 효과적으로 하기 위하여 교육자와 학습자 간 사용하는 모든 교육자료를 의미한다. 교육매체를 이용하는 목적은 대상자의 감각적 경험을 확대하고, 흥미와 동기를 유발하며, 추상적인 내용에 구체적인 의미를 더해주고, 복잡하고 어려운 내용을 이해하기 쉽게 전달하기 위함이다. 교육매체를 선택할 때는 학습목표와 내용, 학습자 특성, 학습환경, 교육방법, 매체의 특성과 이용 가능성 등을 고려해야 한다. 교육매체를 비투사매체, 투사매체와 상호작용매체, 청각매체로 구분한 각 매체별 특성은 Table 9-2과 같다.

Table 9-2 보건교육매체의 종류와 장·단점

분류/종류	내용	장점	단점
비투사 매체			
융판	융 위에 고정할 도구, 그림과 사포 등	• 자료 제작 용이, 특별한 기술 요하지 않음 • 반복 사용 가능 • 단계적 자료 제시로 이해 용이, 주의 집중 용이 • 학습 속도와 순서 절의 융통성	• 섬세한 설명 불가능 • 시간 결과에 따라 낡아짐 • 소수 집단에만 가능, 경제성 떨어짐
괘도	복잡한 내용의 요점이나 개념을 이해시키기 위해 도표, 그래프, 그림, 지도 등을 종이 위에 그리거나 인쇄하여 시각화한 교재	• 제작비용 저렴, 쉽게 제작, 언제 어디서든 사용 가능 • 복잡한 내용, 작아서 잘 볼 수 없는 것, 이해 곤란한 것을 그림이나 글로 요약, 확대 제시하여 이해 도움 • 주의 집중 및 흥미 유발 촉진, 학습효과 극대	• 평면적, 정적 자료이므로 장시간 사용 시 지루함 • 크기 제한 많은 내용 한번에 다루기 어려움 • 정밀, 복잡한 그림 그리기 어려움, 제작 시간 소요 • 장기간 사용 시 종이 훼손, 반영구적이지 않음
그림·사진	신문, 책 등의 자료	• 실물이나 실제상황을 간접적으로 볼 수 있어 현장감 있음 • 간결하게 표현 • 구입 용이, 저렴, 기계적 장치 불필요하여 손쉽게 이용 가능 • 필요시 복사 이용	• 평면, 정적이어서 입체성과 움직임 표현 어려움 • 자료 크기가 작아 집단 대상의 경우 제한적 • 주의 집중 약화
모형(유사물)	• 실물과 닮은 모형 • 실물처럼 움직이거나 기능할 수 있는 모형	• 실물이나 실제 상황 활용과 비슷한 효과 • 세부적인 부분까지 관찰 가능 • 교육 목적에 맞게 직접 제작하여 사용 • 개념 및 기술 습득이 용이, 반복 활용 가능	• 가상 상황 설정하는 데 비용 소요 • 소수 학습자일 경우만 적용 가능 • 파손 우려, 보관 공간 필요, 운반 불편 • 실생활 적용 위한 완전한 기술 습득 어려움

분류/종류	내용	장점	단점
비투사매체			
팸플릿	알리고자 하는 정보를 짤막하고 명확하게 요약해 그림과 함께 인쇄하여 중요한 내용을 이해하게 함	• 관련 그림을 효과적으로 사용하여 이해가 빠르며 쉽게 기억 가능 • 쉽게 제작할 수 있도록 사용 용이 • 필요시 언제나 학습내용을 확인 가능	• 기존 자료 활용 시 교육자의 학습목표와 맞지 않아 정보 제공에 있어 제한 • 학습자의 흥미를 끌기 어렵고 주의 집중이 잘 안 됨
게시판	전달하고자 하는 메시지를 명확하고 간결하게 시각화하고 게시하여 관심을 유발할 수 있음	• 계속적으로 많은 사람에게 알릴 수 있음 • 학습자의 흥미 유발 • 교육자 없이 내용 전달 가능, 학습자 모집 필요 없어 경제적 • 정보교환 역할 가능	• 길거나 복잡한 내용 전달 부적합 • 학습자의 흥미와 주의 집중 유도 어려움 • 학습효과 확인 어려움 • 오래 게시하거나 구성이 좋지 않으면 효과 없음
실물 환등기	불투명한 자료를 스크린에 투사해 인쇄물, 도표, 그림 등을 확대하여 보여줌	• 다수 학습자에게 동일한 시각적 경험 제공 • 반복해서 사용할 수 있어 자가학습이 가능 • 제작이 용이하고 저렴, 보관과 이용이 간편	• 전기, 암박 시설 필요 • 정지 상태 보여주므로 연속 과정 배울 경우 제한점 • 암막 사용-주의 집중 안 되고 졸림
빔 프로젝트	일반 TV와 달리 빛을 스크린에 투사하여 시청하는 방식으로 대형 화면을 구현하여 사용할 수 있음	• 추가적인 다른 매체를 사용하지 않고 사용 가능 • 그림, 도표 등 다양한 자료 사용 가능 • 캠코더와 연결하면 실제 상황을 그대로 볼 수 있음	• 값이 비쌈 • 스크린과 전기시설이 필요함 • 교육자의 사전준비와 활용능력이 요구됨
상호작용매체			
컴퓨터	즉각적인 반응, 수많은 정보의 저장과 응용, 학습자 특성에 따른 처방을 줄 수 있는 등으로 수업의 장면에 다각적으로 활용 가능함	• 일반수업보다 시간을 절약할 수 있음 • 학습자의 요구나 반응에 따라 적절한 피드백을 제공하여 학습의 개별화 효과를 높임 • 다양한 음향, 영상 등을 사용할 수 있어 학습의 흥미를 끌고 새로운 경험 제공 • 학습자가 원하는 부분의 반복학습 가능함	• 정의적, 심리운동적, 대인관계 기술과 같은 영역 교육에는 효과적이지 못함 • 컴퓨터시스템의 구축 및 유지비용이 많이 듦 • 컴퓨터화된 수업으로 창의성이 무시되기 쉽고 사회적 관계가 결여될 수 있음 • 자료 제작을 위한 전문적인 지식과 기술이 요구됨
인터넷	전 세계의 정보 자원 탐색, 가상공간에서의 협력, 원격교육, 원거리 시뮬레이션 교육 등이 가능함	• 학습자가 원하는 시간과 장소에서 교육을 받을 수 있음 • 풍부한 정보와 다양한 지식을 무제한으로 제공 • 정보탐색 과정에서 창의성과 종합적 판단력 배양	• 기술과 시설이 필요함 • 컴퓨터 해킹, 바이러스, 음란물, 폭력물 등에 노출될 수 있음 • 컴퓨터 사용이 익숙하지 않은 대상자에게는 부적절함

분류/종류	내용	장점	단점
모바일 및 스마트 기기	이동성에 초점을 둔 휴대전화, 스마트폰, 태블릿 PC, 휴대용 무선기기 등	• 다양한 어플리케이션을 활용 가능 • 시간과 장소에 구애 받지 않고 손쉽게 정보 전달과 학습이 가능	• 이용자의 활용 능력(스마트폰 기능, 어플리케이션 활용 능력)에 따라 활용도의 차이
파워 포인트	프리젠테이션 작성용 소프트웨어 프로그램, 애니메이션, 동영상 등을 포함할 수 있음	• 다양한 문자배열, 음향, 영상, 애니메이션 효과 등으로 학습자의 흥미 유발, 학습효과 증대 • 학습자 개개인의 속도대로 조절하여 학습 가능 • 자료 파일 웹에 링크시켜 정보 공유 가능	• 컴퓨터 시스템 및 프로젝터 구입과 유지에 비용 소요 • 매력적 자료 파일 제작 위해 지식, 기술, 시간, 노력 필요
시청각매체			
녹음기	학습해야 할 기술이 청각적인 것일 때 활용	• 소리 재생과 녹음이 용이, 반복 가능 • 가격 저렴, 복제 가능. 보관 용이하여 경제적 • 특별한 기술 필요 없이 누구나 이용, 자가학습 용이 • 많은 인원 대상 교육 가능	• 녹음 기술 부족 시 잡음으로 주의산만 • 청각 자극만으로 집중이 어려워 교육 효과 저하

5 교육계획서 계획안 작성

교육계획서는 교육자의 자질과 교육의 효과를 높이는 매우 중요한 수단으로 교육의 주제, 교육대상, 교육일시와 장소, 교육시간, 학습목표, 교육내용, 교수학습활동/방법, 교육매체, 평가계획을 포함하여 작성한다. 가정전문 간호사는 개별교육 또는 집단교육을 하기 전에 반드시 교육계획서를 작성해야 한다. 작성 시 유의할 사항은 반드시 교육을 실시할 사람이 직접 작성하여야 하며, 학습자의 수준에 맞추어 이해하기 쉽게 전달할 수 있도록 내용을 구성하여야 한다. 교육계획서는 다음과 같이 간단한 양식을 만들어 사용할 수 있다(Table 9-3).

Table 9-3 가정간호 교육계획서의 예

• 교육대상자:			• 교육일:			
• 교육시간:			• 교육장소:			
• 교육 주제(제목):						
• 일반적 학습목표:						
단계	소요 시간(분)	구체적 학습목표	학습내용	교육방법	교육매체	평가방법
도입						
전개						
정리						

6 교육 수행

교육의 목표를 달성하기 위하여 계획된 교육을 수행한다. 교육수행은 교육활동, 교육활동 지원, 그리고 발생한 문제해결 등이 포함된다. 교육활동은 도입단계, 전개단계, 정리단계의 순으로 진행된다. 교육경험이 적어 능숙하지 않은 간호사가 집단교육을 할 때에는 교육을 효과적으로 수행하기 위해 전략적으로 소규모의 대상자에게 예비교육을 실시하고, 그 결과를 검토한 후 단계별로 대규모 집단에 확대 적용하는 것이 좋다. 교육을 수행할 때는 교육의 효과를 높이기 위해 교육방법에 적절한 교육매체를 잘 선택하여 활용하여야 한다.

교육활동의 단계별 교육 시 주의점 등은 다음과 같다.

1) 도입단계

도입단계는 학습의욕을 환기시켜 학습의 진행을 효과적으로 이끌어가도록 하는 준비단계로 전체 학습과정에서 가장 중요한 단계이다. 이 단계에서는 학습자와 긍정적인 관계형성을 하고, 대상자에게 학습목표를 알리고, 주의를 집중시키며, 학습동기를 유발하도록 하여 전개단계로 이행될 수 있도록 해야 한다.

흥미유발과 동기부여를 위해 설명이나 해석 혹은 주제와 적절한 자료를 제시한다. 대상자의 관심과 주의집중을 위하여 주제에 관한 질문을 하거나, 실제 예를 들면서 설명하고, 관련 있는 유머를 사용하는 등 대상자를 적극적으로 학습과정에 참여하도록 이끈다. 교육이 연속적으로 진행될 때는 이전 시간에 배운 것과 앞으로 배울 내용의 관계를 지적해 준다. 그러면 대상자는 이미 알고 있는 내용과 미지의 내용을 연결시켜 심리적으로 안정감을 느끼게 된다.

2) 전개단계

전개단계는 계획에 따라 학습을 전개시켜 나가는 학습의 중심부분으로 학습활동의 대부분을 이루는 단계이다. 이 단계에서 교육자의 임무는 학습내용이나 특성에 따라 학습활동을 결정하는 것이다. 교육자는 폭넓고 다양한 활동을 활용하여 학습자가 주의를 기울여 지식습득 또는 기능을 익히도록 해야 한다. 학습활동은 개별활동과 집단활동으로 구성할 수 있으며, 대상자가 정보를 얻을 수 있도록 책 읽기나 관련 자료 검색, 강의, 체계적 관찰 등을 하도록 한다.

3) 요약 및 정리단계

요약 및 정리단계는 전개단계에서 수행한 활동을 종합하여 설정된 목표를 성취해 나아가도록 하는 단계이다. 학습한 전체 내용을 총괄하여 요약하거나 중요한 부분을 학습자에게 질문하고 토의함으로써 정리하고 결론을 내리며, 학습자와 질의응답 시간을 가질 수 있도록 시간을 배분한다. 정리하고 결론을 내릴 때는 교육자가 요약해주는 방법과 학습자에게 요약해서 설명하게 하는 방법이 있다. 실기나 실습의 경우에는 정리단계에는 단순 지식전달보다 소요시간이 약간 더 필요하다.

7 교육 평가

교육평가는 교육과정의 전 과정을 통하여 학습목표를 기준으로 학습자가 얼마나 배웠는지, 학습자의 행동에 변화가 있었는지를 판단하는 것으로, 교수-학습과정의 마지막에 수행하는 중요한 단계이며 요소이다. 평가대상은 교육을 받는 학습자뿐만 아니라 교육과정에 관련된 모든 요인이 다 포함된다. 따라서 학습자, 교육자, 교육과정, 학습환경 등 모두가 평가대상이 된다. 평가과정을 통하여 학습자는 자신의 성취 정도를 객관적으로 확인할 수 있는 기회를 갖게 되고, 교육자는 교육의 효과를 증대시키는 방법을 배운다. 평가를 위한 측정은 평가에 필요한 자료를 제시하는 것이며, 평가는 이 자료를 학습목표에 근거하여 판단한다.

1) 평가 유형

평가의 유형은 다양한 영역, 기준, 시점, 성과에 따라 분류할 수 있다. 평가영역은 블룸의 교육목표 분류를 기초로 인지적 영역, 정의적 영역, 정신운동 영역으로 나눌 수 있다. 또한 무엇을 평가기준으로 하느냐에 따라 절대평가(목표지향평가)와 상대평가로, 평가시점에 따라 진단평가, 형성평가, 총괄평가로 구분하며, 평가결과를 통해 얻은 정보를 어떻게 사용할 것인가에 따라 결정할 수 있다.

또한 평가 성과에 초점을 두고 과정과 영향 및 성과 평가를 하기도 한다. 여기에서 과정평가는 교육자가 교육하는 과정 중에 교육을 개선하기 위한 정보를 얻기 위하여, 영향평가(impact evaluation)는 지식이나 태도·기술/행동이 변화되었는지 확인하기 위하여, 성과평가는 교육 후 장기적 목적과 목표가 도달되었는지를 확인하기 위하여 실시한다.

(1) 평가 영역에 따른 분류

① 인지적 영역에 대한 평가

인지적 영역의 평가는 교육을 통한 대상자의 지식정도를 평가하는 것으로 지식, 이해력, 적용력, 분석력, 합성(종합)력, 평가력과 같은 학습자의 인지적 사고능력을 평가하는 것이다.

② 정의적 영역에 대한 평가

정의적 영역의 평가는 교육을 통해 자신의 건강을 유지·증진하는 데 필요한 태도나 가치관 등의 변화 또는 정도를 평가하는 것이다.

③ 정신운동 영역에 대한 평가

정신운동 영역의 평가는 의사소통기술, 의사결정기술, 문제해결기술 등 결정이 필요한 경우 올바른 대처와 판단을 할 수 있는 기술 또는 행동에 대해 평가하는 것이다.

(2) 평가 기준에 따른 분류

① 절대평가(Criterion referenced evaluation)

기준에 따른 평가로 교육 계획 시 목표를 설정하고 교육을 실시한 후 목표도달 여부를 확인하는 방법으로, 이 평가는 무엇을 할 수 있는지를 알고자 하는 데 목적을 두고 있으므로 학습자의 점수를 비교하여 평가하지 않는다.

② 상대평가(Norm referenced evaluation)

다른 학습자에 비해 어느 정도 하고 있는지를 평가하는 것으로, 학습자 개인의 상대적인 위치와 우열의 파악이 가능하며 경쟁을 통해 학습동기를 유발하는 방법이다. 평가의 주된 대상은 학습자로 교육자가 아닌 다른 사람이 평가자가 될 수도 있다.

(3) 평가 시점에 따른 분류

① 진단평가

진단평가(Diagnostic evaluation)는 사전평가(Pretest evaluation)라고도 하며, 교육 전에 대상자가 교육 주제에 대해서 갖고 있는 지식, 태도 및 행동의 수준을 파악하면서 학습자의 요구를 확인하는 방법이다. 이 평가를 통해 대상자의 지식, 태도, 동기, 준비도, 흥미 등 어떤 주제의 교육이 필요한지 확인할 수 있다.

② 형성평가

형성평가(Formative evaluation)는 교육 중 교육내용, 교육방법, 교육효과를 향상시키기 위하여 무엇을 조정 또는 추가해야 하는지 확인하는 방법이다. 교육 중 학습자에게 형성되는 교육 결과를 알려주고 학습의 영향요인을 찾아 개선함으로써 학습목표에 도달하게 된다.

③ 총괄평가

총괄평가(Summative evaluation)는 교육 후 학습자가 교육주제에 대한 지식, 태도의 변화가 있는지, 행동에 대한 동기부여가 생겼는지를 확인하는 방법이다. 또한 교육방법, 학습자의 욕구충족, 장점과 단점 등 교육과정에 대한 전반적인 평가를 통해 다음 교육에 재반영하게 되며, 이런 평가과정에 학습자의 참여도 중요하다.

(4) 평가 성과에 초점을 둔 분류

① 과정평가(Process evaluation)

과정평가는 교육 프로그램이 어떻게 시행되었는가를 평가하는 것이다. 과정평가의 대상에는 교육프로그램에 사용된 여러 자료, 제반 교육과정의 적절성과 난이성, 과정의 수, 각 과정의 시간적 길이, 참석자의 수, 대상자의 참여율 등이 포함될 수 있다. 또한 프로그램의 계획과 개발에 참여한 사람이 누구이며, 몇 명이 얼마 동안 개입하였는지, 프로그램 계획 시 주민의 의사는 어떻게, 어느 정도 반영하였는지 등이 포함될 수 있다.

② 영향평가(Impact evaluation)

영향평가는 프로그램을 투입한 결과로 단기적으로 나타난 바람직한 변화를 평가한다. 즉, 대상자의 지식, 태도, 신념의 변화, 기술 또는 행동의 변화, 기관의 프로그램, 자원의 변화, 사업의 수용도 등을 측정한다.

③ 성과평가(Outcome evaluation)

성과평가는 교육을 통해 나타난 바람직한 변화로 인해 시간이 흐름에 따라 긍정적으로 나타난 효과를 평가한다. 프로그램을 시행한 결과로 얻어진 건강 또는 사회적 요인의 개선점, 이환율이나 사망률의 감소, 삶의 질 향상 등을 평가하는 것이다.

2) 평가방법

평가방법은 평가내용에 따라 달라질 수 있다. 인지적 영역인 지식을 평가하고자 할 때는 질문지법이나 구두질문법, 정의적 영역인 태도를 측정할 때는 질문지법과 관찰법, 자가보고서 및 자기감시법을 사용한다. 정신운동 영역인 기술 또는 행동에 대한 평가는 관찰법, 시범 등을 이용하여 측정할 수 있다.

(1) 질문지법

질문지를 이용한 평가는 최소한 읽을 수 있고, 질문을 이해할 수 있는 대상자에게 사용할 수 있는 간접적인 방법이다. 이 방법은 지적 영역의 학습을 평가하는 데 보다 적합하다. 질문지 문항을 작성하는 데 시간과 노력이 필요하지만, 타당도와 신뢰도가 높은 문항이 개발되면 교육자의 시간을 절약할 수 있고, 평가목적을 달성하기 용이해진다. 따라서 질문지 개발에서의 타당도와 신뢰도를 검증하여야 한다. 타당도는 측정도구가 측정하려는 내용을 빠짐없이 포함하고 있는지를 신뢰도는 반복 측정하여도 같은 결과가 나오는지를 의미한다. 교육자는 타당도와 신뢰도가 높은 측정도구를 만들어 사용하거나 기존에 개발한 표준화된 도구를 사용할 수도 있다.

(2) 구두질문법

구두질문은 관찰과 함께 사용할 수 있는 융통성 있는 평가방법으로, 쉽게 관찰되지 않는 행동을 평가할 수 있다. 구두질문은 시간이 많이 걸리지만 질문에 대한 대상자의 이해 정도와 대답이 맞았는지를 즉각적으로 알 수 있다는 장점이 있다. 그러나 언어를 사용하는 질문방법은 자신을 표현하기 어려운 대상자에게는 적용하기 어렵고, 또한 말을 유창하게 잘하는 대상자는 마치 더 많이 알고 있는 것처럼 보일 수 있다. 따라서 관찰방법과 구두질문을 함께 조합하여 사용하는 것이 한 가지 방법만 사용하는 것보다 정확하게 평가할 수 있다.

(3) 관찰법

관찰법은 행동측정에 유용한 방법이지만, 객관적으로 관찰을 해야만 여러 가지 오류를 줄일 수 있다.

① 직접 관찰

직접 관찰은 대상자가 관찰되고 있음을 알지 못할 때 정확하게 측정할 수 있고, 관찰자가 관찰방법과 결과의 분석 및 해석에서 객관성을 유지할 수 있어야 한다. 관찰자는 언제 어디서 무엇을 관찰할 것인지를 사전에 계획을 세워야 하고, 관찰한 것을 사실 그대로 즉시 기록해야 한다.

② 도구사용 관찰

응급상황에 대한 반응행동은 관찰자가 없을 때 일어날 수 있기에 도구를 사용하여 간접적으로 측정할 수밖에 없다. 간접측정의 전략으로 모의상황에서 말이나 글 또는 행동으로 표현하도록 유도하는 것이다.

(4) 자가보고서 및 자기감시법

척도법 설문지, 개방식 질문지, 진술식의 자가보고서는 대상자의 태도, 가치, 흥미, 선호, 불안, 자존감 등 정의적 영역을 평가할 때 유용하다. 자기감시법은 대상자가 내면적 행위나 외향적 행위를 한 후 자신의 행위를 기록하는 방법으로 외부에서 관찰한 자료와는 다를 수도 있다.

(5) 평가 도구

① 행동목록표

행동목록표(checklist)는 대상자의 행동을 관찰할 때 사용한다. 행동목록표의 각 문항은 단계마다 행동을 하였는지 여부와 만족스럽게 수행하였는지에 대하여 작성해야 한다. 행동목록표는 정신운동 영역의 기술뿐 아니라 정의적 영역의 태도평가에도 활용된다. 기술을 학습하는 과정에서는 주기적으로 행동목록표를 사용하는데, 학습자와 교육자는 잘못 수행하는 과정을 행동목록표를 통해 알 수 있다.

② 평정척도

평정척도(rating scales)는 평가자가 평가내용을 숫자나 내용으로 연속선 위에 분류하는 측정도구이다. 평정척도는 목표에 진술된 중요한 행동이 기술되어야 하므로 척도를 만들기 위해서는 먼저 구체적이고 측정할 수 있는 용어로 목표를 설정해야 한다. 평정척도의 종류에는 여러 가지가 있으나 보건교육에서 활용할 수 있는 종류에는 기술평정척도, 숫자평정척도, 기술도표척도 등이 있다. 기술평정척도는 평가하려는 척도의 내용이나 단계를 간단한 단어·구·문장으로 표시하는 방법이고, 숫자평정척도는 평정하려는 특성의 단계를 숫자로 표시하는 방법이며, 기술도표척도는 기술척도와 도표척도를 합쳐서 나타내는 것을 말한다.

Ⅱ 가정간호 대상자 상담

대상자 상담에서 가장 중요한 것은 이 대상자에게 가장 필요한 것은 무엇인가를 파악하는 것이다. 대상자에게 어떤 지식이 요구될 때가 있고, 심리적 문제나 인간관계상의 어려움으로 전문적인 도움이 필요한 때도 있으며, 정신이나 신경증적인 증상이 있어 이에 관련된 문제를 해결해야 할 때도 있다. 일반적인 상황뿐만 아니라 간호현장에서도 정보, 상담, 치료를 모두 '상담'이라는 용어로 사용하고 있는데, 전문상담사라면 이를 구분할 필요가 있다. 정보를 제공하는 것은 일회적일 수도 있고 짧은 시간 내에 해결할 수 있다. 이에 비해 상담이나 치료는 지속적인 계획과 평가가 이루어져야 하고 상대적으로 긴 시간이 요구된다.

가정간호 대상자들은 매우 다양한 특성을 가진 사람들이지만 대부분이 연령이 높아 내담자가 비교적 자기 이해도가 낮고 언어화시키는 데 어려움이 있으므로 정보제공이나 교육적인 방향으로 단기간에 집중적으로 면담을 하는 데는 한계가 있다. 또한 장기간 요양상태의 대상자가 많아 가족관계와 역할 갈등 등은 상담차원에서 시간을 갖고 정기적인 면담을 가져야 한다. 치료차원에서 정신과 환자와 같이 증상이 있는 대상자들은 다른 분야의 전문인에게도 치료적 관계를 맺고 있는 경우가 많으므로 이를 확인해야 한다.

1 상담의 전개과정

1) 접촉: 내담자에게 접근한다.

첫 만남의 단계에서는 먼저 인사를 나누고 난 뒤, 의자에 앉을 것을 권하며, 최대한 편안한 분위기를 느끼도록 상담자 자신도 안정되고 평안한 상태에서 마주보고 앉는다. 또는 조금 대각선의 방향에 앉아서 상대방을 바라본다. 시선의 높이는 같도록 하여 따뜻함과 부드러움이 자연스럽게 나오도록 한다. 내담자가 의자에 앉으면 날씨나 취미 등에 관한 일상적 대화를 하기도 하지만, 그 다음 장면에서 부자연스러운 분위기가 되지 않도록 유의해야 한다. 이야기를 조급하게 끌어나가지 않도록 속도조절을 하는 게 좋다.

2) 응답: 내담자의 마음에 접근하여 반사한다.

내담자가 자신의 문제에 대하여 이야기를 시작하면 상담자는 내담자의 이야기를 적극적으로 수용하면서 이해한 바를 확인하면서 듣는다. 이것은 내담자의 입장에서 자신의 이야기가 상담자로부터 어떻게 받아들여졌는지를 알 수 있는 피드백이 된다. 즉, 내담자의 이야기를 피드백하는 데 효과적이다. 내담자의 이야기를 듣고 난 후, "이야기에 대항 조금 더 듣고 싶습니다."라고 질문기법으로 물어봐도 좋다. 이야기에 대하여 더 상세하게 알고 싶거나 더욱 깊이 있는 이야기가 나오도록 유도한다.

3) 대결: 상담자의 느낌과 생각을 표현한다.

상담자의 견해나 입장을 피력하는 대결구도이다. 상담자는 "지금까지 ㅇㅇ님의 이야기를 들어 보았습니다. 현재의 기분을 너무 잘 알겠습니다. 그게 만일 저라면 당연히 상대방한테 화가 날 것 같습니다. 근데 ㅇㅇ님은 전혀 그런 기분을 느낄 수가 없군요. 왜 그런지 알고 싶습니다." 라는 식으로 자신의 느낌을 솔직하게 내담자에게 개방해 보인다. 이것이 상담자의 대결이다.

4) 인지행동적 지원: 내담자가 주체적으로 행동하도록 돕는다.

이 단계에서는 "자신이 어떠한 모습이 되고 싶은가?", "어떠한 행동이 필요하며 그것이 가능한가?"에 대하여 생각하는 것이 생활을 적극적 형태로 바꾸는 힘이 된다. 내담자는 상담에 의해 자신을 받아들이게 되고 자기다운 모습을 보여주면서 적극적으로 행동하게 된다. 자신의 일이나 대인관계에 대해 새로운 관점에서 목표를 세우고 그것을 향해 자신의 행동을 조절하기 시작한다.

5) 종결

무거운 짐을 어깨에 메고 산 속을 헤매고 있는 내담자 앞에 상담자가 나타나 부축을 하게 된다. 내담자가 짐을 내려 놓고 자기 나름대로의 살아가는 길을 찾는 과정을 도와주면서 활기차게 자신의 길을 걸어가는 모습을 보게 되면 상담자는 점차적으로 내담자와 거리를 멀리하게 된다. 이렇게 해서 상담과정은 종결을 맺게 된다.

2 상담의 대화 기법

상담대화 기법은 여러 가지가 있고 학자마다 다른 방법을 제시하고 있다. 일반적으로 대화기법을 토대로 주로 사용하는 주의집중 및 경청, 명료화, 정서 되돌리기(반영), 요약, 저항 다루기, 즉시성, 화제 바꾸기, 구체화, 직면, 해석, 나-전달법 등에 관하여 소개하고자 한다.

1) 주의집중과 경청

(1) 주의집중과 경청의 필수요소

주의집중과 경청에 필수적인 요소를 영어의 첫 자를 따서 'ENCOURAGE'로 설명할 수 있다.

E: Eye, 적당한 정도의 눈 마주치기
N: Nods, 고개를 끄덕임
C: Cultural differences, 문화적 차이를 인식하고 상호 존중
O: Open, 내담자 쪽으로 열린 자세를 유지하여 귀 기울이기
U: Unhum, '음' 등의 수용하는 언어를 사용
R: Relaxed, 편안하고 자연스러운 자세 유지
A: Avoid, 산만한 행동 피함
G: Grammatical, 내담자와 같은 언어스타일을 사용
S: Space, 적절한 공간 사용

(2) 기본적 경청기술

① 소극적 경청(침묵)

상담자가 말을 많이 하면 내담자가 말하기 어려우므로, 내담자와 보내는 대부분의 시간을 침묵한다. 침묵은 감정을 상담자에게 내보이며 처음에 드러냈던 문제보다 더 깊고 근본적인 문제에 접근할 수 있도록 도와주는 역할을 한다.

② 인정하는 반응

고개 끄덕임, 열심히 경청하고 있는 자세로 약간 수그리기, 미소, 찌푸기리 등의 몸동작을 적절히 사용하면 상담자가 잘 듣고 있다는 것을 내담자에게 알릴 수 있다. "음", "오" 같은 언어적 신호를 보낼 수 있다.

③ 마음의 문을 여는 데 도움을 주는 언어

내담자가 자신의 감정과 문제에 대해 이야기하려 할 때 격려가 필요할 경우가 있다. 효율적 상담자는 마음의 문을 여는데 도움을 주는 언어로 말을 시작한다. "당신의 생각에 난 관심이 있습니다.", "그 이야기에 관해 좀 더 말하고 싶습니까?" 등을 통하여 말을 시작할 수 있다.

④ 반영적 경청

반영적 경청은 가장 효율적인 경청기술이다. 내가 하고 싶은 말을 하지 않고 내담자가 말한 메시지를 반영해 주거나 내담자의 말을 확인하는 종류의 언어적 반응이다. 이것은 상담자가 내담자에게 들은 것을 다시 확인함으로써 내담자의 말을 이해하고 있고 또 내담자의 말을 경청하였음을 적극적으로 나타내어 준다. 내담자 입장에서는 상담자를 신뢰하게 되는 계기가 된다.

2) 명료화

명료화는 상대방의 대화내용을 분명히 하고 상대방이 표현하는 바를 정확히 자각하였는지 확인하는 대화기술이다. 상대방이 전달하는 메시지를 잘 이해하지 못했을 때, 상대방이 표현하는 내용을 보다 정교하게 이해하려 할 때, 자신이 들은 내용의 정확성 여부를 직접 점검하고 싶을 때 명료화 기술을 사용할 수 있다.

명료화 기술이 효율적으로 사용하려면 첫째, 내담자는 언어적, 비언어적으로 표현한 실제 내용을 확인하다. 둘째, 상담한 내용 중에서 애매한 부분, 혼란스러운 부분, 더 확인할 부분을 찾아낸다. 셋째, 명료화할 내용을 의문형으로 표현한다. 넷째, 내담자의 반응을 듣고 관찰함으로써 명료화의 효과를 평가한다.

3) 정서 되돌려 주기(반영)

정서 되돌려 주기는 내담자의 메시지에 담겨 있는 정서를 되돌려 주는 기술을 말한다. 내담자의 메시지 내용 중 인지 측면과 정서 측면의 상호 배타적으로 명확히 구분되는 것은 아니지만 상담자가 이 둘 사이의 차이를 변별하는 것은 그리 어려운 일이 아니다. 정서 되돌려 주기는 정서에 초점을 맞추는 것을 제외한다면 내용 되돌려주기와 매우 유사하다. 정확한 정서 되돌려 주기는 내담자로 하여금 자신의 깊은 속마음을 이해받고 있다는 느낌을 심어주어 내담자의 자기 개방 수준을 심화시킨다.

4) 요약

내담자는 무언가 털어놓고 싶은 주제가 있어 상담자를 찾는 것이므로 그 주체는 대화를 통해 표출되기 마련이다. 반복해서 강하게 표현되는 이 주제들을 확인하여 드러내는 기술이 바로 요약이다. 요약은 단순히 앞에 언급된 내용들을 간추려 정리하는 수준이 아니라 여러 상황에 표현된 주제들을 찾아내어 묶고 이를 내담자에게 되돌려 주는 기술이라고 말할 수 있다.

5) 저항 다루기

내담자가 자기개방을 못하고 껄끄러워하는 이유는 매우 많을 것이다. 따라서 상담자는 내담자의 거리감과 저항에 대해 무엇보다 먼저 이 반응들이 자연스러운 것임을 인정해야 한다. 상담자는 최대한 인내하고 내담자의 마음에 시뢰와 믿음, 안정을 가져다주는 태도가 필요하다.

6) 화제 바꾸기

내담자의 이야기에 특별한 제한을 가하지 않고 자유롭게 진술하게 놓아두는 것이 좋다. 상담횟수가 거듭되고 안정적인 상호관계가 형성되었다는 생각이 들면 내담자의 상담과제를 명료화하고 상담과제의 바람직한 해결을 위한 구체화된 전략을 동원해야 된다. 화제를 전환하여 대화의 초점을 좁혀 가는 가지치기를 한다. 단 내담자로 하여금 자신이 무시당하는 느낌을 주지 않도록 조심하여야 한다.

7) 구체화

내담자의 세계를 잘 이해하는 방법은 내담자가 표현하는 내용을 정확히 하는 것이다. 내담자의 표현애용을 정확히 알기 위해서 필요한 것이 의미하는 바를 구체적으로 파악하는 것이다. 구체화는 내담자로 하여금 자신의 체험내용과 내면세계를 명확히 드러내어 표현함으로써 내담자 이해를 돕고 전모를 파악하는 데 도움을 주는 게 핵심이다.

8) 직면

직면은 모순되거나 일관성이 결여된 언어와 행동을 드러내 노출시키는 대화시도이다. 상담자는 내담자의 대화 속에 있는 혼란들을 드러내 직면시킴으로써 내담자가 보다 효율적으로 기능하도록 도울 수 있다. 직면을 통하여 모순되는 언행을 지적, 내담자의 반응을 분석하는 일 모두 내담자를 새로운 통찰로 이끌어 바람직한 변화를 유도하는 수단으로 활용되어야 한다.

9) 해석

해석은 내담자의 말에 대해 상담자가 자신의 판단을 섞어 반응하는 대화기술이다. 내담자의 대화를 들으면서 내담자의 문제 상황 행동을 보는 주관적 생각이 생기기 마련인데 이런 틀을 통찰로 인도하려는 시도가 해석이다. 해석으로 상담자로 통해 새롭게 조명됨으로써 해결의 새로운 돌파구를 찾는 계기가 될 수 있다.

3 상담자의 역할과 자질

1) 상담자의 역할

사회환경의 다변화로 개인의 내적 변화 및 심리적 갈등, 소외 등 내담자가 처한 생활환경에 따라 상담자의 역할도 한층 복잡하고 다양해졌다. 상담활동이 예방과 정서발달에 초점을 두게 되면서 약물 또는 알코올 중독자 등 응급치료를 요하는 사람을 위한 일반병원, 정신병원, 양로원 같은 다양한 보호 및 치료시설, 정신건강 및 복지 관련 부처에서 활동한다. 이 같은 기관에서 돌봄제공자의 상담 특성, 상담자의 역할 및 책임을 알아보고자 한다.

(1) 상담자의 특성

① 격려해야 한다.

효율적 상담자의 가장 중요한 질적 요인은 격려하는 일이다. 격려하는 것은 내담자의 성장과 발달을 가져오도록 깨닫게 해 주는 데 있다.

② 예술적이어야 한다.

바람직한 상담자는 내담자에게 예민하고 신뢰를 받을 수 있어야 한다. 내담자의 욕구를 창조적이고 융통성이 있어야 한다.

③ 정서적으로 안정되어야 한다.

정서적으로 균형이 잡히지 않은 상담자는 선보다 해를 끼치게 된다. 그러므로 상담자는 정서적으로 안정되어야 한다.

④ 공감적이고 보살핌이 있어야 한다.

상담자는 사람을 돌보고 필요한 사람을 돌보는 요구가 있어야 한다. 내담자는 상담자로부터 지지와 친절성을 경험하여 용기와 새로운 방향과 가능성을 탐색할 수 있게 한다.

⑤ 자아인식이 있어야 한다.

자아인식은 상담자의 한계점을 인식시켜 주는 것으로 자신을 보다 잘 알면 알수록 잘 받아들일 수 있는 상황이 된다.

⑥ 자아수용을 하여야 한다.

상담자 자신이 평안해야 함을 말한다. 상담자가 내담자의 성장과 발달이 증진되도록 조력해야 한다.

⑦ 적극적 자존감을 가져야 한다.

적극적인 자존감은 자기 직무의 핵심이 되는 정서적 안정감을 유지시켜 준다.

⑧ 자아실현의 인간이 되어야 한다.

효율적 상담자는 긍정적 자세로 새로운 방향에 도전하고 탐색할 수 있어야 한다.

⑨ 자기노출이 있어야 한다.

상담자가 개방적이면 내담자도 개방될 수 있도록 격려해야 한다. 자신의 장점과 약점을 충분히 이해하고 토로하는데 내담자와의 신뢰감 형성에 도움이 될 수 있다.

⑩ 비판해서는 안 된다.

비판하지 않는 것은 내담자를 존중한다는 의미이고, 내담자의 잠재력을 실현하도록 허용하는 것이다.

2) 상담자의 역할 및 책임

(1) 상담자의 역할

힐(Hill)은 상담자의 역할을 크게 4가지로 구분하고 있다.

① 후원자

② 상담논의자

③ 조사연구자

④ 사회봉사자

(2) 상담자의 책임

① 상담자의 기본의무는 상담자가 도움을 주려는 내담자의 복지를 증진시키고 그의 인격을 존중해 주는 것이다.

② 상담 관계와 그 관계를 통하여 얻어진 정보는 전문인으로서의 의무에 비추어 그 비밀이 유지되도록 해야 한다.

③ 면접기록, 조사자료, 녹음테이프 등을 포함하는 상담에서 얻어진 자료는 연구와 상담자 교육 외에는 사용될 수 없다.

④ 상담 시작하기 전에는 상담자는 어떤 조건하에서 상담이 실시된다는 것을 내담자에게 알려주어야 한다.

⑤ 상담자는 내담자의 문제에 관하여 타인의 전문적 자문을 받을 수 있다.

⑥ 상담자는 자신의 능력을 한계로 느끼거나 더 이상 전문적 도움을 줄 수 없다고 판단할 때 상담을 종결지을 수 있다. 그러한 경우 상담자는 다른 적절한 전문가에게 위탁하여야 한다.

⑦ 상담과정에서 내담자가 타인을 해롭게 할 수 있다고 생각되는 사항을 발견하여 기관의 장에게 그 사실을 보고하여야 한다.

⑧ 내담자가 위급한 상황에 있게 될 때, 상담자는 해당 기관의 장에게 이 사실을 보고하여야 하고, 상황에 따라서는 응급조치를 취하여야 한다.

3) 상담자의 자질

내담자가 상담자를 만나 상담을 시작할 때 마음이 편안하고 상담자에 대한 인격적 신뢰감이 생기면 내담자는 마음의 문을 열게 되고 대화를 계속 나누고 싶어지게 된다. 상담을 하는데 있어서 상담자의 자질은 그 어느 것보다 중요한 역할을 한다.

① 상담자의 진실성

상담은 매우 개인적이고 깊이 있고 친밀한 관계에서 일어나는 과정이기 때문에 상담자는 틀에 박힌 역할을 벗어나 내담자와의 관계에서 진실한 인간관계임을 보여줄 수 있는 상담자가 되어야 한다.

② 인간에 대한 깊은 관심

상담자의 공통적인 요소는 인간에 대한 따뜻한 관심이다. 인간 개개인을 존중하고 존엄히 여기는 기본 철학에 바탕을 두고 무조건적 긍정적 존중을 하는 것이 중요하다.

③ 정서적 성숙

상담자는 자신의 정서를 내담자로 하여금 안심하고 이야기를 꺼낼 수 있는 침착성과 포용성, 따뜻함이 요구된다. 내담자로 하여금 안심하고 무엇이든 이야기할 수 있는 사람이 상담자로서 저격일 것이다.

④ 심리적 안정감

내담자는 몹시 초조·불안한 몸짓을 하거나 묵비권을 행사하거나 때로는 상담자를 믿지 않는다거나 애달픈 표정으로 상담자를 시험해 보려는 등의 예들이 있다. 상담자에게는 이 같은 시험에 말려들지 않을 정도의 강한 심리적 안정감이 필요하다.

⑤ 민감성

내담자의 입장에서 같이 느끼고 깊이 생각하는 것으로, 이는 마치 사랑하는 사람에 대한 마음 씀씀이와 같다. 이 같은 마음의 염려는 모든 평가를 초월한 것으로 무조건 상대방을 존중하는 데서 출발한다.

참고문헌

1. 강영미 등. 보건교육학. 현문사; 2020.
2. 공은숙 등. 보건교육학(제3판). 학지사메디컬; 2021.
3. 김희걸, 안옥희 등, 지역사회간호학 I ; 2020.
4. 김희걸, 안옥희 등, 지역사회간호학 II ; 2020.
5. 김희수 등. 상담과 건강 프로그램. 일문사; 2008.
6. 김희수 등. 노인상담의 이해, 양서원; 2014.
7. 박성희. 초등학교 현장 상담 대화기법. 학지사; 2005.
8. 보건교육 건강증진 연구회. 보건교육학. 현문사; 2021.
9. 안양희 등. 보건교육학(제3판). 현문사; 2017.
10. 안옥희 등. 보건교육학. 메디컬사이언스; 2018.
11. 이경희 등. 보건교육학. 수문사; 2020.
12. 이영란 등. 보건교육학(제4판). 수문사; 2021.
13. 이흥자 등. 보건교육방법론. 수문사; 2018.
14. 소애영 등. 지역사회간호학 I ; 2020.
15. 소애영 등. 지역사회간호학 II ; 2020.
16. 최연희 등. 보건교육학(2판), 학지사메디컬; 2018.
17. 함옥경 등. 보건교육학(4판). 현문사; 2020.
18. Ajzen, I. Attitudes, personality and behavior(2nd Edition). England: Open University Press/McGraw-Hill, 2005.
19. Ajzen I, Madden TJ. Prediction of goal-directed behavior: Attitudes, intentions, and perceived behavioral control. Journal of Experimental Social Psychology 22(5):453-474, 1986.
20. Bandura, A. self-efficacy: Toward a Unifying Theory of Behavioral Change, Psychological Review. 84(20); 193, 1977.
21. Bandura, A. Social foundations of thought and action-A social cognitive theory. Englewood Cliffs, NJ: Prentice-Hall, 1986.
22. Bloom, B.S. (Ed.), Engelhart, M.D., Furst, E.J., Hill, W.H., & Krathwohl, D.R.: Taxonomy of educational objectives: The classification of educational goals. Handbook 1: Cognitive domain. New York: David McKay, 1956.
23. Becker MH, Drachman RH, Kirscht JP. A FIeld Experiment to evaluate various outcomes of

continuity of physician care. Continuity of physician care 64(11); 1062-1070, 1974

24. Pender NJ. Health Promotion in Nursing Practice, 3rd ed. Appleton & Lange; 1996.
25. Redman BK. The Process of Patient Education (6th ed.). St. Louis MI: The C.V. Mosby Co, 1988.
26. Pender, N. J. (1996). Health promotion in nursing practice (3rd ed.). Stanford, CT: Appleton and Lange, 1996.
27. Kurt Lewin. Defining the Field at a Given Time. Psychological Review, 292-310, 1943
28. Glanz K, Rimer B, Viswanath K. Health behavior and health education: Theory, Research and Practice(4th ed), 2008
29. Witkin, BR: Planning and Conducting Needs Assessments: A Practical Guide, Calofornia, SAGE publications, 1995.

부 록

The NANDA International Nursing Diagnoses 2021~2023

Domains	Class	Diagnoses	
1. Health promotion	① Health awareness	Decreased diversional activity engagement	여가활동 부족
		Readiness for enhanced health literacy	건강지식 향상을 위한 준비
		Sedentary lifestyle	비활동적 생활양식
	② Health management	Risk for elopement attempt	가출 시도의 위험
		Frail elderly syndrome	취약노인 증후군
		Risk for frail elderly syndrome	취약노인 증후군의 위험
		Readiness for enhanced exercise engagement	운동 향상을 위한 준비
		Deficient community health	지역사회 건강 부족
		Risk-prone health behavior	위험성 있는 건강 행동
		Ineffective health maintenance behaviors	비효과적 건강 유지 행동
		Ineffective health self-management	비효과적 건강 자가 관리
		Readiness for enhanced health self-management	건강 자가 관리 향상을 위한 준비
		Ineffective family health self-management	비효과적 가족건강 자가 관리
		Ineffective home maintenance behaviors	비효과적 가정 유지 행동
		Risk for ineffective home maintenance behaviors	비효과적 가정 유지 행동의 위험
		Readiness for enhanced home maintenance behaviors	가정 유지행동 향상을 위한 준비
		Ineffective protection	비효과적 방어
2. Nutrition	① Ingestion	Imbalanced nutrition: less than body requirements	영양불균형 : 신체 요구량보다 적음
		Readiness for enhanced nutrition	영양 향상을 위한 준비
		Insufficient breast milk production	모유생산량 부족
		Ineffective breastfeeding	비효과적 모유수유
		Interrupted breastfeeding	모유수유 중단
		Readiness for enhanced breastfeeding	모유수유 향상을 위한 준비

Domains	Class	Diagnoses	
2. Nutrition	① Ingestion	Ineffective adolescent eating dynamics	비효과적인 청소년 식사행동
		Ineffective child eating dynamics	비효과적인 아동 식사행동
		Ineffective infant feeding dynamics	비효과적인 영아 수유행동
		Obesity	비만
		Overweight	과체중
		Risk for overweight	과체중의 위험
		Ineffective infant suck-swallow response	비효과적 영아 빨기-삼키기 반응
		Impaired swallowing	연하장애
	② Digestion	This class dose not currently contain any diagnoses	
	③ Absorption	This class dose not currently contain any diagnoses	
	④ Metabolism	Risk for unstable blood glucose level	불안정한 혈당수치의 위험
		Neonatal hyperbilirubinemia	신생아 고빌리루빈혈증
		Risk for neonatal hyperbilirubinemia	신생아 고빌리루빈혈증 위험
		Risk for impaired liver function	간기능장애의 위험
		Risk for metabolic syndrome	대사증후군의 위험
	⑤ Hydration	Risk for electrolyte imbalance	전해질불균형 위험
		Risk for imbalanced fluid volume	체액 불균형 위험
		Deficient fluid volume	체액 부족
		Risk for deficient fluid volume	체액 부족 위험
		Excess fluid volume	체액 과다
3. Elimination/ Exchange	① Urinary function	Disability-associated urinary incontinence	장애 관련 요실금
		Impaired urinary elimination	배뇨장애
		Mixed urinary incontinence	혼합성 요실금
		Stress urinary incontinence	긴장성 요실금
		Urge urinary incontinence	긴박성 요실금

Domains	Class	Diagnoses	
3. Elimination/ Exchange	① Urinary function	Risk for urge urinary incontinence	긴박성 요실금의 위험
		Urinary retention	요정체
		Risk for urinary retention	요정체의 위험
	② Astrointestinal function	Constipation	변비
		Risk for constipation	변비의 위험
		Perceived constipation	지각된 변비
		Chronic functional constipation	만성 기능성 변비
		Risk for chronic functional constipation	만성 기능성 변비 위험
		Impaired bowel continence	배변 참기 장애
		Diarrhea	설사
		Dysfunctional gastrointestinal motility	기능이상을 유발하는 위장관운동
		Risk for dysfunctional gastrointestinal motility	기능이상을 유발하는 위장관운동의 위험
	③ Integumentary function	This class dose not currently contain any diagnoses	
	④ Respiration function	Impaired gas exchange	가스교환 장애
4. Activity/Rest	① Sleep/Rest	Insomnia	불면증
		Sleep deprivation	수면박탈
		Readiness for enhanced sleep	수면 향상을 위한 준비
		Disturbed sleep pattern	수면 양상 장애
	② Activity/Exercise	Decreased activity tolerance	활동 지속 감소
		Risk for decreased activity tolerance	활동 지속 감소의 위험
		Risk for disuse syndrome	비사용증후군의 위험
		Impaired bed mobility	침상 기동성 장애
		Impaired physical mobility	신체 기동성 장애
		Impaired wheelchair mobility	휠체어 기동성 장애
		Impaired sitting	앉기장애
		Impaired standing	직립장애
		Impaired transfer ability	이동장애

Domains	Class	Diagnoses	
4. Activity/Rest	② Activity/Exercise	Impaired walking	보행장애
	③ Energy balance	Imbalanced energy field	에너지장의 불균형
		Fatigue	피로
		Wandering	배회
	④ Cardiovascular/ Pulmonary responses	Ineffective breathing pattern	비효과적 호흡 양상
		Decreased cardiac output	심박출량 감소
		Risk for decreased cardiac output	심박출량 감소의 위험
		Risk for impaired cardiovascular function	심혈관 기능 장애의 위험
		Ineffective lymphedema self-management	비효과적 림프부종 자가 관리
		Impaired spontaneous ventilation	자발적 환기장애
		Risk for unstable blood pressure	불안정한 혈압 위험
		Risk for thrombosis	혈전증의 위험
		Risk for decreased cardiac tissue perfusion	심장조직 관류 감소의 위험
		Risk for ineffective cerebral tissue perfusion	비효과적 뇌조직 관류의 위험
		Ineffective peripheral tissue perfusion	비효과적 말초조직 관류
		Risk for ineffective peripheral tissue perfusion	비효과적 말초조직 관류의 위험
		Dysfunctional ventilatory weaning response	기능이상을 유발하는 호흡기 제거 반응
		Dysfunctional adult ventilatory weaning response	기능이상을 유발하는 성인 호흡기 제거 반응
	⑤ Self-care	Bathing self-care deficit	목욕 자기돌봄 결핍
		Dressing self-care deficit	옷 입기 자기돌봄 결핍
		Feeding self-dare deficit	음식 섭취 자기돌봄 결핍
		Toileting self-care deficit	용변 자기돌봄 결핍
		Readiness for enhanced self-care	자가돌봄 향상을 위한 준비
		Self-neglect	자기 무시

Domains	Class	Diagnoses	
5. Perception/ Cognition	① Attention	Unilateral neglect	편측성 지각이상
	② Orientation	This class dose not currently contain any diagnoses	
	③ Sensation/ Perception	This class dose not currently contain any diagnoses	
	④ Cognition	Acute confusion	급성혼동
		Risk for acute confusion	급성혼동의 위험
		Chronic confusion	만성혼동
		Labile emotional control	불안정한 정서조절
		Ineffective impulse control	비효과적 충동 조절
		Deficient knowledge	지식 부족
		Readiness for enhanced knowledge	지식 향상을 위한 준비
		Impaired memory	기억장애
		Disturbed thought process	사고과정의 손상
	⑤ Communication	Readiness for enhanced communication	의사소통 향상을 위한 준비
		Impaired verbal communication	언어적 의사소통 장애
6. Self-perception	① Self-concept	Hopelessness	절망감
		Readiness for enhanced hope	희망 향상을 위한 준비
		Risk for compromised human dignity	인간 존엄성 손상의 위험
		Disturbed personal identity	자아정체성의 손상
		Risk for disturbed personal identity	자아정체성 손상의 위험
		Readiness for enhanced self-concept	자아개념 향상을 위한 준비
	② Self-esteem	Chronic low self-esteem	만성적 자존감 저하
		Risk for chronic low self-esteem	만성적 자존감 저하의 위험
		Situational low self-esteem	상황적 자존감 저하
		Risk for situational low self-esteem	상황적 자존감 저하의 위험
	③ Body image	Disturbed body image	신체상 손상

Domains	Class	Diagnoses	
7. Role relationship	① Caregiving roles	Impaired parenting	부모 역할 장애
		Risk for impaired parenting	부모 역할 장애의 위험
		Readiness for enhanced parenting	부모 역할 향상을 위한 준비
		Caregiver role strain	돌봄 제공자의 역할 긴장
		Risk for caregiver role strain	돌봄 제공자의 역할 긴장의 위험
	② Family relationships	Risk for impaired attachment	애착장애의 위험
		Disturbed family identity syndrome	가족정체성 손상
		Risk for disturbed family identity syndrome	가족정체성 손상의 위험
		Dysfunctional family processes	가족 과정 기능 이상
		Interrupted family processes	가족 과정 손상
		Readiness for enhanced family processes	가족 과정 향상을 위한 준비
	③ Role performance	Ineffective relationship	비효과적 관계
		Risk for ineffective relationship	비효과적 관계의 위험
		Readiness for enhanced relationship	관계 향상을 위한 준비
		Parental role conflict	부모 역할 갈등
		Ineffective role performance	비효과적 역할 수행
		Impaired social interaction	사회적 상호작용 장애
8. Sexuality	① Sexual identity	This class dose not currently contain any diagnoses	
	② Sexual function	Sexual dysfunction	성기능장애
		neffective sexuality pattern	비효과적 성적 양상
	③ Reproduction	Ineffective childbearing process	비효과적 임신과 출산과정
		Risk for ineffective childbearing process	비효과적 임신과 출산과정의 위험
		Readiness for enhanced childbearing process	임신과 출산과정 향상을 위한 준비

Domains	Class	Diagnoses	
8. Sexuality	③ Reproduction	Risk for disturbed maternal-fetal dyad	모아관계 장애의 위험
9. Coping/ Stress tolerance	① Post-trauma responses	Risk for complicated immigration transition	복잡한 이민전환 위험
		Post-trauma syndrome	외상후증후군
		Risk for post-trauma syndrome	외상후증후군 위험
		Rape-trauma syndrome	강간 - 상해 증후군
		Relocation stress syndrome	환경변화 스트레스 증후군
		Risk for relocation stress syndrome	환경변화 스트레스 증후군 위험
	② Coping responses	Ineffective activity planning	비효과적 활동계획
		Risk for ineffective activity planning	비효과적 활동계획 위험
		Anxiety	불안
		Defensive coping	방어적 대처
		Ineffective coping	비효과적 대처
		Readiness for enhanced coping	대처 향상을 위한 준비
		Ineffective community coping	비효과적 지역사회 대처
		Readiness for enhanced community coping	지역사회 대처 향상을 위한 준비
		Compromised family coping	손상된 가족 대처
		Disabled family coping	가족 대처 불능
		Readiness for enhanced family coping	가족 대처 향상을 위한 준비
		Death anxiety	죽음 불안
		Ineffective denial	비효과적 부정
		Fear	두려움
		Maladaptive grieving	부적응적 슬픔
		Risk for maladaptive grieving	부적응적 슬픔의 위험
		Readiness for enhanced grieving	슬픔 향상을 위한 준비
		Impaired mood regulation	기분조절 장애

Domains	Class	Diagnoses	
9. Coping/ Stress tolerance	② Coping responses	Powerlessness	무력감
		Risk for powerlessness	무력감 위험
		Readiness for enhanced power	파워향상을 위한 준비
		Impaired resilience	극복력 장애
		Risk for impaired resilience	극복력 장애 위험
		Readiness for enhanced resilience	극복력 향상을 위한 준비
		Chronic sorrow	만성 비탄
		Stress overload	스트레스 과다
	③ Neurobehavioral stress	Acute substance withdrawal syndrome	급성 물질 중단증후군
		Risk for acute substance withdrawal syndrome	급성 물질 중단증후군 위험
		Autonomic dysreflexia	자율적 반사장애
		Risk for autonomic dysreflexia	자율적 반사장애 위험
		Neonatal abstinence syndrome	신생아 금단증후군
		Disorganized infant behavior	비조직적 영아행동
		Risk for disorganized infant behavior	비조직적 영아행동 위험
		Readiness for enhanced organized infant behavior	조직적 영아행동 향상을 위한 준비
10. Life principles	① Values	This class dose not currently contain any diagnoses	
	② Beliefs	Readiness for enhanced spiritual well-being	영적 안녕 향상을 위한 준비
	③ Value/ Belief/Action congruence	Readiness for enhanced decision-making	의사결정 향상을 위한 준비
		Decisional conflict	의사결정 갈등
		Impaired emancipated decision-making	독립적 의사결정 장애
		Risk for impaired emancipated decision-making	독립적 의사결정 장애 위험
		Readiness for enhanced emancipated decision-making	독립적 의사결정 향상을 위한 준비
		Moral distress	도덕적 고뇌

Domains	Class	Diagnoses	
10. Life principles	③ Value/Belief/Action congruence	Impaired religiosity	손상된 신앙심
		Risk for impaired religiosity	신앙심 손상의 위험
		Readiness for enhanced religiosity	신앙심 향상을 위한 준비
		Spiritual distress	영적 고뇌
		Risk for spiritual distress	영적 고뇌의 위험
11. Safety/Protection	① Infection	Risk for infection	감염 위험
		Risk for surgical site infection	수술부위 감염 위험
	② Physical Injury	Ineffective airway clearance	비효과적 기도 청결
		Risk for aspiration	흡인의 위험
		Risk for bleeding	출혈의 위험
		Impaired dentition	치열장애
		Risk for dry eye	안구건조 위험
		Ineffective dry eye	비효과적 안구건조
		self-management	자가 관리
		Risk for dry mouth	구강건조 위험
		Risk for adult falls	성인 낙상 위험
		Risk for child falls	아동 낙상 위험
		Risk for injury	상해 위험
		Risk for corneal injury	각막 손상 위험
		Nipple-areolar complex injury	유두 - 유륜 복합 손상
		Risk for nipple-areolar complex injury	유두 - 유륜 복합 손상의 위험
		Risk for urinary tract injury	비뇨기계 손상 위험
		Risk for perioperative positioning injury	수술 중 체위와 관련된 상해 위험
		Risk for thermal injury	열손상 위험
		Impaired oral mucous membrane integrity	구강점막 통합성 장애
		Risk for impaired oral mucous membrane integrity	구강점막 통합성 장애 위험
		Risk for peripheral neurovascular dysfunction	말초신경 혈관 기능 이상 위험
		Risk for physical trauma	신체적 외상 위험

Domains	Class	Diagnoses	
11. Safety/ Protection	② Physical Injury	Risk for vascular trauma	혈관 외상 위험
		Adult pressure injury	성인 욕창
		Risk for adult pressure injury	성인 욕창 위험
		Child pressure injury	아동 욕창
		Risk for child pressure injury	아동 욕창 위험
		Neonatal pressure injury	신생아 욕창
		Risk for neonatal pressure injury	신생아 욕창 위험
		Risk for shock	쇼크 위험
		Impaired skin integrity	피부 통합성 장애
		Risk for impaired skin integrity	피부 통합성 장애 위험
		Risk for sudden infant death	영아급사 위험
		Risk for suffocation	질식 위험
		Delayed surgical recovery	수술 후 회복 지연
		Risk for delayed surgical recovery	수술 후 회복 지연 위험
		Impaired tissue integrity	조직 통합성 장애
		Risk for impaired tissue integrity	조직 통합성 장애 위험
	③ Violence	Risk for female genital mutilation	여성생식기 손상 위험
		Risk for other-directed violence	타인에 대한 폭력 위험
		Risk for self-directed violence	자신에 대한 폭력 위험
		Self-mutilation	자해
		Risk for self-mutilation	자해 위험
		Risk for suicidal behavior	자살행동 위험
	④ Environmental hazards	Contamination	오염
		Risk for contamination	오염 위험
		Risk for occupational injury	업무상 손상 위험
		Risk for poisoning	중독 위험
	⑤ Defensive process	Risk for adverse reaction to iodinated contrastmedia	요오드성 조영제 부작용 위험
		Risk for allergy reaction	알레르기반응 위험

Domains	Class	Diagnoses	
11. Safety/ Protection	⑤ Defensive process	Risk for latex allergy reaction	라텍스 알레르기반응 위험
	⑥ Thermoregulation	Hyperthermia	고체온
		Hypothermia	저체온
		Risk for hypothermia	저체온 위험
		Neonatal hypothermia	신생아 저체온
		Risk for neonatal hypothermia	신생아 저체온 위험
		Risk for perioperative hypothermia	수술전주기 저체온 위험
		Ineffective thermoregulation	비효과적 체온조절
		Risk for ineffective thermoregulation	비효과적 체온조절 위험
12. Comfort	① Physical comfort	Impaired comfort	안위 손상
		Readiness for enhanced comfort	안위 향상을 위한 준비
		Nausea	오심
		Acute pain	급성통증
		Chronic pain	만성통증
		Chronic pain syndrome	만성통증 증후군
		Labor pain	분만통증
	② Environmental comfort	Impaired comfort	안위손상
		Readiness for enhanced comfort	안위 향상을 위한 준비
	③ Social comfort	Impaired comfort	안위 손상
		Readiness for enhanced comfort	안위 향상을 위한 준비
		Risk for loneliness	외로움 위험
		Social isolation	사회적 고립
13. Growth/ Develop-ment	① Growth	This class dose not currently contain any diagnoses	
	② Development	Delayed child development	아동 발달 지연
		Risk for delayed child development	아동 발달 지연 위험
		Delayed infant motor development	영아 운동발달 지연
		Risk for delayed infant motor development	영아 운동발달 지연 위험

가정간호 동의서

환자 이름		진단명	
등록번호		의뢰과 및 의뢰처	
성별 / 연령	/	퇴원 예정 일	

1. 본인은 담당의사와 가정전문간호사로부터 환자에게 제공될 가정간호에 대하여 안내문을 통해 충분한 설명을 들어 이해하였으므로 이에 필요한 처치와 간호 받기를 동의합니다.
2. 본인은 제공된 처치와 간호에 대해 청구된 비용을 지불할 것을 동의합니다.
3. 본인은 [가정간호의뢰서]에 기재된 사항만 관리됨을 알고 이에 동의합니다.
4. 본인은 가정간호와 관련하여 일체의 사진과 동영상 촬영을 하지 않을 것이며, 무단촬영이나 유포 시 모든 민·형사상 책임을 질 것에 동의합니다(헌법 제10조 제1문)

▶ 주차공간

ㅁ 집 앞　　ㅁ 지상　　ㅁ 지하(　)층　　ㅁ 기타 (　)

▶ 애완동물 유무

ㅁ 유　　ㅁ 개 : ㅁ 마당　　ㅁ 실내(　)마리　　ㅁ 기타: (　)마리

ㅁ 무

환자(대리인) 이름		환자와의 관계	
자택 전화번호		연락 가능한 전화번호1	
연락 가능한 전화번호2		연락 가능한 전화번호3	
환자분이 계시는 곳 주소			
설명 의료진 이름		설명 의료진 소속	

작성일시 :　　년　　월　　일　시　분

설명 의료진 서명　　　　환자(대리인 또는 보호자) 서명

※ 환자 본인이 아닌 대리인이 서명하게 된 사유(대리인이 서명한 경우 반드시 표기해야 함)

ㅁ 신체적/정신적 지장이 있어 내용에 대한 이해가 불가능할 것으로 판단되는 환자

ㅁ 미성숙하여 내용에 대한 충분한 이해가 불가능할 것으로 판단되는 미성년자

ㅁ 응급 상황

ㅁ 환자에게 심적 부담을 주어 건강 침해를 초래할 것으로 예상

ㅁ 환자가 긴급 또는 불가피한 의료 처치를 거부할 것이 예상

ㅁ 환자 본인이 본인의 치료에 대한 승낙 권한을 특정인에게 일임

ㅁ 기타 ______________________________

가정간호 안내문

I. 가정간호 안내

1. 귀 댁을 방문할 간호사는 우리 병원에 근무 중인 가정전문간호사입니다.

2. 가정간호료와 비용 수납 : 기본방문료+치료/재료비: (의료보험 적용)

(단위 : 원)

본인부담비율	기본 방문료	간호사2인방문(최초1회)	사회복지시설(요양원)
20%			
10%(희귀,중증·난치질환)			
5%(암환자)			
의료급여(본인부담금)			

3. 방문시간 및 일정
   - **평일**(10:00~16:00)이며, **당일요청**, **야간**, **토요일 및** 공휴일에는 방문하지 않습니다.
   - **전화상담**은 평일 09:00~18:00에 가능합니다.
   - 환자의 사정으로 방문(시간이나 중지) 변경 요청은 방문 예정 1일 전에 하시고, 연락 없이 변경하실 때는 **기본방문료**를 지불하시게 됩니다.
   - 보호자 없이 환자분만 계신 경우 방문하지 않습니다.
   - 첫방문 때는 간호사 2인이 동반방문을 하고 있습니다.
   - 처치시술 시 최선을 다한 경우 간호사에게 책임을 지울 수 없으며, 기본방문료와 처치료는 지불하십니다.
   - 첫 방문 시에는 인공호흡기 회로, 기관절개관, 식사용 경관 교환 등의 시술은 하지 않고 전반적인 환자 상태 파악과 교육 중심으로 시행합니다.
   - 가정간호 방문주기는 환자의 상태에 따라 조정됩니다.

4. 주사
   1) 주사약품
   2) **주사 맞는 동안** 환자상태를 지속적으로 관찰하고 간호할 **보호자께서 환자 곁에 함께 계셔야 하며, 주사바늘 제거는 보호자께서** 하십니다.

5. 검체 방문

6. 환자와 간호사 모두 정당한 사유가 있을 때 가정간호를 거부할 수 있습니다.

7. 환자의 진료와 기록보존을 위해서 사진이 필요할 때 촬영에 동의하시면 사진 촬영을 할 수 있습니다.

8. 가정간호와 관련하여 사진이나 동영상 촬영은 허용되지 않습니다.

9. 가정전문간호사는 본원 의사의 서면 처방만 수행하며, 의사처방과 다른 요구를 하는 경우 수행하지 않습니다.

10. 응급상황, 야간 및 휴일 : 응급실로 내원하시기 바랍니다.

11. 종결 : 의뢰 당시의 문제가 해결되면 종료됩니다.
   - 처방(의뢰)의 유효기간은 처방일로부터 90일까지(의료법 시행규칙 제24조)이며 계속해서 가정간호를 받으시려면 외래에서 재의뢰(갱신)가 필요합니다.

12. 방문 첫날, 담당 가정전문간호사가 명함(연락처)을 드립니다.

13. 첫 방문일

   ______월 ______일 ___요일

   (매번 방문 당일 오전 9시20분경에 댁으로 전화 드려 방문시간을 약속한 후 방문합니다)

II. 환자의 권리

1. 환자와 그 가족은 가정간호 계획과 수행에 참여할 권리를 갖는다.
2. 환자는 가정간호 종결에 대해 결정할 권리를 갖는다.
3. 환자 및 가족과 관련된 모든 비밀을 보장받을 권리를 갖는다.
4. 제공된 가정간호 내용에 대해 알 권리를 갖는다.

III. 환자의 책임

1. 환자는 상태 변화 시 가정전문간호사에게 알릴 책임이 있다.
2. 환자와 그 가족은 가정전문간호사에게 안전한 환경을 제공할 책임이 있다.
3. 환자와 그 가족은 가정전문간호사가 제공하는 간호에 참여 및 협조할 책임이 있다.
4. 환자와 그 가족은 가정방문 비용을 지불할 책임이 있다.

   ____________병원 가정간호사업소

   ☎ ____________________

(상기 내용은 서울대학교병원 가정간호사업팀에서 제공한 것입니다.)

INDEX

ㄱ

ㄴ

ㄷ

ㅈ

ㅊ

ㅋ

ㅌ

ㅍ

ㅎ

O

P

Q

R

S

T

기타